BIBLIOTHÈQUE DU VOYAGEUR

MEXIQUE

Traduit de l'anglais et adapté par
Élisabeth Boyer, Nathalie Gazeyess, Corinne Hewlett,
Pierre de Laubier, Jean-Noël Mouret, Sophie Paris et Claire Sorel

Aucun guide de voyage n'est parfait. Des erreurs, des coquilles se sont certainement glissées dans celui-ci, malgré toutes nos vérifications. Les informations pratiques, adresses, numéros de téléphone, heures d'ouverture, peuvent avoir été modifiés ; certains établissements cités peuvent avoir disparu. Nous serions très reconnaissants à nos lecteurs de nous faire part de leurs commentaires, de nous suggérer des corrections ou des compléments qui pourront être intégrés dans la prochaine édition.

biblio-voyage@guides.gallimard.tm.fr

Insight Guide, Mexico

Dépôt légal : juin 2004
N° d'édition : 1076
ISBN : 2-74-241413-4

Imprimé à Singapour

CEUX QUI ONT FAIT CE GUIDE

C'est **Felicity Laughton** qui a été chargée de diriger l'équipe de cette édition entièrement revue et augmentée du *Grand Guide du Mexique*.

La première édition avait été publiée sous la direction de **Kal Müller** et de **Martha Ellen Zenfell**, avec les contributions d'auteurs spécialisés comme **John Wilcock, Margaret King, Mike Nelson, Barbara Ann Rosenberg, José-Antonio Guzmán, Guillermo Garciá-Oropeza** et **Patricia Díaz.**

L'ensemble des chapitres de la partie « Itinéraires » a été entièrement remaniée et mise à jour.

Wendy Luft qui, installée à Mexico, est l'auteur de nombreux ouvrages sur le Mexique, a été chargée des vérifications sur place. Elle a également rédigé plusieurs encadrés et réactualisé la partie « Informations pratiques ».

Andrea Dubrowski, journaliste à Mexico qui a consacré une quinzaine d'années à écrire sur le pays, s'est vu confier la mise à jour des chapitres historiques.

Les pages consacrées à l'architecture coloniale sont dues à **Chloe Sayers** qui a écrit plusieurs ouvrages sur la culture mexicaine.

C'est à **Phil Gunson**, correspondant au Mexique du *Guardian*, que l'on doit la page sur la guérilla du Chiapas.

L'encadré sur la faune et la flore sous-marines du Yucatán a été rédigé par **Barbara McKinnon**, présidente de l'organisation de la réserve de la biosphère de Sian Ka'an, à Chetumal.

Ron Mader, spécialiste de l'« écotourisme » en Amérique latine vit à Mexico. Il a rédigé l'encadré intitulé « Partir à l'aventure », présentant tout un éventail d'activités de plein air.

La plupart des photographies sont dues à **Kal Müller**, dont les reportages paraissent dans le monde entier, mais plusieurs autres photographes ont contribué à l'illustration de ce guide : **John Brunton, Mireille Vautier, Buddy Mays, Andreas Gross, Marcus Wilson Smith, Eric Gill.**

Les éditions APA tiennent à remercier **Hilary Genin** qui, assitée de **Monica Allende** et de **Joanne Beardwell**, s'est chargée de la recherche iconographique.

Pour les éditions Gallimard, la traduction a été menée à bien par **Claire Sorel.** Pour la nouvelle édition française, l'adaptation a été confiée à **Andrée Barthès, Élizabeth Boyer, Corinne Hewlett** et **Jean-Noël Mouret** et **Sophie Paris.**

TABLE

Cartes

Le Mexique 144
La vieille ville de Mexico 152
La Zona Rosa et Chapultepec 162
L'État de Mexico 168
Les environs de Mexico 178
Teotihuacán 180
Puebla 184
Le Nord 200
Cabo San Lucas 211
Le Centre 236
Guanajuato 240
Guadalajara 250
Morelia 256
Acapulco 271
Le Sud et le Golfe 280
El Tajín 282
Oaxaca 292
Palenque 308
Le Yucatán 318
Uxmal 322
Mérida 324
Chichén Itzá 327

Histoire et société

Introduction 15
Les paysages 19
Les civilisations précolombiennes 29
Chronologie 40
Les conquistadors 42
La période coloniale et l'indépendance 49
L'architecture mexicaine 54
Le XIXe siècle 56
La révolution institutionnelle 63
Le Mexique aujourd'hui 69
La Loterie nationale 73

Culture et environnement

Introduction 79
Les Indiens du Mexique 81
La guérilla du Chiapas 90
Les charros 94

TABLE

La corrida	**96**
L'artisanat	**101**
Les muralistes	**108**
Les fêtes	**115**
La Vierge de Guadalupe	**118**
Les plaisirs de la table	**124**
Le piment	**127**
La musique	**131**
Sur les plages	**134**

ITINÉRAIRES

Introduction	**143**
Mexico et ses environs	**149**
Mexico	**151**
Les environs de Mexico	**177**
Le Nord	**199**
La Basse-Californie	**203**
A travers les Sierras	**213**
Le Barranca del Cobre	**220**
La côte nord-ouest	**222**
Le Centre	**233**
Le Bajío	**235**
Jalisco et Michoacán	**249**
La tequila	**253**
Acapulco	**265**
Le Sud	**277**
La côte du Golfe	**279**
Partir à l'aventure	**289**
L'Oaxaca	**291**
Le Tabasco et le Chiapas	**301**
L'oasis sous-marine du Yucatán	**301**
La péninsule du Yucatán	**317**

INFORMATIONS PRATIQUES

Avant le départ	**340**
Aller au Mexique	**341**
A savoir sur place	**341**
Où loger	**343**
Comment se déplacer	**344**
Mexico	**345**
Nord de Mexico	**350**
Est de Mexico	**352**
Sud de Mexico	**353**
Ouest de Mexico	**355**
Basse-Californie	**356**
Centre-Nord	**359**
Nord-Ouest	**360**
Nord-Est	**361**
Plateau central	**363**
Côte pacifique	**365**
Acapulco	**368**
Côte du Golfe	**369**
Oaxaca	**371**
Tabasco et Chiapas	**372**
Yucatán	**374**
Lexique	**378**
Bibliographie	**379**
Crédits photographiques	**380**
Index	**381**

M

HISTOIRE ET SOCIÉTÉ

Le Mexique n'existe dans ses frontières actuelles que depuis le milieu du XIXe siècle. Il s'étendait auparavant au nord jusqu'au Texas, au Nouveau-Mexique, à l'Arizona et à la Californie. Quoique quatre fois moins vaste que son grand voisin anglo-saxon et protestant, qui s'est étendu à ses dépens, ce pays latin et catholique n'en est pas moins d'une étonnante variété, qui contentera les amateurs d'architecture coloniale et de sites précolombiens (principalement aztèques et mayas), aussi bien que ceux qui aiment les paysages ou, tout simplement, le farniente au bord de la mer, dans l'une des nombreuses stations balnéaires.

Le Mexique, c'est aussi Mexico, la plus grande ville du monde, avec tous les inconvénients qui en découlent et la fascination qu'elle peut exercer. Mexico et sa région sont surnommés « le Monstre » ; un monstre dont la population, estimée à plus de 20 millions d'habitants, représente 20 % de la population du pays et croît de 1 000 personnes par jour.

Il existe enfin des régions et des sites moins faciles d'accès, mais il faut noter que le Mexique a les réseaux routier et ferroviaire les plus denses de toute l'Amérique latine.

La variété est d'abord géographique, mais aussi humaine. Espagnols et Indiens se sont mêlés pour former la catégorie des Métis, qui représente 55 % de la population, contre 15 % d'Espagnols, 29 % d'Indiens et 0,5 % de Noirs. Il existe 50 tribus indiennes fidèles à leurs traditions et à leur mode de vie, et qui parlent 60 langues différentes.

Le Mexique est un pays où beaucoup discernent le « machisme » qu'on reproche souvent aux pays latins. Mais c'est aussi le pays de la Vierge de Guadalupe, dont la basilique, à Mexico, est le lieu de pèlerinage national. Le machisme vient-il des Espagnols ? En tout cas, c'est à un Indien que la Vierge de Guadalupe est apparue un jour de l'année 1531.

Il n'y avait peut-être que le Mexique pour qualifier un parti politique en même temps de « révolutionnaire » et d'« institutionnel ». Mais cette contradiction dans les termes est bien à l'image de ce pays où les fêtes donnent lieu à des démonstrations exubérantes, et où la passion est une véritable institution.

Pages précédentes : lever des couleurs sur le Zócalo ; défilé un jour de fête ; un groupe de « charros » en grande tenue ; moment de repos sur la plage de Xcacel. A gauche, le volcan Popocatépetl couvert de neige, au mois de janvier.

LES PAYSAGES

Il existe plusieurs Mexique. A partir de la frontière des États-Unis, deux grandes chaînes de montagnes, la Sierra Madre occidentale et la Sierra Madre orientale, le divisent parallèlement au Pacifique et au golfe du Mexique.

ONDÉES ET CATARACTES

Une ceinture de 1 200 km de long sur 160 km de large, partant de Cabo Corrientes, dans le Jalisco, à l'ouest, aboutit, à l'est, dans la région des Tuxtlas, dans l'État de Veracruz. Cette chaîne volcanique appelée Nouvel Axe volcanique sépare l'Amérique du Nord de l'Amérique centrale. Au sud de cette ligne, de petites montagnes forment la Sierra del Sur, qui descend vers l'isthme de Tehuantepec, où elle se rétrécit jusqu'à n'avoir plus qu'une largeur de 160 km. A l'est de cet isthme, les montagnes se relèvent et se prolongent au Guatemala, tandis qu'au nord la péninsule du Yucatán a été nivelée et se présente comme une étendue calcaire recouverte d'une mince couche de terre.

Une grande partie du Mexique se compose de montagnes et de plateaux mais, au nord, le désert domine ; dans le Sonora, le Chihuahua, le Coahuila et le Durango, comme en Basse-Californie, seule l'irrigation permet les cultures. Sur la côte du golfe du Mexique, des pluies abondantes contraignent en revanche les cultivateurs à lutter contre une végétation envahissante. De nombreuses régions, dans le Nord, reçoivent à peine 100 mm d'eau par an. Sur le haut plateau central, principal producteur de céréales et de haricots, les pluies tombent tantôt en légères ondées, tantôt en trombes.

De l'époque coloniale à nos jours, de nombreuses forêts ont été déboisées. La région des mines d'argent de Zacatecas offre l'exemple d'une forêt transformée en savane. L'érosion a complété cette dégradation et la destruction des forêts a transformé le climat. Autrefois d'un accès difficile, les régions boisées étaient protégées, mais, depuis, le Mexique s'est doté de 200 000 km de routes, dont un tiers goudronnées. Les voies fluviales manquent et les rares cours d'eau ne sont pas navigables.

Pages précédentes : symboles religieux et patriotiques. A gauche, un « charro » ; à droite, fleurs « banderillero » et agaves.

La route de Veracruz à Mexico fut le cordon ombilical reliant l'Espagne et sa colonie. Dès le XVIe siècle, des liaisons furent aussi assurées avec la riche région agricole du Bajío, au nord de Mexico, et la région minière de Zacatecas, mais lorsque de nouvelles mines furent mises en exploitation dans le sud du Chihuahua et qu'une tentative de colonisation eut lieu dans l'actuel Nouveau-Mexique, elles ne suffirent plus. Il fallait des mois pour faire l'aller-retour entre Zacatecas et le Nouveau-Mexique (1 150 km). Ni l'Espagne ni le Mexique n'étaient capables de rassembler et de maintenir ces grandes étendues. Le moment venu, les Anglo-Américains s'en emparèrent.

Sous la dictature de Díaz, des entreprises étrangères exploitèrent les ressources naturelles du Nord et construisirent des routes et des voies ferrées. Des compagnies américaines développèrent l'extraction des minerais ; des capitaux étrangers financèrent la recherche de pétrole. Après la révolution de 1910, le gouvernement expropria quelques sociétés étrangères, mais le système de communication avait déjà été mis en place.

Bien des endroits restés en marge ont été, de ce fait, préservés. Les vastes déserts de Basse-Californie, les montagnes du Mexique central, les jungles limitant la Bahía de Campeche sont demeurés intacts. Une faune et une flore variées y prospèrent. Certaines régions sont devenues des parcs nationaux. La plupart sont dans la montagne, comme ceux du Popocatépetl et de l'Iztaccíhuatl, les plus connus.

PAYSAGES VOLCANIQUES

Le Popocatépetl, cône de 5456 m d'altitude, est encore jeune du point de vue géologique. Son nom veut dire en nahuatl « montagne fumante ». Actuellement éteint, il eut des éruptions mémorables. En 1519, en particulier, année de l'arrivée de Cortés. On raconte que Moctezuma envoya dix hommes observer l'événement au sommet mais que deux seulement redescendirent. Avec ses 5286 m, l'Iztaccíhuatl, dont le sommet est un peu aplati, se traduit par la « femme couchée ». Une route asphaltée conduit au pied de ces deux volcans.

Le Citlaltépetl (la « montagne-étoile ») ou pic d'Orizaba culmine à 5700 m. Lorsqu'on parcourt la route de Veracruz à Mexico, on ne peut pas le manquer.

Le Nevado de Toluca ou Xinantécatl (la « chauve-souris sacrée »), à l'ouest de Mexico, s'élève à 4680 m. Une route asphaltée, praticable une bonne partie de l'année, mène au cratère et aux lacs du Soleil et de la Lune, lieux de culte indiens. Ces lacs sont pleins de truites arc-en-ciel.

Le Paricutín est le plus jeune volcan mexicain. Né le 7 février 1943 au milieu d'un champ de maïs du Michoacán, sous les yeux de Dionisio Pulido qui le vit surgir de terre. Le lendemain, le cône mesurait 6 m de haut. Puis la déesse du volcan se mit sérieusement à l'ouvrage et les éruptions du Paricutín durèrent jusqu'en 1952, déversant au moins 1 milliard de tonnes de lave qui recouvrirent le village de Parangaricutiro et entraînèrent la disparition de deux hameaux, édifiant une montagne de 427 m. On parvient au site par le village d'Angahuán, où le clocher à demi englouti d'une église émerge d'un lit de lave noire.

A l'extrémité ouest de cet axe volcanique, le Nevado y Fuego (« neige et feu »), dans l'État de Colima, élève à une altitude de 3326 m deux cônes dont l'un est enneigé tandis que l'autre émet périodiquement des fumerolles. Sa dernière éruption eut lieu en 1913, et, en 1973, le volcan se réveilla et provoqua un tremblement de terre.

En 1952, le Mariano Bárcena, dans l'archipel des Revillagigedos, à 575 km au large de la côte ouest, explosa en faisant sauter son sommet comme un bouchon. Ce phénomène est le plus récent de l'histoire volcanique du pays.

L'AVENIR DE L'AGRICULTURE

Les experts estiment qu'un tiers seulement des terres mexicaines s'étendent sur une pente inférieure à 10°, déclivité au-delà de laquelle il devient difficile de cultiver. Bien des paysans restent plus attachés à leurs modes traditionnels d'agriculture que soucieux d'efficacité, et on voit des pentes rocheuses abruptes semées de maïs, ce qui facilite encore l'érosion.

Les plaines du Nord et du Yucatán sont, pour les premières, désertiques ou semi-désertiques et, pour les secondes, recouvertes d'une mince couche de terre. En investissant énormément en recherche et en matériel, on ne peut guère espérer qu'une augmentation des surfaces de 1 215 000 ha, qui viendraient s'ajouter aux 24 295 546 ha déjà exploités. Les chiffres sont difficiles à obtenir, l'administration se contredisant elle-même.

La région la plus fertile est le nord-ouest du pays. Quoique à demi désertique, l'étroite frange entre la Sierra Madre occidentale et la mer est arrosée par plusieurs cours d'eau et présente des terrains plats. Sous les présidents Obregón et Calles, tous deux issus de la région, on construisit un système de barrages qui irrigua le désert et en fit la contrée la plus fertile du Mexique. Dans les États du Sonora et de Sinaloa, dans le district de Río Colorado, en Basse-Californie, 40 % des terres sont irriguées, contre 20 % pour l'ensemble du Mexique. Ces terres produisent d'abondantes récoltes de maïs, de haricots, de luzerne, de blé, de soja, de coton et de tomates.

Ci-dessus, petites filles tarasques gardant les moutons dans le Michoacán.

D'autres contrées du Nord se consacrent à l'élevage. Le niveau de vie s'étant amélioré, un important marché da la viande de bœuf est apparu. La plupart des fermes mexicaines continuent néanmoins à cultiver le maïs et les haricots, aliments de base traditionnels. La consommation moyenne de tortilla, le pain local à base de farine de maïs, est de 500 g par personne et par jour (le double à la campagne). Les Indiens, qui associent étroitement cette plante à leurs croyances religieuses, y attachent une importance quasi mystique et continuent à le cultiver, à l'exclusion souvent d'autres céréales.

Le taux de fécondité, qui était il y a peu l'un des plus élevés du monde, est tombé à 1,9 enfant par femme, mais les villes deviennent énormes, ce qui soulève des difficultés de ravitaillement. Les surfaces cultivables augmentent trop lentement par rapport à la population et les sols s'épuisent car le maïs et le haricot sont des plantes gourmandes.

La mise en valeur du Nord-Ouest avait permis au Mexique d'exporter. Peu à peu, certaines régions se sont ainsi spécialisées dans la production de cultures de « luxe » (la fraise dans la région d'Irapuato, par exemple). Depuis 1971, toutefois, sous la poussée démographique et l'augmentation de la demande interne, la tendance s'est inversée. Il a même fallu importer des produits alimentaires de base.

Le problème majeur de l'agriculture mexicaine reste la réforme agraire. Mot d'ordre des chefs révolutionnaires, elle a été reprise comme leitmotiv par tous les présidents, sans jamais être véritablement achevée. La répartition de la propriété des terres, héritage du système de propriétés communautaires et d'haciendas du temps de la colonisation, reste complexe. Et les limites des *ejidos* (concessions attribuées par l'État soit à des communautés, soit à de petits propriétaires) sont le plus souvent floues, occasionnant des conflits.

RICHESSES NATURELLES

La côte a la réputation d'être malsaine, et il est vrai que le paludisme n'a été éliminé que récemment Les plantations tropicales produisent sucre, cacao, sisal et café, mais la concurrence étrangère est agressive et les cours subissent d'incessantes fluctuations. La fortune du Mexique s'est fondée pendant des siècles sur l'exploitation des métaux, l'argent surtout. A l'époque coloniale, l'argent était si courant que, dans certaines régions, il était moins cher de ferrer ses chevaux d'argent que de fer importé d'Espagne. Le Mexique est resté le premier producteur mondial d'argent mais il exporte aussi du plomb, du zinc, du cuivre, du soufre, de l'antimoine et du mercure. C'est en 1903 que le premier haut-fourneau d'Amérique latine fut construit, à Monterrey; le Mexique couvre ses besoins en acier, qu'il exporte même dans les Caraïbes et en Amérique centrale. Jusqu'en 1939, le minerai représentait 65 % les exportations et les produits agricoles 28 %. Depuis 1950, les exportations de minerai sont tombées à 33 %, tandis que les produits agricoles montaient à 55 % du total exporté. En 1974, lors du choc pétrolier, les produits manufacturés atteignirent 54 %, l'agriculture retomba à 38 % et les minerais ne représentèrent plus que 7 %.

ANIMAUX SAUVAGES

Quoique le Mexique soit plus industrialisé que la plupart des pays du tiers monde, il lui reste des difficultés à surmonter : une démographie trop importante et la superficie insuffisante de ses terres cultivables. Mais s'il y a peu de sol à conquérir pour l'agriculture, il subsiste d'immenses espaces où vagabondent les animaux sauvages. Aux amoureux de la nature, le Mexique offre 2 896 espèces de vertébrés dont 520 de mammifères ; 1 424 espèces d'oiseaux ; 685 de reptiles et 167 d'animaux amphibies. Parmi ces animaux, 16 mammifères, 13 oiseaux et 9 reptiles sont considérés comme dangereux.

Les plus spectaculaires des mammifères sont les baleines grises, qui font leur migration annuelle dans le Pacifique le long des baies de Basse-Californie pour s'y accoupler et y mettre bas. Leur asile privilégié, la lagune de Scammon, énorme baie communiquant avec la mer par un étroit goulet et nommée en espagnol Ojo de Liebre, « l'œil du lièvre », avait été désertée : on ne comptait dans la baie, en 1937, que 250 baleines grises. Mais en 1975, on en a dénombré 18 000.

Les îles de Guadalupe et de San Benito, au large de la Basse-Californie, étaient autrefois occupées par des éléphants de mer. Alors qu'on pensait 1'espèce en voie de disparition (on estime que 4 % seulement des mâles fécondent 85 % des femelles), ils réapparurent : on en a dénombré 47 000 en 1977 sur la seule île de Guadalupe. Les plus grands mâles peuvent mesurer 6 m et peser près de 4 t. Les bébés mesurent 1 m pour 36 kg.

Les touristes amateurs de randonnées peuvent admirer de grands troupeaux de cervidés dans le parc national de San Pedro, situé dans les montagnes de Basse-Californie. On rencontre des ours noirs dans le parc national des Cumbres de Monterrey. Certains témoignages font même mention de grizzlis dans les confins de la Sierra Madre occidentale.

Le Mexique étant le séjour hivernal de nombreux oiseaux migrateurs, c'est un paradis pour les observateurs mais aussi pour les chasseurs. La côte du Pacifique semble être le lieu de prédilection des canards, tandis que la région du Río Lagartos, dans le nord du Yucatán, est envahie de flamants roses. Une île voisine, Contoy, est le refuge d'espèces plus exotiques. Tout au long de l'année, le ballet multicolore des poissons, la beauté des coraux, enchantent les plongeurs de la mer des Caraïbes, surtout aux abords de l'île de Cozumel. La plus belle réalisation de la nature reste peut-être les monarques, ces papillons qui scintillent par milliers l'hiver dans le Michoacán oriental.

A gauche, bateaux de pêche dans la baie de Los Angeles ; à droite, le village de Tapalpa, dans la province de Jalisco.

LES CIVILISATIONS PRÉCOLOMBIENNES

Le Mexique est habité depuis vingt-cinq mille ans au moins. Venus de Sibérie, des groupes de chasseurs auraient traversé le détroit de Béring lors de la dernière période glaciaire, avant d'entamer une lente migration à travers l'Amérique. Certains s'implantèrent en Amérique centrale, tandis que d'autres s'aventurèrent jusqu'à l'extrême sud du continent.

Ces peuples se nourrissaient de plantes sauvages et du produit de leur chasse. Entre neuf mille et sept mille ans avant notre ère, les groupes installés dans l'aire de l'actuel Mexique commencèrent à moudre le grain. Vers 5000 av. J.-C., ils pratiquaient l'agriculture ; ils cultivaient le maïs (dont les épis ne mesuraient alors que 4 cm de long) et les haricots, qui constituèrent bientôt la base de leur alimentation. Deux millénaires plus tard, on vit apparaître la culture du coton et l'irrigation. Les premières poteries datent de deux mille ans av. J.-C.

A partir de cette date, l'Amérique centrale a vu s'épanouir des civilisations qui ont en commun de nombreux traits : urbanisme, constructions pyramidales, jeu de balle, certaines divinités. Les historiens adoptent une classification en trois périodes : préclassique, de 2000 ou 1500 av. J.-C. à 300 apr. J.-C. ; classique, entre 300 et 900 ; post-classique, jusqu'à l'arrivée des Espagnols au XVIIe siècle. Ces périodes correspondent aux cultures méso-américaines. Quant au nord du Mexique, il faisait partie d'une aire culturelle plus vaste qui englobait le sud-ouest des États-Unis.

Si la région vit naître des peuples bâtisseurs, qui reprirent certains éléments méso-américains comme le jeu de balle, elle abrita surtout des cultures qui conservèrent un mode de vie plus nomade.

LES OLMÈQUES

La civilisation olmèque s'épanouit entre 1200 et 400 av. J.-C., dans la plaine côtière humide des États actuels de Veracruz et du Tabasco. Elle est à l'origine de nombreux traits repris par les cultures postérieures : centres urbains, monuments pyramidaux, sculptures colossales, travail de pierres dures et jeu de balle rituel. Cette société hiérarchisée et centralisée pratiquait l'agriculture et connaissait l'irrigation. Trois sites voisins, San Lorenzo, La Venta et Tres Zapotes, connurent tour à tour une période de splendeur.

Les Olmèques ont manifesté une maîtrise éblouissante de la sculpture, travaillant aussi bien des blocs de basalte pesant de 6 t à 50 t que des jades de petite taille. Dix-sept têtes colossales, retrouvées sur quatre sites, constituent le legs le plus connu de cette civilisation. Ces stupéfiants visages de pierre hauts de 3 m seraient des portraits, comme en témoignent des expressions très différentes malgré des traits communs tels qu'un nez épaté et des lèvres épaisses. Ces personnages, peut-être des souverains, portent des insignes gravés sur leur casque (main, tête de perroquet, griffes de jaguar) qui indiquent un rang élevé dans la société. Les têtes sont sculptées dans d'énormes pierres provenant des montagnes de Tuxla, situées à plus de 100 km des centres cérémoniels olmèques. La main-d'œuvre et l'organisation nécessaires pour les transporter indiquent à elles seules qu'il s'agissait d'une société très structurée.

Pages précédentes : glyphes de Chichén Itzá ; l'acropole d'Edzná. A gauche, tête colossale olmèque ; à droite, Coatlicue, déesse aztèque de la terre.

Parmi les vestiges de cette civilisation figurent des trônes en pierre et des stèles, ornés de bas-reliefs. Les Olmèques ont aussi excellé dans la création d'objets de petite taille, statuettes en jade, superbes figurines en terre cuite et délicats bijoux en obsidienne.

Art et religion étaient inséparables. Motif partout présent, le « monstre-jaguar », mi-homme, mi-félin, était la principale divinité du panthéon. On a découvert quantité de sculptures de « bébés-jaguars », enfants dont le palais fendu et les yeux étirés évoquaient le dieu. Les Olmèques vénéraient aussi d'autres divinités, chimères ou monstres effrayants.

Cette civilisation s'effondra vers 400 av. J.-C. Les statues mutilées retrouvées par les archéologues ne permettent pas de savoir si cette disparition s'explique par des troubles internes ou par une agression extérieure. Les

Olmèques, qui avaient étendu leur influence au loin, en particulier sur le centre du pays, ont marqué toutes les cultures méso-américaines ultérieures, introduisant une organisation sociale hiérarchisée, un art d'inspiration religieuse et une sculpture monumentale.

LES CULTURES DES TOMBES À PUITS

Vers 400 av. J.-C., alors que la Méso-Amérique finissait d'assimiler l'héritage olmèque, on vit se former sur la côte ouest, dans les États actuels de Nayarit, Jalisco et Colima, des cultures qui se distinguaient par leurs tombes, formées d'une ou plusieurs chambres creusées sous terre, auxquelles on accédait par un puits circulaire. Ces sépultures, qu'on trouve aussi en Équateur, trahiraient une influence andine, venue par la mer. La vie urbaine prit à cette époque une importance primordiale dans le centre du Mexique ainsi que dans les régions tropicales du Sud et de l'Est. Dans l'Ouest, installées sur des terres fertiles, les civilisations des tombes à puits conservèrent quant à elles le village pour cadre de vie et ne se fédérèrent pas en royaume ; les groupes entretenaient peu de contacts entre eux.

Les tombes ont livré d'innombrables figurines de céramique, de forme humaine ou animale, qui accompagnaient les morts dans l'au-delà. Cet art original, très vivant, dépeint aussi bien la vie quotidienne que des thèmes religieux : jeu de balle et spectateurs, amoureux enlacés, danses phalliques, musiciens, guerriers, animaux. On retrouve souvent le petit chien gras et sans poil, ou *itzcuintli*, dont la chair était considérée comme un mets délicat. Au-dessus des tombes se dressaient des tumulus circulaires dont le sommet aplani était occupé par un sanctuaire. Il ne subsiste que de rares vestiges de ces tertres, construits en matériaux périssables. Ils comportaient en général un terrain de jeu de balle. Les cultures des tombes à puits s'épanouirent pendant un millénaire puis disparurent vers 600 apr. J.-C.

TEOTIHUACÁN

Le développement de cette vaste métropole, née vers 200 av. J.-C. et abandonnée au VIIIe siècle, marque le début de la période classique, qui vit prospérer plusieurs civilisations en Méso-Amérique. Située au nord-est de l'actuelle Mexico, la cité, qui connut son apogée du IVe au VIIIe siècle, exerça une influence profonde sur les cultures qui lui succédèrent.

La ville compta jusqu'à 200 000 habitants. Elle devait sa richesse à son rôle de carrefour commercial et à ses gisements d'obsidienne, roche utilisée pour fabriquer des outils et des armes. Dès 300 apr. J.-C., Teotihuacán constituait un ensemble urbain très organisé, avec des quartiers distincts et un système élaboré d'adduction d'eau. L'allée des Morts, longue de 1 700 m, la pyramide du Soleil, haute de 65 m, le temple de Quetzalcóatl, comptent parmi les nombreux édifices de style sévère et géométrique, peints à l'origine de couleurs vives et décorés à l'intérieur de scènes symboliques. Les architectes mirent au point le système du *talud-tablero*, qui sera repris ailleurs : les soubassements des plates-formes sont constitués de plusieurs « paliers », sortes de grands talus terminés par un mur vertical, qui permettent de relier ces structures massives.

Cité sacrée, Teotihuacán produisit quantité d'objets religieux, masques funéraires en serpentine ou en jade, encensoirs raffinés, vases tripodes peints de thèmes mythologiques, figurines en terre cuite, parfois articulées.

Le dieu de la pluie et de la fertilité, que les Aztèques baptiseront Tlaloc un millénaire plus tard, comptait parmi les principales divinités. Une merveilleuse peinture évoque le paradis de Tlaloc : sur la rive luxuriante d'un lac, les bienheureux jouent, dansent, chassent des papillons ou se reposent sous des arbres peuplés d'oiseaux. Teotihuacán a aussi livré les premières représentations du serpent à plumes, ou Quetzalcóatl, dieu de la terre et de l'eau étroitement lié à Tlaloc, que les Toltèques et les Aztèques allaient vénérer par la suite sous des formes variées.

Les Totonaques

Au nord de l'ancien territoire des Olmèques, sur la côte fertile du golfe du Mexique, la culture totonaque connut plusieurs phases liées chacune à un site principal, Remojadas jusqu'en 300 apr. J.-C., El Zapotal au début de la période classique, El Tajín de 800 à 1200. Il faut souligner cependant que des dizaines de sites émaillent le domaine totonaque, dans l'actuel État de Veracruz.

La culture remojadas n'a pas de grande tradition architecturale. Elle se singularise par sa maîtrise de la céramique. Les morts étaient enterrés avec des récipients et des figurines en terre. Ces statuettes creuses représentent des hommes ou des femmes aux yeux bridés, souriants, généralement assis et vêtus d'une jupe courte ; les figurines étaient peintes de motifs géométriques complexes.

Les grandes statues en terre découvertes à El Zapotal font partie d'un ensemble d'offrandes dédiées à Mictlantecuhtli, seigneur des morts. Elles représentent entre autres des *cihuateteotl*, femmes mortes en couches et, à ce titre, considérées comme divines. Tlaloc et Quetzalcóatl sont aussi présents, ainsi que l'homme-oiseau, dieu d'origine remojadas.

Le jeu de balle semble avoir eu une importance capitale sur la côte du golfe du Mexique à l'époque classique, comme l'illustrent les 17 terrains de jeu d'El Tajín, cité qui connut un grand rayonnement du IXe au XIIe siècle, après la chute de Teotihuacán. Le jeu sacré consistait à lancer une lourde balle de caoutchouc à travers un anneau de pierre placé au sommet

A gauche, statue olmèque, dite « le Lutteur » ; ci-dessus, la pyramide dite du Devin, à Uxmal, cité maya de la péninsule du Yucatán.

d'un mur, en ne s'aidant que des genoux, des hanches et des coudes ; ce jeu était étroitement lié au sacrifice rituel. Un bas-relief d'El Tajín représente un joueur décapité ; de son cou jaillissent sept serpents de sang, symbolisant la fertilité et la terre. Haches, jougs et palmes, superbes et énigmatiques objets sculptés dans la pierre, semblent être également liés au jeu de balle.

El Tajín a laissé des palais à colonnades et une pyramide en *talud-tablero*, dont les pans verticaux sont surmontés de corniches et creusés de 365 niches. Ces reliefs créent des jeux de lumière absents des autres monuments méso-américains, d'aspect plus lourd.

LES HUASTÈQUES

Les premières traces des Huastèques remontent à plus de mille ans avant notre ère. Ce peuple occupait la région côtière du golfe du Mexique, à l'est et au nord du territoire totonaque. La culture huastèque connut son apogée du VIIe au Xe siècle. Son architecture, assez mal étudiée, se distingue par des structures pyramidales circulaires, présentes dès la période préclassique. A l'époque classique (à partir du IVe siècle) apparurent aussi des pyramides à degrés et le *talud-tablero*. Les Huastèques ont sculpté des statues en grès très stylisées, représentant tantôt des hommes ou des femmes portant la typique coiffe conique, tantôt des personnages bossus. Leur belle céramique se distingue par son décor noir sur fond blanc. Ils ont laissé des outils et des ornements en nacre ou en coquillage, des figurines en terre ainsi que des animaux montés sur roulettes.

LES ZAPOTÈQUES

La civilisation zapotèque s'élabora à partir de 1500 av. J.-C. dans la vallée d'Oaxaca, où l'agriculture connut un essor rapide grâce à plusieurs systèmes d'irrigation. Monte Albán, sa capitale, fut fondée au Ve siècle av. J.-C. Elle se tient sur une éminence, arasée à son sommet moyennant des travaux considérables. Ville funéraire et religieuse, elle est la plus belle réalisation de cette culture qui, très tôt, mit au point une écriture glyphique et utilisa un système de notation des nombres analogue à celui des Mayas (un point pour l'unité, une barre pour cinq unités).

La place centrale et l'observatoire astronomique de Monte Albán datent de la première phase d'occupation, qui s'étend jusqu'au Ier siècle apr. J.-C., de même que le palais des Danzantes, d'influence olmèque, orné de personnages en bas relief. La plupart des édifices datent cependant de la période classique (250-800). La population atteignait alors 30 000 habitants. Les maisons occupaient les terrasses en contrebas de la grande esplanade, réservée à des cérémonies. La place était entourée de temples enduits de stuc peint. A Monte Albán plus qu'ailleurs, les architectes utilisèrent la colonne pour soutenir les toits des vastes salles.

Convaincus qu'il existait une vie dans l'au-delà, les Zapotèques ont bâti des tombeaux à grandes chambres souterraines, ornés de fresques représentant des divinités, comme en témoigne la tombe découverte récemment à Huijazoó, à 30 km à l'ouest de Monte Albán. Ils plaçaient dans ces sépultures leurs célèbres urnes, statues en terre cuite incarnant les nombreux dieux de leur panthéon, revêtus de costumes et de bijoux somptueux. Monte Albán déclina à partir du IXe siècle avant de devenir une nécropole mixtèque.

LES HOHOKAMS

Jusqu'à l'arrivée des Espagnols, le nord du Mexique actuel fut peuplé en grande partie de groupes vivant de la chasse et de la cueillette. Cependant, au début de notre ère, quelques-uns de ces peuples adoptèrent l'agriculture au contact de leurs voisins méso-américains et élaborèrent des systèmes d'irrigation, indispensable dans cette région quasi désertique. Ils bâtirent des villages importants et l'industrie céramique prit un grand essor. Si la culture anasazi est propre aux États-Unis, deux traditions, à cheval sur la frontière actuelle du Mexique et des États-Unis, apparurent au début du IVe siècle : les Hohokams et les Mogollóns.

Au nord-ouest, autour du cours de la Gila et de ses affluents, les Hohokams, devenus agriculteurs au VIe siècle, se fixèrent dans des habitations semi-souterraines. Ils furent des ingénieurs hors pair en matière d'irrigation. Ils entretenaient sans doute des liens étroits avec la Méso-Amérique, comme en témoigne la présence de terrains pour le jeu de balle. Les Hohokams fabriquaient une céramique à décor rouge. Entre 900 et 1200, leur poterie se caractérisa par des figurines anthropomorphes finement travaillées et des vases zoomorphes. Après 1200 apparurent de grands villages avec des édifices à plusieurs étages, qui semblent indiquer un accroissement de la population. Toutefois, lorsque les conquérants les découvrirent, ces bourgs étaient déjà abandonnés.

A gauche, fresque maya de Bonampak ; à droite, le Chacmol de Chichén Itzá.

LES MOGOLLÓNS

La culture mogollón se développa du IVe au XIIIe siècle à l'est du territoire hohokam, à l'endroit où se rejoignent aujourd'hui les États américains du Nouveau-Mexique et d'Arizona, et les États mexicains de Chihuahua et de Sonora. Vivant sur les hauteurs boisées ou dans les vallées ouvertes près des fleuves, les Mogollóns ont laissé des villages construits sur des collines aménagées en terrasses. La place centrale était bordée de maisons mitoyennes. De taille modeste au VIIIe siècle, ces « appartements » s'agrandirent au XIe siècle, jusqu'à compter une centaine de pièces dans certains

cas. L'artisanat se distingue surtout par de beaux vases en céramique couleur café avec des décorations rouges. L'époque des Mimbres (1050-1200) a laissé des coupes à fond blanc ornées d'êtres fantastiques et de scènes énigmatiques, absolument uniques puisque les autres styles de la région privilégient les motifs géométriques et les symboles.

LES MAYAS

A partir du IVe siècle, la culture maya domina la péninsule du Yucatán ainsi que des régions plus au sud comprenant l'État actuel du Chiapas, le Guatemala et une partie du Honduras. Entourées de terres cultivées, une centaine de cités d'importance variée constituèrent autant d'États indépendants gouvernés par des prêtres et parfois réunis en confédérations. Naviguant sur les rivières ou en mer à bord de grands canots, les Mayas faisaient commerce de tissus, d'outils divers, de céramique, de pierres précieuses, de plantes médicinales, d'encens et de sel. La civilisation maya brilla par son architecture, sa sculpture, ses connaissances mathématiques et cosmographiques, son système d'écriture très abouti. Elle connut son apogée entre le début du VIIe siècle et la fin du IXe siècle.

Deux types de monuments caractérisaient l'architecture maya : le temple, construit au

sommet d'une pyramide, et le palais, édifice horizontal composé de nombreuses salles, bâti sur une terrasse surélevée. Le calcaire du Yucatán, facile à travailler et transformable en chaux pour le mortier et les stucs, fournit le matériau de base des monuments et de leurs décorations au modelé raffiné. Les pyramides étaient escarpées, effet renforcé par le temple qui les surmontait, lui-même couronné d'une haute crête ajourée. Elles servaient peut-être de tombeau, comme semble l'indiquer la chambre funéraire du temple des Inscriptions, à Palenque. Les architectes mayas ont beaucoup utilisé la voûte en encorbellement, « fausse voûte » obtenue en plaçant les pierres en surplomb les unes des autres.

Les bas-reliefs, les statues et les stucs en relief qui ornaient les édifices expriment la pensée religieuse maya et retracent l'histoire des dynasties. Ils sont complétés par des inscriptions sculptées ou peintes, témoignage de l'écriture à la fois hiéroglyphique et syllabique élaborée par cette civilisation. Les Mayas avaient d'ailleurs des livres : les codex, longues bandes de papier d'écorce pliées en accordéon, dont le texte était illustré de miniatures. La peinture murale est surtout connue par les fresques de Bonampak, qui évoquent avec un luxe inouï de détails la vie d'une petite principauté vers l'an 800, ses cérémonies, ses costumes et ses personnages.

Fascinés par la marche du temps, les Mayas élaborèrent un calendrier d'une extrême complexité, dont l'an 1 correspond à 3113 av. J.-C. Ils avaient calculé, sans l'aide d'aucun instrument d'optique, que l'année solaire compte 365,2422 jours et la période lunaire 29,5209 jours, chiffres dont l'exactitude n'a été retrouvée qu'au XXe siècle. Leur calendrier leur permettait d'écrire l'histoire mais aussi de prédire l'avenir puisqu'ils avaient une conception cyclique du temps, dont le « compte long » devait prendre fin le 24 décembre 2011.

Les dieux mayas

Le panthéon foisonnant des Mayas comporte au moins 166 divinités dont les archéologues connaissent aujourd'hui le nom. Chacune a quatre représentations, correspondant aux points cardinaux ; certaines sont dotées d'un *alter ego* de sexe opposé tandis que chaque dieu céleste possède son avatar souterrain.

Le dieu suprême semble avoir été Itzammá (« maison du lézard »), dieu du feu souvent représenté sous les traits d'un vieil homme au nez aquilin. Sous son incarnation solaire, il était l'époux de la lune, Ixchel, protectrice des tisserands, des médecins et des femmes. Yum Kaax, dieu du maïs, ainsi que Chac, dieu de la pluie, jouaient également un rôle central. Le serpent à plumes, appelé Kukulcán par les Mayas, fut introduit plus tard.

Le sacrifice humain était un rite majeur de la religion maya, bien qu'il ait fait moins de victimes que chez les Aztèques. Le sacrifice de soi avait la même valeur d'offrande propitiatoire aux dieux que le sacrifice d'autrui ; il consistait à offrir son sang, en s'entaillant l'oreille, la langue ou la verge. Il est probable que tout le monde y était tenu à l'occasion de certaines fêtes.

La civilisation maya classique des basses terres déclina irrémédiablement à partir du IXe siècle, tandis que s'épanouissait le style puuc, au nord de la péninsule du Yucatán.

Les Toltèques

Au milieu du IXe siècle, des chasseurs nomades chichimèques, venus du nord, fondèrent la ville de Tula, à 80 km au nord de l'actuelle Mexico. Ils étaient dirigés par Topiltzin-Quetzalcóatl, roi-prêtre pacifique qui, au cours du temps, se confondit avec le serpent à plumes. Mais, dès la fin du Xe siècle, d'autres envahisseurs, ralliés au prêtre de Tezcatlipoca, dieu sanguinaire, imposèrent la domination d'une aristocratie militaire et instaurèrent des rituels comportant des sacrifices humains en grand nombre. Jusqu'à sa chute brutale en 1168, la cité connut une civilisation brève mais brillante, décrite avec émerveillement par des annales de l'époque.

Maçons, forgerons, tisserands et plumassiers, les Toltèques étaient aussi des bâtisseurs et des sculpteurs. Dressés sur de hautes plates-formes, leurs temples, plus vastes que ceux des Mayas, abritaient des salles à colonnes destinées à recevoir de nombreux soldats. Ils s'ornaient de sculptures grandioses représentant des jaguars et des aigles, symboles des deux ordres guerriers qui menaient un combat sacré pour que les astres aient leur contingent de victimes et qu'ainsi le monde survive. Les typiques *chacmol*, statues de personnages à demi étendus, se diffuseront dans tout le centre du Mexique, témoins de l'influence qu'exerça la civilisation toltèque.

Les Mayas-Toltèques

Les exilés chassés de Tula à la fin du Xe siècle se fixèrent dans le nord du Yucatán. Ils prirent pour capitale Chichén Itzá, petite ville maya. Ces guerriers s'emparèrent des cités indépendantes de la péninsule et imposèrent dans la région leur régime, leur style, leur religion. Leur dieu Quetzalcóatl, rebaptisé du nom maya de Kukulcán, occupa une place prépondérante dans la décoration sans pour autant détrôner Chac, ancien dieu maya de la pluie.

Prestigieuse capitale politique et religieuse, Chichén Itzá connut deux siècles de rayonnement, au cours desquels se développa un art mêlant la vigueur des monuments et des sculptures toltèques à une finesse d'exécution typiquement maya.

Le temple des Guerriers, chef-d'œuvre de l'architecture précolombienne, est ainsi une réplique du temple de l'Étoile du matin de Tula. Il en va de même pour la pyramide dite El Castillo, pour le grand jeu de balle ou le palais des Jaguars. La juxtaposition de serpents à plumes toltèques et de divinités mayas dans les bas-reliefs, de dignitaires toltèques et mayas dans les fresques, témoigne de la fusion des deux cultures, tout comme les disques d'or ciselés, jetés dans le puits sacré : les motifs sont

toltèques, la superbe facture maya. L'empire maya-toltèque, qui couvrait tout le nord de la péninsule du Yucatán, fut démantelé à la fin du XIIe siècle par les envahisseurs itzás.

A gauche, empilement de crânes en pierre, ou tzompantli ; à droite, masque mixtèque fait d'incrustations de turquoises recouvrant un crâne.

La culture paquimé

Au VIIIe siècle, dans le nord du Mexique, des groupes, influencés par les cultures anasazis, hohokam et mogollón s'aventurèrent plus au sud. Ils se fixèrent sur le site de Casas Grandes et aux alentours de la rivière du même nom, dans l'État actuel du Chihuahua. Ils donnèrent naissance à la culture paquimé qui connut son apogée entre le XIIe et le XIVe siècle. Ce peuple cultivait le maïs, les haricots et la courge. De grands élevages de dindons et de perroquets lui fournissaient, entre autres, les plumes largement utilisées pour l'ornementation. Il pratiquait le commerce et servait de point de jonction entre la Méso-Amérique et le sud-ouest des États-Unis, d'où la présence de certains objets comme des coquillages de Californie, employés dans les parures.

Les artisans travaillaient le cuivre et excellaient dans l'art de la céramique. Les récipients de couleur sable, parfois à forme humaine ou animale, s'ornaient de dessins rouges et noirs, alternant motifs géométriques et figures stylisées d'oiseaux et de serpents. La culture paquimé se distinguait également par

un art religieux éphémère: des offrandes étaient faites aux dieux (le soleil, la pluie, la foudre, l'eau) sous forme de compositions réalisées à partir de pigments, de pétales et de graines.

L'urbanisme de Casas Grandes, cité qui couvrait plus de 60 ha, est remarquable. Un double système de canaux amenait l'eau dans la ville et évacuait les eaux sales. Les maisons en terre, de forme oblongue, comptaient deux ou trois étages, parfois plus. Les murs atteignaient 2 m d'épaisseur à la base et s'amenuisaient vers le haut; ils étaient percés de fenêtres très étroites en forme de T. Certaines maisons étaient chauffées en hiver grâce à d'ingénieux systèmes collectifs.

Les Mixtèques

Les premières traces des Mixtèques dans la région à l'ouest d'Oaxaca remontent au IVe siècle av. J.-C. mais c'est vers l'an mil qu'ils prirent le contrôle de la vallée d'Oaxaca, chassant les Zapotèques vers l'est et occupant leurs sites. Le plus bel exemple d'architecture mixtèque se trouve à Mitla, à l'est d'Oaxaca, où les longs palais bas sont décorés de mosaïques de pierre qui répètent le motif caractéristique de la grecque. Les Mixtèques firent de Monte Albán leur nécropole. Ils rouvrirent d'anciens tombeaux pour y enterrer leurs morts avec de somptueux bijoux. Orfèvres habiles, ils exécutaient des parures en or avec la technique délicate de la cire perdue. Ils ont aussi laissé une céramique polychrome très originale. Leurs codex, manuscrits historiques et sacrés mesurant jusqu'à 12 m de long, étaient décorés d'enluminures précieuses. Leur culture s'effaça devant la progression aztèque.

Les Chichimèques

Le nom Chichimèque désigne les peuples nomades du nord du Mexique, dont les traditions différaient profondément de celles des cultures méso-américaines. Le climat de luttes incessantes autour de l'héritage toltèque, qui s'instaura au début du XIIIe siècle, favorisa leur migration. Ainsi, à cette époque, les Teochichimecas, ou « Chichimèques divins », pénétrèrent dans le centre du Mexique, sous la conduite d'un chef semi-légendaire appelé Xolotl. Ils ne tardèrent pas à s'organiser en petits États, adoptant un mode de vie agricole et sédentaire, ainsi que le rituel complexe et la langue des Toltèques. Ils étendirent leurs conquêtes jusqu'au Michoacán et à l'État actuel de Veracruz. Les descendants de Xolotl fondèrent Texcoco, qui fut, au temps de l'alliance avec Mexico et Tlacopan, la capitale des arts et de la pensée.

Les Aztèques

Rameau de cette même branche chichimèque, les Aztèques, ou Mexicas, dominèrent tout le centre du Mexique et la côte du Golfe; seul l'Ouest leur opposa une résistance. Leur essor se fit en moins d'un siècle, de la fondation de Tenochtitlán, en 1325, à l'alliance conclue en 1429 avec Tlacopán et Texcoco, qui établit les bases de leur empire. Les Aztèques disaient venir d'Aztlán, lieu où leur serait apparu un aigle perché sur un cactus et dévorant un serpent, vision cosmique évoquant la victoire du monde céleste sur le monde souterrain, tandis que le cactus symbolisait la survie du peuple errant dans le désert. Guidés par le dieu Huitzilopochtli, les Aztèques arrivèrent sur les bords du lac de Texcoco, où, selon la légende, l'apparition se répéta, signe que leur migration avait pris fin. Ils fondèrent Tenochtitlán, le « lieu du Cactus », sur une île du lac.

Vivant d'abord de poissons, de serpents et de petit gibier, ils mirent au point une technique de culture très particulière, construisant des radeaux de joncs et de bois léger qu'ils recouvraient ensuite de vase. Leur installation fut favorisée par la facilité des déplacements par voie d'eau.

L'alliance de 1429 avec les deux cités-États de Tlacopán et Texcoco servit les visées expansionnistes des Mexicas. Sous le règne de Moctezuma Ier, Mexico-Tenochtitlán s'affirma comme la capitale du nouvel empire aztèque, qui allait soumettre Oaxaca et les cités mixtèques vers le sud, les Huastèques et les Totonaques sur la côte du golfe du Mexique. Il s'agissait d'ailleurs moins d'un empire que d'une confédération d'États assujettis à de lourds tributs, sous forme de coquillages, de plumes de *quetzal*, de peaux de jaguar et de pierres précieuses. De plus, d'innombrables prisonniers étaient emmenés à Tenochtitlán pour y être sacrifiés.

La tyrannie des Aztèques se retourna contre eux lorsque les peuples soumis aidèrent Cortés. Une autre raison explique en partie comment une poignée d'Espagnols réussirent à abattre l'empire. De terribles présages avaient obscurci les dernières années du règne de Moctezuma II. L'empereur et son peuple crurent voir revenir le dieu Queztalcoátl réclamant son royaume.

A gauche, figurine totonaque ; ci-dessus, peintures murales de Diego Rivera représentant la cité d'El Tajín.

LA CULTURE AZTÈQUE

Les Aztèques vénéraient plus de 2 000 dieux. Le temple principal de Tenochtitlán était dédié aux dieux Huitzilopochtli, le « colibri de gauche », et Tlaloc, « celui qui fait germer », seigneur de la pluie. Deux autres temples importants jouxtaient la grande pyramide, celui du dieu de la guerre, Tezcatlipoca, « miroir fumant », et celui, circulaire, de Quetzalcóatl, maître du vent.

La chronologie mythique se divisait en cinq périodes de plusieurs centaines d'années, ou « soleils », s'achevant chacune par un combat de dieux ou une grande catastrophe, tempête de vent, pluie de feu, déluge. Tezcatlipoca régna sur la première période, jusqu'à sa défaite face à Quetzalcóatl, seigneur du deuxième soleil. Tlaloc incarna le troisième soleil; Chalchiuhtlicue, « celle qui porte le pagne de jade », le quatrième; le cinquième, ou Soleil du mouvement, correspondait à l'ère entamée avec la fondation de Teotihuacán.

Quant au mythe de la création, il évoquait l'autosacrifice de tous les dieux afin de donner vie au soleil et à la lune, astres morts tant qu'ils n'étaient pas nourris d'« eau précieuse », c'est-à-dire de sang. Ce sacrifice sans cesse répété garantissait la survie du monde. Il semble que le rituel était accepté par les victimes car leur vie dans l'au-delà dépendait non

de leurs mérites mais de la façon dont elles trépassaient. La mort la plus glorieuse consistait à périr au combat, au sacrifice ou, pour les femmes, en couches. Les sacrifices prirent toutefois des proportions stupéfiantes Sous le règne de Moctezuma Ier naquit l'institution de la « guerre fleurie », sorte d'alliance entre tribus pour procurer des victimes aux dieux. On a évalué à 20 000 le nombre de prisonniers tués à l'occasion de la rénovation du temple de Huitzilopochtli, en 1487.

L'art aztèque est un étonnant alliage de réalisme et de symbolisme, mêlant des représentations naturalistes d'oiseaux, de singes, de poissons, de sauterelles, et une statuaire religieuse très stylisée, d'une extraordinaire puissance. Le « calendrier aztèque » de Tenochtitlán, disque en pierre de 3,60 m de diamètre, gravé de hiéroglyphes, résume la cosmologie de cette civilisation. Le visage impassible du dieu solaire en occupe le centre; des cercles successifs contiennent des symboles astrologiques, tandis que deux serpents de feu délimitent les bords. Orfèvres et mosaïstes, les artisans aztèques ont aussi brillé dans l'art de la mosaïque de plumes, aux couleurs merveilleuses et aux dessins fantastiques.

Mais leur chef-d'œuvre demeure la capitale lacustre de Tenochtitlán, magnifique ensemble de palais à plusieurs étages, de temples et de jardins, sillonné de canaux. La ville compta jusqu'à 300 000 habitants. Un grand aqueduc amenant l'eau potable, des chaussées et des ponts de belle largeur témoignaient d'une parfaite maîtrise de l'urbanisme.

LES TARASQUES

Venus du nord, les Tarasques se sédentarisèrent dans les régions lacustres du Michoacán et s'organisèrent progressivement en État unifié, au début du XIIIe siècle. Au XIVe siècle, Tzintzuntzan devint la capitale d'un royaume puissant qui, grâce à une politique d'alliances entre cités, sut tenir en respect les Aztèques. Ce peuple fut balayé par les Espagnols après la chute de Mexico, en 1521.

L'architecture cérémonielle tarasque se distingue par des édifices d'un type particulier, les *yácatas*. Ceux-ci se composaient d'un haut massif rectangulaire à degrés, accolé à une construction similaire mais de forme elliptique et surmontée d'un sanctuaire circulaire; un large passage reliait le sommet des deux édifices, aménagé en terrasse. L'ensemble était recouvert de dalles soigneusement ajustées. Les cinq *yácatas* de Tzintzuntzan se dressent sur une plate-forme artificielle de 425 m de long, à laquelle on accédait par un escalier large de 100 m. Des feux étaient entretenus en permanence au sommet des *yácatas* en l'honneur de la principale divinité tarasque, Curicaueri, dieu du feu et du soleil.

Les Tarasques furent des artisans hors pair. Ils excellèrent dans le travail des métaux et de l'obsidienne comme dans la réalisation de mosaïques de plumes, ce qui leur valut, longtemps encore après la Conquête, des commandes d'ornements et d'images pieuses.

A gauche, vase de Colima (culture des tombes à puits) ; à droite, la cité maya de Palenque.

CHRONOLOGIE

L'ère précolombienne

50000 av. J.-C. Premières migrations humaines de l'Asie vers les Amériques *via* l'isthme temporaire reliant les deux continents (actuel détroit de Béring).
10000 av. J.-C. Des groupes s'implantent dans la vallée de Mexico ; ils vivent de chasse, de pêche et de cueillette.
9000-1200 av. J.-C. Débuts de l'agriculture : maïs, haricots et piments.
1200 av. J.-C.-400 apr. J.-C. Période préclassique. Essor, épanouissement et déclin de la culture olmèque, dont les villes principales étaient situées à La Venta, Tres Zapotes et San Lorenzo. Premières colonies mayas dans les plaines basses du Sud, premiers édifices à Monte Albán, dans la vallée d'Oaxaca.

300-900 apr. J.-C. Période classique. De nombreuses cultures méso-américaines s'épanouissent : prédominance de la caste des prêtres ; multiples divinités ; âge d'or de l'art, de la céramique, de la littérature et de l'astronomie ; apogée de l'urbanisme avec la construction de grandes cités et de vastes centres cérémoniels. Les principaux sites mayas sont Chichén Itzá et Uxmal, dans le Yucatán.
900-1000. Début de la période post-classique. Militarisation des sociétés théocratiques. Émergence d'un peuple guerrier, les Toltèques, qui établissent un empire dans la vallée de Mexico et fondent les cités de Tula et de Tulancingo. Essor de la métallurgie. La plupart des villes sont soudainement abandonnées.
1320-1350. Fondation de Tenochtitlán, capitale des Aztèques, sur une île marécageuse du lac Texcoco, site de l'actuel Mexico. Édification du Templo Mayor.

La conquête espagnole

1517. Le navigateur espagnol Hernández de Córdoba explore les côtes du Yucatán et découvre des traces de peuplement maya.
1519. Hernán Cortés et ses conquistadors arrivent à Tenochtitlán. Ils sont accueillis par Moctezuma II et traités en invités d'honneur. La population méso-américaine est alors de 25 millions d'habitants.
1520. En l'absence de Cortés, Pedro de Alvarado fait assassiner des milliers d'Indiens dans le Templo Mayor. Soulèvement contre les Espagnols, qui tentent de fuir la ville dans la nuit du 1er juillet : c'est la Noche Triste.
Août 1521. Après un siège de 75 jours, Tenochtitlán tombe aux mains des Espagnols. Elle est entièrement rasée.

L'époque coloniale (1521-1910)

1530. Charles Quint proclame Mexico capitale de la Nouvelle-Espagne.
1539. Introduction de la première presse d'imprimerie au Mexique.
1566. Martín Cortés, fils de Hernán, prend la tête de la première révolte des conquistadors contre l'autorité centrale de l'Espagne.
1571. L'Inquisition espagnole se met en place au Mexique.
1573. Début de la construction de la cathédrale de Mexico.
1692. Émeutes à Mexico. Le palais du vice-roi et l'hôtel de ville sont incendiés par la foule.
1810-1821. Guerre d'Indépendance. Miguel Hidalgo, curé de Dolores, écrit son fameux *Grito de Dolores* (« cri de douleur ») pour l'indépendance.
Septembre 1821. Arrivée triomphante à Mexico du général Agustín de Iturbide et de l'armée des Trois Garanties. Proclamation de l'indépendance.
1822. Iturbide se proclame empereur sous le nom d'Agustín Ier.
1823. Campagne d'Antonio López de Santa Anna pour la république. Iturbide abdique.
1824. Première constitution du Mexique, qui devient une république fédérale.

1846-1848. Le président Santa Anna déclare la guerre aux États-Unis. Invasion de Mexico. Au traité de Guadalupe, le Mexique perd le Texas, le Nouveau-Mexique, l'Arizona et la Californie au profit des États-Unis.
1855. Triomphe des libéraux. Benito Juárez, un Indien zapotèque, devient ministre de la Justice. Il ordonne la séparation de l'Église et de l'État.
1858. Juárez devient président. Guerre civile entre conservateurs et libéraux.
1862. Bataille de Puebla. Victoire de l'armée nationale sur un corps expéditionnaire français envoyé par Napoléon III.
1863. Les troupes françaises s'emparent de Mexico; une assemblée de notables conservateurs propose la couronne impériale à Maximilien d'Autriche, soutenu par Napoléon III.
1867. Maximilien, fait prisonnier, est fusillé. La république est rétablie, Benito Juárez réélu président.
1876-1911. Le général Porfirio Díaz prend le pouvoir. Son régime dictatorial, le porfiriat, qui dure trente-cinq ans, est marqué par la mainmise des sociétés américaines, la constitution de domaines agricoles de plusieurs millions d'hectares et la misère du peuple.
Novembre 1910. Une rébellion armée renverse Díaz, qui s'exile à Paris en 1911.

La révolution mexicaine (1910-1921)

1910. Lutte pour *Tierra y Libertad* (« terre et liberté »). Les chefs Emiliano Zapata et Pancho Villa occupent Mexico.
1917. Annonce d'une nouvelle constitution. Venustiano Carranza est élu président.
1919. Carranza fait assassiné Emiliano Zapata.
1920. Assassinat de Carranza. Álvaro Obregón est élu président. Persécutions anticléricales.
1927. La révolte des Cristeros éclate à Guanajuato et à Jalisco.

L'époque moderne

1929. Fondation par le président Calles d'un parti unique, le Partido Nacional Revolucionario, devenu le PRI (Partido Revolucionario Institucional) en 1964.
1938. Le président Lázaro Cárdenas nationalise les chemins de fer et les compagnies pétrolières. Fondation de la société nationale Pemex (Petróleos Mexicanos).

A gauche, codex aztèque représentant l'aigle perché sur un cactus (symbole national) ; à droite, portrait d'une jeune Indienne d'Oaxaca par le photographe Désiré Charnay (fin du XIXe siècle).

1968. Des étudiants sont tués lors d'une manifestation à Mexico, quelques jours avant l'ouverture des Jeux olympiques. Inauguration de la première ligne de métro de Mexico.
1982. Le président José López Portillo nationalise les banques.
1985. Terrible tremblement de terre à Mexico.
1986. A la suite de l'effondrement mondial des cours du pétrole, le Mexique rejoint le GATT.
1988. Salinas de Gortari, candidat du PRI, est élu président malgré les accusations de fraude.
1994. Entrée en application de l'Alena.
Janvier 1994. Émergence de l'EZLN (Armée zapatiste de libération nationale), qui combat pour la redistribution des terres et les libertés.

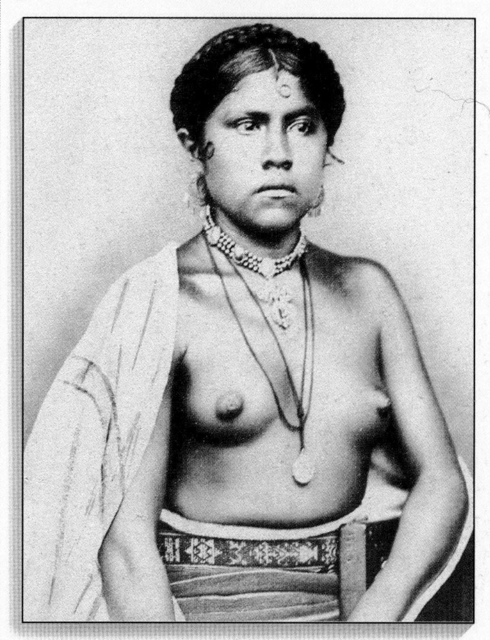

Mars 1994. Assassinat de Luis Donaldo Colosio, candidat du PRI aux présidentielles. Election d'Ernesto Zedillo, son directeur de campagne.
1996. L'EZLN signe avec le gouvernement le premier de six accords destinés à étendre les droits civils et politiques des minorités indiennes.
2000. Vicente Fox (PAN) est élu en juillet.
2001. Marche de la dignité indienne à Mexico. Vote d'une loi en faveur des Indiens. En octobre, le Mexique est élu membre non permanent du Conseil de sécurité de l'ONU.
2003. Défaite du PAN aux élections législatives.
2004. Au sommet de Monterrey, une déclaration est signée à la demande des États-Unis pour établir, en 2005, un marché de libre échange sur le continent américain.

LES CONQUISTADORS

La conquête du Mexique par les Espagnols est l'un des épisodes les plus étonnants de l'histoire. Quatre siècles et demi se sont écoulés et la question reste posée : comment une armée aussi petite a-t-elle pu entraîner la chute de l'empire le plus puissant du Mexique ?

De sinistres présages

Au cours des années précédant l'arrivée des Espagnols, une angoisse s'était répandue dans la société aztèque. De funestes présages sem-

blaient annoncer une catastrophe.Les prêtres avaient vu apparaître dans le ciel un épi de maïs flamboyant ruisselant de sang. Des comètes s'embrasaient, des incendies s'allumaient sans cause sur le temple de Huitzilopochtli. Un homme à deux têtes fut aperçu marchant dans les rues. Par un jour sans vent, les eaux du lac de Texcoco montèrent et inondèrent la ville. On attrapa un curieux oiseau dont la tête était surmontée d'un miroir.

On apporta l'aniaml à Moctezuma II, qui vit dans le miroir la nuit et les étoiles se refléter alors qu'il faisait grand jour. Stupéfait, il regarda à nouveau et vit une armée étrange qui avançait vers sa capitale, montée sur des animaux ressemblant à des cerfs. On apprit peu après que les Espagnols avaient débarqué. Les devins prophétisèrent que ces étrangers gouverneraient le pays. Quoique dans sa fureur, le roi les fit étrangler, leurs sombres prédilections le hantaient.

Moctezuma II ne pouvait aussi s'empêcher de rapprocher les événements présents de la légende de Quetzalcóatl revenant avec une peau blanche et une barbe noire.

Hernán Cortés

La conquête du Mexique par Cortés succédait à celles d'Hernández de Córdoba et de Juan de Grijalva. En 1517, le premier, parti à la recherche d'or et de nouvelles terres, découvrit l'île Mujeres, près de Cozumel, puis longea la péninsule du Yucatán jusqu'à Champotón. Grijalva fit quant à lui le tour du Yucatán en cinq mois, et alla jusqu'au Río Panuco.

Hernán Cortés arriva à Hispaniola (nom donné par Christophe Colomb à l'île qui comprend Haïti et Saint-Domingue) en 1504, à l'âge de dix-neuf ans, et s'installa à Cuba en 1511. Il y mena d'abord la vie d'un colon fortuné, élevant du bétail et occupant une charge d'officier municipal. Les expéditions organisées en 1517 et 1518 vers les côtes mexicaines ayant échoué, Velázquez, gouverneur de Cuba, en prépara une troisième, destinée non pas à fonder de nouvelles colonies mais à se procurer de l'or. Il en confia la direction à Cortés, dont il connaissait l'autorité et le tempérament plein d'initiative. Ce dernier parvint à affréter onze navires. Le 18 février 1519, il quitta Cuba malgré les ordres du gouverneur qui, tardivement alarmé par l'ambition de son protégé, voulait le relever de son commandement.

Après avoir pris pied sur la côte du Tabasco, Cortés longea la péninsule, doubla le golfe du Mexique et débarqua le 22 avril à Veracruz, à 312 km à l'est de Tenochtitlán, capitale aztèque. Là, à peine débarqué, il donna l'ordre de brûler tous ses navires à l'exception d'un seul qui, chargé de présents, devait retourner plaider la cause du rebelle devant le roi d'Espagne. Il se coupait ainsi toute retraite, mais mettait ses hommes dans l'obligation de se battre, de vaincre ou de mourir.

A des dizaines de milliers de guerriers aztèques et leurs alliés, Hernán Cortés n'opposait que 400 soldats, parmi lesquels 33 arbalétriers et 17 arquebusiers. Il fut ensuite escorté de 7 000 indigènes appartenant à la république indépendante de Tlaxcala et à des peuples soumis que leur ressentiment à l'égard des Aztèques avait ralliés à sa cause.

Les Espagnols s'ingénièrent à inspirer la terreur. Ils emmenaient avec eux dix lourdes pièces d'artillerie et quatre plus légères dont la mise à feu semait la panique. Ils n'avaient que 20 chevaux, mais les faisaient caracoler, et les cavaliers et leurs montures, que les Indiens prenaient pour une seule et même créature, provoquaient un immense effroi. De plus, les Indiens étaient de piètres manœuvriers.

Cortés entreprit sa marche vers l'intérieur. A Cholula, où les Tlaxcaltèques l'accompagnaient, Cortés fut prévenu qu'une conspiration avait été fomentée contre lui. Il invita les nobles de la ville à une cérémonie et les fit massacrer par surprise, *« à coups de lance et d'épée jusqu'à ce que mort s'ensuive »*.

Cortés et Moctezuma

Les conquistadors poursuivirent leur avance et atteignirent Tenochtitlán au mois de novembre. De part et d'autre de la vaste avenue principale se profilaient sur fond de montagnes les temples, les terrasses, les jardins. La foule des badauds contemplait avec curiosité ces étrangers, leurs canons, leurs chevaux, leurs vêtements. Les Espagnols regardaient les Indiens, les bateaux glissant sur les canaux, admiraient les constructions, tours, temples, ponts, faits de pierres énormes superposées et cimentées.

Moctezuma II vint à la rencontre de Cortés. L'empereur des Aztèques, qui avait environ quarante ans, était grand et mince et portait un collier de barbe. Il accueillit Cortés avec tous les honneurs, lui offrit des présents et installa les nouveaux venus dans le palais de son père.

Huit jours s'écoulèrent en entretiens entre Moctezuma et Cortés. Ce dernier avait pour interprète, conseillère et maîtresse une Indienne, appelée doña Marina ou la Malintzin ou encore la Malinche, qui, fille d'un noble mexicain, avait vécu en esclavage chez les Mayas. En l'aidant à comprendre la psychologie et les coutumes indiennes, elle permit au conquistador d'agir souvent en diplomate avisé et, pour les Mexicains, elle demeure le symbole de la trahison.

A gauche, portrait d'Hernán Cortés ; à droite, l'entrée de Cortés à Tenochtitlán, détail d'une peinture de l'époque coloniale.

La capture de Moctezuma

Après ce bref interlude, Cortés agit avec sa rapidité coutumière : il s'empara du roi et commença, par l'intermédiaire de son prisonnier, à agir en maître du pays.

A Cuba, le gouverneur n'avait pas renoncé à ramener le conquérant à l'obéissance. En 1520, il envoya une expédition chargée de l'arrêter. Cortés se porta à sa rencontre, sur la côte, captura son chef et revint, ayant engagé à ses côtés une bonne partie du contingent.

Pendant son absence, le commandement de la garnison restée à Tenochtitlán avait été confié au capitaine Pedro de Alvarado.

Celui-ci, craignant une attaque, fit massacrer toute l'aristocratie aztèque au cours d'une cérémonie religieuse dans le Templo Mayor. Aussitôt, la rébellion s'organisa et les Espagnols furent attaqués de toutes parts et assiégés dans leur palais.

A son retour, Cortés ne put que désavouer Alvarado, mais la révolte s'amplifiait. Moctezuma II, qui tenta d'apaiser ses guerriers, fut insulté, traité de couard et lapidé. Blessé par une pierre jetée depuis la foule, humilié, le roi tomba dans un mutisme absolu et refusa de s'alimenter. Il mourut peu après sans qu'on sache si les Espagnols avaient hâté sa fin.

Cortés était dans l'impasse. Les Aztèques non seulement assiégeaient le palais, mais ils avaient détruit les ponts, empêchant ainsi toute retraite aux Espagnols.

La Noche Triste

Aux premières heures de la nuit, le 1er juillet 1520, les Espagnols quittèrent le palais, emportant un pont mobile. Mais leur retraite tourna au désastre sur les chaussées coupées de canaux où ils se battaient dans le désordre quand ils ne se noyaient pas sous le poids de leur butin dont ils n'avaient pas consenti à se séparer.

A bord d'embarcations légères, les Aztèques traquèrent les fuyards avec des lance-pierres, de longues lances aux pointes de cuivre et des *maquahuitl,* massues incrustées d'éclats d'obsidienne.

Cette Noche Triste (la « nuit triste ») fut le début d'une poursuite infernale. Les Aztèques, que les envahisseurs blancs n'effrayaient plus, les harcelaient en les criblant de projectiles. Épuisés, les fugitifs n'avaient pour nourriture que des baies sauvages, quelques épis glanés au hasard ou des morceaux de la dépouille d'un cheval mort. Ils s'étaient délestés de leur or. Mais ils n'abandonnèrent pas le combat, sachant que la capture signifiait la mort. A Otumba, où un rassemblement ennemi les attendait dans la plaine, ils chargèrent et se battirent encore. Cortés leur désigna le général aztèque à combattre. Ils le cernèrent et le tuèrent. Leur chef disparu, les indigènes battirent en retraite.

Les Espagnols durent leur salut aux Tlaxcaltèques, qui les accueillirent et leur restèrent fidèles. Cortés reconstitua ses forces avec des Indiens et des aventuriers venus des Antilles. Puis il entreprit de conquérir méthodiquement les provinces centrales du Mexique. En mai 1521, il mit le siège devant Tenochtitlán.

La chute de Tenochtitlán

Il avait préparé l'opération en faisant construire à terre treize petits navires armés de canons, qui furent ensuite tirés jusqu'au lac, empêchant toute sortie des habitants.

Le blocus dura trois mois. Les assiégés durent faire face au manque de ravitaillement et furent privés de l'eau potable acheminée en temps normal par le grand aqueduc. En outre, ils furent vicitimes d'une terrible épidémie de variole qui fit aussi des ravages parmi les alliés de Cortés.

Cuitláhuac, qui avait pris la succession de Moctezuma II, succomba à la maladie au bout de vingt-quatre jours de règne. Un jeune guerrier de la famille impériale, Cuauhtémoc, le remplaça et mena vaillamment la résistance. Celle-ci fut farouche, et les Espagnols durent prendre la ville rue par rue. Cuauhtémoc, voyant la situation désespérée, tenta de quitter Tenochtitlán peu avant la chute de la ville, le 13 août 1521, afin de reconstituer la résistance au dehors.

La bataille finale fut effroyable. Au cours du dernier assaut, les Aztèques défendirent la ville avec acaharnement. Lorsque Tenochtitlán tomba, elle n'était plus qu'un monceau de ruines et de cadavres. Les Espagnols avaient leur victoire, les Tlaxcaltèques et les autres ennemis des Aztèques se vengeaient sans pitié des avanies et des préjudices qu'ils avaient dû subir au temps de la domination de ces derniers. Les guerriers, rassemblés sur les toits, contemplaient sans mot dire les ruines de leur ville tandis que les femmes, les enfants et les vieillards pleuraient. Le poète aztèque Tlaltelulco décrivit ainsi la capitale martyre :

« Les épées brisées jonchent le sol
Nous nous tordons de désespoir
Les maisons sans toit sont béantes
Leurs murs sont rouges de sang »

On a estimé le nombre de morts à 120 000 mais ce chiffre pourrait être multiplié par deux.

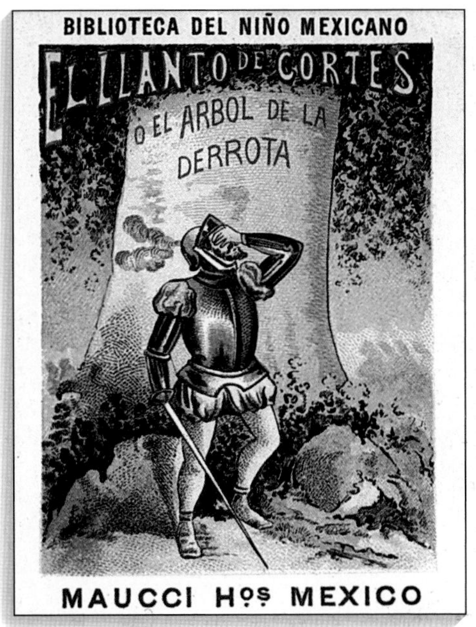

Décors de boîtes d'allumettes racontant la conquête espagnole, de gauche à droite : un sacrifice humain perpétré par les Aztèques ; la rencontre de Cortés et de Moctezuma ; la capture de Moctezuma ; Cortés pleure sur sa défaite.

Les 30 000 à 70 000 survivants n'eurent d'autre choix que l'exil. Fait prisonnier, Cuauhtémoc fut torturé par les Espagnols qui, dépités de n'avoir pas trouvé l'or espéré – ils ne découvrirent que 130 000 *castellanos*, soit à peine 600 kg d'or –, voulurent lui faire avouer où était caché le trésor impérial. En vain : le dernier empereur aztèque resta muet. Cortés, soucieux de ne pas provoquer d'autres soulèvements, attendit pour le mettre à mort l'occasion de l'éloigner de Tenochtitlán : Cuauhtémoc fut exécuté en 1524, au cours de son expédition vers le Honduras. Aujourd'hui encore, dans la mémoire collective des Mexicains, il fait figure de héros national.

Après la chute de Tenochtitlán, toute résistance organisée prit fin. En 1522-1523, les conquistadors soumirent le sud et l'ouest du Mexique avec beaucoup de facilité. Cortés fut nommé capitaine-général de la Nouvelle-Espagne par Charles-Quint, et ses successeurs achevèrent l'unité territoriale amorcée par l'empire aztèque ; ils atteignirent même le Mississippi et l'Arkansas.

Les Mayas, protégés par l'épaisseur de la forêt tropicale, ne se soumirent qu'à l'issue d'une lutte qui dura de 1527 à 1546, et leurs derniers descendants ne disparurent qu'à l'extrême fin du XVIIe siècle. Dans le Nord, des tribus resteront même indépendantes jusqu'au XXe siècle.

VIVA
GUA
DAL
UPE.

12

LA PÉRIODE COLONIALE ET L'INDÉPENDANCE

L'Espagne gouverna le Mexique pendant trois siècles, jusqu'à la proclamation de l'indépendance en 1821. Consciente de l'intérêt économique des colonies américaines, la couronne espagnole s'est efforcée de les organiser de façon systématique. Elle a maté toute tentative de révolte et exercé sur le Mexique un contrôle étroit.

Les conquistadors, premiers maîtres de la colonie, se virent retirer les terres que Cortés leur avait attribuées. Dès 1535, pour combattre l'ambition des colons, la monarchie plaça le Mexique et les Antilles sous l'autorité du vice-roi de Nouvelle-Espagne, dont la capitale était à Mexico, tandis que l'Amérique du Sud espagnole devenait la vice-royauté de Nouvelle-Castille.

L'ORGANISATION DE LA COLONIE

L'économie coloniale du Mexique reposait sur l'*encomienda*, par laquelle un territoire plus ou moins étendu était concédé à vie à un Espagnol ; cette concession s'accompagnait de l'autorisation pour son détenteur d'exiger des Indiens un impôt en argent, en nature ou en travail. L'*encomendero* devait en contrepartie assurer leur subsistance et en faire de bons chrétiens. Hors des *encomiendas*, le système des *repartimientos* autorisait les fonctionnaires de la couronne à enrôler de force la main-d'œuvre locale au profit des colons.

La plupart des *encomiendas* étaient trop petites pour être viables. Elles furent rapidement rachetées par des colons enrichis et réunies entre elles ou à des terres vendues par la couronne, donnant naissance à de grandes propriétés, les haciendas.

La monarchie espagnole fonda très tôt la Casa de Contratación, qui détenait le monopole du commerce des colonies américaines, et le Conseil des Indes, destiné à contrôler les institutions administratives, judiciaires et religieuses des nouveaux territoires. Elle nommait des fonctionnaires pour une durée limitée, afin d'éviter la formation de seigneuries autonomes à partir des vastes domaines que le système permettait de constituer.

Pages précédentes : peinture murale de Juan O'Gorman évoquant le combat pour l'indépendance. A gauche, le palais d'Iturbide, à Mexico, au XIX*e siècle ; à droite, « Saint Raphaël et Tobie », de Miguel Cabrera (1695-1768), peintre célèbre en Nouvelle-Espagne.*

Le travail forcé dans les champs ou dans les mines et surtout les épidémies firent chuter la population du Mexique central de 25 millions d'habitants en 1519 à 1 million en 1605. Certaines populations refusèrent de se soumettre à la domination espagnole et parfois même des groupes entiers choisirent le suicide collectif, au Chiapas par exemple.

L'Église, qui s'interrogea d'abord sur la manière de considérer les Indiens, promulgua une bulle pontificale qui leur reconnaissait une âme, ce qui fut le point de départ de l'en-

treprise de conversion. Elle envoya des missionnaires, dont les premiers efforts portèrent sur l'éducation des enfants de l'aristocratie indigène. Les franciscains fondèrent ainsi un collège à Tlatelolco, en 1528. Il semble que nombre d'élèves aspiraient à la prêtrise, mais un décret de 1555 interdit d'ordonner les Indiens et les métis.

LA RUÉE VERS L'ARGENT

Vers 1540, les Espagnols commencèrent à exploiter les mines du Mexique et du Pérou. Dès 1548, plus de 50 mines étaient en exploitation au Mexique, autour de Pachuca, Guanajuato et Zacatecas, le centre principal. Les Indiens, même recrutés de force, ne suffirent plus à la tâche et l'importation d'esclaves noirs s'intensifia, accélérant le processus de métissage. Le Mexique resta longtemps un gros producteur puisque, en 1800, il fournissait 66 % de l'argent mondial.

A la recherche d'autres richesses, quelques hommes s'aventurèrent plus loin vers le nord. Ils s'installèrent à plusieurs mois de voyage de Mexico, loin du regard des autorités officielles. Audacieux et indépendants, ils formèrent une société à part, avec d'autres hiérarchies, composée pour l'essentiel de *criollos*, ou créoles, Espagnols nés au Mexique, et de *mestizos*, métis mi-espagnols mi-indiens. Ils s'appropièrent des territoires arides, propices au seul élevage.

Indiens et serfs

Dans tout le pays, les colons dépossédèrent les Indiens de leurs terres. Pour survivre, ces derniers devaient louer leur travail dans les exploitations espagnoles, où la faiblesse de leur salaire les contraignait à s'endetter. Et, les dettes se transmettant de père en fils, les indigènes demeuraient perpétuellement dans la dépendance des propriétaires. L'abolition officielle de l'esclavage des Indiens (remplacé par celui des Noirs d'Afrique), en 1548, ne changea rien aux faits.

Au sein de l'Église, quelques voix s'élevèrent pour défendre ces opprimés. A la suite du dominicain António Montesino, qui fit adopter dès 1512 des lois exigeant des *encomenderos* des Antilles qu'ils donnent aux indigènes de la nourriture en suffisance, un toit et une parcelle de terrain, un autre dominicain, Bartolomé de Las Casas, dénonça les abus du système. Son intervention conduisit Charles Quint à promulguer les Nouvelles Lois (1542), réglementant le travail forcé.

Au Chiapas, Las Casas s'efforça d'aider les Indiens et fonda pour eux une colonie agricole. L'évêque Quiroga mena une action similaire au Michoacán.

Deux pouvoirs rivaux

Plusieurs ordres avaient envoyé des missionnaires. Vers 1559, on comptait 380 franciscains, 210 dominicains, 212 augustins. D'autres, parmi lesquels les jésuites, arrivèrent bientôt. Des rivalités surgirent, malgré l'attribution d'une aire géographique à chaque ordre.

Des conflits d'intérêts opposaient la couronne espagnole et l'Église. Cette dernière disposait de grands biens. Elle percevait un impôt de 10 % sur toutes les activités, agriculture, commerce, mines, et même une part des revenus des Indiens. Elle possédait de vastes haciendas, des moulins pour la canne à sucre. Elle avait enfin une activité de banquier puisqu'elle prêtait de l'argent. Elle exerçait en outre un véritable pouvoir, son autorité morale assurant entre les groupes sociaux une coexistence que la seule force n'aurait pu obtenir.

LE MONOPOLE COLONIAL

La monarchie espagnole se souciait avant tout de la rentabilité de ses colonies. Prélevant sa part sur la production et le commerce, elle prit des mesures afin d'en tirer le profit maximal. La Nouvelle-Espagne se vit ainsi interdire tout commerce avec les pays d'Europe autres que la métropole. De même, les échanges entre colonies furent prohibés, car ils risquaient de nuire aux exportations de la péninsule ibérique vers les Amériques. Les métaux furent déclarés patrimoine de la couronne, l'activité minière étant confiée à des particuliers qui lui reversaient un cinquième de leur production ; le mercure, nécessaire à l'extraction de l'argent, était directement exploité par celle-ci. Philippe II nationalisa les salines en 1575, le sel servant entre autres à fondre l'argent.

L'Espagne décida d'adopter une route vers l'Orient qui passerait par l'ouest et dont le Mexique serait la grande étape. Une fois par an, un galion venu des Philippines abordait à Acapulco. Son chargement était transporté par voie de terre jusqu'à Veracruz, seul port d'où les bateaux vers l'Espagne étaient autorisés à partir, puis acheminé vers la métropole.

La contrebande se développa et on estime qu'une proportion non négligeable de la production d'argent quittait clandestinement la Nouvelle-Espagne. La piraterie sévit également et obligea la couronne espagnole à introduire le système de la navigation en convoi à partir de 1561. Une flotte constituée uniquement de navires de guerre faisait les allers et retours entre l'Espagne et les Indes occidentales, pour aller chercher le trésor du roi : tout l'or et l'argent extrait des mines royales ainsi que le produit des impôts et les revenus de la vente du mercure. Deux autres convois accompagnés d'une escorte armée partaient chaque année pour l'Amérique, l'un en janvier, l'autre en août. Ils apportaient des denrées alimentaires et des produits manufacturés, et s'en retournaient chargées de sucre, de vanille, de coton, de peaux, de teintures...

Parmi les productions locales figurent aussi le cacao, boisson nouvelle très prisée en Europe, et le tabac, dont la culture connut un essor considérable au début du XVIIe siècle. La péninsule du Yucatán produisait du coton et de l'indigo, une teinture végétale. La région

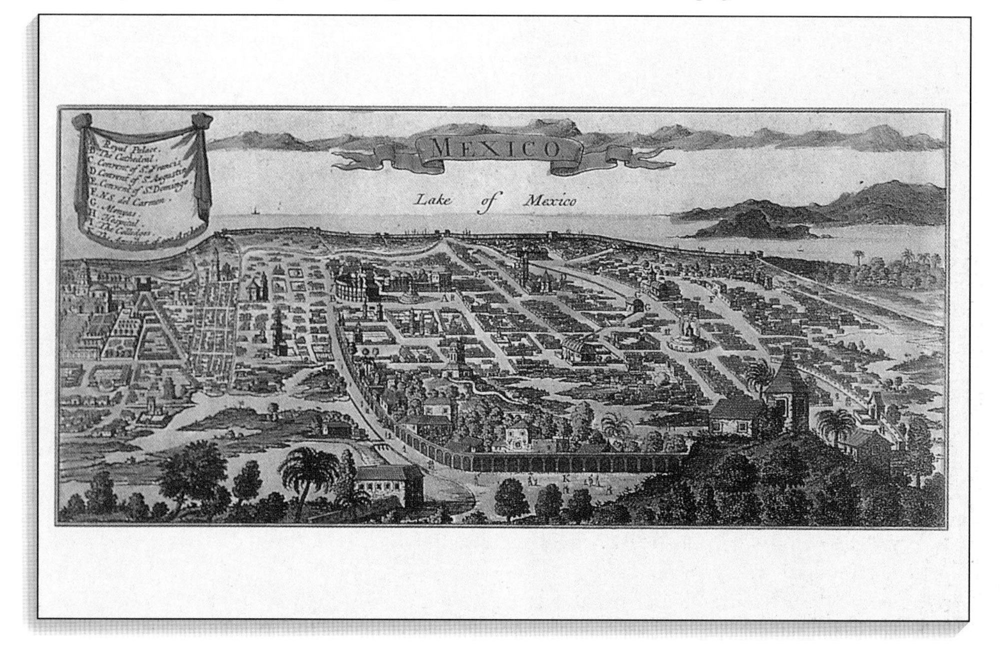

A gauche, le Palacio Nacional, peint par Casimiro Castro ; à droite, la ville de Mexico qui, au début du XVIIIe siècle, était encore entourée d'un lac.

d'Oaxaca fabriquait du carmin, obtenu à partir d'un insecte, la cochenille. La canne à sucre était bien sûr une culture importante, mais un décret de 1599 en limita la production au profit du blé et du maïs. Les provinces de Tlaxcala et d'Hidalgo élaboraient un alcool, le *pulque* à partir de jus d'agave.

La société coloniale

La monarchie organisa la traite des Noirs par le système de l'*asiento de negros*, qui concèdait ce commerce à des particuliers. Elle supervisa également l'émigration des Espagnols par l'intermédiaire de la Casa de Contratación, qui limita sévèrement les départs au début de la Conquête et se montra beaucoup plus souple par la suite. Ainsi se constitua une classe d'immigrés pauvres, en majorité artisans, fermiers et éleveurs. En 1570, 60 000 Espagnols s'implantèrent en Nouvelle-Espagne ; deux siècles plus tard, ils étaient 500 000.

Une hiérarchie sociale fut mise en place par l'administration mexicaine, qui définit les différentes appartenances et leur donna un nom : *criollos* ou créoles, Espagnols nés au Mexique, *mestizos* ou métis, *castas* chez qui se mêlaient à divers degrés du sang indien, espagnol, africain et asiatique. Au XVIIIe siècle, créoles et métis représentaient la moitié de la population totale. Quant aux Espagnols nés en Espagne, seuls autorisés à occuper les plus hautes charges, ils étaient désignés dans le langage courant par le terme méprisant de *gachupines*.

La montée du pouvoir créole

Le mécontentement suscité par la mainmise de l'Espagne et par le monopole colonial était particulièrement vif chez les créoles. De plus, au cours du XVIIIe siècle, la monarchie, pour renforcer sa surveillance sur la colonie, les remplaça dans l'administration par des fonctionnaires venus de la métropole. A la fin du siècle, les idées essaimées par la Révolution française et par l'indépendance des colonies

britanniques d'Amérique du Nord alimentèrent ce ressentiment. Ce dernier trouva enfin à s'exprimer en 1808, quand Napoléon envahit l'Espagne et força Ferdinand VII à abdiquer, pour mettre sur le trône Joseph Bonaparte.

Tandis que l'élite espagnole de Nouvelle-Espagne s'interrogeait pour savoir à quel souverain, de l'ancien ou du nouveau, elle devait fidélité, les créoles commençèrent à évoquer la possibilité de l'indépendance. Sous la conduite d'un prêtre, Miguel Hidalgo, un groupe de créoles de Querétaro fomenta en 1810 un complot pour chasser les Espagnols et former un gouvernement au nom de Ferdinand VII. Le complot fut éventé mais le prêtre appela à l'insurrection. Soutenu par la majorité de la population métisse et indienne, qui se rallia au cri de *« Vive la Vierge de Guadalupe! Meurent les gachupines! »*, le mouvement prit une ampleur que ses chefs n'avaient pas prévue et se transforma en véritable guerre civile. Équipés d'armes de fortune, des milliers d'hommes prirent en deux mois San Luis Potosí, Valladolid et Zacatecas. Arrivé à Guadalajara, Hidalgo constitua un gouvernement et promulgua des décrets abolissant l'esclavage des Noirs et les impôts exigés des Indiens. L'armée révolutionnaire fut vaincue en 1811 et son chef fusillé. Les deux camps, gouvernement de Nouvelle-Espagne et rebelles, commirent des massacres.

UNE TRÈS BRÈVE RÉPUBLIQUE

Cependant, la lutte se poursuivit sous le commandement d'autres chefs, comme Ignacio Lopez Rayon, dans le Nord, et surtout José María Morelos, ancien élève du père Hidalgo, qui mena de brillantes campagnes dans le Sud, prenant Oaxaca puis Acapulco. En 1813, il réunit le congrès de Chilpancingo, qui proclama l'indépendance et décréta l'égalité complète des populations. L'année suivante, il fit rédiger la constitution d'Apatzingán, instituant la république du Mexique. Mais, fait prisonnier en 1815 par les troupes de la vice-royauté, il fut exécuté. Bon nombre de créoles, effrayés par un soulèvement qui ne leur paraissait plus défendre leurs intérêts, acceptèrent sans mal cette défaite.

A gauche, Acapulco (document du XVIIe siècle); ci-dessus, carreaux peints de la Casa Sandoval; à droite, une fête dans le parc de Chapultepec, à Mexico (peinture du XVIIIe siècle).

L'ALLIANCE CRÉOLE

Un colonel créole, Agustín de Iturbide, fut chargé d'écraser les dernières tentatives de rébellion dans le sud, où Vincente Guerrero, partisan de Morelos, continuait à se battre. Des affrontements sporadiques eurent lieu

jusqu'en 1821. L'année précédente, en Espagne, une insurrection sans lendemain avait proclamé la constitution de Cadix, imprégnée de libéralisme. Or ce libéralisme-là, les créoles n'en voulaient plus. Royaliste, Iturbide proposa alors une alliance à Guerrero. Ensemble, réalisant l'union des créoles, ils promulguèrent le plan d'Iguala, dit des Trois Garanties : le texte reconnaissait une seule religion, le catholicisme; il garantissait l'égalité de tous les citoyens mexicains; il établissait une monarchie constitutionnelle.

Six mois plus tard, le 24 août 1821, le nouveau vice-roi, Juan O'Donojú, signa le traité de Córdoba, consacrant l'indépendance du Mexique.

L'ARCHITECTURE MEXICAINE

La conquête espagnole a entraîné une synthèse culturelle qui a donné naissance à des styles architecturaux originaux. Au XVIe siècle, les jésuites, en terre et en climat étrangers, importèrent les styles du Vieux Monde, en intégrant des éléments classiques, romans, gothiques et Renaissance. Le style mudéjar (marqué par des emprunts mauresques : plafonds à caissons, arabesques, etc.) qui avait fait florès en Espagne a également laissé des traces au Mexique.

Ces styles variés ont marqué les immenses monastères d'Acolman, Actopan, Huejotzingo et Yecapixtla, fondés dans la seconde moitié du XVIe siècle. Avec leurs murailles renforcées d'énormes contreforts, ces bâtiments aux allures de forteresses furent souvent édifiés avec les pierres des pyramides et des temples païens.

Les religieux supervisèrent également la construction de chapelles, d'hôpitaux et d'écoles, par des artisans locaux formés aux techniques européennes de la charpente, de la maçonnerie et de la ferronnerie. La gloire de l'Église s'exprimait par l'immensité des retables, l'or des statues, la splendeur des peintures murales et des décors en pierre et en bois sculptés. Ces œuvres n'étaient pas de simples copies des modèles européens, mais révélaient une sensibilité artistique propre. Les historiens de l'art ont baptisé *tequitqui* cette alliance des styles indien et espagnol.

Au XVIIe siècle, l'architecture mexicaine devint de plus en plus ornée. La mode (introduite d'Espagne) était au baroque, où dominaient l'exubérance et la fantaisie. Vers 1750, ce style adopta les outrances ornementales du churrigueresque (du nom de l'architecte espagnol du XVIIIe siècle José Churriguera). Caractérisées par une somptueuse complexité et une surabondance de détails, églises et cathédrales reflètent la prospérité de cette époque. Les retables dorés, surchargés de colonnes torses, de statues de saints, d'anges et de médaillons, éblouissaient les fidèles d'Amecameca, de Taxco, de Querétaro et surtout de l'église San Francisco Javier de Tepotzotlán.

Dans les régions écartées, les artisans locaux s'inspirèrent des modèles urbains. L'imagination et l'éclectisme de leurs créations leur ont valu le nom de *barroco popular* : à Querétaro, le stuc des façades de la Sierra Gorda est sculpté à l'imitation de la pierre ; des azulejos ornent les murs extérieurs des églises dans l'État de Puebla ; à San Francisco Acatepec, ils revêtent même les corniches, les chapiteaux et les colonnes ; à Puebla et dans ses alentours, les intérieurs d'églises sont souvent recouverts de reliefs en plâtre peint et doré ; des grappes de fleurs, des fruits, des animaux et des chérubins envahissent les murs et les voûtes de Santa María Tonantzintla.

Mais le style néoclassique, officiellement introduit par le vice-roi à la fin du XVIIIe siècle, condamna le baroque, jugé tape-à-l'œil et vulgaire. L'école académique s'inspira des canons gréco-romains et l'architecture prit une allure austère. Certains intérieurs d'églises furent totalement dépouillés de leurs ornements, que l'on remplaça par de sévères revêtements de marbre. Cependant, en dépit du rationalisme européen, de nombreuses églises et cathédrales ont conservé leur charme baroque. Débordantes de fleurs, de cierges et de saints en plâtre parfois affublés de croix en néon, elles sont à l'image de la foi fervente et démonstrative des Mexicains.

L'ARCHITECTURE CIVILE URBAINE

A Mexico, capitale de la vice-royauté, la classe dirigeante avait de toute évidence le goût du luxe. Un ambitieux programme de reconstruction suivit la destruction de Tenochtitlán en 1521. A la place des édifices aztèques s'élevèrent de somptueuses résidences et de vastes bâtiments officiels. Frère Alonso Ponce, qui visita la ville en 1585, louait *« ses excellentes maisons et ses belles rues »*. Seuls quelques rares vestiges de l'architecture civile du XVIe siècle ont survécu.

Les demeures de l'époque baroque se composent de plusieurs étages. Leurs façades somptueuses sont ornées de tourelles d'angle, de niches et de statues, de balcons ornés de ferronneries et de porches monumentaux surmontés d'armoiries. A l'intérieur, un escalier majestueux conduit du patio principal aux étages supérieurs. L'arrière-cour était réservée aux chevaux et aux voitures.

Les familles riches entretenaient leurs demeures grâce aux revenus tirés de leurs domaines ruraux. Ainsi, au XVIIIe siècle, les comtes del Valle de Orizaba, qui possédaient des plantations de canne à sucre, reconstruisirent et redécorèrent dans le style baroque leur demeure du XVIe siècle (appelée Casa de los Azulejos en raison des carreaux bleu et blanc qui décorent sa façade). D'autres villes ont vu s'édifier des résidences remarquables. A Puebla, où baroque est souvent synonyme de stuc, la Casa del Alfeñique (« maison du sucre d'orge ») doit son nom à ses façades étincelantes qui semblent moulées dans le sucre.

Le règne du néoclassique s'étendit au-delà de 1821 et de la guerre d'Indépendance, et marqua surtout les grandes constructions, les bâtiments officiels et les théâtres de Mexico et des grandes villes. Durant la seconde moitié du XIXe siècle, l'influence française provoqua un retour à un style plus ornementé.

LES HACIENDAS

Pendant toute l'époque coloniale, les haciendas furent constamment remodelées en fonction des besoins de l'exploitation. Ce processus, qui s'accéléra avec la constitution d'immenses domaines sous le gouvernement de Porfirio Díaz, rend la plupart des haciendas difficiles à dater.

Autonomes et vivant en autarcie, les haciendas fonctionnaient selon un modèle féodal. A l'intérieur de puissantes murailles, le domaine regroupait la résidence principale – aux pièces spacieuses distribuées autour de patios ombragés –, la chapelle, les habitations des ouvriers, l'école, la prison, le cimetière, les étables, les parcs à bestiaux, les réserves et les greniers à céréales. L'élément architectural le plus original est l'*espadaña*, sorte de clocher-mur intégré à l'enceinte, où l'on sonnait aussi bien les offices que le rassemblement ou l'alarme.

Aujourd'hui, certaines haciendas ont été transformées en hôtels ou en musées, comme l'hacienda San Gabriel, près de Guanajuato, ou l'hacienda de Santa Ana, proche de Xalapa. Mais la plupart, mises à sac pendant la Révolution mexicaine, ne sont plus que ruines.

A gauche, la sobre façade en pierre de l'église de San Roque, à Guanajuato ; à droite, la magnificence baroque de la chapelle du Rosaire de San Domingo, à Puebla.

HABITATONS INDIENNES

Loin des villes et des haciendas, les Indiens se servaient des matériaux locaux pour bâtir leurs logis traditionnels. Aujourd'hui encore, dans les régions pluvieuses, des toits d'herbe ou de palmes surmontent des murs faits de poteaux, de planches ou de clayonnage revêtu d'argile. Dans les régions sèches, où les *campesinos* construisent en pierre ou en adobe (briques de terre séchées au soleil), certaines maisons possèdent un toit de carreaux ou de tuiles. Un grossier revêtement de plâtre protège des insectes et des intempéries. Dans les villages du Yucatán ou de l'Oaxaca, cette architecture populaire est toujours vivante.

LE XIXe SIÈCLE

Au cours de son premier siècle d'indépendance, le Mexique eut une histoire très tourmentée, marquée par des luttes sanglantes suivies d'une longue dictature. D'abord ruiné, le pays traversa ensuite une phase de croissance économique qui ne profita qu'à certains, laissant l'immense majorité dans la misère.

La signature du traité de Córdoba, en 1821, suscita de grandes réjouissances. Augútin de Iturbide mena son armée victorieuse jusqu'à Mexico, où il prit la tête du premier gouvernement indépendant. L'année suivante, des cérémonies somptueuses marquèrent son couronnement. La gloire de l'empereur Agústin Ier fut cependant de courte durée : dès le 19 mars 1823, le général Santa Anna le força à abdiquer avant de le faire exécuter.

QUARANTE ANS DE GUERRE

La constitution de 1824, inspirée de celle des États-Unis d'Amérique, fit du Mexique une république fédérale, avec pour président élu Guadalupe Victoria, qui avait combattu pour l'indépendance. Cependant, c'est le général Antonio López de Santa Anna, parfait démagogue capable de séduire aussi bien les libéraux que les conservateurs, qui allait occuper le devant de la scène jusqu'en 1855. Toujours présent, il dirigea 11 des 50 gouvernements qui se succédèrent en trente ans, généralement portés au pouvoir par un coup d'État.

A part de brefs épisodes, le pays fut dirigé par les conservateurs, liés à l'Église, partisans d'une société stable et de la restauration d'une monarchie à l'européenne. Les libéraux souhaitaient quant à eux promouvoir la croissance économique, affaiblir le pouvoir clérical et mettre en place des institutions calquées sur les modèles américain et français ; ils consolidèrent progressivement leurs forces avec l'appui des États-Unis. La politique était avant tout le fait de l'élite créole. Elle concernait peu les métis et les Indiens, soit 80 % de la population, accablés de misère dans un pays ruiné.

La lutte pour l'indépendance avait en effet laissé le pays exsangue. La production minière, agricole et industrielle avait vertigineusement chuté, en partie à cause de la paralysie des échanges maritimes avec l'Europe et l'Extrême-Orient. Le réseau de routes, très peu développé, s'était encore détérioré, rendant difficiles les échanges dans cet immense territoire agité de conflits.

Le déclin économique s'accompagna de l'effondrement de l'appareil administratif, déjà disloqué par le départ des Espagnols.

UN TERRITOIRE AMPUTÉ

La crise se doubla de conflits extérieurs. Le pays n'étant plus sous la coupe des Espagnols, il suscita la convoitise de puissances étrangères, attirées par ses richesses minières.

En 1838, la France, sous prétexte de défendre l'intérêt de ses ressortissants, intervint militairement. Cette expédition fut provoquée par la plainte d'un pâtissier, d'où son nom de « guerre des Gâteaux ». Elle ne fut qu'un épisode sans grande importance au regard du conflit qui opposa le Mexique aux États-Unis.

En 1835, les colons américains du Texas, territoire mexicain, proclamèrent leur indépendance. Santa Anna, qui était alors président de la République, prit la tête d'une armée, rapidement battue. Puis, en 1845, le Congrès américain vota l'intégration du Texas à l'Union et y annexa l'Arizona, le Nouveau-Mexique et la Californie.

Cette décision déclencha la guerre. Des troupes américaines avancèrent vers le sud et prirent Chihuahua ; d'autres, venues du Texas, s'emparèrent de Monterrey et de Coahuila ;

d'autres encore, soutenues par une flotte dans le Pacifique, pénétrèrent en Californie. Enfin, le gros de l'armée débarqua à Veracruz, traversa le pays et conquit la capitale.

Le traité de Guadalupe, signé en 1848, consacra la perte du Texas et de la Haute-Californie, ainsi qu'une partie du Nouveau-Mexique et de l'Arizona, soit la moitié du territoire national.

Enfin, en 1853, Santa Anna vendit aux États-Unis le reste du Nouveau-Mexique et de l'Arizona pour 10 millions de dollars.

L'agitation régnait aussi dans le sud du pays, dans la péninsule du Yucatán. En 1847, les Indiens mayas se rebellèrent contre les grands propriétaires créoles. Cette guerre des Castes dura jusqu'en 1853. Elle prit fin grâce à l'intervention de l'armée fédérale, à la demande de l'aristocratie de Mérida, qui dut accepter du même coup, malgré ses réticences, d'appartenir plus nettement à l'ensemble national.

C'est la cession des territoires du Nord qui causa la perte de Santa Anna. En 1855, les libéraux contraignirent le général à s'exiler. Il disparut définitivement de la scène politique et mourut en 1876.

A gauche, portrait du XIXe siècle de Santa Anna, général et dictateur à vie ; ci-dessus, une évocation naïve de Benito Juárez, qui combattit pour plus de justice dans son pays.

LA RÉFORME

Benito Juárez, grande figure de l'histoire mexicaine, ne fut pas étranger à la chute de Santa Anna. Né en 1806 dans un petit village de la région d'Oaxaca, cet Indien zapotèque de famille modeste parvint à devenir avocat, puis gouverneur de l'État d'Oaxaca (de 1847 à 1852), avant d'accéder à la plus haute charge de la république. Réputé pour son honnêteté incorruptible, il s'engagea totalement dans la défense des valeurs libérales.

En 1854, il élabora le plan d'Ayutla, dirigé contre la dictature de Santa Anna, qui marqua le début du mouvement de la Réforme. Lorsque Santa Anna fut renversé, Juárez devint ministre de la Justice du nouveau gouvenement et se mit en devoir d'appliquer les mesures qu'il préconisait : abolition des privilèges de l'armée et de l'Église, jusqu'alors intouchables ; nationalisation des biens du clergé ; protection des libertés individuelles ; réforme agraire.

Ces mesures décrétées par la constitution de 1857 provoquèrent la rébellion armée des conservateurs et une guerre civile féroce qui dura de 1858, année où Juárez devint président, à 1861. Forts du soutien de tous les régionalismes et des élites locales menacées par le centralisme conservateur, soutenus politiquement et militairement par les États-Unis, les libéraux en sortirent victorieux. Leurs troupes pénétrèrent dans la capitale le 1er janvier 1861.

Leur triomphe était cependant menacé par l'alliance entre les conservateurs et Napoléon III, qui rêvait d'établir au Mexique un empire latin saint-simonien qui ferait pièce à l'expansion américaine. De plus, à la fin de la guerre civile, la situation financière catastrophique obligea Benito Juárez à suspendre le paiement de la dette extérieure. L'Angleterre, l'Espagne et la France envoyèrent des troupes. Les deux premières se retirèrent dès 1862, mais le souverain français poursuivit son dessein et réussit à occuper Mexico en 1863. Il offrit la couronne à l'archiduc d'Autriche

Maximilien de Habsbourg, qui était alors âgé de trente-deux ans. Maximilien s'installa à Mexico en 1864.

Bien que porté au pouvoir par le parti conservateur, le nouvel empereur était un libéral et un idéaliste. Il agit en réformateur, promulguant des lois sur les salaires et les conditions de travail des adultes et des enfants, effaçant les dettes supérieures à 10 pesos, remettant en vigueur la propriété collective des terres dans les villages indiens, interdisant les châtiments corporels ainsi que la vente et le rachat des ouvriers agricoles, les *peones*, pour le prix de leurs dettes.

Mais il perdit ainsi le soutien des conservateurs et de Napoléon III, dont les soldats assuraient son maintien au pouvoir. De plus, les événements internationaux bouleversèrent les rapports de force. La France, menacée par la Prusse, avait besoin de ses troupes, tandis que les États-Unis, sortis de la guerre de Sécession, réaffirmaient la doctrine Monroe de « l'Amérique aux Américains » et faisaient pression sur Napoléon III pour qu'il se désengage. Le corps expéditionnaire français se retira en 1866, mais Maximilien refusa de partir. Juárez, qui s'était replié dans le Nord, où il poursuivait la lutte, reconquit le pays et fit fusiller Maximilien en 1867.

Réélu président, Juárez dut faire face aux rivalités entre les libéraux et à de très graves problèmes financiers. Il gouverna de manière implacable, étouffant l'opposition par les armes. Il mourut subitement en 1872. Son successeur, Lerdo de Tejada, ne parvint pas à rétablir l'ordre. Porfirio Díaz, ancien général de Juárez exilé après une tentative de rébellion, prit le pouvoir en 1876.

Le porfiriat

Porfirio Díaz conserva la présidence de la République jusqu'en 1911, avec une brève interruption de 1880 à 1884, soit une trentaine d'années de pouvoir. Ce long règne, de plus en plus dictatorial, se solda par une misère générale liée à un essor économique rapide, qui profita à quelques privilégiés et à des entreprises étrangères.

A peine arrivé aux commandes, Díaz étouffa toute contestation et acheta des fidélités en distribuant des terres. Dès 1876, il réprima les soulèvements indiens, apaches et yaquis au nord, mayas au sud. Il se servit de l'armée et des *rurales*, police très redoutée agissant dans les campagnes, pour imposer de force ses choix. Au prétexte que le Mexique, déchiré et ruiné par les conflits, avait besoin de *« peu de politique et beaucoup d'administration »*, il remit à plus tard le respect des libertés individuelles et n'hésita pas à faire traquer ses opposants jusqu'aux États-Unis.

Une fois assuré de son pouvoir, Díaz entreprit de lancer le Mexique dans une politique économique fondée sur l'afflux de capitaux étrangers et sur la modernisation des voies de communication. Il fit construire des routes et un impressionnant réseau de voies ferrées totalisant 19 000 km. Le chemin de fer influa profondément sur le paysage économique du pays. Il était désormais rentable de transporter le coton produit dans le Nord jusqu'aux usines textiles du Centre. Des aciéries surgirent à Monterrey, qui traitaient le minerai de fer provenant de l'État de Durango. L'activité minière prit un essor considérable, l'extraction de charbon, de plomb, d'antimoine et de cuivre venant compléter celle de l'or et de l'argent. Elle était aux mains d'entreprises étrangères à qui le gouvernement céda pratiquement tous les droits d'exploitation. Les sociétés américaines, en particulier, réalisèrent des investissements et des bénéfices prodigieux. En 1910, les investissements étrangers s'élevaient à 1,7 milliard de dollars, dont 38 % provenant des États-Unis, 29 % de Grande-Bretagne et 19 % de France. Les activités bancaires et pétrolières appartenaient elles aussi à des sociétés étrangères.

Cette époque a laissé quelques monuments imposants, dans un style français ou italien très prononcé qui révèle l'européanisation des élites pendant le « porfiriat ». Díaz caressa le projet de transformer Mexico en un Paris latino-américain, entreprise à peine ébauchée qui a laissé plusieurs édifices grandioses.

Hacendados et peones

Sous le gouvernement de Díaz, la propriété de la terre se concentra dans quelques mains, au détriment des Indiens notamment. Une loi décréta que seuls les titres de propriété en bonne et due forme seraient reconnus ; or peu de gens en possédaient. Des mesures abolirent la propriété collective de la terre, démantelant ainsi le système agraire indigène. La spoliation des biens du clergé vint également renforcer le système de l'hacienda, grande propriété foncière qu'exploite une main-d'œuvre liée par ses dettes. Quelque 6 000 *hacendados* possédaient ainsi 97 % des terres cultivables. Le gouverneur du Chihuahua détenait 6 millions d'hectares ; William Hearst, magnat de la presse par l'intermédiaire duquel Díaz se conciliait l'opinion publique américaine, put acquérir 1 million d'hectares pour une bouchée de pain. En 1910, 80 % des paysans étaient sans terre et travaillaient comme *peones* sur les haciendas.

Les gros propriétaires élevaient du bétail et faisaient de la culture de rapport destinée à l'exportation, canne à sucre, café, tabac, acajou, caoutchouc ou sisal (*henequén*) servant à fabriquer des liens pour les moissonneuses-lieuses d'Amérique du Nord. Les capitaux étrangers alimentaient surtout les plantations de coton et de café. Ces monocultures se firent au détriment de l'agriculture vivrière, et le Mexique dut même importer du maïs. La majorité des 6 millions d'habitants que comptait le pays au début du XXe siècle, ruraux et citadins confondus, réussissait à peine à survivre.

A gauche, Maximilien de Habsbourg, empereur du Mexique ; à droite, Porfirio Díaz, détail d'une peinture murale de David Siqueiros.

La chute de Díaz

Le président s'efforça de rallier les conservateurs en ménageant l'Église. Il ne lui restitua pas ses biens fonciers mais lui accorda certains

privilèges. Il autorisa les jésuites à revenir au Mexique, d'où ils avaient été chassés. Le mariage de Díaz avec la sœur d'un *hacendado*, politicien défenseur de l'Église, scella la réconciliation entre l'armée, le clergé et l'aristocratie terrienne.

Presque octogénaire, le président déclarait en 1908 que le Mexique était désormais prêt pour la démocratie. Francisco Madero, riche propriétaire de vignobles du Coahuila, le prit au mot et proposa sa candidature en vue de l'élection présidentielle de 1910. Díaz tenta de le faire arrêter et Madero s'enfuit au Texas. Le président fut ainsi réélu pour la sixième fois. Mais cet ultime acte de dictature déclencha la rébellion armée du 20 novembre.

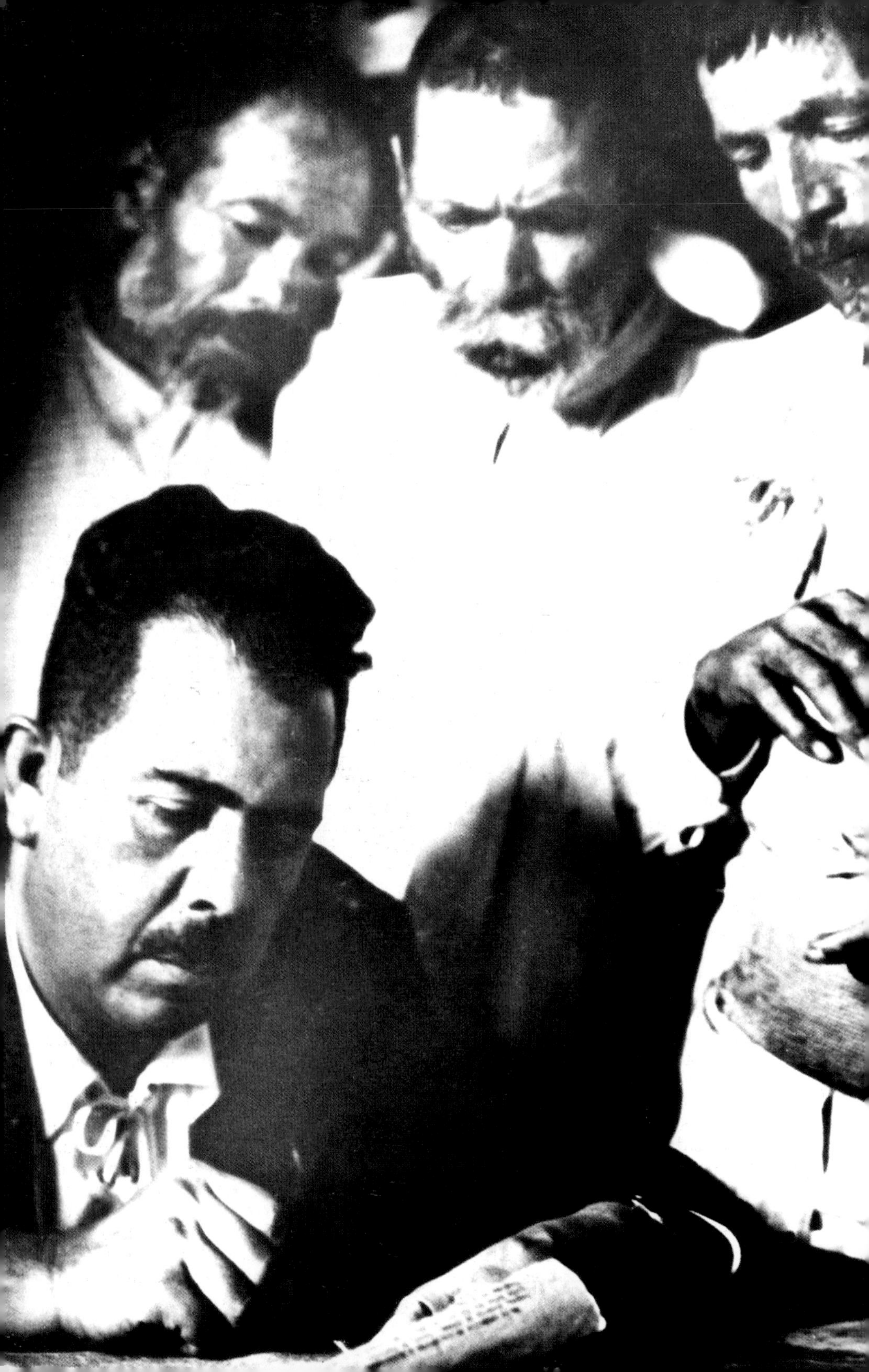

LA RÉVOLUTION INSTITUTIONNELLE

La révolution mexicaine n'a pas été un combat opposant une faction unie au régime de Díaz. De 1911 à 1920, le pays vécut des guerres civiles, des massacres et la faim, qui firent 1 million de morts. Consolidées jusqu'en 1940, les institutions nées de cette période noire accompagnèrent ensuite une stabilité relative et un début de redressement.

Le mouvement madériste, qui exigeait la fin de trente-cinq ans de réélection présidentielle et un exercice véritable du droit de vote, renversa Porfirio Díaz en 1911. Il était mené par Francisco Madero. Cet homme cultivé, diplômé de l'université de Californie, voulait faire du Mexique une vraie démocratie, soucieuse de justice sociale.

« TIERRA Y LIBERTAD »

Deux guérilleros, Pancho Villa dans le Nord et Emiliano Zapata dans le Sud, lui apportèrent leur soutien dans un premier temps. Fils de paysans du Durango, Pancho Villa (Doroteo Arango de son vrai nom) était un éternel révolté ; passant d'un parti à l'autre, il se battit jusqu'en 1920. Quant à Emiliano Zapata, paysan métis du Morelos, il prit les armes contre Díaz en 1910, au cri de : *« Terre et liberté ! »* Il se battait pour la redistribution des terres des *hacendados* aux paysans pauvres, cause qu'il défendra jusqu'à sa mort.

Légaliste et modéré dans ses méthodes, extraordinairement populaire, Madero amorça des réformes mais se heurta très vite aux partisans de l'ancien régime comme aux paysans rebelles, déçus par la lenteur de sa politique. Un mois à peine après l'arrivée de Madero au pouvoir, Zapata lança son plan d'Ayala, exposant les principes d'une réforme agraire radicale, et retira son soutien au président. Il prit le contrôle d'une grande partie de l'État de Morelos. Débordé sur sa gauche, Madero fut trahi dans son propre camp. Les grosses fortunes mexicaines et étrangères, désireuses de voir rétablir l'ordre et leurs privilèges, réussirent, par l'intermédiaire de l'ambassadeur des

Pages précédentes : les troupes de Zapata dans un restaurant chic de Mexico, le Sanborn. A gauche, Lázaro Cárdenas signant un acte de transfert de propriété au profit de paysans ; à droite, Madero victorieux au château de Chapultepec, à Mexico.

États-Unis, à rallier un général de Madero, Victoriano Huerta. Ce dernier prit la tête de l'armée porfirienne presque intacte. Le coup d'État de 1913 fut suivi par l'assassinat de Madero, tandis que Huerta s'emparait de la présidence. On put croire alors que la contre-révolution l'emportait. Mais la révolution ne faisait que commencer.

NOUVELLES ALLIANCES

Huerta dut abandonner le gouvernement dès l'année suivante, face à une coalition hétéroclite mais très large. Venustiano Carranza, sénateur et gouverneur sous le porfiriat, refusa

en effet de reconnaître son pouvoir et, s'affirmant le continuateur de la légalité républicaine, prit la tête de la faction « constitutionnaliste », à laquelle se rallièrent les riches États du Nord ainsi que les troupes de Villa et de Zapata.

De plus, les États-Unis, inquiets du nationalisme anti-américain de Huerta, décidèrent d'agir en faveur de Carranza. Ils débarquèrent à Veracruz afin d'empêcher la livraison de matériel de guerre acheté en Europe par Huerta. Ce dernier tenta de se poser en défenseur de la souveraineté nationale, mais l'armée fédérale, démoralisée par le manque de munitions, était condamnée à la défaite. Huerta s'inclina en juillet 1914 et s'exila.

DES RIVALITÉS FRATRICIDES

Carranza convoqua immédiatement à Aguascalientes une assemblée destinée à souder les composantes du mouvement qui avait chassé Huerta. L'échec fut complet : les alliés de la veille se dressèrent les uns contre les autres. Le général Alvaro Obregón, qui avait combattu dans le Nord, conserva son soutien à Carranza tandis que Zapata et Villa s'opposaient à lui.

S'appuyant sur les cavaliers recrutés dans les grands domaines d'élevage du Nord, Pancho Villa entreprit des actions rapides, servies par son talent militaire. Zapata mena au combat les Indiens menacés par l'expansion des haciendas. En décembre 1914, les deux armées firent leur jonction à Mexico, dont elles s'emparèrent.

La situation de Carranza parut alors désespérée : il ne contrôlait plus que l'axe ferroviaire reliant Veracruz à l'intérieur du pays. Mais il fut sauvé par les dissensions entre zapatistes et villistes qui, ne parvenant pas à un accord, quittèrent la capitale un mois après l'avoir conquise. Carranza bénéficia aussi de l'appui américain et de la compétence d'Obregón, qui infligea défaite sur défaite aux troupes de Villa. Le général décima l'armée rebelle à Celaya, où il employa la technique des tranchées, inspirée de la guerre qui ravageait l'Europe au même moment. Villa en réchappa et se retira dans le Nord, où il poursuivit la guérilla. Il fit des incursions en territoire américain, dans l'espoir de provoquer une guerre entre les États-Unis et le Mexique. Il attaqua la ville de Colombus, il assassina 16 ingénieurs américains au Sonora. Mais il échoua dans son dessein, bien que l'armée américaine ait pénétré au Mexique et l'ait traqué en vain pendant onze mois.

LA CONSTITUTION DE 1917

Victorieux, Carranza dut gouverner un pays laminé par la guerre et les pillages. En 1916-1917, il réunit à Querétaro un congrès qui rédigea une constitution inspirée de celle de 1857, mais qui en différait profondément sur plusieurs points. L'État y était reconnu comme l'instigateur de dynamiques nouvelles dans la société. Certains articles étaient très en avance pour l'époque, tels ceux qui établissaient une législation ouvrière : droit de grève, journée de travail de huit heures, salaire égal à travail égal, indemnités en cas d'accident. La constitution amorçait une réforme agraire ; elle prévoyait de réformer le système des haciendas et de redistribuer des terres aux paysans ; les *ejidos*, propriétés collectives, devinrent inaliénables. On y trouvait aussi des mesures anticléricales révoltantes (qui provoquèrent d'ailleurs le massacre de plusieurs prêtres) et un article qui, revenant au vieux droit espagnol abandonné par Díaz, attribuait la propriété du sous-sol à la nation.

Les constituants donnèrent des pouvoirs accrus au président : malgré le fédéralisme, il avait le droit de dissoudre les assemblées et les gouvernements des États. Le texte renforçait ainsi le centralisme. Carranza fut élu président en 1917. Il ne parvint pas mener les réformes et sembla même en freiner certaines. Les combats se poursuivirent dans le Sud, où les zapatistes continuaient à exiger des évolutions plus radicales. Zapata fut assassiné par traîtrise en 1919. Lorsque Carranza voulut imposer son successeur à la présidence, en 1920, il se heurta au général Obregón, qui se souleva. Carranza, destitué par son ancien compagnon d'armes, tenta de quitter le pays vers les États-Unis, mais il fut tué dans sa fuite, à Tlaxcalantongo.

Une accalmie provisoire

Élu président en novembre 1920, le général Obregón affermit d'abord son pouvoir dans un pays en plein désastre social, politique et économique. Dépendant des capitaux étrangers, il leur donna des garanties en renégociant la dette extérieure mexicaine, qui s'élevait à 1,5 milliard de pesos. Puis, en violation de la Constitution, il concéda des droits d'exploitation à des compagnies pétrolières étrangères. Il s'efforça également de rassurer les pays qui avaient craint de voir s'instaurer un bolchevisme à la mexicaine. Il acheta la tranquillité de Pancho Villa en lui offrant une hacienda de 100 000 ha. Assagi, ce dernier mourra cependant assassiné en 1923.

A gauche, Pancho Villa assis dans le fauteuil présidentiel et, à sa droite, Emiliano Zapata ; ci-dessus, une exécution pendant la révolte des Cristeros.

Invoquant des raisons budgétaires, Obregón démantela l'armée, réduisant ses effectifs de 100 000 à 40 000 hommes. Cette décision provoqua la révolte d'un groupe de militaires. La répression fut immédiate et sanglante, avec de nombreuses exécutions. Les États-Unis soutinrent Obregón en lui fournissant des armes et des munitions ainsi que quelques avions.

Le président entreprit de mettre en œuvre la réforme agraire esquissée par la constitution de 1917. Il l'appliqua avec résolution dans les États de Morelos et du Yucatán, où les Américains ne possédaient pas de terres, mais se montra très circonspect dans le Nord, sa région natale, où ses intérêts personnels coïncidaient avec ceux de grands propriétaires des États-Unis. Les terres redistribuées représentaient 1 250 000 ha, peu de chose, certes, mais huit fois plus que sous la présidence de Carranza.

L'apport le plus positif de cette période, où l'on parle volontiers de « reconstruction nationale », demeure sans doute l'effort consenti en matière d'instruction. Nommé ministre de l'Éducation, José Vasconcelos fit construire des écoles dans tout le pays et inculqua aux instituteurs une haute idée de leur mission. Convaincu que l'art pouvait jouer un rôle dans la reconstruction du pays, il passa commande de *murales* à des peintres tels que Rivera, Siqueiros et Orozco. Ces vastes fresques inspirées de la tradition préhispanique incarnent un art national qui se voulait accessible au plus grand nombre.

Au passif de ce gouvernement, il faut inscrire la constitution d'une classe dirigeante avide d'accaparer pouvoir et fortune selon les méthodes expéditives qui avaient eu cours jusque-là, alors même que le régime accomplit de réelles réformes. Obregón lui-même n'hésita pas à recourir à l'assassinat et à la corruption, montrant la voie à ceux qu'on désigne par le terme péjoratif de *los politicos*.

La lutte sans fin entre pouvoir laïc et pouvoir religieux se durcit. Profondément anticlérical, le régime d'Obregón s'appuya sur la constitution pour reprendre les persécutions, interrompues sous la présidence de Díaz. En 1923, le nonce apostolique et les prêtres étrangers furent expulsés; des couvents et des collèges religieux durent fermer leurs portes. Obregón légua à son successeur une situation explosive.

L'Église en guerre

La constitution n'autorisait pas le président à briguer un second mandat mais Obregón réussit à faire élire son homme lige, Plutarco Elías Calles, en 1924. Celui-ci poursuivit en bon administrateur la politique de son prédécesseur: construction de milliers d'écoles, amélioration du réseau routier, travaux d'irrigation. Il donna des garanties aux entreprises privées et reprit les négociations sur la dette extérieure. Il redistribua 3 millions d'hectares de terres. Calles gouverna cependant en autocrate brutal, noyant dans le sang toute tentative d'opposition. Il fonda le Parti national révolutionnaire, ancêtre du Parti révolutionnaire institutionnel. Par l'intermédiaire de ce parti unique, il désigna ses successeurs et continua d'exercer le pouvoir après la fin de son mandat, en 1928. Cette formation regroupait des travailleurs, des paysans, des militaires, *callistas* entièrement soumis à leur chef.

Les persécutions contre l'Église conduisirent à la suspension des cultes, décidée par les évêques. Cette mesure provoqua la révolte des Cristeros: 50 000 paysans en armes tinrent tête à l'armée fédérale pendant trois ans, de 1926 à 1929. Le gouvernement accepta finalement un compromis et les cultes furent rétablis. Mais il fallut attendre la présidence de Cárdenas pour que la paix fût rétablie.

LÁZARO CÁRDENAS

Candidat de Calles, élu président en 1934, le général Lázaro Cárdenas secoua dès 1935 la tutelle de son prédécesseur et inaugura six années de pouvoir qui amenèrent de profonds changements dans le pays. Cette période incarne l'apogée d'une organisation sociale et politique fondée sur des syndicats affiliés au parti unique et sur une doctrine révolutionnaire et socialiste, articulée sur le rôle central de l'État, la réforme agraire et le principe de non-réélection.

Cárdenas donna un nouvel élan au programme de réformes. Il fonda et encouragea les *ejidos*, ou coopératives de paysans. Il redistribua 18 millions d'hectares de terres tout en exemptant du démantèlement les haciendas les mieux gérées. En six ans, son gouvernement donna des terres à un tiers de la population.

Le président encouragea la formation de syndicats. Militant marxiste, Vicente Lombardo Toledano fonda en 1936 la Confédération des travailleurs mexicains, ou CTM. Cárdenas fédéra les mouvements agraristes avec la Confederación Nacional de Campesinos, ou CNC. Ces deux organisations fournirent un solide soutien à la politique présidentielle.

A gauche, le général Obregón et sa femme ; ci-dessus : paysannes faisant don de poulets au cours d'une campagne de collecte pour financer la nationalisation de l'industrie pétrolière.

En 1936, la CTM exigea des augmentations de salaires et un pourcentage sur les bénéfices des compagnies pétrolières anglaises et américaines. Après des négociations interminables qui n'aboutirent pas et des grèves, Cárdenas annonça la nationalisation des hydrocarbures en mars 1938. Cette décision souleva l'enthousiasme de la population. Les relations diplomatiques avec l'Angleterre furent rompues mais, aux États-Unis, le président Roosevelt, promoteur du New Deal qui, s'il se réclamait de principes différents, n'était pas sans évoquer les réformes menées au Mexique, se contenta d'une protestation officielle. Les indemnités furent finalement chiffrées à 24 millions de dollars pour les États-Unis et 81 millions de dollars pour l'Angleterre.

A la fin de son mandat, Cárdenas adopta un ton modéré. La rhétorique marxiste prédominante masquait en effet une gestion plus nuancée. Les ennemis de jadis, l'Église, le capital et l'armée, n'en étaient plus. L'action de Cárdenas et de ses successeurs s'orienta vers la consolidation des acquis dès 1938. La productivité et l'industrialisation prirent le pas sur la réforme agraire, l'unité nationale remplaça la lutte sociale. Et le choix du président, au sein du parti unique, opposa milieux d'affaires et classes moyennes.

TORRE CABALLITO

LE MEXIQUE AUJOURD'HUI

Le demi-siècle qui a suivi la Seconde Guerre mondiale a vu le Mexique jouer l'alternance entre une politique de liens étroits avec les États-Unis et la solidarité latino-américaine. Les présidents successifs ont ainsi balancé entre l'occidentalisme et le tiers-mondisme. Au cœur de cette politique se trouve la question de l'indépendance et de la croissance, qui devaient permettre la poursuite des réformes agraires et sociales, constamment menacées par une démographie et une inflation difficiles à maîtriser.

LES RÉFORMES

En 1942, sous la présidence d'Ávila Camacho, le pays entra dans la Seconde Guerre mondiale aux côtés des Alliés. Le Mexique participa à l'effort de guerre par un traité de commerce qui entraîna l'achat de 519 000 t d'armement. Cette nouvelle alliance créa une situation contradictoire : le développement d'une économie de type capitaliste incluant la construction d'une industrie lourde et légère, sans programme de réformes sociales qui auraient dû accompagner cette politique.

Avec Miguel Alemán, avocat de renom élu en 1946, une nouvelle classe politique, dominée par les civils, arriva au pouvoir. Il rebaptisa le Parti national révolutionnaire (PNR) en Parti révolutionnaire institutionnel (PRI), lequel fit des mythes révolutionnaires son fonds de commerce. Jusqu'à récemment, c'est au sein de ce parti que le choix du futur président se décidait, sans que l'opposition puisse jouer son rôle. Les tentations totalitaires étaient, en principe, évitées grâce à la règle fondamentale du mandat de six ans non renouvelable.

L'université s'ouvrit aux classes moyennes, de plus en plus nombreuses, grâce aux projets de modernisation. Alemán lança des programmes de grands travaux avec des capitaux étrangers : aménagement de la vallée du Papaloapan (sur le modèle de celle du Tennessee, aux États-Unis), construction de digues ainsi que d'une autoroute reliant Mexico à Acapulco, dont il prévoyait l'essor touristique.

A gauche, à Mexico, les tours de bureaux symbolisent la prospérité des grandes entreprises ; à droite, ruelle d'un quartier pauvre.

Dans son élan réformateur, Alemán modernisa l'agriculture, mais sans mettre en place les réformes agraires nécessaires pour réduire les inégalités entre la petite paysannerie et les propriétaires d'haciendas prospères.

Les difficultés qui résultèrent de cette politique : déficit de la balance des paiements, disponibilités financières réduites et inflation, furent en partie aplanies par Adolfo Ruiz Cortines, élu en 1952. Pour assainir l'économie, il n'hésita pas à dévaluer le peso – dont la parité avec le dollar fut maintenue jusqu'en 1976 – mais il ne put contenir un malaise social grandissant. Il accorda le droit de vote aux femmes en 1958.

Adolfo López Mateos, président de 1958 à 1964, avait la réputation d'être une personnalité affirmée, énergique et pleine de verve, ce qui lui valut le soutien de la jeunesse. Il fut néanmoins confronté à des révoltes de paysans, auxquels il distribua 15 millions d'hectares cultivables. En politique extérieure, il s'efforça d'affirmer l'autonomie politique et économique de son pays. Il refusa d'appliquer les sanctions économiques décidées par les États-Unis à l'encontre de Cuba, mais condamna Castro lors de l'installation de missiles soviétiques en 1962. Son caractère indépendant lui dicta des prises de position apparemment contradictoires : l'élaboration d'un système d'aide médicale et sociale et la dure répression des mouvements revendicatifs : communistes, cheminots, enseignants. En même temps qu'il fit briser les grèves par l'armée, il fit édicter une loi favorisant la participation des travailleurs aux bénéfices.

Assuré de conserver le pouvoir grâce sa politique clientéliste, le PRI n'avait pas pressenti la profondeur du mécontentement populaire. Le point culminant fut atteint en 1968, sous le mandat de Gustavo Díaz Ordaz, conservateur élu en 1964. Les étudiants furent rejoints par les ouvriers en grève et une partie de la classe moyenne. A la veille de l'ouverture des Jeux olympiques de Mexico, censés symboliser l'avènement d'un Mexique

moderne, la troupe réprima dans le sang une manifestation sur la place des Trois-Cultures.

Changement de politique avec Luis Echeverría Álvarez qui, de 1970 à 1976, tira les leçons de son expérience au ministère de l'Intérieur. Il restaura la liberté de la presse, relança la réforme agraire (nationalisation de plus de 500 000 ha) et mit la main sur l'industrie du cuivre. Il rétablit des relations diplomatiques avec Cuba, le Chili, la Chine. Ces changements se firent au prix d'une inflation qui mécontenta les milieux d'affaires. Dans ce contexte, le choc pétrolier de 1976 eut des conséquences dramatiques pour le pays. En plus de l'inflation de 20 %, le peso devait subir deux fortes dévaluations.

LA CROISSANCE ET SON DÉCLIN

Professeur de droit et ancien ministre des Finances, José López Portillo (président de 1976 à 1982) avait compris l'urgence de retrouver la confiance des Mexicains et des partenaires nord-américains. Les réserves de pétrole découvertes dans les États du Chiapas et de Tabasco constituèrent une manne inespérée. Son expérience politique l'incita à la prudence et à une sage gestion des revenus. La croissance permit au Mexique de revenir sur le devant de la scène internationale. Celle-ci fut néanmoins hypothéquée par l'explosion démographique (la population est passée de 22 millions en 1945 à 99 millions en 2000). L'industrie était incapable d'absorber ce surcroît de main-d'œuvre. Obnubilé par les revenus tirés du pétrole pour financer l'augmentation des importations et des dépenses publiques, le gouvernement négligea les autres produits exportables. Ce déséquilibre s'accentua avec la chute des prix des hydrocarbures en 1982. Malgré des décisions énergiques comme la nationalisation des banques, la dette extérieure s'accrut tandis que les crédits contractés sur garantie des recettes pétrolières arrivaient à échéance. Parallèlement, la hausse des prix des produits de première nécessité et la réduction des dépenses courantes entraînèrent une baisse du pouvoir d'achat.

Dans ce contexte d'instabilité, Miguel de la Madrid prit, en 1982, le relais de Portillo. L'endettement du pays atteignait alors son paroxysme et le recours au Fonds monétaire international (FMI) devint inévitable. Il engendra un fort courant d'hostilité vis-à-vis de la domination économique étrangère, en particulier américaine. Le réveil nationaliste poussa le Mexique à former une alliance avec la Colombie, le Panama et le Venezuela pour un règlement pacifique des problèmes de l'Amérique latine, sans l'interférence des États-Unis. Deux dates obscurcirent le mandat de De la Madrid : le tremblement de terre de Mexico en 1985, qui fit plusieurs milliers de morts et plus d'un million de sinistrés, et, en 1986, le nouvel effondrement du marché pétrolier. L'année suivante, l'inflation atteignit le chiffre record de 160 %. Commença alors un important exode rural vers les grandes villes, Mexico en particulier, et les États-Unis, où les *indocumentados* (immigrés illégaux) se louaient au noir pour des travaux agricoles.

Au cours de ces différents mandats, le PRI a évolué, mais le nationalisme, très ancré dans la réalité mexicaine, est une constante de son orientation politique. Le choix d'une « troisième voie » entre capitalisme et communisme fut illustré par la coexistence du secteur public et du secteur privé. Lointaine cousine du socialisme à l'européenne, elle s'inscrit pourtant dans un contexte fort différent. Attaché à la laïcité, le parti renoua des relations avec l'Église, privée jadis de ses immenses ressources foncières. Cette réconciliation fut couronnée par la visite du pape Jean-Paul II, en 1979.

Au centre de l'économie mexicaine et de son administration, en concertation avec les principales organisations ouvrières, le PRI n'a jamais eu de difficultés à faire élire son candidat. La vie politique mexicaine se résume à une lutte de clans entre les tendances du parti au pouvoir. Mais la confiance accordée au PRI s'est peu à peu ébranlée. Pour la première fois, le candidat du parti, Carlos Salinas de Gortari, a été fortement contesté lors de l'élection de 1988, entachée d'une rumeur de fraude. Les courants d'opposition tels le PAN (Parti d'action nationale), à droite, et le PRD (Parti de la révolution démocratique), à gauche, de Cuauhtémoc Cárdenas (fils de l'ex-président Lázaro Cárdenas) en profitèrent pour accroître leur légitimité.

Les accords bilatéraux

Carlos Salinas de Gortari accéléra les mutations lancées par son prédécesseur. Les réglementations freinant l'activité économique furent abolies : les investissements augmentèrent de 10 %, surtout dans les secteurs de la sous-traitance et de l'exportation. Les bastions de l'État (aviation, hôtellerie, pétrochimie, sidérurgie, téléphone) furent privatisés. Mais ni ces mesures, ni la renégociation de la dette extérieure ne réduisirent significativement l'endettement du pays. Salinas réorienta sa politique étrangère par des accords bilatéraux, en particulier avec les États-Unis.

Signé en 1992 par le Canada, les États-Unis et le Mexique, l'Accord nord-américain de libre-échange (Alena) entra en application en 1994. En 1992 s'est aussi formé au Chiapas le mouvement « zapatiste » que son chef, le sous-commandant Marcos, a rapidement fait connaître au monde. L'accord avec le gouvernement sur la reconnaissance des droits et des cultures des populations indiennes signé en février 1996, est resté lettre morte.

A gauche, le style colonial est toujours très présent ; à droite, Cuauhtémoc Cárdenas pendant la campagne électorale très controversée de 1988.

En novembre et décembre 1994, une masse de capitaux représentant 7 % du PIB a déserté le Mexique pour les places financières des États-Unis. Mais l'aide financière accordée par Washington et par le FMI a permis au Mexique de stabiliser la situation. Le gouvernement y a ajouté des mesures drastiques de restructuration économique et sociale. En dépit d'un redressement spectaculaire de la balance commerciale, le déficit est resté important.

En décembre 1994, le candidat du PRI à l'élection présidentielle, Luis Donaldo Colosio, fut assassiné. Il fut remplacé par l'économiste Ernesto Zedillo. Au début de 1997, le président Zedillo semblait vouloir séparer le gouvernement d'un PRI de plus en plus divisé en factions rivales. Aux élections législatives du 6 juillet 1997, pour la première fois, le PRI perdit la majorité absolue, obtenant 239 sièges sur 500 à l'assemblée contre 122 au PAN et 125 au PRD. En outre, aux élections des gouvernorats de province, le PAN l'emporta au Nouveau-León et au Querétaro et Cuauhtémoc Cárdenas enleva le district fédéral de Mexico, fief du PRI. Cette évolution aboutit à l'élection, en 2000, du conservateur Vicente Fox (PAN), à la tête de l'État, victoire qui mettait un terme à soixante et onze ans d'exercice du pouvoir par le PRI. Vicente Fox a misé sur la pluralité pour assurer la transition démocratique et s'est entouré d'une équipe comprenant même des membres

de la gauche et où son parti est peu représenté. Ne disposant pas de la majorité absolue à l'Assemblée, il doit composer avec l'opposition pour mener à bien ses projets : lutter contre la corruption, améliorer la sécurité, accroître les rentrées fiscales de l'État, réduire les inégalités et assurer la croissance économique, sans oublier les institutions et l'éducation. L'économie reste cependant tributaire de celle des États-Unis – avec qui le Mexique réalise 90 % de ses échanges – et le pays a pâti de la récession chez son voisin : le taux de croissance, de 7% en 2000, est tombé à – 0,3 % en 2001.

Dès son arrivée au pouvoir, Vicente Fox a déposé au Sénat un projet de loi en faveur des

Indiens. Le sous-commandant Marcos s'est aussitôt déclaré prêt à négocier, moyennant le retrait des forces armées du Chiapas, la libération des prisonniers politiques et l'approbation par le Congrès du projet de loi. Il vint d'ailleurs le défendre en personne devant le Parlement en mars 2001, après avoir mené à Mexico la Marche de la dignité indienne. Mais le texte ayant été adopté après des modifications jugées trop importantes, l'EZLN rompit ses relations avec le gouvernement.

UN TOURNANT DIFFICILE

Tiraillé entre archaïsme et modernité, le Mexique est aujourd'hui confronté à une série de problèmes de fond dans plusieurs domaines. En matière économique, l'inflation a été ramenée dans des limites à peu près acceptables (159, 2 % en 1987, 15,7 % en 1997, 9,5 % en 2000), et le produit intérieur brut (PIB) par habitant est passé de 4 460 $ en 1985 à 5070 $ en 2002. Certes, des disparités énormes subsistent : dans les campagnes, le revenu moyen est inférieur de moitié au revenu national ; au Chiapas, pourtant riche en ressources naturelles comme le pétrole et les bois tropicaux, il est quatre fois inférieur – ce qui explique en partie les troubles qui agitent cet État depuis 1994 et les enjeux du conflit entre les zapatistes et le gouvernement fédéral.

En outre, la balance commerciale reste déficitaire, alors que la dette extérieure, malgré de gros efforts de remboursements anticipés, a quasiment doublé en une quinzaine d'années (98,9 milliards de dollars en 1985, 167 milliards de dollars en 2000).

Bien qu'en baisse, la démographie mexicaine reste vigoureuse. La croissance naturelle de la population était ainsi de 1,6 % en 1997 (contre 2,4 % en 1975), et le taux de fécondité est de 2,8 % enfants par femme (contre 5,9 en 1975). Si la mortalité par maladies infectieuses est en baisse et l'espérance de vie en hausse, les inégalités sont, là aussi, considérables : le taux de décès par maladie, qui est de 12 % pour l'ensemble du pays, grimpe à 24 % dans les États pauvres du Sud (Chiapas, Oaxaca, Guerrero). Il en va de même pour l'analphabétisme : il est de 9 % en moyenne, mais de 30 % dans ces mêmes États.

L'une des conséquences de la concentration de la population dans les villes et de l'industrialisation anarchique est l'augmentation de la pollution. Si Mexico est réputé être la ville la plus polluée du monde, tout le pays est victime : décharges sauvages, érosion des sols provoquée par la déforestation, problèmes d'eau potable, émissions de gaz toxiques...

Paradoxalement, la solution viendra peut-être en partie des États-Unis dont l'économie, l'écologie et la démographie sont directement affectés par les problèmes mexicains. Favoriser la modernisation du Mexique deviendrait donc pour les États-Unis une nécessité, ce qui serait l'une des raisons de l'existence de l'Alena.

A gauche, lors de la campagne présidentielle de 2000, Vincente Fox s'accorde un moment de détente dans son ranch de Guanajuato.

LA LOTERIE NATIONALE

A l'époque précolombienne, la plupart des jeux avaient une signification religieuse, ce qui n'empêchait pas les Indiens de miser des plumes, de l'or ou des fèves de cacao. Les jeux de balle et de pelote se déroulaient dans l'enceinte des temples, et tout indique que le capitaine de l'équipe perdante était sacrifié aux dieux à l'issue de la partie. Les Aztèques n'hésitaient pas non plus à mettre en jeu leur liberté, se réduisant ainsi parfois en esclavage à vie. Les spectateurs se pressaient autour des joueurs, qui commençaient par secouer les *palolli* (haricots marqués de combinaisons de points) avant de les lancer sur une piste peinte sur une natte, tout en invoquant Macuilochitl, dieu des jeux, pour qu'il leur porte chance.

A l'arrivée des conquistadors, Cortés autorisa les jeux d'argent dans les camps afin de distraire ses troupes. Pendant l'époque coloniale, la vogue ne connut pas de répit, chacun voulant *« frapper aux portes de la chance »*. Vers le milieu du XVIIIe siècle, le roi Charles III comprit que la loterie, de plus en plus populaire, pouvait devenir une importante source de revenus pour les finances de la couronne d'Espagne.

Le premier tirage de la Loterie nationale du Mexique se déroula le 13 mai 1771. Pas moins de 4 225 billets avaient trouvé preneurs. Dès le début du XIXe siècle, la loterie mexicaine débordait largement les frontières du pays et ses billets se vendaient jusqu'à Cuba.

Après la Révolution, le nouveau gouvernement décida de consacrer les bénéfices de la loterie au financement de « nobles causes ». Cette décision est à l'origine de l'actuelle Lotería Nacional par la Asistencia Pública, qui finance des institutions publiques et privées agréées, au Mexique et à l'étranger, et dont les principaux objectifs sont d'aider les enfants sans foyer, les personnes âgées et les écoles de campagne.

Ces dernières années, alors que le Mexique traverse l'une des pires crises économiques de son histoire, l'appât du gain n'a jamais été aussi grand et la vente des billets de la Loterie nationale bat tous les records. Outre la Lotería Nacional, il existe actuellement tout un éventail de jeux : Pro Touch, Pro Hit, Pégalo al Gordo et Melate. Mais c'est la loterie traditionnelle qui offre les meilleures possibilités de gagner le gros lot, avec une chance sur cinquante mille.

Les règles du jeu sont simples et très proches de celles de l'ancienne Loterie nationale française. Les billets sont vendus soit par des boutiques officielles (*expendios*), soit par des vendeurs de rue, qu'on reconnaît à leur boniment : *« ¡Mire qué bonitos números! ¡Traigo el número de la suerte! »* (« Regardez les beaux numéros! J'ai le gagnant... »). Chaque numéro est divisé en plusieurs séries, et l'on peut choisir d'acheter un ou plusieurs *cachitos* (« petits morceaux », c'est-à-dire un vingtième) ou une série complète (20 *cachitos*). Chaque tirage met en jeu un *premio gordo* (gros lot) et plusieurs prix moins importants. Même les billets perdants ont une chance de *reintegro* (remboursement) si le dernier chiffre du billet coïncide avec l'un des trois premiers chiffres du numéro gagnant. Les résultats du tirage sont publiés le lendemain dans les journaux, affichés dans les *expendios* et colportés par les vendeurs ambulants.

A droite, un « cachito » de la Loterie nationale de l'État de Veracruz.

Avis aux amateurs, la somme en pesos correspondant à chaque numéro gagnant vaut pour la série entière, et le gain pour un billet sera du vingtième de ce montant, avant impôts : le gouvernement mexicain prélève à la source 21 % de taxes, mais les *reintegros* sont nets d'impôt.

ROAD

CULTURE ET ENVIRONNEMENT

Les Mexicains sont en grande majorité des métis d'Européens et d'Indiens. Mais on compte aussi parmi eux un nombre important d'Indiens, quelques Espagnols, quelques Noirs, quelques Asiatiques et toutes les combinaisons possibles.

La région de Mexico a été le principal point de rencontre de toutes ces races, d'autant plus que les Espagnols avaient déplacé les Tlaxcaltèques et les Tarasques vers le nord pour qu'ils servent de tampon avec les Indiens qui leur demeuraient hostiles.

Les Tarahumaras, les Mayas et les Yaquis vivent encore sur leurs territoires ancestraux. Les Tzotziles et les Tzeltales, eux, se sont réfugiés dans les hautes terres du Chiapas, où ils ont préservé leur mode de vie traditionnel. Les Huastèques vivent dans les montagnes. Cependant, la plupart des descendants des tribus originaires du Mexique central, Nahuas, Otomis et Mazahuas, vivent dans des villages dispersés de la vallée de Mexico. Dans le Sud inhospitalier, dans les régions du Chiapas, du Guerrero et d'Oaxaca, sur le plateau du Yucatán, on trouve aussi de nombreuses tribus indiennes.

L'estimation officielle du nombre d'Indiens s'élève à 3 ou 4 millions d'âmes, ce qui représente le noyau de ceux qui parlent encore leur langue et ont conservé leur pureté ethnique et leurs traditions. Ils vivent en marge, dans des zones dites de « refuge ». Certains ont été convertis au christianisme, d'autres non, mais la plupart ont recomposé un amalgame des rites dans lesquels les saints et les dieux anciens sont vénérés sinon à égalité, du moins côte à côte.

Il subsiste 50 tribus, dont certaines ont conservé le type ethnique et la culture de leurs ancêtres. Seules les plus représentatives sont présentées ici.

Mais les Mexicains d'aujourd'hui ont une culture à la fois caractéristique et diverse, qui a accommodé à sa façon ce qui lui vient d'Espagne, comme la corrida et les fêtes catholiques, et ce qui est typiquement américain, comme les *charros*.

Pages précédentes : concentration du picador avant l'entrée dans l'arène ; un jeune Indien huichol annonce le pèlerinage du « peyotl ». A gauche, artisan du cuir et créateur de masques devant leur atelier.

LES INDIENS DU MEXIQUE

Deux des composantes principales de la culture mexicaine, qui tient de la culture espagnole et de celle des Indiens, se retrouvent sans doute dans ces deux termes : machisme et malinchisme.

MACHISME ET MALINCHISME

L'idéal de l'Indien est d'être en harmonie avec l'univers et de s'accommoder de la réalité. Celui du métis est de soumettre les faits et les éléments à sa volonté. L'Indien vit en communauté, le métis est plus individualiste. Tandis que l'Indien camoufle volontairement son individualité, le métis exacerbe la sienne.

Dans *Le Labyrinthe de la solitude*, Octavio Paz affirme que cette virilité exacerbée est un masque destiné à cacher une certaine solitude. Le Mexicain ne concevrait que deux attitudes vis-à-vis des autres : les exploiter ou se laisser exploiter par eux. Ce qui peut s'exprimer en langage grossier par : *« Baiser ou être baisé. »* Il se doit d'être agressif, de donner de lui une image de force, tant dans son travail qu'avec les femmes.

Les Mexicains se qualifient volontiers de *hijos de la chingada. Chingar* est un terme cru mais essentiel du vocabulaire mexicain. Existant sous toutes les formes (verbe, substantif, adjectif, etc.), il peut exprimer la violence, l'agressivité, l'injure, mais aussi la virilité, voire une certaine forme d'humour non dénué d'une connotation égrillarde.

Quant à la notion de « malinchisme », elle remonte au temps des conquistadors : une femme indigène, doña Malinche, à la fois interprète, maîtresse et conseillère de Cortés, est restée dans la mémoire collective la « grande traîtresse ». Son nom évoque la préférence de ce qui est d'origine étrangère à ce qui est mexicain : le malinchisme.

LES HUICHOLS

Les Huichols, qui vivent dans la Sierra Madre occidentale et dans le nord de l'État de Jalisco, sont la tribu indienne la mieux préservée des influences extérieures, trait d'union avec les civilisations précolombiennes. D'après leur langue, il s'agirait de descendants des colonies essaimées par le peuple nahua au cours de son émigration depuis le Nord, le long de la côte du Pacifique.

Les premiers conquistadors ne parvinrent pas jusque dans leurs vallées isolées, et ce n'est que deux cents ans plus tard que les missionnaires tentèrent de les évangéliser. L'accès difficile de ces vallées fit que l'Église ne s'implanta dans le district de San Andres Coamiata que dans les années 1950.

Les Huichols ont peu de contacts avec l'extérieur, si ce n'est pour vendre les produits de leur artisanat ou leur bétail sur les marchés, ou pour travailler parfois dans les plantations.

A gauche, le pèlerinage des Huichols au cours duquel ils boivent le « peyotl » ; à droite, un policier veille.

Le peu d'argent ainsi gagné sert à quelques achats de sucre, de chocolat, de papier coloré. Ils cultivent le maïs et les haricots, chassent et pêchent. Leurs hameaux sont parfois à une demi-journée de marche les uns des autres – isolement prescrit par les dieux afin d'éviter les disputes entre les femmes. Mais il y a une autre raison à cette dispersion de l'habitat : il faut que chacun réside à proximité des pentes sur lesquelles poussent le maïs, les courges et les haricots.

Bien que les Huichols aient adopté le catholicisme, leurs croyances reflètent encore celles de l'Amérique centrale ancienne. Ils vénèrent le feu, sous le nom de Tatewari ; la fertilité, sous celui de Nakawe ; et le cerf, qu'ils appellent Kayaumari. Des cérémonies marquent les semailles, la récolte, la cueillette du *peyotl*. De petits oratoires ronds (*tuki*) ou des grottes abritent les dieux, et on s'y rassemble, on vient y chercher secours, on y discute des questions d'intérêt général. On s'y réunit pour les fêtes, organisées par le chaman. Celui-ci et ses assistants sont choisis pour cinq ans ; ainsi, chaque homme occupe plusieurs fois ces charges au cours de son existence.

Les échanges avec les métis sont peu nombreux et d'ordre strictement commercial. Ceux-ci viennent, à l'occasion des grandes fêtes de San Andres, vendre du sucre, des poteries, des oranges, des biscuits, quelques

objets et une boisson forte à base de canne à sucre. Des musiciens offrent leurs services. Des acheteurs de bétail passent régulièrement. Parfois, des métis prennent des terres en métayage.

Les terres huichols pourraient servir de pâturages, d'exploitations agricoles ou forestières. Or les chefs ne sont pas bien informés, et seuls les conseils d'hommes de loi leur permettraient de défendre les intérêts de leurs groupes. Leur avenir dépend de décisions gouvernementales, liées elles-mêmes au contexte économique. Si les prix du bois et du bétail montent, si l'on trouve des minerais sur leurs territoires, l'attitude bienveillante de l'administration pourrait changer.

Le gouvernement mexicain souhaiterait intégrer ces populations à la vie du pays, mais il est évident que cette assimilation ne peut se faire qu'au détriment de leur culture d'origine.

Déjà, l'usage de l'espagnol se répand, les marchandages se font plus âpres. Le costume occidental remplace le vêtement traditionnel : chapeau en fibres de palmes garni de feutre rouge et de petites pendeloques ; chemise-tunique à manches longues en toile brodée au point de croix de motifs géométriques ou d'animaux stylisés, pantalons flottants, ceintures, courtes capes, foulards aux broderies assorties. Peu à peu, les femmes se consacrent non plus à satisfaire les besoins du groupe en vêtements ou en objets rituels, mais à un artisanat susceptible d'être vendu : tuniques et bourses brodées de motifs multicolores, fleurs en papier.

LE PÈLERINAGE DU « PEYOTL »

L'usage du *peyotl*, petit cactus aux propriétés hallucinogènes et au goût amer, est l'une des coutumes les plus connues des Huichols. A petite dose, il élimine la fatigue, la faim et la soif, et même le désir sexuel. Une dose plus importante provoque des hallucinations et permet d'entrer en communication avec les dieux. Cette plante se consomme au Mexique depuis la préhistoire.

Pour le récolter, les Huichols font un « pèlerinage » annuel de 500 km vers le nord-est, près de Real de Catorce, dans le désert de San Luis Potosi. Autrefois, il se faisait à pied ; de nos jours, les pèlerins marchent trois ou quatre jours puis continuent en camion ou en autocar. Ils font néanmoins halte à tous les endroits sacrés. Si l'autocar ne s'arrête pas, on jette les offrandes par les fenêtres, car les dieux comprennent bien les impératifs terrestres.

Avant le départ, les rites de préparation durent un jour et une nuit. Chants, offrandes, chasse, dégustation du gibier se succèdent, rites de purification avec l'absorption de *peyotl*. La quatrième ou la cinquième nuit, les pèlerins font, sur une corde en fibres d'agave, autant de nœuds qu'ils ont commis de péchés de chair. Chacun se place devant le feu, fait un récit détaillé de ses péchés puis lance sa corde nouée dans le feu.

Pendant le voyage, les pèlerins sont soumis à un régime d'où sont proscrits le sel et un grand nombre d'aliments. L'eau est permise en petite quantité. Ils se nourrissent de tortillas de maïs grillés, de viande séchée, d'oranges et de rasades d'alcool. Le langage lui-même se transforme : le soleil devient le « satellite », le nez le « pénis », les machettes les « fiches d'identité ».

A l'arrivée, on procède à une série de rites de purification. Le petit cactus se confond avec la terre, et seules les extrémités de ses œilletons affleurent. En deux ou trois jours, on en ramasse 10 à 15 kg. On en consomme un peu sur place pour communiquer avec les dieux, le reste est séché pour être rapporté.

Au retour, une cérémonie réunit une dernière fois les pèlerins et leurs familles, qui prennent du *peyotl* avant de rentrer chez eux (les enfants le mélangent à du chocolat). On en prendra ensuite au cours des fêtes des semailles, des récoltes, de la chasse au cerf, ainsi que lors du culte du dieu de la pluie. Les chamans en absorbent avant de rendre un diagnostic. On doit aussi prélever des offrandes pour tous les dieux.

LES CORAS

Jusqu'en 1722, deux cents ans après la chute de l'empire aztèque, les Coras du Nayarit, réfugiés à l'ouest de la Sierra Madre, dans l'inhospitalière Sierra del Nayar, refusèrent tant de se soumettre aux Espagnols que d'écouter les missionnaires. Un jésuite, le père Ortega, décrivit ainsi leur territoire : *« Il est si sauvage et si terrifiant, dans son austérité rocailleuse, que ce sont ses vallées encaissées, ses arêtes rocheuses inaccessibles, ses imposantes montagnes qui bouchent l'horizon, plus que les flèches de ses guerriers, qui découragèrent les conquérants. »* Après la conquête des basses terres de l'Ouest, Nuño de Guzmán ne fit qu'explorer vaguement les montagnes, qui devinrent des bastions de la résistance indienne. Et si les Tarasques se soumirent après la mise à mort de leur roi par Guzmán, les autres tribus refusèrent de se rendre.

Les Huichols, les plus proches voisins des Tarasques, eurent moins à lutter, sans doute parce que leurs territoires étaient d'accès encore plus difficile et leurs groupes plus dispersés. Mais les Coras furent les rebelles les plus farouches de cette région. Leur histoire ne fut, aux XVIe et XVIIe, siècles, qu'une suite de conflits. Des expéditions espagnoles qui avaient enrôlé dans leurs rangs d'autres Indiens, comme les Tlaxcaltèques, ravagèrent la contrée. En 1616, les Coras se joignirent à la grande révolte de Tepehuan.

Les missionnaires s'efforcèrent de ramener la paix. Le père Margil de Jesús vint leur faire des offres à la tête d'une délégation. Il fut reçu avec faste par le grand prêtre du soleil, Tonati, les guerriers, les anciens et des musiciens, mais éconduit. Les Espagnols organisèrent alors un blocus du sel.

Plus tard, certains chefs reconnurent la souveraineté espagnole, contre l'assurance de ne payer aucun tribut, de pouvoir reprendre le commerce du sel et de conserver l'intégrité de leurs territoires à perpétuité. D'autres refusèrent toute concession. Les Espagnols menèrent alors une expédition qui connut un succès partiel.

A gauche, certains Tarahumaras vivent dans des grottes ; à droite, cette femme seri appartient à une tribu qui a beaucoup souffert.

C'est en 1722 que le capitaine Juan Flores de la Torre parvint à une véritable victoire. Mais les Coras gagnèrent les montagnes les plus reculées. Lorsque Manuel Lozada fomenta une révolte et attaqua Guadalajara, les Coras se rallièrent à lui avec enthousiasme.

Les missionnaires firent de nouvelles tentatives qui n'eurent guère plus de succès. Les jésuites réussirent à s'implanter mais, au bout de quarante-cinq ans, ils furent chassés de Nouvelle-Espagne par les autorités. Les franciscains fondèrent alors des missions et parvinrent à faire adopter certaines fêtes chrétiennes. Certaines formes de l'administration espagnole s'imposèrent par leur truchement, tels les titres donnés aux fonctionnaires : *gobernador*, *alcalde*, *alguacil*, encore en usage. La fête de Pâques se célèbre en grande pompe.

Au début du XXe siècle, l'explorateur norvégien Carl Lumholtz assista à des cérémonies en l'honneur de l'étoile du matin et nota que les Coras vénéraient des idoles sculptées en pierre ainsi qu'un grand bol sacré considéré comme le saint patron de la communauté, le géniteur de la tribu, et avec lequel il était impossible de communiquer autrement qu'en langue cora.

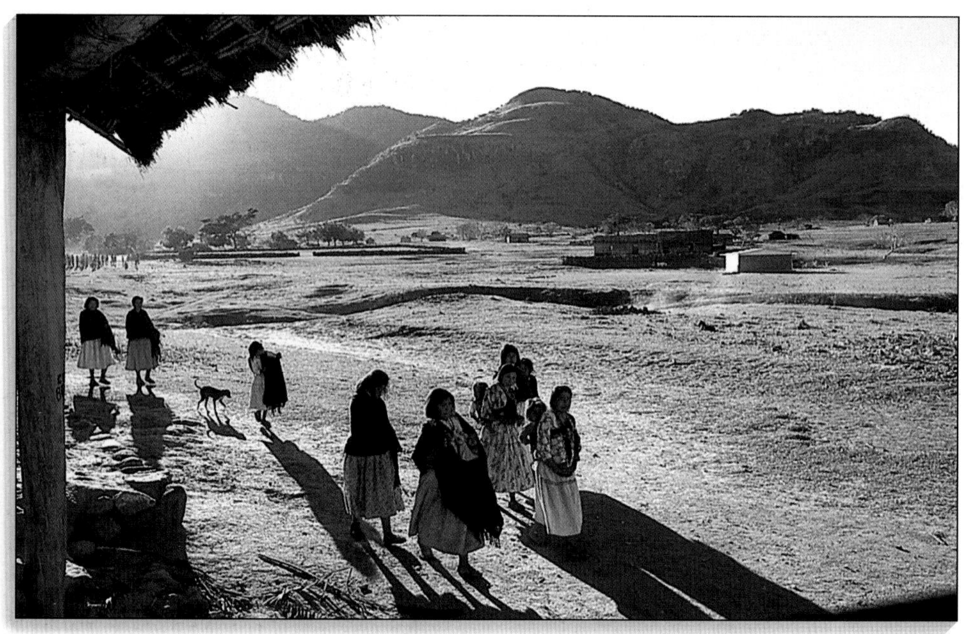

Aujourd'hui encore, les Coras, qui ne sont que quelques milliers, vivent en conformité avec leurs traditions, pratiquent leur religion animiste, consomment du *peyotl* – ce qui ne les empêche pourtant pas d'écouter les prêches des missionnaires.

La sécheresse et la pauvreté des terres ne permettent que la culture du maïs, des haricots, des courges et du coton. Les Coras sont de grands mangeurs de fruits tropicaux et de fleurs de palmier. Leur plat traditionnel est la *chuina*, soupe très épaisse composée de viande de cerf, de piments et de pâte de maïs. Leurs maisons rectangulaires sont construites avec des troncs d'arbres et couvertes de branchages. Ils tirent quelque profit de leur artisanat. Ce peuple montagnard se montre fier et distant.

Les Totonaques

Au sommet d'un mât, à 25 m de haut, sur une minuscule plate-forme, un homme joue de la flûte en battant un petit tambour et en dansant. En pantalon rouge, chemise blanche et coiffure enrubannée, cet homme symbolise le soleil ; à son signal, quatre hommes assis à ses pieds se jettent dans le vide, solidement attachés par la taille. Représentant la terre, l'air, le feu et l'eau, ces *voladores* tourbillonnent 13 fois autour du mât, descendant en cercles de plus en plus larges jusqu'à toucher terre en se redressant sur leurs pieds. Quatre danseurs, effectuant 13 tours chacun, auront dessiné 52 cercles, comme les 52 années du cycle sacré des civilisations précolombiennes.

Les Totonaques sont 150 000 à vivre sur la côte, au nord de Veracruz, et dans les hautes terres froides de la Sierra Madre de Puebla. Ils mènent une vie rude, bien que les pluies les dispensent d'irriguer leurs champs.

La culture d'origine de ces Indiens de la côte du golfe du Mexique a laissé la pyramide des Niches d'El Tajín, ou encore les « têtes souriantes », visages moulés en creux dont la bouche édentée se relève en un sourire, ainsi que les figures composées d'un joug, d'une hache et d'une palme sculptés dans la pierre et retrouvés dans d'innombrables jeux de pelote. Subjugués par les Aztèques, les Totonaques durent payer un lourd tribut, dont faisaient partie des guerriers destinés aux sacrifices humains.

En débarquant sur la côte que ces Indiens occupaient, Cortés fit alliance avec leur « gros chef ». Les Totonaques transportèrent l'artillerie et les munitions de l'armée espagnole à travers les montagnes. Cette collaboration fut récompensée par une certaine autonomie. Les Totonaques conservèrent leurs terres communales et leurs chefs gardèrent une certaine autorité. Leurs terres furent mises en valeur par des plantations de canne à sucre, de tabac, de café, de vanille, mais la prospérité bénéficia d'abord aux nouveaux propriétaires espagnols.

Le catholicisme fut apporté aux Totonaques. La danse de « ceux qui volent » a lieu le jour de la Saint-François, mais le choix de l'arbre, la manière de le couper et de le transporter obéissent à une coutume ancestrale, tandis que les danseurs et l'arbre sont bénis dans l'église, devant laquelle on dresse souvent le mât. On dépose une dinde vivante au fond du trou destiné à recevoir le tronc d'arbre. L'animal sera écrasé lorsqu'on hissera le mât. C'est à Papantla, au nord de Veracruz, que ce rite s'est le mieux perpétué. A côté de la pyramide des Niches, un mât permanent est dressé où des danseurs totonaques exécutent ce rite dès qu'il y a assez de spectateurs.

On a découvert du pétrole dans la région des Totonaques ; ils ont été chassés de leurs terres par l'élevage du gros bétail à grande échelle. Quant à eux, ils ne mangent de viande que les jours de fête, et leur régime de base se compose de maïs, de haricots et de piments, auxquels s'ajoutent des légumes et des plantes sauvages. Un réseau de communication réduit, peu d'écoles, des autorités locales souvent autoritaires, voire méprisantes, des ressources naturelles qui s'amenuisent, ces facteurs ne laissent pas présager un avenir réjouissant.

LES SERIS

Les Seris et les Lacandons (dont il sera question plus loin) sont les deux tribus les moins nombreuses. Les survivants se sont regroupés dans une partie de leur région d'origine, sur la côte ouest du Sonora, dans le golfe de Californie. En 1600, la tribu comptait 5 000 membres ; il n'en restait plus que 175 en 1930 ; de nos jours, on les évalue à 500.

Le mot Seris peut se traduire par : « ceux qui vivent sur le sable », et désigne l'un des six groupes qui composent l'ethnie Kunkaahac, « notre grande lignée maternelle », qui occupait la partie sud du désert de l'Arizona et du Sonora, le long du golfe du Mexique et dans l'île de Tiburón. Chasseurs et pêcheurs, ils prenaient la mer sur des embarcations de roseau et pêchaient les tortues géantes avec des harpons en bois très dur : le bois de fer.

A gauche, les lieux de retrouvailles des Coras se trouvent dans les vallées ; à droite, un Huichol met le « peyotl » à sécher.

Le père Marcos de Niza fut sans doute le premier Blanc que les Seris rencontrèrent, alors qu'il était à la recherche des sept cités de Cibola. En 1685, le père Kino se rendit sur l'île de Tiburón, où il établit d'excellents rapports avec les indigènes. Mais il fut ensuite envoyé comme missionnaire dans le Haut-Pima.

C'est un jésuite allemand, le père Gilg, qui évangélisa les 3000 Seris, qui vivaient alors dans un demi-désert où l'agriculture ne pouvait se développer. Il écrivit au sujet de ces Indiens : *« Les Seris vivent sans dieu, sans religion, sans maison, comme du bétail. De même qu'ils n'ont aucun culte religieux, on ne trouve aucune trace d'idolâtrie dans leur tribu. »* En fait, les Seris adoraient le soleil, la lune et des divinités anthropomorphes à tête de tortue ou de pélican.

Le père Gilg écrivait aussi : *« Ils n'ont aucun des vices répandus chez les païens, tels que la polygamie et la luxure. »* Ses tentatives pour transformer les Seris en bons sujets espagnols n'eurent aucun succès. En 1662, plusieurs centaines de Seris se battirent contre les Espagnols jusqu'à la mort ; leurs enfants furent recueillis dans les missions des villages.

En 1742, un tiers de la population seri accepta de s'installer autour d'une mission. Les autres préférèrent rester nomades... et voleurs de bétail. En 1748, cependant, à l'occasion de la construction d'une forteresse espagnole à Pitic, certains s'établirent dans le voisinage. Peu à peu, les Blancs empiétèrent sur leurs territoires, et les Indiens s'y opposèrent. Les Espagnols arrêtèrent 80 familles, dont ils déportèrent les femmes au Guatemala ou ailleurs. Furieux, les Seris se joignirent aux Pimas pour détruire la mission de Guaymas, puis attaquèrent les installations espagnoles.

Ce fut, en 1769, une famine qui eut raison d'eux. Nombre d'entre eux se rendirent et se convertirent au christianisme. En 1772, toutefois, des Seris tuèrent le chef d'une mission franciscaine dans la baie de Kino. Quiconque provoquait l'un des leurs devait se battre en duel avec le chef. En 1775, un chef de guerre seri tua le gouverneur espagnol, Mendoza.

Au moment de l'indépendance du Mexique, le gouverneur mexicain contraignit les Seris à s'installer près d'Hermosillo. On parqua les hommes et les femmes à Villa de Seris, et on envoya leurs enfants dans des familles du Sonora. Mais les adultes refusèrent de rester dans ces réserves et les enfants s'échappèrent pour rejoindre leurs parents.

En 1854, au cours d'une incursion sur la route de Guaymas à Hermosillo, les Seris capturèrent la fille d'une famille de notables de Guaymas, Dolores Casanova, surnommée Lola. Bien que le chaman, Coyote-Iguana, ait tué son père, elle en devint la compagne et le suivit sur l'île de Tiburón, où elle lui donna de nombreux enfants. Ayant adopté le mode de vie indien, elle fut appelée la reine des Seris et devint un personnage légendaire.

A la fin du XIXe siècle, il ne restait que 500 Seris, qui menaient une guérilla incessante. Le gouvernement en arrêta 150, tandis qu'un éleveur de gros bétail du nom d'Encinas essayait de leur procurer du travail et de leur donner une instruction. Mais comme son ranch était installé sur des terres où, traditionnellement, les Indiens chassaient le cerf et le lapin, ceux-ci crurent qu'ils pouvoir chasser de même le gros bétail. Dix ans de luttes s'engagèrent entre Encinas et les Seris, au cours de laquelle 75 Indiens trouvèrent la mort en une seule escarmouche ; on décréta que, pour chaque tête de bétail détruite, un Seri serait exécuté.

En 1920, certains des quelques chasseurs nomades qui subsistaient s'installèrent comme pêcheurs dans un village de la baie de Kino. Dans les années 1930, il y eut une forte demande de foies de requin : abandonnant leurs frêles esquifs de roseaux, ils construisirent de robustes barques pour pêcher le squale.

En 1950, de riches Américains, ayant découvert la pêche sportive dans la baie de Kino, s'intéressèrent aux Seris. Des anthropologues étudièrent leurs mœurs, des linguistes traduisirent le Nouveau Testament en seri puis des missionnaires protestants les convertirent. Le groupe le plus important compte aujourd'hui 300 individus. Les nomades de jadis continuent à tresser des paniers si serrés qu'ils peuvent contenir de l'eau, ainsi que des colliers de coquillages et de belles sculptures d'animaux en bois.

LES LACANDONS

Les Lacandons menaient encore récemment une existence traditionnelle. La jungle du Chiapas, où ils vivent, les protégea des chasseurs, des marchands et des bûcherons, qui finirent pourtant par les rejoindre. Des échanges s'établirent, portant sur les armes à feu, l'alcool, la nourriture, les vêtements et les bois précieux, le tabac, le *chicle* des Indiens.

Les Lacandons vivent par groupes de deux ou trois familles qui tirent leur subsistance de la jungle. Peu nombreux, ils furent délaissés par les missionnaires, sollicités par des tâches plus urgentes dans des villages surpeuplés. En 1933, l'ethnologue Jacques Soustelle fut l'un des premiers à s'intéresser à ces tribus. Il qualifia leur région, le bassin de l'Usumacinta, d'*« enfer vert »*, bien qu'un enfant lacandon de douze ans soit capable d'y survivre.

Le nom de cette tribu vient de Lacantum, « grand rocher », île du lac Miramar, site d'origine de la tribu, qui est une branche des Indiens mayas itzae. L'île fut découverte en 1530 par le capitaine Alonso Dávila, opérant sous les ordres de Francisco Montejo, conquérant du Yucatán. En 1559, Pedro Ramírez de Quiñones détruisit ce site, qui fut reconstruit, puis à nouveau démoli en 1586 par Juan Morales Villavicencio. Les Espagnols tentèrent d'emmener les Lacandons hors de la jungle, mais ceux-ci s'enfuirent après avoir mis le feu à leurs huttes.

Leur divinité la plus importante est le soleil, qui passe la nuit dans une habitation souterraine, où il mange et boit comme un être humain, et autour duquel gravitent d'autres dieux. Les Lacandons font des offrandes chaque matin pour s'assurer de son retour. Ils ont une vénération particulière pour les anciens lieux de culte mayas et, croyant que leur dieu Atchakyum vit dans le site de Yaxchilán, ils vont y déposer de l'encens et de la

nourriture. Le site maya de Bonampak ne fut découvert que dans les années 1940, quand les Lacandons le montrèrent aux Américains qui vivaient parmi eux. De même, ils montrèrent à Soustelle des peintures sacrées rouge et noir sur une énorme falaise surplombant le lac Metsaboc.

Lorsque Soustelle découvrit les Lacandons, ils vivaient dans de petites clairières dans la jungle. Ils cultivaient du coton, du tabac, du maïs, des piments, des bananiers et des yuccas. Une communauté n'excède pas une douzaine de personnes. Pratiquant la culture sur brûlis, les Lacandons se déplacent tous les trois ou quatre ans. Ils ont peu d'enfants et recherchent dans la jungle des endroits réputés favo-

A gauche, de nombreux villages tarasques se trouvent sur les rives du lac Pátzcuaro ; à droite, un « voladore » totonaque revêtu de son costume d'oiseau.

rables à la fécondité des femmes. Celles-ci étant peu nombreuses, les hommes épousent parfois des très jeunes filles, presque des enfants; le mari vit alors sous le toit de son beau-père et travaille pour lui un certain nombre d'années. Dès qu'elle en est capable, la jeune épouse cuisine pour son mari : l'union conjugale réside plus dans le fait de se nourrir ensemble que dans l'union charnelle. Avoir de nombreuses filles est une richesse , car le père bénéficie alors du travail de ses gendres.

Les Lacandons chassent, avec un arc et des flèches à pointe de silex, le singe, le dindon et le cochon sauvage. Ils souffrent de la malaria et des rhumatismes dus à l'humidité, et résistent mal à la grippe ou même à un simple rhume.

Lorsque, au début du XXe siècle, on commença à exploiter le bois d'acajou, les contacts s'établirent avec les Blancs, qui construisirent des routes et acheminèrent le bois par les rivières jusqu'au Tenosique. Une route mène désormais jusqu'à Palenque.

Le président Luis Echeverría a attribué aux Lacandons des titres de propriété pour les vastes territoires qu'ils occupent dans la jungle. L'argent leur a permis d'acheter des camions, des vêtements, des produits manufacturés. Dans les années 1920, un ethnologue danois, Frans Bloom, et sa femme, Gertrude Duby, s'installèrent à San Cristóbal de las Casas. Ils protégèrent ce groupe indigène de la destruction.

LES TARASQUES

Les Tarasques vivent dans le nord du Michoacán, près du lac Pázcuaro et à l'ouest de la Meseta, le haut plateau du Tarasca. On évalue à 80 000 ceux qui parlent la langue tarasque. Ils ont une réputation de pêcheurs et d'artisans habiles.

Avant l'arrivée des Espagnols, les Tarasques étaient assez forts pour tenir en échec les Aztèques, qui les considéraient (à tort) comme de lointains cousins. La langue tarasque n'a aucun lien apparent avec les autres langues indigènes. On a cru retrouver des affinités avec un idiome parlé au Pérou, sans que cela puisse apporter quelque éclaircissement sur leurs origines. Tout ce qu'on en sait vient des *Chroniques du Michoacán*, rédigées par un moine franciscain.

Après la conquête espagnole, les Tarasques trouvèrent appui auprès de don Vasco de Quiroga, membre de la Haute Cour de justice (tribunal qui avait condamné Guzmán pour le meurtre du roi tarasque Tangaxoan). Devenu évêque, Quiroga arriva au Michoacán décidé non seulement à évangéliser les Tarasques, mais à les protéger contre les abus des propriétaires espagnols. Il fonda des hôpitaux dans les missions, transporta la capitale de l'État de Tzin-Tzun-Tzán à Pátzcuaro, emmena même quelques Tarasques en Espagne pour montrer à ses concitoyens que les Indiens étaient des êtres humains. Il mérita le surnom de Tata Vasco (*tata* signifie « père »).

Don Vasco de Quiroga encouragea l'artisanat, enseigna des techniques nouvelles et, sous son égide, la plumasserie devint une spécialité tarasque. Les Indiens réalisaient des figurines de leurs dieux si légères qu'ils emportaient ces effigies au combat. Cette technique de la *pasta de caña* consistait à appliquer une pâte fine (faite d'orchidée sylvestre, de tiges de maïs et de pierre à chaux) sur une armature de roseau. On trouve parfois des christs fabriqués selon cette technique.

A l'époque coloniale, tout le commerce se faisait sur les marchés des villes; les villages indiens ne pouvaient rien échanger entre eux. Les artisans tarasques fabriquaient des meubles en bois, des articles en cuir et en cuivre pour les Espagnols, et des poteries, des nattes et des masques en bois pour d'autres Indiens. Ils faisaient aussi des bols et des plateaux en laque, des chapeaux. Des villages ont acquis une renommée, tels Santa Clara pour ses articles en cuivre, Ihuatzio pour ses nattes de paille, Patambán pour sa céramique verte, Paracho pour ses guitares.

L'indépendance venue, certaines terres communales furent acquises pour une bouchée de pain par les Blancs. Lumholtz remarqua qu'au travail de la terre les Tarasques préféraient l'artisanat, bien que leurs objets fussent vendus à vil prix et qu'il faille payer les fournitures. Ils n'en essaient pas moins de gagner le plus d'argent possible pour satisfaire aux obligations du *cargo*, poste honorifique convoité dont le détenteur est tenu d'organiser des fêtes.

A gauche, Lacandons tels qu'ils furent photographiés par l'explorateur français Désiré Charnay au XIXe *siècle ; ci-dessus, groupe de femmes zapotèques à Oaxaca.*

Le président Cárdenas encouragea les villages tarasques à vivre en autosuffisance; il pensait que, tout en conservant leur mode de vie traditionnel, ces villageois participaient à l'économie nationale. Néanmoins, de nombreux Tarasques doivent partir trouver du travail au loin, parfois jusqu'aux États-Unis.

Certains villages, comme Capácuaro, ont conservé un habitat typique : chaumières en bois précédées d'un portique, clôtures de troncs d'arbres, silos à grains.

LES TARAHUMARAS

Refusant le mode de vie espagnol, les Tarahumaras se réfugièrent dans les montagnes. Ils

LA GUÉRILLA DU CHIAPAS

Jusqu'au 31 décembre 1993, l'État du Chiapas était surtout connu pour les ruines mayas de Palenque et la ville coloniale de San Cristóbal de las Casas. Les Indiens (au nombre de 1 million, le tiers de la population de la région) y vivaient pauvrement, passant inaperçus de la plupart des touristes, mexicains ou étrangers.

Le 1er janvier 1994, plusieurs milliers d'Indiens, membres de l'Armée zapatiste de libération nationale (EZLN), fondée en 1992 à la suite de la signature de l'Alena, s'emparèrent d'une dizaine de villes du Chiapas, dont San

Cristóbal. Ils déclarèrent l'indépendance de la région, choisissant La Realidad, au cœur de la forêt des Indiens lacandons, comme symbole de leur lutte pour la reconnaissance politique.

Après douze jours de combats sanglants, le président Carlos Salinas déclara la trêve et proposa une négociation sur les revendications des zapatistes en matière de droits politiques et économiques. Lors de la première réunion à San Cristóbal, une vingtaine de paysans armés et cagoulés, vêtus pour la plupart du costume indien traditionnel, s'assirent à la table des négociations face à l'ancien maire de Mexico, Manuel Camacho. L'évêque du lieu, Mgr Ruiz, célèbre défenseur des droits des Indiens, faisait fonction de médiateur. Mais la vedette du jour était le sous-commandant Marcos, ce mystérieux fumeur de pipe qui dirigeait les zapatistes et qui, visiblement, était le seul à ne pas être indien (sa véritable identité, non confirmée, fut « révélée » en 1995 : Rafael Sebastián Guillén, né à Tampico en 1957, ancien professeur d'université). Ce jour-là, le sous-commandant se livra à une autocritique qui captiva le public.

Malgré leurs premières déclarations belliqueuses, les zapatistes affirmèrent bientôt qu'ils ne visaient qu'à propager une révolution pacifique au sein de la « société civile » mexicaine. Cependant, bien que les négociations avec Camacho aient semblé aboutir à des accords satisfaisants (accords de San Andrés), l'EZLN en rejeta ensuite les termes.

Au début de l'année 1996, les négociations reprirent. Mais les lois d'application de l'accord qui en résulta ne virent jamais le jour et l'EZLN se retira des pourparlers. Semblant miser sur une stratégie de guerre larvée plutôt que sur la négociation, le gouvernement toléra, et parfois provoqua, la prolifération de groupes paramilitaires antizapatistes. L'armée fédérale et la police locale resserrèrent leur emprise sur la zone de conflit, mais laissèrent s'installer la violence intracommunautaire. Cette alternance de dialogue et de répression fut de plus en plus meurtrière : le massacre d'Acteal, le 22 décembre 1997, fit 45 morts, en majorité des femmes et des enfants.

L'élection de Vicente Fox, en juillet 2000, puis celle, en août, d'un gouverneur d'opposition au Chiapas, ont fait naître l'espoir d'une solution négociée. Dès sa prise de fonctions, Vicente Fox demanda au Sénat d'examiner un projet de loi fondé sur les Accords de San Andrés et nomma comme négociateur un homme politique estimé, Luis H. Álvarez. L'EZLN posa trois conditions pour reprendre les pourparlers : la libération de ses membres emprisonnés, le retrait des forces armées d'une partie du Chiapas et l'approbation du projet de loi par le Congrès. Ayant obtenu partiellement satisfaction, l'EZLN entreprit, le 24 février 2001, la Marche de la dignité indienne jusqu'à Mexico. En mars, le sous-commandant Marcos alla en personne défendre le texte devant le Parlement. Mais la loi qui fut promulguée en juillet apportait aux accords de 1996 des modifications (concernant notamment l'autonomie des Indiens et l'exploitation des ressources naturelles) jugées inacceptables par les zapatistes. Ces derniers signifièrent leur décision de rompre tout contact avec le gouvernement et d'entrer de nouveau en résistance.

sont 50 000 vivant sur 50 000 km² dans la Sierra Madre, dans le nord du Chihuahua.

Les Tarahumaras n'entrèrent vraiment en relation avec des Blancs qu'au début du XVIIe siècle, lorsque les jésuites quittèrent Durango pour le Nord. Les rapports furent pacifiques au début mais, en 1631, les Espagnols ouvrirent des mines d'argent dans le sud du Chihuahua et forcèrent les Indiens à y travailler. Des rébellions sanglantes, suivies de répressions atroces, se poursuivirent pendant un siècle.

La première révolte fut menée en 1648 par Teporaca. Les jésuites avaient tenté d'améliorer le sort des Tarahumaras, mais, aux yeux de ceux-ci, tout homme blanc était un ennemi. Ils mirent les missions à sac, affirmant que les cloches répandaient de mauvais sorts et des maladies – la variole ou la rougeole.

En 1690, les hostilités reprirent. Des groupes entiers d'Indiens armés préféraient la mort plutôt que la reddition ; d'autres se cachèrent dans la Sierra. Quelques-uns acceptèrent pourtant le christianisme et s'assimilèrent en partie, bien que voués aux basses besognes.

A gauche, guérilleros zapatistes au cours d'une conférence de presse clandestine à San Cristóbal de las Casas ; ci-dessus, Indiens du Yucatán, descendants des Mayas.

A l'indépendance du Mexique, la nouvelle administration, sollicitée de toutes parts, n'eut pas le temps de s'occuper d'eux. Les Apaches portèrent la guerre sur leurs territoires. Les Tarahumaras, rarement sédentaires, pratiquaient la culture sur brûlis, et lorsque la loi de 1825 autorisa l'exploitation des terres en friche, des colons se ruèrent sur leurs meilleurs sols.

Les efforts des jésuites pour rassembler et fixer les Tarahumaras allaient à l'encontre de leurs traditions. De nombreuses régions ne recevaient la visite d'un prêtre qu'une fois par an. On ajouta les fêtes catholiques à celles célébrées antérieurement. La semaine pascale est commémorée par les danses de Judas et des pharisiens et, le samedi saint, on brûle le Judas. Si la pluie ne tombe pas au moment propice, les Tarahumaras pensent que le diable a entravé les pieds et les mains de Dieu et l'a rendu malade. Ou bien ils craignent que leurs offrandes n'aient été insuffisantes. Ils se considèrent d'ailleurs comme les fils de Dieu (les Mexicains étant les fils de Satan).

Les Tarahumaras font des courses de 180 km d'une seule traite. Lumholtz raconte qu'un Indien parcourut 960 km en cinq jours. Les compétitions, qui durent nuit et jour pendant au moins vingt-quatre heures et parfois trois jours, opposent deux équipes de 20 coureurs, qui poussent du pied une boule de bois tout en courant. Certains parieurs prennent de gros risques. Des vieillards sont capables de miser leur maigre troupeau sur une seule course. Les Tarahumaras se désignent sous le nom de Rar'amuri, le « peuple aux pieds légers ».

Les chamans tarahumaras usent du *peyotl* pour leurs rites de guérison ou leurs incantations. Lumholtz remarqua que la plante servait non seulement de talisman contre les ensorcellements, mais aussi en application sur les blessures, les brûlures, les morsures de serpent et les rhumatismes. Le petit cactus doit recevoir des offrandes pour éviter qu'il ne provoque la démence.

La plupart des Tarahumaras vivent dans une enclave de la Sierra Madre occidentale ; 20 % d'entre eux sont restés fidèles à leur mode de vie traditionnel, et ce qui les différencie des autres Indiens mexicains, c'est leur volonté d'isolement. Les Tarahumaras n'ont formé aucune organisation au Mexique, mais des milliers des leurs ont participé à de grandes rencontres organisées par le gouvernement.

Certains chefs ont formulé des revendications : titres de propriété pour leurs terres, écoles, médecins, contrôle des ressources forestières, assistance sociale, téléphone et une certaine autonomie politique locale. D'autres en revanche repoussent toute forme d'assimilation.

TZOTZILES ET TZELTALES

Dans les hautes terres du Chiapas, autour de San Cristóbal de las Casas, 200 000 Indiens parlant un dialecte maya se divisent en deux groupes à peu près égaux : les Tzotziles et les Tzeltales, qui ont su conserver leur propre manière de vivre. Il semble que ces Indiens n'aient jamais eu de conscience tribale. L'appartenance à un groupe n'est ressentie qu'à l'échelon local. Ainsi, les Indiens de Chamula résistèrent à l'envahisseur espagnol, tandis que les Tzotziles de Zinacantán, à quelques kilomètres de là, s'alliaient à Bernal Díaz.

Tandis que les Tzeltales vivent au pied des montagnes centrales, les Tzotziles en occupent les parties les plus élevées, au-dessus de 1 500 m. Les localités se composent d'un village autour duquel les fermes s'étalent sur les collines voisines, parfois à plusieurs heures de marche. Dans le village habitent surtout les fonctionnaires et leurs familles, la population ne s'y assemble que lors des marchés dominicaux et des fêtes, où lancements de pétards et beuveries sont les occupations favorites.

Les villageois honorent les saints chrétiens et les esprits des ancêtres, à qui ils offrent de l'encens, des fleurs, de la nourriture. Chacun vit en bons termes avec les autres membres du groupe, qui se sentent offensés si l'un des leurs les quitte.

Les Espagnols exploitèrent ces communautés, prenant leurs terres, les forçant à travailler sur les plantations. Pendant l'ère coloniale, avant que des routes ne soient construites, les Tzeltales transportaient à dos d'homme les fardeaux jusqu'à Veracruz, à 1 000 km de là. Habitués à l'air tonique de leurs montagnes, ne supportant pas la chaleur humide, beaucoup mouraient en route. Jamais pourtant Tzotziles et Tzeltales ne parvinrent à s'allier, et les rébellions demeuraient locales. Cependant un chef indien, Pajarito ou « Petit Oiseau », forma une bande armée qui remporta des succès éphémères. Petit Oiseau finit par être exécuté et ses compagnons eurent les oreilles tranchées.

Les premiers missionnaires essayèrent rarement de comprendre la mentalité indigène, si bien qu'en 1869, la communauté de Chamula les tua. La plupart du temps, cependant, les Indiens suivaient docilement les directives de l'Église. Ainsi, pendant la révolution de 1910, l'évêque de San Cristóbal donna pour consigne à la communauté de Chamula de prendre le parti des conservateurs.

La révolution n'arrêta pas la dégradation de la condition indienne. Des *enganchadores* (« ceux qui attrapent ») recrutaient des travailleurs auxquels ils avançaient de l'argent. Ces sommes aussitôt dépensées, les débiteurs devaient rembourser en travaillant dans les exploitations forestières ou les plantations de café.

Les Tzeltales prient le Christ, mais dans l'intimité de leurs demeures ils adorent aussi Chulmetic, déesse de la terre, et Uch, qui fait croître le maïs. De la mythologie tzotzile subsiste Hz'k'al, idole noire représentée avec un pénis d'un mètre. Certains maux déjà connus aux temps préhispaniques sont imputés aux esprits traditionnels, tandis que les nouvelles maladies apportées par les Espagnols relèvent des saints chrétiens. Certains Tzotziles pensent que les saints et leurs dieux se réunissent de temps à autre pour infliger des punitions aux humains, maladies ou mauvaises récoltes. Ils se font une obligation de célébrer en commun des cérémonies où ils vénèrent les saints et aussi les lieux sacrés où vivent les esprits, sources, grottes ou montagnes. Si, malgré tout, quelqu'un tombe malade, c'est qu'il reçoit le châtiment de ses péchés ; seul le chaman peut alors intervenir.

La plantation et l'entretien des champs de maïs (ces Indiens se refusent à faire pousser autre chose) sont l'obligation principale des hommes et ce qui les distingue des animaux ; les dieux interviennent aux diverses phases de la culture. Chacun se doit d'assurer non seulement la subsistance de sa famille mais de produire un peu plus pour participer aux offrandes communes.

Tzotziles et Tzeltales, grands fumeurs, fument surtout du tabac sauvage. Ils chiquent du *pilico*, obtenu en faisant macérer du tabac frais avec de la chaux et du piment en poudre.

On voit dans les hautes terres du Chiapas les plus merveilleux costumes du Mexique : sombreros élégants, tuniques brodées avec art, châles de laine à bordures géométriques, couleurs chatoyantes. Les hommes de Zinacantán portent des ponchos de coton rouge et des chapeaux de paille garnis de rubans, tandis que les femmes se promènent pieds nus par tous les temps. Les costumes tzotziles varient d'un village à l'autre et selon la situation sociale. Les sombreros, souvent à fond conique, sont particulièrement originaux. La couleur des amples tuniques féminines, remarquablement brodées, varie selon les villages. Chez les Tzeltales, ce vêtement plissé sur le devant est maintenu par une large ceinture tissée de motifs géométriques.

Ce goût de l'habillement suscite tout un artisanat : sombreros de paille, peaux tannées utilisées pour la confection des sandales ou *huaraches*, tissus fabriqués sur des métiers à tisser de forme inchangée depuis des temps immémoriaux, articles en laine, en coton ou en fibre d'ixtle, broderies tzotziles au point de croix.

La grande question, pour ces communautés, reste l'assimilation culturelle. La tentation

A gauche, de nombreux Noirs, originaires des Caraïbes, vivent à Veracruz ; à droite, une marchande de fruits de mer.

d'avoir ce qui vient de l'extérieur et le désir de conserver les traditions provoquent un conflit permanent. Les Indiens sont émerveillés par la lecture et l'écriture ; aussi les instituteurs ruraux indiens jouissent-ils d'un grand prestige. Eux-mêmes sont toutefois en porte-à-faux entre les deux cultures ; certains refusent de porter le costume indigène, de pratiquer les rites ancestraux, parfois même de parler leur propre langue. Ils n'en sont pas moins respectés. D'autres reconnaissent que la proximité de la nature, la possession d'un petit coin de terre isolé, les promenades sur le dos d'un poney indien, font partie d'un mode de vie et sont porteurs de valeurs qui méritent qu'on les défende.

LES CHARROS

Le *charro* mexicain n'est pas le cow-boy américain. Quoique leurs attributions soient les mêmes, leur comportement, leur style, leur manière de procéder les rendent différents.

Chevaux, vêtements, bétail, tous les attributs des *charros* sont d'origine espagnole. Ce sont les 16 cavaliers qui accompagnaient Cortés qui introduisirent le cheval au Mexique. Par la terreur qu'ils inspiraient aux indigènes, les chevaux furent les plus sûrs soutiens de la conquête. Et lorsque, pendant une expédition de Cortés au Honduras, l'un d'eux mourut en chemin, les Mayas en firent une divinité.

A l'époque coloniale, chaque Espagnol était tenu de posséder un cheval, alors qu'un décret royal, promulgué en 1528, interdisait aux Indiens, même nobles, de monter à cheval. La peine de mort sanctionnait toute désobéissance. Mais, au fil des années, le bétail devenant sans cesse plus nombreux, il fallut bien que des Indiens s'occupent des troupeaux; l'autorisation leur fut donc accordée d'exercer leur surveillance quotidienne à cheval. Ces hommes apprirent vite à se tenir en selle, à soigner les chevaux, à s'exercer inlassablement au lasso, à faire corps avec leur cheval.

Les cavaliers mexicains inventèrent une méthode pour attraper le bétail à leur façon, le *colear*, qui consiste à saisir l'animal par la queue. Mme Calderón de la Barca décrivit, en 1840, les prouesses des *charros*. *« Ils nous divertissent fort avec le* colear, *spectacle dont tout le pays raffole. Ils rassemblent des animaux dont le nombre peut varier beaucoup ; ils les poursuivent au galop et le plus habile saisit un taureau par la queue, la passe sous sa jambe droite, l'enroule autour du pommeau de sa selle et, faisant faire volte-face à son cheval, d'un mouvement sec projette le taureau face contre terre. Même des garçons de dix ans s'exercent à ce sport. »* La narratrice ajoute : *« Il est impossible de trouver ailleurs plus belle race d'hommes que ces rancheros. Grands, forts, bien proportionnés, revêtus de leurs chemises brodées, de leurs sarapes rugueux, de leurs pantalons bleu foncé rebrodés d'or… »*

A la bataille d'Alamo, les *charros* attrapaient les Texans au lasso pour les faire prisonniers. Ils prirent de la même manière les canons français, qu'ils retournèrent contre l'adversaire. Seul le général Obregón put arrêter l'élan des « Dorés » de Pancho Villa en creusant des tranchées, en installant des pièges de fil de fer barbelé et des explosifs sous les pas de leurs chevaux.

Les exploits de ces cavaliers les amenaient à rivaliser entre eux. Dans les ranchs, on fit assaut d'adresse pour la confection des nœuds, le marquage des animaux et, bien sûr, pour l'acrobatie équestre. Ces hommes d'une endurance peu commune travaillaient du lever au coucher du soleil, puis dansaient le jarabe fort tard dans la nuit, pour se relever dès l'aurore.

Pendant des années, *charrería* et combats de taureaux furent intimement liés. Ponciano Diaz était adulé parce qu'il excellait dans l'une et l'autre spécialité. Ce torero fameux fut le premier à prendre part à un concours entre *charros*. Ceux-ci ne se contentèrent bientôt plus de se produire devant leurs compatriotes. Un groupe de 12 hommes, dirigé par un champion du lancement du lasso, Vicente Oropeza, partit en tournée à travers les États-Unis avec le spectacle de Buffalo Bill.

L'expropriation des grands ranchs qui suivit la révolution laissa de nombreux *charros* sans travail. Ils se reconvertirent dans les compétitions (*jaripeos*) en public. Les plus grandes enceintes (*lienzos charros*) qui leur sont réservées sont celles de Mexico et de Guadalajara.

Le spectacle commence par le défilé des cavaliers devant les juges et le public. Ils saluent comme pour l'ouverture d'une corrida. Ensuite commencent les *colas de caballo*, démonstrations d'équitation. Le cavalier, lancé à plein galop, fait piler son cheval dans un rectangle tracé à la craie, avance, tourne, recule à l'intérieur de ce petit espace. Puis, se retirant à reculons, il quitte l'enceinte.

Alors débute le *coleadero*. Dès qu'un taureau surgit en chargeant, un *charro* galope vers lui. Le saisissant par la queue, il essaie de le faire basculer, puis de le tourner sur le dos. Les juges apprécient la rapidité, le style, la position dans laquelle le taureau est renversé. Un morceau de la queue reste parfois entre les mains du *charro*, qui l'agite alors devant ses admirateurs.

Le spectacle se poursuit par des démonstrations qui, à part quelques exercices de dressage de chevaux sauvages ou d'équilibre sur le dos des génisses, sont réservées au lancer du lasso. Après avoir décrit des cercles avec son lasso, le cavalier jette une boucle aux pieds du taureau, qui avance dans le piège. Alors le *charro* tire sur le nœud coulant, entrave étroitement les quatre membres de l'animal et le fait tomber.

A la fin du spectacle, trois cavaliers encadrent un cheval sauvage au galop au bord de la piste. Un homme à pied, faisant tournoyer son lasso, les rejoint et lance une boucle de sa corde devant l'animal qui s'y précipite. Au moment précis où les jambes postérieures de l'animal franchissent le lasso, l'homme resserre le nœud d'un coup sec puis enroule la corde autour de son buste. Ensuite il se redresse et amène à lui le cheval.

On assiste encore, la plupart du temps, au *paso de la muerte*, le « pas de la mort » : le *charro* saute de son cheval au galop sur le dos d'un cheval sauvage.

Les femmes se produisent dans des représentations spéciales appelées *caramuza charra*. Ces écuyères émérites montent en amazone. Parfois, une démonstration de *jarabe lapatío*, danse populaire de la région de Jalisco, clôt le spectacle.

A gauche, un « charro » du XIXe siècle ; ci-dessus, acrobatie au lasso.

Personnages hauts en couleur, les *charros* sont de bons vivants qui apprécient la bonne chère et sont de grands buveurs. Outre leur passion évidente pour les chevaux, on remarque qu'ils sont en général plutôt conservateurs et nationalistes.

Leur apparence revêt une grande importance ; ils peuvent dépenser une fortune pour s'habiller ou équiper leur cheval. Les *charros* rêvent des jours dorés où ils jouissaient d'un prestige sans égal. Leur nostalgie imprègne le machisme exacerbé qui s'exprime à travers des proverbes en forme de boutade, comme : *« Il faut avoir un cheval entre les jambes, un coq de combat pour se remplir les poches et une femme dans les bras. »*

LA CORRIDA

Certains récits laissent penser que la première corrida fut organisée au Mexique en 1526 pour fêter le retour du Honduras de Cortés. En 1529, Nuño de Guzmán commémora l'anniversaire de la prise de la capitale aztèque par un combat. Pendant toute la colonisation espagnole, chaque fête, religieuse ou profane, fut marquée par une corrida, qui eut lieu dans des lices provisoires jusqu'à la construction, en 1788, des premières arènes de Mexico.

Toujours à cheval jusqu'en 1680, les combattants affrontèrent ensuite parfois le taureau à pied. A partir de 1769, les exploits des toreros furent rétribués. Les spectateurs qui sautaient dans l'arène encouraient un an d'exil pour un noble, deux mois de prison pour un Espagnol, cent coups de fouet pour les autres.

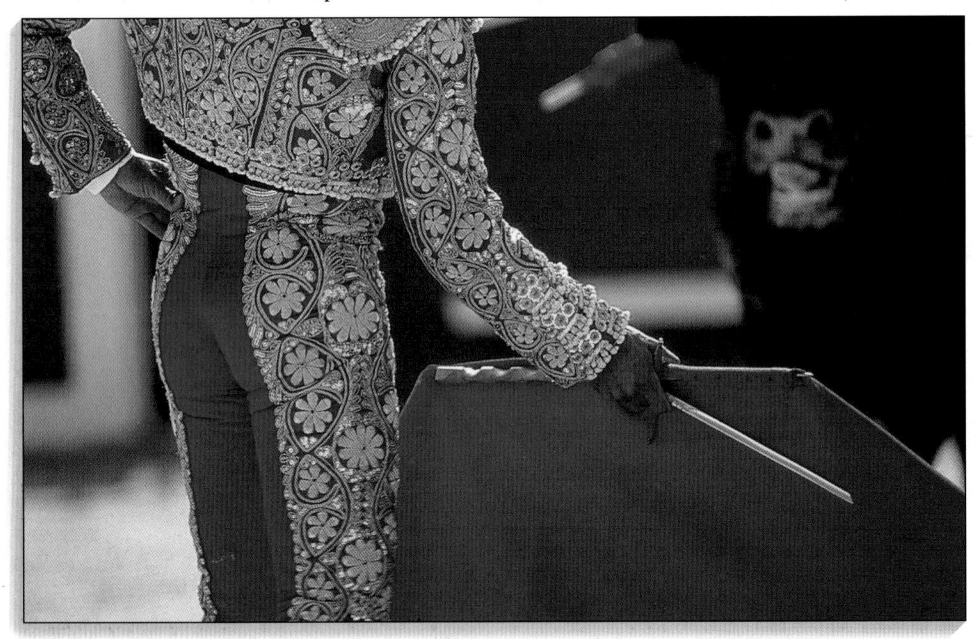

La femme de Juárez organisa une corrida pour réunir de l'argent au nom du Comité des femmes patriotes qui luttaient contre les Français et l'empereur Maximilien. Pourtant, une fois au pouvoir, Juárez interdit la corrida. Porfirio Díaz l'autorisa de nouveau. Venustiano Carranza renouvela l'interdiction, mais la *fiesta brava* renaquit. Non seulement aucun président ne songerait plus à la supprimer, mais au moins une fois l'an se déroule une corrida en l'honneur de l'armée mexicaine.

Le premier matador célèbre fut Bernardo Gaviño. Un jour, alors qu'il se rendait avec ses 64 compagnons à Chihuahua, il fut attaqué par des Comanches. Au bout de dix heures, trois Blancs seulement en réchappèrent, dont Gaviño, qui reprit la route, tint son engagement dans la ville, où il toréa si bien que le curé d'El Paso del Norte en mourut d'émotion. Gaviño mourut à soixante-quinze ans, d'une blessure reçue dans l'arène de Texcoco.

Ponciano Díaz suscitait un tel enthousiasme que, en 1920, ses admirateurs mirent le feu aux arènes de Puebla. En 1889, il obtint un triomphe en Espagne. Ses vêtements de *charro*, sa moustache en bataille (il fut le seul matador auquel l'Espagne accorda cette dérogation), ses prouesses équestres enchantèrent le public. De son cheval, il lançait les banderilles à la mode mexicaine, des deux mains.

Rodolfo Gaona y Jiménez fut immortalisé par une pose de banderilles, la *par de Pamplona*. Fermín Espinosa Saucedo combattait selon le style espagnol, et Pepe Ortiz s'agenouillait devant le taureau selon un style « baroque ».

Aux 225 arènes permanentes, dont celle de Mexico qui est, avec 50 000 places, la plus grande du monde, s'ajoutent 500 lices improvisées. La saison commence fin novembre et se clôt en mars ou avril. La course commence à 16 h 30 précises. Un bailli conduit le défilé de présentation et demande l'autorisation de combattre. Il est suivi de trois matadors dans leur habit de lumière. Derrière viennent les picadors à cheval, puis les assistants et les attelages de mules. Le président de la corrida agite son mouchoir, donnant le signal d'ouverture. La corrida se déroule en trois parties.

Premier acte : les passes de cape des *peones* accueillent le taureau ; le matador lui-même en fait quelques-unes pour étudier le comportement de l'animal. La lourde cape de soie brodée d'or permet aux toreros de faire des passes très proches nommées « véroniques », du nom de la sainte qui essuya le visage du Christ. Puis les picadors, montés sur de vieux chevaux dont l'œil droit est aveuglé par un bandeau, essuient les charges du taureau sur leurs longues piques. Après environ quatre coups de lance, ils quittent l'arène.

Deuxième acte : les assistants doivent planter trois paires de banderilles dans le garrot du taureau ; parfois, le matador en pose lui-même une paire.

Troisième acte, le matador, muni de son épée et de la *muleta*, pièce d'étoffe rouge pliée sur un bâton, demande au président l'autorisation de mise à mort, qu'il offre à une dame, à un ami ou bien à la foule. Il dispose alors de 16 mn pour tuer le taureau. S'il n'y parvient pas, il est hué et renvoyé de l'arène. Le torero se livre à des passes, fait passer le taureau à droite puis à gauche, s'en approche à le frôler, s'immobilisant parfois, les reins cambrés, dans des poses magnifiques. C'est un défi, mais aussi le moyen de mieux connaître le taureau et de choisir le moment du coup fatal. Le matador saisit alors son épée puis incite avec la *muleta* le taureau à prendre une posture convenable face à lui. Il porte l'estocade entre la nuque et les épaules, au point nommé « croix ». Si le coup est bien porté, l'artère est sectionnée et l'animal tombe sur les genoux. Un autre torero l'achève d'un coup de poignard entre les cornes. Si le taureau a bien combattu, il est applaudi, tandis que des mules le traînent hors de l'arène.

A gauche, le torero face au taureau ; ci-dessus, une passe dite « véronique ».

Si le spectacle a été beau, le public applaudit à tout rompre et le matador est récompensé selon ses mérites : une ou deux oreilles, auxquelles s'ajoutent parfois la queue de l'animal et, par exception, ses sabots. Le matador fait un tour de piste, on lui lance des fleurs, des coussins, des chapeaux, des mouchoirs.

Il y a six combats, chaque torero affrontant deux taureaux. Les juges donnent trois notes : *mandar* (maîtrise face à l'animal), *parar* (style et beauté des attitudes), *templar* (rythme de la rencontre mais surtout la précision, la rapidité, la sûreté de la mise à mort).

L'ARTISANAT

Les premiers artisans mexicains fabriquèrent des armes pour chasser et des paniers pour rapporter le gibier et les plantes sauvages comestibles. Les fouilles archéologiques ont mis au jour un nombre incalculable de fibres tressées il y a dix mille ans.

Puis, six mille ans avant notre ère, l'Indien se mit à planter le maïs et à en broyer les grains entre des pierres, abandonnant la chasse et la cueillette pour l'agriculture. Le *metates* et le *mano* actuels étaient nés.

TISSAGE ET POTERIE

En même temps que s'améliorait le rendement du maïs, les paniers se perfectionnaient jusqu'à être si étroitement entrelacés qu'ils retenaient l'eau.

Un Indien imaginatif dut, vers 4500 avant notre ère, avoir l'idée d'enduire son panier de terre humide, puis de le faire cuire; il avait inventé la poterie. Cette invention était considérable puisqu'elle permettait de conserver les liquides et de faire cuire les aliments de diverses manières. Pour particulariser et agrémenter ces récipients, on les peignit en rivalisant d'ingéniosité.

On tissa les fibres d'agave, de coton sauvage, d'écorce. Vannerie, poterie et tissage sont depuis plus de quatre mille ans exécutés de la même manière, avec les mêmes matériaux.

Les premières figurines religieuses, modelées dans l'argile humide, puis durcies au feu, représentaient des femmes nues aux énormes poitrines. Elles ont été découvertes à Tlatilco, dans la banlieue actuelle de Mexico. La fabrication d'objets usuels décoratifs s'est ainsi développée.

SUR LES MARCHÉS

Mais, parallèlement, une autre forme d'artisanat vit le jour: certains artisans se consacrèrent à l'élaboration d'objets de luxe destinés aux classes aisées (bijoux en or, mosaïques de plumes, pièces de coton...).

Pages précédentes : un Indien huichol réalise une tapisserie en laine collée. A gauche, masque de Guerrero, à mi-chemin entre les styles espagnol et indien ; à droite, la poterie est l'une des spécialités de Mexico.

A l'arrivée des Espagnols, il existait déjà des échanges, puisque les artisans indigènes se rassemblaient déjà pour vendre leurs fabrications sur de grands marchés, les *tianguis*, dont le nom est resté le même jusqu'à nos jours. Le plus célèbre de ces marchés, qui avait suscité l'admiration des conquistadors, était celui de Tlatelolco, qui approvisionnait la capitale aztèque de Tenochtitlán.

Les Espagnols apportèrent des techniques nouvelles, telles que l'usage du tour de potier et des instruments de métal.

En revanche, afin de satisfaire leurs besoins en sellerie et en harnachement pour les chevaux, en vêtements de laine, en meubles et en

objets d'usage domestique, les conquérants eurent recours à l'habileté des indigènes.

Un frère convers, Pedro de Gante, fonda en 1529 à Mexico, une école d'arts appliqués pour les Indiens, tandis qu'au Michoacán l'évêque Vasco de Quiroga leur apprenait les techniques de travail du cuivre, du fer et de la laque.

Très vite, des artisans arrivèrent d'Espagne. Ils apprirent leur métier à leurs apprentis indiens. Pendant longtemps encore, on considéra que les fabrications espagnoles demeuraient supérieures à celles des indigènes, jusqu'à ce que survienne la révolution et l'indépendance. A partir de ce moment, l'esprit nationaliste tint à mettre en valeur tout ce qui était exécuté par les Mexicains eux-mêmes, à commencer par l'artisanat.

L'ARTISANAT À L'HONNEUR

En 1921, le président Alvaro Obregón inaugura la première exposition d'artisanat indigène à Mexico. Ce fut une reconnaissance officielle ; tous les muralistes célèbres s'extasièrent sur ces humbles travaux, la critique renchérit. Alors toute la classe moyenne mexicaine se mit à acheter ces objets d'artisanat, bientôt imitée par les touristes américains.

On peut discerner quatre catégories d'artisans mexicains. La plupart d'entre eux sont

des paysans ou des ouvriers qui fabriquent des objets usuels. Ils réalisent leurs modèles en dehors de leur temps de travail et leur gain ne représente qu'un appoint.

D'autres travaillent à plein temps, en général dans les villes ou les gros bourgs. Ils sont établis à leur compte ou sous les ordres d'un patron. Ils exécutent des modèles usuels mais d'une décoration déjà recherchée, et ajoutent à leur collection quelques articles pour les touristes.

Quant au commerce des « souvenirs » à proprement parler, il se répartit entre deux autres catégories. D'une part les gros producteurs, qui mettent leurs produits en vente après une étude de marché, de l'autre des gens sans travail fixe qui vivent d'expédients dans les grandes villes. Ces derniers se servent du matériau le meilleur marché : papier, fil de fer, bois, écorce, qu'ils transforment en jouets, bibelots, bijoux de pacotille. Ce sont parfois de véritables artistes qui mettent leur habileté au service d'une invention créatrice, stimulée par leur manque de moyens.

Chaque région a sa spécialité. Certains villages continuent à fabriquer les mêmes objets que leurs ancêtres précolombiens. La plus grande concentration d'artisans se rencontre dans le centre et le sud du pays, où de nombreuses capitales d'États regroupent leurs productions locales dans une *casa de artesanía*. Le choix y est étendu, mais les prix supérieurs à ceux pratiqués sur les marchés ou chez l'artisan lui-même.

LES SPÉCIALITÉS RÉGIONALES

Dans le nord du Mexique, les spécialités des tribus indiennes sont bien localisées : statuettes d'animaux en bois dur des Seris, ceinture de laine brute des Tarahumaras, *sarapes* servant de couverture ou de pèlerine à Saltillo, Coahuila et Zacatecas.

Les Indiens coras et huicholes vendent à Tepic, Nayarit et Guadalajara des sacs, des ceintures, des vêtements brodés au point de croix de laines multicolores, des panneaux décoratifs brodés de motifs rituels. Le marché de Guadalajara, San Juan de Dios, est immense et vend toutes les productions imaginables, qu'il ne faut pas oublier de marchander. A Tlaquepaque, faubourg de Guadalajara, on trouve de belles copies de céramiques précolombiennes, du verre soufflé et des meubles en bois.

A une quinzaine de kilomètres de Guadalajara, Tonalá propose sa fragile céramique peinte de fins motifs dont les formes diverses, souvent en forme d'animaux, sont pleines d'imagination. Les marchés ont lieu le jeudi et le samedi, tandis que les œuvres du célèbre Jorge Wilmot se vendent dans la boutique Los Nahuales.

Pendant les dix jours de la *feria* de printemps qui débute le 25 avril, il est amusant de choisir des broderies ajourées, les *deshilados*, à Aguascalientes.

San Luis Potosí tire sa réputation de ses *rebozos*, souples châles de soie si fins qu'on peut les faire passer dans un anneau. On peut encore trouver ici, comme à Veracruz ou Puebla, l'ancien manteau féminin de la tradition huastèque, le *quechquémetl* brodé de points de croix aux vives couleurs, ainsi que des objets en fibre tressée.

On notera encore : à Guanajuato, de la fine céramique, à San Miguel de Allende, des masques en papier, des paniers en rotin et des *sarapes*. A Querétaro, des pierres semi-précieuses et des bijoux en argent. Aux alentours de Tequisquiapán, des paniers, des tabourets démontables, et encore des *sarapes*.

Dans une ville coloniale comme San Juan del Río, on trouve de tout. Dans la vallée de Mezquital, les Otomis tissent à la main des châles et des ceintures, teignent leurs vanneries en rouge. La ville d'Ixmiquilpan a imaginé d'énormes cages à oiseaux en forme de cathédrales.

L'État de Tlaxcala, qui le premier tissa la laine au temps de la Nouvelle-Espagne, perpétue la tradition. Sur la frange côtière de Veracruz, on fabrique des bijoux en corail ou en argent et on tisse les fibres de palme.

Il faudrait citer toutes les localités de l'État de Puebla. Signalons la céramique de Talavera et les faïences émaillées de sa capitale. L'onyx vient de Tehuacán et de Tecali. Des céramiques de style baroque en forme d'arbre de vie sont produites par Heron Martínez, à Acatlán, et par les familles Flores et Castillo à Izúcar de Matamoros. Les blouses brodées de Cuetzalán, les chemises décorées de perles de San Pablito Pahuatlán sont remarquablement travaillées.

Dans le Michoacán, beaucoup d'artisans vivent dans les environs du lac de Pátzcuaro ; on peut atteindre leurs villages en voiture ou en autocar, ou à défaut faire ses achats à Pátzcuaro même. Tout au long de l'année, certains fabricants vendent leurs productions dans un ancien couvent appelé la Casa de los Once Patios et une fois l'an, le 2 novembre, la Plaza de Don Vasco se remplit de tous les travaux exécutés aux alentours. Quelques spécialités locales sont à signaler : objets de cuivre de Santa Clara del Cobre (ou Villa Escalante) ; guitares de Paracho ; céramiques brunies de Tzintzuntzan ; bols et ustensiles domestiques en bois peint de Quiroga ; vannerie de rotin d1huatzio ; ravissante céramique verte vitrifiée de Patamban ; les masques et les laques d'Uruapan.

A Morelia, les deux magasins qui proposent le meilleur choix sont la Casa de Artesanías, dans l'ancien couvent San Francisco, et, dans une maison de bois tarasque typique, un centre artisanal.

La ville touristique de Cuernavaca centralise toutes les productions de l'État de More-

A gauche, statuette représentant le diable accompagné d'un serpent ; ci-dessus, tissage sur un métier rudimentaire.

los. On y trouve du mobilier de style colonial, des bols en bois, des bijoux et des sarapes.

Le village de Hueyapan, sur le territoire de Tetela del Volcán, fabrique des vêtements indiens.

L'État voisin du Guerrero abrite beaucoup de potiers et de céramistes et certaines de ses villes sont renommées.

A Olinalá sont réalisées les plus belles laques de tout le Mexique, des masques de jaguar, des plateaux en bois, des coupes taillées dans des calebasses séchées. Taxco est célèbre pour son travail de l'argent.

Les Indiens amuzgos de Xochistlahuaca, non loin d'Ometepec, tissent encore le coton brut pour confectionner des *huipiles*, tuniques traditionnelles. Les Indiens huapanèques des environs des villes tropicales de Xalita, Toliman et San Agustín de las Flores peignent avec des couleurs brillantes et fluorescentes le fin papier d'écorce fabriqué à San Pablito Pahuatlán, dans l'État de Puebla.

Dans l'État d'Oaxaca, les Indiennes zapotèques parsèment leurs chemises de toutes petites fleurs tandis que les plis de leurs jupes sont retenus par de minuscules poupées. L'exécution de ces broderies est si compliquée que les artisans affirment : « *Faites la même chose, si vous le pouvez.* » Les vêtements de Yalalag sont teints avec des colorants naturels qui leur donnent des tons chatoyants.

Le samedi, la ville d'Oaxaca s'anime. Son marché est un des plus colorés du Mexique ; les Indiens zapotèques des environs y apportent les produits de leur industrie : petits animaux en bois colorés de Cuilapan, céramique noire brunie de San Bartolo Coyotepec. La tradition précolombienne se poursuit à Oaxaca, où les bijoutiers exécutent des copies exactes des merveilleux bijoux mixtèques trouvés dans les tombes de Monte Albán. De même, à Teotitlán del Valle, on reproduit les motifs ancestraux sur les tissages.

Les Indiens des hautes terres du Chiapas portent des vêtements tissés en laine qui sont vendus au marché du dimanche à San Cristóbal de las Casas, ainsi qu'à la coopérative de Sna Jolobil, dans l'ancien couvent de Santo Domingo. Les laques de Chiapa de Corzo comprennent aussi des masques portés à la fête de Saint-Sébastien. Les céramiques traditionnelles d'Amatenango sont blanches à motifs peints en ocre.

A travers tout l'État du Chiapas, on peut acheter les vêtements de laine tissés à San Juan Chamula, un village tzotzile, des harpes et des guitares.

C'est dans le Yucatán que sont fabriqués les plus beaux hamacs du pays, en fibres de cactus ou en coton. Le mobilier en acajou ou en cèdre est fait à Mérida, à Valladolid et à Campeche ; les chapeaux de Panama viennent de Bekal.

Dans l'État de Mexico, où se regroupent toutes sortes d'artisanats, il faut citer Metepec et sa céramique polychrome décorée d'« arbre de vie », les paniers de Lerma, les ustensiles domestiques en bois d'oranger d'Ixtapan de la Sal, et Toluca qui, outre ses fabrications en argent, s'est spécialisée dans les jeux de dominos ou d'échecs en bois, en cuir ou en os.

Il va de soi que c'est à Mexico même que l'éventail de choix est le plus grand ; l'imagination des artisans n'y a pas de limites. Des joailliers experts réalisent de très beaux bijoux modernes tandis que des familles comme celle des Linares sont spécialistes du papier mâché et produisent les effigies de Judas qu'on brûle le jour du Samedi saint. Les personnages populaires de la télévision sont reproduits en caoutchouc-mousse peint de couleurs criardes. Les bougies et les fleurs en papier sont elles aussi très répandues.

A gauche, jeune femme peignant une assiette en céramique ; à droite, peinture naïve typique de l'État de Guerrero.

LES MURALISTES

Les immenses murs peints, les *murales*, qui ornent la plupart des édifices publics du pays, constituent l'expression la plus spectaculaire de l'art mexicain du XXe siècle, et sont un aspect important de l'art contemporain dans le monde. Né de la révolution, le muralisme s'est épanoui au Mexique jusque dans les années 1950.

Cependant, certains font remarquer que les plus anciens murs peints datent de l'époque précolombienne, comme en témoignent de nombreuses découvertes archéologiques récentes, notamment à Bonampak et à Cacaxtla. On insiste souvent sur cet aspect pour mettre en relief l'intention des muralistes de cultiver une forme d'art typiquement mexicaine.

La peinture murale prit son essor dans les années qui suivirent immédiatement la révolution, avant de s'épanouir dans les années 1950. Les fresques fougueuses et enthousiastes d'artistes comme Diego Rivera, David Alfaro Siqueiros et José Clemente Orozco, connus sous le nom de *Los Tres Grandes* (« les trois grands »), allaient devenir le mode d'expression favori d'un Mexique en marche vers le progrès et étonner, voire scandaliser, le monde tout entier.

POSADA, LE PRÉCURSEUR

De tous les artistes mexicains, José Guadalupe Posada (1852-1913), illustrateur, caricaturiste et graveur de génie, a été le plus influent sur les « trois grands ». Ancrées dans l'art populaire mexicain, la *mexicanidad* (mexicanité), ses œuvres fortes, émouvantes et pleines d'humour cherchaient à dénoncer l'oppression du peuple sous le gouvernement de Porfirio Diáz et tournaient en dérision une société présentée comme décadente et corrompue. Entre Goya et Daumier, Posada ouvrit la voie à une nouvelle école artistique, résolument nationaliste et révolutionnaire. L'un de ses motifs favoris était la tête de mort, typiquement baroque.

RIVERA, LE SCANDALEUX

En 1921, les membres du nouveau cabinet du président Alvaro Obregón lancèrent une campagne de développement de la culture populaire au Mexique. Le ministre de l'Éducation, le radical José Vasconcelos, s'empressa alors de passer commande de murs peints pour les principaux édifices publics. Ainsi le mouvement muraliste mexicain, le *Muralismo*, devint-il un art quasi officiel.

La même année, Diego Rivera (1886-1957) peignit son premier mur à l'Escuela Nacional

Preparatoria n°2 de Mexico, ce qui fit de lui le fondateur de ce mouvement artistique.

Personnage contradictoire, Rivera suscita des controverses passionnées. Cet intellectuel de gauche (communiste, il fut ensuite expulsé du Parti) a pourtant laissé une œuvre où la sensualité l'emporte sur l'engagement politique, dans la tradition de Gauguin, du Douanier Rousseau ou de Pieter Brueghel l'Ancien. Chez Rivera, les influences européennes sont très marquées : entre 1909 et 1921, il vécut à Paris, fréquentant les fauves et les cubistes, en particulier Picasso, dont il adopta un temps les théories. Cependant, sous le choc de la révolution russe de 1917, qui proclama *« la nécessité d'un art populaire et socialiste »*, Rivera s'éloigna du cubisme, à la recherche d'un style artistique plus direct et plus efficace.

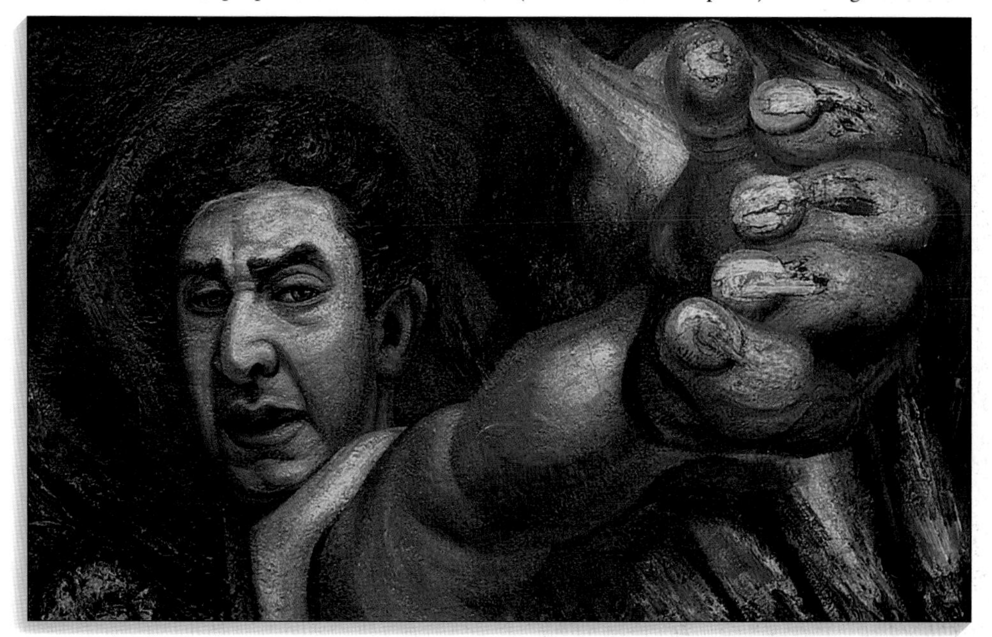

Il semble en fait que Rivera avait été plus sensible aux fresques et aux tableaux de la Renaissance italienne qu'à l'art contemporain. Ainsi, *La Bataille de San Romano*, de Paolo Uccello, serait l'une des sources principales d'inspiration des muralistes mexicains.

Au-delà d'une indéniable empreinte européenne, Rivera se référa toujours à Posada, dont il introduisit le portrait dans plusieurs de ses œuvres principales. Profondément mexicain par son amour de la couleur et des formes souples, et proche de la culture indienne, il s'inspira directement des sculptures et des édifices de l'époque précolombienne. Excellent dessinateur et aquarelliste, il inventa un Mexique primitif et idéal où des jeunes filles à peau mate et des enfants portent d'énormes bouquets de fleurs.

Pages précédentes, fresque de Diego Rivera près de San Angel ; à gauche, « Catharsis », par José Clemente Orozco ; ci-dessus, autoportrait de David Alfaro Siqueiros.

Rivera aimait et recherchait le scandale. Ainsi, dans une de ses œuvres, *Rêve d'un après-midi dominical* au parc de l'Alameda, il écrivit en toutes lettres *« Dios no existe »* (« Dieu n'existe pas »). L'indignation fut immense, et la fresque masquée jusqu'à ce que le peintre accepte de faire disparaître l'inscription blasphématoire. Elle est maintenant exposée au Museo Mural Diego Rivera.

SIQUEIROS, L'IDÉOLOGUE

David Alfaro Siqueiros (1899-1974) fit lui aussi ses études artistiques en Europe. Mais, contrairement à Rivera, c'était un homme d'action, un activiste politique. Combattant de la révolution mexicaine, engagé volontaire dans la guerre d'Espagne, il prit part aux grandes luttes ouvrières, fut impliqué dans une tentative d'assassinat de Léon Trotski et emprisonné à plusieurs reprises.

Ses peintures reflètent son parcours idéologique, son goût pour l'action physique et la violence. Massives, quasi « musculaires », elles font penser à des sculptures emprisonnées dans la paroi.

De fait, innovateur permanent toujours à l'affût de nouveaux matériaux et de nouvelles techniques, Siqueiros expérimenta une combinaison de peinture et de sculpture qu'il appela *escultopintura*, faites au pistolet sur du ciment à prise rapide.

Ses plus beaux murs peints sont peut-être ceux du château de Chapultepec, à Mexico, dans lesquels il donne une interprétation puissante et baroque de l'histoire du Mexique. Si

ses tableaux exposés au Palacio de Bellas Artes de Mexico figurent parmi ses meilleures œuvres, il est surtout célèbre pour les immenses fresques du Poliforum Cultural Siqueiros, à Mexico.

Orozco, le satirique

Tragique et passionné, José Clemente Orozco (1883-1949) est souvent considéré comme le plus talentueux des « trois grands » muralistes. Politiquement sceptique, ironiste mordant, idéaliste déçu, il était bouleversé par les épisodes sordides de l'histoire. Les *murales* étaient pour Orozco l'occasion d'exprimer ses sentiments mêlés ; son message transcende le nationalisme et s'adresse au monde entier. Il a été comparé à certains expressionnistes allemands comme Max Beckmann, Otto Dix et Käthe Kollwitz. Orozco exprimait brutalement sa pensée, dénonçant les dérives qui menaçaient de transformer la révolution mexicaine en farce sanglante, source d'une nouvelle oppression du peuple.

Il réalisa son premier *mural* en 1923, à l'Escuela Nacional Preparatoria n°2. Dépouillé, presque sévère, il révèle également certaines influences de la Renaissance italienne. Orozco a signé là des œuvres puissantes, parmi lesquelles figure en particulier *La Tranchée*, image saisissante de l'homme happé par la guerre.

Dans la cage d'escalier du bâtiment, il a peint *Cortés et la Malinche*, où le conquistador et la Malinche, l'Indienne qui fut à la fois son guide, son interprète et sa maîtresse, sont représentés nus. Cette peinture est une affirmation claire des relations équivoques entre l'Espagne et le Mexique, entre le conquérant et le conquis, thème fréquent chez l'artiste.

De 1927 à 1934, Orozco vécut aux États-Unis, où il réalisa des fresques au Pomona College, en Californie, au New York College for Social Research et au Dartmouth College, dans le New Hampshire. Il décrivit la vie culturelle de son temps dans une autobiographie désenchantée et dans des lettres à son ami l'artiste Jean Charlot.

De retour au Mexique, Orozco peignit, au Palacio de Bellas Artes, *Catharsis*, dont le personnage central est une prostituée colossale, symbole de la corruption.

C'est à la fin des années 1930 qu'Orozco composa ses chefs-d'œuvre, à Guadalajara, au Palacio de Gobierno, au grand amphithéâtre de l'université et à l'Hospicio Cabañas. Il y rend hommage au père Hidalgo et dénonce les manipulations politiques. Il se montre là au sommet de son art, et c'est sans doute celui des « trois grands » qui a su le mieux trouver une manière vraiment adaptée à la peinture murale.

Les autres muralistes

Jean Charlot (1898-1979), né à Paris, fut également l'un des premiers muralistes. Son *Massacre dans le Grand Temple* (1923), qui orne la cage d'escalier de la cour ouest de l'Escuela Nacional Preparatoria, est considéré comme la première fresque peinte au Mexique depuis l'époque coloniale. Elle représente la chute de

Tenochtitlán. Charlot fit également connaître le muralisme par ses écrits.

Juan O'Gorman, d'origine irlandaise, transforma le *mural* en multipliant les scènes miniatures. Son style est à la fois contemporain et ancré dans l'art populaire mexicain du XIXe siècle. Il est surtout connu pour ses mosaïques géantes de la Biblioteca Central de la Cité universitaire de Mexico, qui racontent l'histoire du Mexique dans un style baroque, frais et naïf.

Une deuxième génération de muralistes a grandi à l'ombre des « trois grands ». Rufino Tamayo est l'un des plus remarquables d'entre eux. Cet Indien zapotèque d'Oaxaca, disparu en 1991 à l'âge de quatre-vingt-douze ans, ne s'intéressa jamais à la politique et abandonna vite le réalisme pour des formes décoratives simples et poétiques. A l'écart de toute vision engagée de l'histoire, son art fait appel à un symbolisme cosmique et quotidien où figurent des étoiles, des chats, des femmes…

Pedro Coronel (1922-1985), natif de Zacatecas, explora des voies proches de celles de Tamayo. Ses murs peints sont probablement les meilleurs de ceux réalisés ces dernières années. Enfin, un autre courant important du muralisme mexicain, proche du réalisme, est incarné par des peintres comme Fernando Leal, Xavier Guerrero, José Chávez Morado, Roberto Montenegro, Raúl Anguiano, Manuel Rodríguez Lozano, Alfredo Zalce et Jorge González Camarena.

A gauche, portrait d'Hidalgo par Orozco, à Guadalajara ; ci-dessus, détail de la « Niña atacada por un pájaro extraño » (« Fillette attaquée par un oiseau étrange »), par Rufino Tamayo.

LES MURS PEINTS CONTEMPORAINS

Jailli de la révolution, le mouvement muraliste mexicain puisait sa force dans une émotion désormais passée. Dès 1950, les nouvelles générations de muralistes accusèrent ses fondateurs d'être trop didactiques et de cultiver un nationalisme obsessionnel. Pourtant, certains disciples des « trois grands » continuent dans cette voie. Mais ils rabâchent les mêmes formules usées, et ce qui a été l'expression d'un engagement passionné est trop souvent devenu une langue de bois picturale – sorte de « révolution institutionnelle ».

Peut-être cette forme de peinture a-t-elle correspondu à une époque révolue. Cependant, l'influence du muralisme a été immense dans toute l'Amérique latine, où de nombreux artistes ont suivi les traces de Rivera, Siqueiros et Orozco, comme l'Équatorien Oswaldo Guayasamín (1919-1999). Il a également permis à l'art mexicain de s'affirmer et d'être aujourd'hui considéré comme un vivier.

LES FÊTES

Le Mexique est peuplé d'Indiens, d'Espagnols et de métis; son histoire est faite de larmes et de sang. Il a conservé certaines traditions de son ancienne culture mais se veut résolument moderne. Pour comprendre ce qu'est une fête mexicaine, il faut avoir toutes ces contradictions présentes à l'esprit. D'autres éléments venus d'ailleurs sont encore venues se superposer à ces mélanges; on retrouve des influences nord-américaine et française.

Dans l'ensemble, le Mexicain n'a pas un tempérament insouciant. Il est plutôt grave et réfléchi. Peu expansif, il arrive même qu'il se laisse envahir par une mélancolie un peu lugubre.

FÊTES ET RELIGION

La fête indienne ne devint réjouissance qu'à partir de la conquête espagnole. A l'époque précolombienne, elle revêtait un caractère barbare, puisqu'elle avait pour thème central le sacrifice humain, rite d'apaisement des dieux. Le culte de Tezcatlipoca, par exemple, préconisait des pratiques anthropophages dans une idée de « communion spirituelle ».

Les Espagnols introduisirent une autre conception de la fête, moins austère. Les fêtes mexicaines actuelles sont celles que fixe le calendrier catholique. Elles présentent deux aspects : la célébration religieuse et l'amusement profane. On y retrouve toujours les foules, les processions, la récitation du rosaire, le chant des neuvaines.

Chaque année, pendant dix jours, Aguascalientes célèbre son saint patron; la feria de San Marcos débute le 25 avril. Depuis 1604, autour des rites religieux se sont organisées des distractions telles que des sérénades données par des orchestres de *mariachis*, des batailles de fleurs, des corridas, des combats de coqs, le tout arrosé de vins locaux.

Les Mexicains raffolent du jeu, la fête est une occasion de tenter sa chance. Les enjeux sont pris très au sérieux; ainsi, on ferme les portes des palissades où se déroulent les combats de coqs, afin d'éviter que les perdants ne s'esquivent sans payer leurs dettes.

Pages précédentes : danseurs représentant les conquistadors, à Janitzio, dans le Michoacán. A gauche, danseur conchero à Mexico ; à droite, sculpture de la fête des Radis, à Oaxaca.

Qui paie les frais de ces réjouissances? En règle générale, la communauté décerne cet honneur à l'un des siens, nommé « maître de cérémonie », « député » ou « représentant ». Quel que soit le titre, celui qui est choisi dépense parfois une bonne partie de son capital pour patronner l'événement, mais il acquiert pour la vie la gratitude de ses concitoyens et un prestige considérable.

On se doit, pour participer à la fête, de revêtir ses plus beaux atours. Les femmes se parent de tous leurs bijoux en or – boucles d'oreilles, bagues et bracelets – et de rubans de soie multicolores, le tout donnant une note assez baroque.

La fête s'installe au cœur de la ville, dans l'église, sur la place principale et dans les rues avoisinantes. Sur la place du marché surgissent aussitôt une roue de la fortune, un manège, une loterie et des vendeurs d'*antojitos*. Les cartons du jeu de loterie sont décorés des figures traditionnelles : le diable, la lune, le soldat, l'ivrogne, le dandy, la pastèque, la mort. Le *gritón*, responsable du jeu, mêle les cartes puis annonce, au fur et à mesure, les figures qu'il tire. La première personne ayant rempli ses cases crie *« lotería ! »* et les autres se lamentent. Si la loterie, jeu universel, est si vivante au Mexique, c'est grâce à la verve de l'annonceur. Chaque carte donne prétexte à une définition variant avec chacun. La lune devient « celle qui revient chaque nuit », l'ivrogne le gars qui se fiche de tout ».

Il ne saurait y avoir de fête sans *antojitos mexicanos*. Le mot désigne tout ce qui se grignote un peu à n'importe quelle heure du jour, ne constitue pas un repas dans les règles (*antojarse* signifie « avoir envie de »). Il s'agit de compositions culinaires simples, en général à base de tortillas, les galettes de maïs qui sont la base de l'alimentation : *quesadillas* (tortillas fourrées de fromage fondu) ; *tacos* (tortillas roulées, farcies de poulet, de viande, de champignons, etc.) ; *enchiladas suizas* (tortillas revenues dans l'huile, farcies généralement de poulet et servies avec une sauce piquante et de

la crème fraîche) ; *tostadas* (tortillas croustillantes, couvertes de poulet, d'avocat, de tomate et de salade) ; *gorditas* et *sopes* (petites tortillas fourrées) ou *tamales* (semoule de maïs nature ou mélangée à de la viande de porc ou de poulet, cuite à la vapeur dans des feuilles de maïs ou de bananier ; en version sucrée, la semoule peut être parfumée à la fraise, à l'ananas, et garnie de raisins secs ou de pignons).

La fête nationale

La fête nationale du Mexique se célèbre le 16 septembre, jour anniversaire du *Grito de Dolores*, l'appel lancé en 1810 par le curé Hidalgo. La veille, le 15 septembre, des feux d'artifices entretiennent la gaieté jusqu'à onze heures du soir. A ce moment, à Mexico, le président de la République fait tinter au balcon du Palacio Nacional la cloche que sonna Hidalgo et, repris par la foule, crie *« Independencia para Mexico ! Mexico ! »* Dans chaque capitale d'État, les gouverneurs font de même.

Juste avant Noël, les *posadas* (littéralement « auberges ») commémorent le périple de Marie et Joseph vers Bethléem en quête d'un gîte. Ce ne sont pas des fêtes publiques, mais il n'est pas rare, surtout en province, de voir tout un quartier invité chez un voisin à cette occasion. On mange, on boit, on danse après qu'une partie des invités a demandé rituellement l'hospitalité en chantant une ballade traditionnelle. La soirée culmine avec la *piñata*, grande figure de papier (cactus, animal ou personnage, l'imagination est reine en ce domaine) renfermant une cruche de terre, pleine de bonbons, de friandises, et qui, suspendue au plafond, domine la fête depuis le début de la soirée. A tour de rôle, enfants, mais aussi adultes, se passent le bâton, et, les yeux bandés, tentent de casser la *piñata*. Pour Noël, un sapin préside à l'échange des cadeaux, un réveillon rassemble les familles. Le 6 janvier, la fête des Rois mages donne lieu à d'autres festivités.

On dresse une crèche (*nacimiento*). Les enfants reçoivent des cadeaux, puis on sert au dîner un énorme gâteau à l'intérieur duquel une petite figurine est cachée. Celui qui la trouve dans sa part se voit décerner l'honneur de régler les frais occasionnés par la « fête des bougies », la Candelaria du 2 février.

Les Aztèques vivaient les cinq derniers jours de l'année dans l'angoisse de la fin du monde. Le Mexique catholique d'aujourd'hui a adopté la coutume du réveillon.

Le Carême et la Semaine sainte

Précédé par le Carnaval, le Carême commence en février ou mars. Le Carnaval ne prend une certaine importance que dans quelques ports comme Veracruz ou Mazatlán. Défilés, bals masqués, danses et soûleries ne sont que le prélude à un repentir général. Le lendemain, mercredi des Cendres, tout le monde se rend à l'église pour se souvenir qu'il est poussière et retombera en poussière.

Le Carême est une période de prière et de pénitence. La Semaine sainte est scrupuleusement respectée, tout bruit est interdit, les gens restent chez eux et remplissent leurs devoirs religieux. Le jeudi saint, ils doivent aller prier dans sept églises différentes. Le vendredi est jour de silence et de jeûne. Le samedi matin, à 10 heures précises, on brûle une grande effigie de Judas multicolore entourée de pétards.

A gauche, groupe d'Indiens coras enduits de couleur noire fêtant Pâques ; ci-dessus, commémoration de la Crucifixion, le Vendredi saint, à Ixtapalapa.

La Fête-Dieu fut une des plus importantes fêtes à l'époque du Mexique colonial. Elle donnait lieu à d'immenses processions auxquelles participaient des enfants qu'on habillait en Indiens. Un nombre considérable de saints jalonnent l'année ; on honore saint Joseph, saint Antoine de Padoue, saint François d'Assise, saint Jean-Baptiste et le premier saint mexicain : Philippe de Jésús. Outre les fêtes de l'Immaculée Conception et de l'Assomption, la Vierge est vénérée dans ses sanctuaires locaux : Vierge de la Guadalupe, de Talpa, de Zapopan, de los Remedios, etc. Le 2 novembre, jour des morts, est jour férié. Des feux brûlent toute la nuit pour guider les âmes égarées. Les Indiens déposent des offrandes de nourriture et de copal et boivent à la mémoire des trépassés. Les familles vont déposer des fleurs sur les tombes. Tout un art populaire rappelle l'évidence de la mort par des crânes, squelettes en sucre, en pâtisserie, en jouets.

Point de dérobade, les Mexicains, profondément religieux, s'unissent ce jour-là à leurs défunts, mangent le *pan de muerto* (« pain de la mort »), accompagné de chocolat chaud avec ce sentiment de tristesse joyeuse ou de gaieté mélancolique qui leur est propre.

LA VIERGE DE GUADALUPE

Le 12 octobre, jour de la Race (Día de la Raza), anniversaire de la découverte du Nouveau Monde par Christophe Colomb, n'a pas le même sens que le Colombus Day américain. Il ne s'agit pas de commémorer une découverte mais la fusion entre les races indienne et européenne. La Vierge de Guadalupe, patronne de la patrie, se confond avec la notion même de Mexique, née de la fusion hispano-indienne.

Au moment de la Conquête, les Espagnols, choqués par les sacrifices humains auxquels ils

assistèrent, démolirent les anciens lieux de culte et détruisirent des documents et des statues.

Peu à peu, les Indiens assimilèrent des éléments de la religion nouvelle, mais, au XVIe siècle, le père Bernardino de Sahagún estima que le catholicisme ne pourrait s'implanter que si on cherchait à comprendre les dieux indiens avant de les éliminer. Il se trouva devant un panthéon aztèque dont les divinités les plus importantes étaient Cihuacóatl, la femme-serpent, Coatlicue, celle à la jupe de serpents, Chicomecóatl, les sept serpents, et Tonantzín, Notre Mère. Cette dernière était la déesse de la terre, du printemps, du maïs. Un temple lui était dédié au sommet de la colline de Tepeyac, aux confins de la capitale aztèque de Tenochtitlán.

Les Espagnols, très pieux, vénéraient en particulier la Vierge de Guadalupe, qui, selon la légende, aurait été sculptée par saint Luc après une apparition en Espagne. Dans l'esprit des Espagnols, elle était associée à la reconquête de leur territoire sur les Maures. Son sanctuaire était en Estrémadure, province d'origine de Cortés. Ayant survécu à une piqûre de scorpion, il avait fait don à la Vierge d'un scorpion en or. Un de ses capitaines, Gonzalo de Sandoval, apporta d'Espagne au Mexique une copie de la statue de la Vierge de Guadalupe, qu'il installa dans son camp pendant le siège de Tenochtitlán ; or ce camp était au pied de la colline de Tonantzín.

Certains franciscains craignirent qu'une confusion ne se fasse dans les esprits indiens entre la Vierge de Guadalupe et Tonantzín. On remarquait en effet que la Vierge avait la peau brune, que son sanctuaire était situé à l'emplacement même de celui de la déesse aztèque. Les dates de commémoration coïncidaient aussi : Tonantzín était vénérée le premier jour du 17e mois de l'année religieuse aztèque, ce qui correspondait au 22 décembre du calendrier julien. Mais, en 1582, le pape Grégoire XIII décala ce calendrier de dix jours afin de l'aligner sur le cycle solaire. La fête de la Vierge de Guadalupe fut désormais célébrée le 12 décembre.

LE MIRACLE DE JUAN DIEGO

Au matin du 9 décembre 1531, un pauvre Indien nommé Juan Diego passait sur la colline de Tepeyac lorsqu'il s'entendit appeler d'une voix douce. La Vierge Marie l'arrêta et lui fit part de son désir de posséder à cet endroit un sanctuaire où chacun pourrait venir la vénérer. Juan Diego répondit : *« Pourquoi moi ? Pourquoi pas un de ces puissants Espagnols ? »* La Vierge chargea Juan de transmettre son message à l'archevêque Zumaraga. Le prélat n'accorda aucun crédit au récit. Le lendemain, la Vierge apparut de nouveau à Juan Diego, et ainsi pendant trois jours, jusqu'à ce qu'elle eût compris la nécessité de lui fournir une preuve qui pût convaincre l'archevêque. Elle fit alors éclore des roses en ce lieu où aucune n'avait jamais fleuri, puis elle ordonna à Juan de les cueillir, de les mettre dans sa grossière cape en fibres de cactus et de les apporter à Monseigneur. Lorsque Juan déploya la cape aux pieds de l'évêque, l'image d'une Vierge à la peau brune y était peinte. Cette cape est toujours conservée dans la basilique, et ses couleurs ne se sont pas ternies.

Le premier témoignage écrit de l'apparition date de 1648, cent dix-sept ans après la vision de Juan Diego. Il s'agit d'un ouvrage intitulé *La Miraculeuse Apparition de la Vierge Mère de Guadalupe à Mexico*, par Miguel Sánchez. C'est une exégèse du *Codex Valerianus* qui fut rédigé dès 1531 en langue nahuatl pour relater l'histoire de Juan Diego. Il est intéressant d'observer l'attitude des créoles devant les faits. Ces Espagnols nés au Mexique n'occupaient que le second rang après les Espagnols nés en Espagne. La Vierge de Guadalupe les aida à s'accepter. En apparaissant à un humble Indien, elle avait montré sa prédilection pour la nation mexicaine tout entière.

En 1629, la Vierge de Guadalupe arrêta les inondations qui déferlaient sur Mexico. En 1736, elle apparut pour mettre fin à une épidémie qui avait décimé 40 000 personnes. La Vierge fut toujours étroitement associée à l'orgueil et au nationalisme mexicains. Ce fut aux cris de *« Mort aux gachupines ! »* (Espagnols nés en Espagne) et *« Vive la Vierge de Guadalupe ! »* que les partisans du père Hildalgo se rallièrent.

Pendant les années de lutte pour l'indépendance, la Vierge brune fut promue général. Après l'indépendance, une place prépondérante lui fut accordée. Les hommes du gouvernement invoquaient son nom. L'empereur Iturbide avait même fondé l'ordre impérial de Guadalupe. Le nom du premier président du Mexique fut Guadalupe Vietoria. Le dictateur Porfirio Díaz fit couronner la Vierge « reine du Mexique ». A la même époque, elle fut la patronne d'Emiliano Zapata, adversaire de Díaz. Les plus anticléricaux n'osèrent jamais contester ce culte.

En 1921, des anarchistes déposèrent sous l'autel de la Vierge une bombe qui explosa. La statue fut épargnée et c'est un christ qui vola en éclats.

La nouvelle basilique

L'ancien sanctuaire, reconstruit et agrandi à plusieurs reprises depuis le XVIIe siècle, était devenu trop exigu et s'effondrait. L'édification de la nouvelle basilique fut confiée à l'architecte du musée national d'Anthropologie, Pedro Ramírez Vásquez. Elle rappelle la tente d'Abraham sur le Sinaï. Il fallut vingt mois pour construire cette immense église de 11 000 m² qui peut contenir 10 000 pèlerins et qui, les portes ouvertes, permet à 20 000 personnes de suivre les offices.

L'inauguration eut lieu le 12 octobre 1976 ; on transféra l'image de la Vierge de l'ancienne à la nouvelle basilique. Une foule compacte de 500 000 personnes était entassée sur le parvis et dans l'église. Pendant l'office, les portes furent fermées par mégarde, ce qui déclencha un début de panique à l'intérieur, tandis qu'à l'extérieur, la foule tapait sur les portes.

A gauche, groupe de pèlerins parcourant à genoux les dernières dizaines de mètres avant la basilique ; à droite, offrandes de fleurs à la Vierge.

La ferveur des pèlerins se manifeste aussi par une gigantesque kermesse : cris, rires, pétards lancés parmi les pénitents qui avancent à genoux, danses indiennes sur le parvis. Des médecins et des ambulances raniment ceux qu'un trop long trajet a épuisés. Certains ont marché pendant des jours, d'autres ont parcouru à genoux les 5 km de la Calzada de Guadalupe.

Environ 1 500 pèlerinages sont organisés chaque année. Des villages entiers se déplacent ; certains groupes sont formés d'employés de grandes entreprises ou de banques. Les rassemblements vont de quelques dizaines de personnes à 100 000 pèlerins. Un bureau de la basilique coordonne tous ces déplacements.

Superior

Damas
CERVEZA
Superior
CERVEZA MOCTEZUMA

LES PLAISIRS DE LA TABLE

Saveurs précolombiennes, méditerranéennes, asiatiques, européennes, caraïbes et, plus récemment, libanaises : la cuisine mexicaine contemporaine est le reflet d'un long métissage.

Les Indiens de l'époque précolombienne se régalaient déjà d'une nourriture très variée où figuraient, outre les ingrédients de base – haricots, piments et maïs –, la dinde, le cochon sauvage, l'*itzcuintli* (un chien dodu et sans poils), le poisson et l'iguane, sans oublier les avocats, les tomates, les *tomatillos* verts, les figues de Barbarie, les fruits tropicaux comme l'ananas et la papaye, la vanille, le potiron, les herbes aromatiques et le cacao.

Les conquistadors et les colons espagnols, soucieux de conserver leurs habitudes alimentaires, importèrent les aliments indispensables à la cuisine méditerranéenne : le poulet, la viande de porc et de bœuf, le fromage et le blé, l'huile d'olive et le vin, les agrumes, l'oignon et l'ail firent leur entrée dans le Nouveau Monde. De nouvelles spécialités naquirent alors du mélange des ingrédients indigènes et européens.

Durant la période coloniale, l'ensemble de l'Amérique latine découvrit le riz et les épices, amenés par les galions venus de la Chine et des Philippines. Les Français laissèrent à leur tour des traces de leur brève occupation, notamment certains gâteaux et la crème au caramel. Malgré ces apports, l'alimentation traditionnelle de la grande majorité des Mexicains n'a guère varié depuis des siècles.

Les épices de la vie

Se promener sur un marché est la meilleure façon de découvrir et de goûter l'incroyable diversité des légumes, des piments, des fruits exotiques peu connus, comme le sapotille ou la pomme cannelle, et d'autres plus étranges : feuilles de cactus à préparer en salade, *gusanos de maguey* (gros vers blancs de l'agave) dégustés frits à l'heure de l'apéritif, ou encore œufs d'iguane...

Certains plats régionaux ont été adoptés par l'ensemble du pays, d'autres sont restés des spécialités locales. Mais toutes les cuisines sont présentes à Mexico, où certains restaurants se sont spécialisés dans tel ou tel plat régional. Comme dans la plupart des grandes villes, beaucoup de restaurants y proposent aussi une cuisine « internationale ».

Pages précédentes : assortiment de poissons, de salades et de bières ; maïs, tortillas et sauces ; ci-dessus, « tostadas » aux fruits de mer ; à droite, petit déjeuner en Basse-Californie.

DU NORD AU SUD

La nourriture du Nord est simple, peu épicée et dans l'ensemble assez limitée. Elle consiste surtout en viandes grillées accompagnées de tortillas de farine de blé (plutôt que de farine de maïs). Cependant, certains plats sont délicieux, comme le *caldillo*, version mexicaine du *chili con carne*, ou encore le *cabrito* (chevreau) grillé, spécialité de Monterrey ; un peu gras, mais très savoureux, on l'accompagne d'une autre spécialité locale, la bière Carta Blanca, servie glacée.

La cuisine des hauts plateaux du Centre est plus originale et propose de nombreuses recettes traditionnelles comme le *pozole*, soupe rustique au porc ou au poulet bouilli avec du maïs concassé. Toute la saveur d'un bon *pozole* réside dans sa garniture abondante : sauce au piment, origan, avocat, laitue, oignon, radis et jus de citron vert. Parmi d'autres plats exquis, il faut citer la soupe de *flor de calabaza* (fleur de citrouille) aux saveurs délicates, ou les *tacos* et les crêpes fourrées de *huitlacoche*, champignon noir qui pousse sur le maïs et que l'on consomme sans modération depuis l'époque aztèque.

Puebla est la capitale du célèbre *mole poblano*, sauce épaisse et épicée inventée, dit-on, par une religieuse à l'époque coloniale. Le *mole* est un des mélanges les plus typiquement hispano-américains de la cuisine mexicaine. Une bonne vingtaine d'ingrédients entre dans sa préparation, dont plusieurs variétés de piments, des herbes aromatiques, des épices, de la tortilla, des amandes, des cacahuètes, des raisins secs, des oignons et surtout du cacao. Cette sauce, servie avec du poulet ou de la dinde, accompagnée de tortillas de maïs et de riz, est le plat de fête par excellence, qui figure inévitablement au menu des repas de mariage et autres banquets. Le *mole* a même son festival annuel, qui se tient à San Pedro Atocpán (État de Mexico). C'est l'occasion de comparer les recettes, depuis la version d'Oaxaca, épaisse et épicée, jusqu'au *pipián*, plus doux et plus digeste, en passant par le *mole verde* à base de graines de potiron.

Autre plat très apprécié, le *chile relleno*, préparé avec de gros piments verts (*poblano*) farcis de fromage ou d'une garniture à base de viande hachée et d'épices, trempés dans de l'œuf battu, frits et servis avec une sauce tomate. A Puebla, les piments sont traditionnellement servis en *nogada* : farcis de viande, nappés d'une sauce blanche aux noix et décorés de graines de grenade, ils évoquent les trois couleurs du drapeau mexicain.

Oaxaca est renommé pour son *mole negro* et ses *tamales* en feuilles de bananier, particulièrement copieux et savoureux. Le fromage d'Oaxaca, proche de la mozzarella, est parfait pour la préparation des *quesadillas* (tortillas au fromage), car il fond parfaitement lorsqu'on le fait griller ou frire.

La cuisine du Yucatán n'a guère changé depuis les Mayas. Elle propose des plats très originaux, comme la *cochinita pibil*, porc aux épices cuit dans des feuilles de bananier, les *papadzules*, tortillas farcies d'œuf dur et de graines de potiron, et une délicieuse soupe au

citron vert. Le *queso relleno*, autre spécialité du Yucatán, est assez surprenant : il s'agit de fromage de Hollande farci de fines tranches de viande épicée.

Selon les amateurs, les bières du Yucatán, comme la Montejo, une blonde légère, ou la Negro León, une brune robuste, sont les plus savoureuses du pays.

Depuis quelques années, les immigrés libanais ont apporté à la cuisine mexicaine leurs recettes traditionnelles, et quelques-uns des meilleurs restaurants de Mérida proposent aussi bien des plats du Yucatán que du Liban.

Avec plus de 10 000 km de côtes, le Mexique compte aussi de multiples recettes à base de poissons ou de fruits de mer. Le *ceviche*, fait de lamelles de poisson cru marinées dans du jus de citron vert et mélangées avec des oignons, des piments, des tomates et de la coriandre, et le classique *huachinango a la veracruzana*, vivaneau rouge aux olives et aux câpres en sauce tomate, sont les deux plats de poisson les plus populaires.

La cuisine de Veracruz s'inspire à la fois de la tradition espagnole et de la cuisine cubaine, avec ses haricots noirs typiques et ses énormes *machos* (bananes plantains) frites. Veracruz est également fier de ses fruits, réputés les meilleurs du Mexique : ananas, mangues, oranges, tangerines et autres agrumes vendus au bord des routes en témoignent.

Les « antojitos »

Comme les *tapas* espagnoles, les *antojitos* sont de délicieux en-cas qui peuvent devenir un repas complet. On en mange à peu près partout dans le pays, aux meilleures tables des villes et dans les haciendas les plus élégantes comme sur la place du village, au marché et même à bord des autocars et des trains.

De nombreuses spécialités sont considérées comme des *antojitos*, des épis de maïs grillés aux chips (de maïs) accompagnés de *guacamole* (purée d'avocat et d'oignon) sans oublier les *tortas*, rouleaux de pâte farcis. Les *tamales* sont eux aussi très appréciés : ces petits paquets de feuilles d'épis de maïs (ou de feuille de bananier, à Oaxaca) enveloppant une garniture à base de semoule de maïs, de viande très épicée, de fromage ou de sauce au piment, sont cuits à la vapeur. Il existe également une variante sucrée dont la garniture est à base de fraises, de morceaux d'ananas, de noix de pécan ou de raisins.

A l'exception des *tamales*, la plupart des *antojitos*, qu'il s'agisse de *tacos*, de *tostadas*, de *quesadillas* ou d'*enchiladas*, sont, comme l'essentiel de la nourriture mexicaine, servis avec des tortillas.

La tortilla dans tous ses états

Les tortillas, petits disques de pâte de farine de maïs ou de blé, sont omniprésentes dans la cuisine mexicaine, où elles remplacent le pain. Les grains sont trempés dans un mélange d'eau et de chaux, puis broyés dans un mortier de pierre. La pâte est pétrie et aplatie pour former une petite crêpe que l'on fait cuire sur une plaque de fer.

Pour les novices, il n'est pas toujours facile de faire la différence entre les plats à base de tortilla. Voici les plus répandus :

Tacos : ces tortillas chaudes sont garnies de viande hachée de bœuf ou de porc, de cervelle, de foie ou de fromage ; les *tacos al pastor* sont servis avec de la coriandre hachée, de l'oignon et une grosse tranche d'ananas.

Flautas : tortillas enroulées autour d'une farce au poulet, frites et servies nappées de crème fraîche sur un lit de laitue.

Enchiladas : tortillas pliées autour d'une garniture de viande, de fromage ou de poisson et mijotées dans une sauce au piment, à la tomate et à l'oignon ; les *enchiladas suizas*, toujours garnies de poulet, sont servies nappées d'une sauce à la crème et au fromage.

Quesadillas : chaussons de tortilla au fromage, garnis de viande hachée ou de haricots, frits ou grillés au feu de bois.

Chilaquiles : chips de tortilla frits, en sauce tomate plus ou moins épicée, servis nappés de crème et de fromage.

Tostadas : tortillas frites croustillantes, tartinées de purée de haricots frits et garnies de laitue, de poulet, de tomate, d'oignon, d'avocat, de piment, de crème fermentée, de fromage...

Sopa de tortilla : soupe aux lanières de tortilla frites, servie dans une soupe de tomate, de piment et d'avocat (également appelée *sopa tlaxcalteca* ou *sopa tarasca*).

A gauche, abondance de fruits à Cancún.

LE PIMENT

Les piments (*chilis*) sont omniprésents au Mexique. Il en existe plus de cent variétés et, loin d'avoir tous la même saveur ou le même piquant, ils présentent des différences presque infinies, variant selon le climat, le sol, voire les cultures locales.

Le piment fait partie de la famille des solanacées, qui comprend aussi le poivron, la tomate, l'aubergine, la pomme de terre, le tabac et le pétunia. Cependant, il échappe à toute description rigoureuse : les horticulteurs considèrent le piment comme un fruit, les botanistes, comme une baie et les commerçants, comme un légume, tandis que les consommateurs estiment que le piment séché est une épice.

Aztèques et Incas ont commencé à cultiver les *chilis* il y a sept mille ans, mais ce n'est que récemment que leurs saveurs et leur usage ont fait l'objet d'une classification.

Christophe Colomb fut le premier à en rapporter en Europe. Espagnols et Portugais les adoptèrent pour certains plats, puis les transplantèrent aux Indes et en Afrique, où ils furent aussitôt incorporés aux cuisines locales. Là aussi, les questions d'identification des *chilis* sont compliquées par les modifications qu'ils développent dès qu'ils poussent sous des climats différents.

Tenter de définir les *chilis* par leur « feu » est presque impossible car, à l'intérieur d'une même variété, leur intensité varie d'une plantation à l'autre et, plus étonnant, d'un piment à l'autre sur le même plant. Il est cependant facile de reconnaître les plus répandus sur les marchés du Mexique, où ils se vendent frais, séchés ou en saumure.

Le *chile serrano* est le plus fréquent du Mexique. Ce petit piment vert, utilisé dans les sauces froides, est également ajouté aux ragoûts et aux soupes pour leur donner du piquant. Il s'adoucit lorsqu'il rougit. Le *chile de arbol*, parfois utilisé frais, est surtout cultivé pour être séché et relever les sauces.

Le piment vert de Puebla se consomme frais, farci de fromage et de viande hachée, trempé dans de l'œuf battu, puis frit. Accompagné d'une sauce tomate, il est servi sous le nom de *chile relleno*. Le *chile ancho*, très parfumé, doux et légèrement sucré, est la version séchée de ce même piment de Puebla.

A droite, un assortiment de piments sur un marché.

Le *chile chipotle* est produit par la même variété que le poivre *jalapeño*. Après maturation, il est fumé et séché. C'est l'ingrédient de base de la sauce piquante très odorante qui accompagne les *albóndigas* (boulettes de viande) en sauce *chipotle*, plat populaire de Querétaro.

Le *chile guajillo*, piment mirasol séché, ajoute du mordant et une belle couleur jaune aux plats dans lesquels il cuit.

Le *chile mulato* et le *chile pasilla* se ressemblent beaucoup. Le *pasilla* est utilisé dans l'un des plus célèbres plats de Mexico, le *caldo tlalpeño*, soupe au poulet et à l'avocat. Le *mulato* est un ingrédient essentiel de la sauce *mole*,

qui accompagne le plat de fête mexicain, le *mole poblano de guajolote* (dinde en sauce au piment et au cacao).

Le *chile pequín*, bien connu dans d'autres pays sous le nom de « piment de Cayenne », est particulièrement brûlant. Seul le *chile habanero* du Yucatán, réputé le plus fort du monde, le surpasse. Le petit piment *habanero*, très parfumé, est commun dans toute la péninsule du Yucatán, où on l'utilise dans une sauce dite *ixni-pec*. Le *pequín*, également nommé *chiltepín*, pousse souvent à l'état sauvage dans tout le Mexique.

Si l'on ignore à quel piment on a affaire, au moment de commander un repas, les mots clefs sont *picante* (relevé) et *dulce* (doux).

LA MUSIQUE

Même ceux qui n'ont jamais été au Mexique connaissent les *mariachis*, ou du moins leur costume : pantalon et boléro le plus souvent noirs, étroitement ajustés, boutons d'argent et décoration fantaisiste décorant le buste, grand sombrero en feutre ajouré, ils déambulent en interprétant des airs joyeux ou mélancoliques. Cinq ou six instruments à cordes, guitares et violons, une ou deux trompettes accompagnent un ou deux chanteurs.

La musique *ranchera*, musique populaire dont l'origine peut se situer dans les romances espagnoles, chante les héros et les traîtres, les bandits et les *pistoleros*, les faits d'armes, les exécutions, les accidents, les crimes mais aussi les histoires d'amour et les actions édifiantes. Selon l'humeur, les mêmes thèmes peuvent être interprétés sur un mode humoristique, sentimental ou tragique.

Dans les ballades révolutionnaires à la gloire de Pancho Villa et de Zapata, ou qui relatent des faits d'armes, le vieux thème favori resurgit : l'homme agissant toujours selon son bon plaisir, qui est sa seule loi. Cet homme commente son exécution prochaine. Il n'a aucun regret d'avoir tué son meilleur ami et la femme qui l'a trompé avec celui-ci. Il ne ressent aucune crainte devant la mort. Il ajoute que, dans sa vie prochaine, il recherchera le couple pour les tuer à nouveau.

Quelques mélomanes, surtout dans les villes, écoutent de la musique classique. Des compositeurs mexicains inspirés par la musique populaire ont acquis une réputation internationale. Deux d'entre eux se sont fait une notoriété particulière : Silvestre Revueltas et Carlos Chávez.

LA MUSIQUE PRÉCOLOMBIENNE

Avant la conquête espagnole, la musique, protégée par Macuilxochitl, déesse des cinq fleurs, était partie intégrante des rites religieux aztèques. Elle accompagnait les danses sur les places, les esplanades et au sommet des pyramides ; les prêtres, les nobles et même le roi y participaient.

Netzahualcóyotl, roi de Texcoco, non loin de Mexico, fut non seulement poète, mais aussi chanteur, et il encouragea les compositeurs. Ceux-ci glorifièrent le souverain, sa maison, et célébrèrent les dieux. Au XVIe siècle, le frère Bernadino de Sahagún releva des codex et des manuscrits sur lesquels figurent des indications rythmiques. Ce sont les premiers exemples de notation musicale du continent américain.

Ces chants étaient en général accompagnés par deux instruments à percussion, le *huehuetl* et le *teponaztli*, ainsi que par des flûtes, des conques marines, des os cannelés, des crécelles. Le *huehuetl* et le *teponaztli* sont des tambours composés d'une bûche creusée dont l'extrémité est fermée par une peau de cerf tendue. Le batteur, debout, frappe de ses mains nues le *huehuetl*, fixé sur un trépied, tandis que le joueur de teponaztli est muni de deux baguettes dont le bout est enrobé de caoutchouc. Ces tambours sont encore considérés comme sacrés et accompagnent les cérémonies rituelles de certains villages des États de Veracruz, du Tabasco et d'Hidalgo.

Les anciens instruments à vent étaient variés : flûtes d'argile, de roseau ou de bois aux formes multiples, ocarinas, sifflets en terre et conques marines. Le son de ces dernières était associé aux rites funéraires et au deuil.

Frère Juan de Torquemada a laissé un témoignage du rôle du chant et de la danse dans les rites religieux : *« Les coups de sifflets*

Pages précédentes : joueurs de musique « norteña » dans la rue. A gauche, violoniste ; à droite, chanteur de « mariachi ».

stridents lancés par trois ou quatre Indiens sont aussitôt suivis par les autres instruments, qui commencent à jouer doucement sur un ton grave. Alors les danseurs arrivent très lentement, en chantant aussi d'une voix grave. Bien qu'il n'excède jamais une heure, ce premier chant peut paraître très long en raison de la lenteur de son exécution. Les instruments ayant changé de ton, les danseurs entonnent un second chant plus vif et plus aigu. Les chants et les danses se succéderont ainsi, allant de la basse au ténor, de la lenteur grave à la vivacité, accompagnés de chants plus hauts. »

A Mexico-Tenochtitlán, les instruments de musique étaient conservés dans un lieu sacré,

le Mixcoacalli. Les temples employaient un grand nombre de musiciens, qui se consacraient exclusivement à l'étude de la musique et du chant.

L'ÉPOQUE COLONIALE

Après la conquête espagnole, les musiciens des temples aztèques jouèrent et chantèrent dans les églises. Ils avaient conservé leurs prérogatives et ne payaient pas d'impôts; ils souhaitèrent prendre une part plus active aux cérémonies et s'intégrer aux rites catholiques. Trois ans après la conquête, le frère Pedro de Gante fonda une école de musique réservée aux Indiens.

Bientôt, la Nouvelle-Espagne commença à fabriquer des orgues et des instruments profanes. Certains villages se spécialisèrent dans les guitares, les harpes, les violons et même les grandes orgues. Les Indiens émerveillèrent les missionnaires par leurs dons musicaux. L'un d'eux a noté : « *Au début, ils ne comprenaient rien, même avec l'aide d'un interprète. Puis, très vite, ils assimilèrent si bien qu'ils exécutèrent les vocalises du plain-chant, répétèrent les mélodies de l'orgue et certains chœurs; à présent, des solistes connaissent à merveille toutes les subtilités de l'harmonie et chantent sans partition des messes entières.* »

Le poste le plus prestigieux, pour un musicien de la Nouvelle-Espagne, était celui de maître de chapelle de la cathédrale de Mexico. La compétition était serrée et le choix se faisait entre des compositeurs renommés de musique religieuse. Le premier Indien qui fut nommé, Juan Matías, conserva son titre de 1617 à 1667.

La musique profane de la Renaissance parvenait d'Espagne à bord des galions. Tandis que des Caraïbes, du golfe du Mexique, des rythmes latins, arabes, africains apportaient des danses nouvelles : tango, rumba, fandango, chaconne, sarabande, cumbe, habanera, boléro et danzon, avec leurs claquements de pieds, leurs cadences rapides.

Pendant trois cents ans, le Mexique hébergea tous les styles de musique possibles. En 1711, le premier opéra composé et interprété dans le pays fut représenté à Mexico : *La Parténope*, de Manuel de Zumaya.

Pendant la dernière période de l'ère coloniale, la forme la plus répandue de musique populaire fut le *corrido*, complainte accompagnée à la harpe et la guitare qui faisait le récit circonstancié d'un événement extraordinaire.

Au XVIIIe siècle, les premiers groupes de *mariachis* se formèrent dans le Mexique central et l'État de Jalisco. Ces groupes ambulants donnaient une ambiance joyeuse aux cérémonies de mariage. C'est d'ailleurs par emprunt du mot français « mariage » qu'ils furent appelés *mariachis*.

Au XIXe siècle, la valse fit une apparition remarquée. De nombreux compositeurs, comme Macedonio Alcalá, Juventino Rosas, Ricardo Castro et Felipe Villanueva, en donnèrent une version mexicaine en combinant une invention mélodique originale avec la nostalgie des paroles, aussi bien espagnoles que mayas, tarasques ou zapotèques. La *jarabe* dans le Jalisco, la *sandunga* à Oaxaca, la *jarana* dans le Yucatán, la *pirecua* dans le Michoacán accompagnent ces danses.

LE PAYS DE TOUTES LES MUSIQUES

Dans les États d'Oaxaca, de Tabasco, du Chiapas et de Veracruz, l'instrument populaire est la *marimba*. C'est une sorte de grand xylophone avec de grosses touches de bois, sur lequel jouent jusqu'à quatre musiciens munis de baguettes à bouts de caoutchouc; le soliste donne le ton, les trois autres reprennent la mélodie en contrepoint. Les membres de ce quatuor appartiennent le plus souvent à une même famille.

infligés aux ouvriers agricoles mexicains travaillant illégalement aux États-Unis.

Dans les villes, le boléro, venu d'Andalousie et rythmé à Cuba, évoque la nostalgie. Agustín Lara, le plus fameux compositeur de boléros du XXe siècle, concilie une interprétation musicale audacieuse avec un texte voluptueux. Dans les années 1930 et 1940, *L'Aventurière*, *Vends chèrement ton amour* ou *Je suis amoureux* ont été chantés à travers le pays tout entier.

Les orchestres de musique tropicale se produisent dans des salles de danse. Ils se composent en général d'instruments à percussion (bongos, *tumbadoras*, *guiros*, *marimbas*), de

Les États du Michoacán, de Querétaro, de Morelos et d'Oaxaca exécutent valses, marches et quelques airs du répertoire classique avec des instruments à vent qui donnent un accent solennel à l'interprétation.

Dans le Nord, des orchestres composés d'accordéons, de guitares, de contrebasses et de batteries jouent des valses, des polkas ou des mazurkas qui rappellent la musique d'Europe centrale. Leur répertoire de musique populaire se compose de *huapangos* et de ballades qui dénoncent les mauvais traitements

A gauche, Indien tarahumara jouant du violon au moment de Pâques ; ci-dessus, danseuses au Centro Acapulco.

guitares, de pianos, et même parfois d'orgues électriques.

Sans doute en réaction contre la musique importée des États-Unis, un renouveau de la musique folklorique apparaît, auquel la classe moyenne semble s'intéresser. Cuco Sánchez, Chavela Vargas ou Tehua font revivre les anciens *corridos* et les chansons d'amour, toute une musique populaire et nostalgique typiquement nationale dans la tradition musicale latino-américaine.

Mais un rock mexicain a également vu le jour; très apprécié du public populaire et des universitaires, c'est une musique qui se veut l'expression des problèmes actuels de la société mexicaine.

SUR LES PLAGES

A l'exception de ses frontières terrestres avec les États-Unis, le Guatemala et le Bélize, le Mexique est entouré de toutes parts d'eaux tropicales chaudes : près de 3 600 km de côtes bordent l'océan Pacifique, le golfe du Mexique et la mer des Caraïbes.

Le long de ces côtes, la nature a disposé les paysages les plus agréables : longues plages de sable fin, eaux chaudes et cristallines, le tout exposé toute l'année à un soleil radieux. Toutes sortes de formules d'hébergement sont offertes, des hôtels de luxe aux logements les plus modestes, nichés dans des localités à l'écart de tout.

PLONGÉE SOUS-MARINE ET SURF

Les côtes mexicaines comptent des lieux de plongée sous-marine qui sont parmi les plus beaux du monde. Dans les eaux transparentes de la mer des Caraïbes, les poissons qui peuplent les formations coralliennes arborent des couleurs éclatantes. Toutes les stations balnéaires importantes disposent des aménagements et des équipements nécessaires pour la plongée, mais c'est l'île de Cozumel, qui comprend la seconde barrière corallienne vivante du monde, qui remporte la palme auprès des amateurs. Et il ne faut pas oublier que la côte pacifique du Mexique offre des sites qui sont parmi les plus renommés du monde pour le surf.

Sur les plages, des marchands ambulants offrent toutes sortes de produits d'artisanat, comme ici des paniers et des chapeaux de paille. ▶

▲ *En descendant le long de la côte, peu après avoir quitté l'agitation de Cancún, on arrive aux ruines mayas de Tulum, dominant une plage de sable blanc qui s'étire sur des kilomètres. C'est pour adorer le soleil levant que ce temple a été édifié à cet endroit.*

▲ *Des centaines d'espèces d'oiseaux (ici des pélicans) vivent le long des côtes pacifique, atlantique ou caraïbe. Ils trouvent facilement à se nourrir dans ces eaux chaudes.*

◀ *Où que l'on aille au Mexique, la musique n'est jamais loin. Si l'on cherche le calme et le silence, il vaut mieux éviter le lieu de baignade le plus proche, car les stations balnéaires bruissent nuit et jour de rythmes latino-américains.*

Cette enseigne de restaurant au bord de la mer rappelle qu'il existe toutes sortes d'établissements de ce genre, du plus simple au plus luxueux. ▼

Les eaux d'une transparence cristalline de la mer des Caraïbes permettent d'observer coraux et poissons. Les stations balnéaires de la côte pacifique offrent elles aussi d'excellentes conditions de plongée. ▼

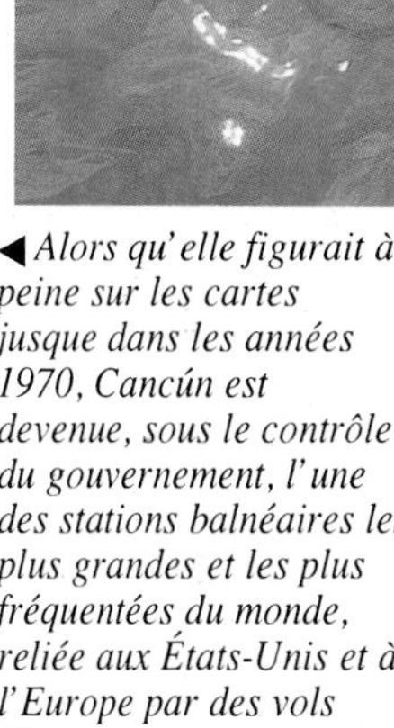

◀ *Alors qu'elle figurait à peine sur les cartes jusque dans les années 1970, Cancún est devenue, sous le contrôle du gouvernement, l'une des stations balnéaires les plus grandes et les plus fréquentées du monde, reliée aux États-Unis et à l'Europe par des vols directs.*

La bière mexicaine fait bonne figure auprès de ses homologues du monde entier. Pour la boire à la manière locale, il faut l'accompagner d'une rondelle de citron et d'une pincée de sel. ▶

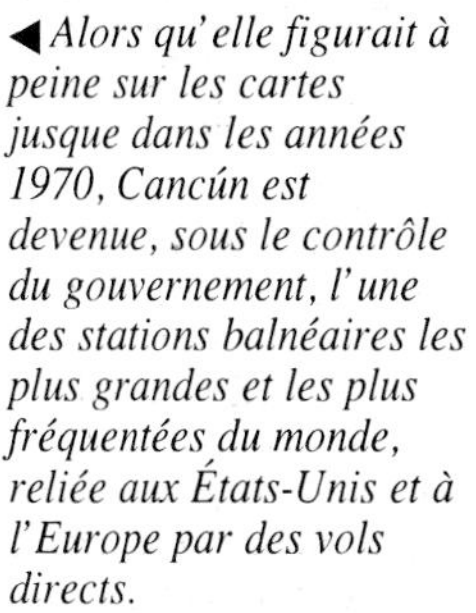

LES PLAISIRS DE LA VIE NOCTURNE

C'est après le coucher du soleil que les stations balnéaires du Mexique s'animent réellement. A partir de 21 heures, les restaurants commencent à se remplir, et les boîtes de nuit n'ouvrent pas avant 22 h 30, mais ne ferment qu'au petit matin. Acapulco et Cancún sont sans contexte les capitales de la vie nocturne au Mexique, suivies de près par Mazatlán, Ixpata et Puerto Vallarta. Les localités plus petites offrent cependant de beaux lieux de promenade, l'occasion de prendre un rafraîchissement sous un *palapa* au bord de l'eau, et aussi un ou deux endroits où l'on peut « se secouer la poussière », selon l'expression locale.

Certains préféreront s'étendre sur le sable pour contempler les étoiles. Il existe aussi des croisières au coucher du soleil, avec dîner et danse.

PINTURAS
DUPONT
LIDER MUNDIAL

PEPSI
BANCOMEXT
Corona
LADA

ITINÉRAIRES

Il n'est bien entendu pas possible de visiter entièrement le Mexique en un seul voyage. Quand on vient des États-Unis, le grand voisin du Nord, on peut espérer revenir plusieurs fois. Il n'en est pas de même pour ceux qui ont un océan à franchir.

A moins donc de revenir plusieurs fois, il faut faire un choix. La première solution est de se concentrer sur certaines régions et de les explorer à fond, dans tous leurs aspects historiques et contemporains. La seconde est de choisir un thème principal. Les uns opteront pour l'architecture coloniale, les autres, plus nombreux sans doute, suivront la « route maya » pour découvrir les vestiges des civilisations précolombiennes. On peut aussi suivre la « route de Cortés », celle que le conquistador espagnol emprunta entre Veracruz et Tenochtitlán, capitale de l'ancien empire aztèque devenue la ville de Mexico.

Enfin, il existe des agences spécialisées dans le « tourisme d'aventure », particulièrement adapté dans un pays si vaste et si varié du point de vue géographique, où en outre l'altitude moyenne de la moitié du pays dépasse 1 500 m, et qui s'étend entre les deux plus grands océans de la planète.

Le Mexique est une destination agréable toute l'année. Toute la côte ouest est baignée de soleil au moins les trois quarts de l'année. Même dans le Sud, y compris à Mexico, les pluies torrentielles d'été ont le bon goût de ne tomber que l'après-midi, laissant un temps clair et souvent même ensoleillé s'installer pour le reste de la journée.

La plupart des villes coloniales du centre du pays – Guanajuato, San Miguel de Allende ou Morelia – sont assez élevées en altitude pour rester aérées même par les journées les plus chaudes. En revanche, la meilleure saison pour visiter les sites mayas du Yucatán est l'hiver. Quant aux plages de Cancún et de ses environs, elles sont agréables toute l'année, et c'est ce qui fait leur succès.

Pages précédentes : le Popocatépetl domine les champs de céréales du plateau central ; vue sur le fleuve depuis la Misión Mulegé, en Basse-Californie ; à Mexico, les sports populaires se côtoient : stade de football et arène. A gauche, rencontre entre un plongeur et une murène dans le récif corallien maya.

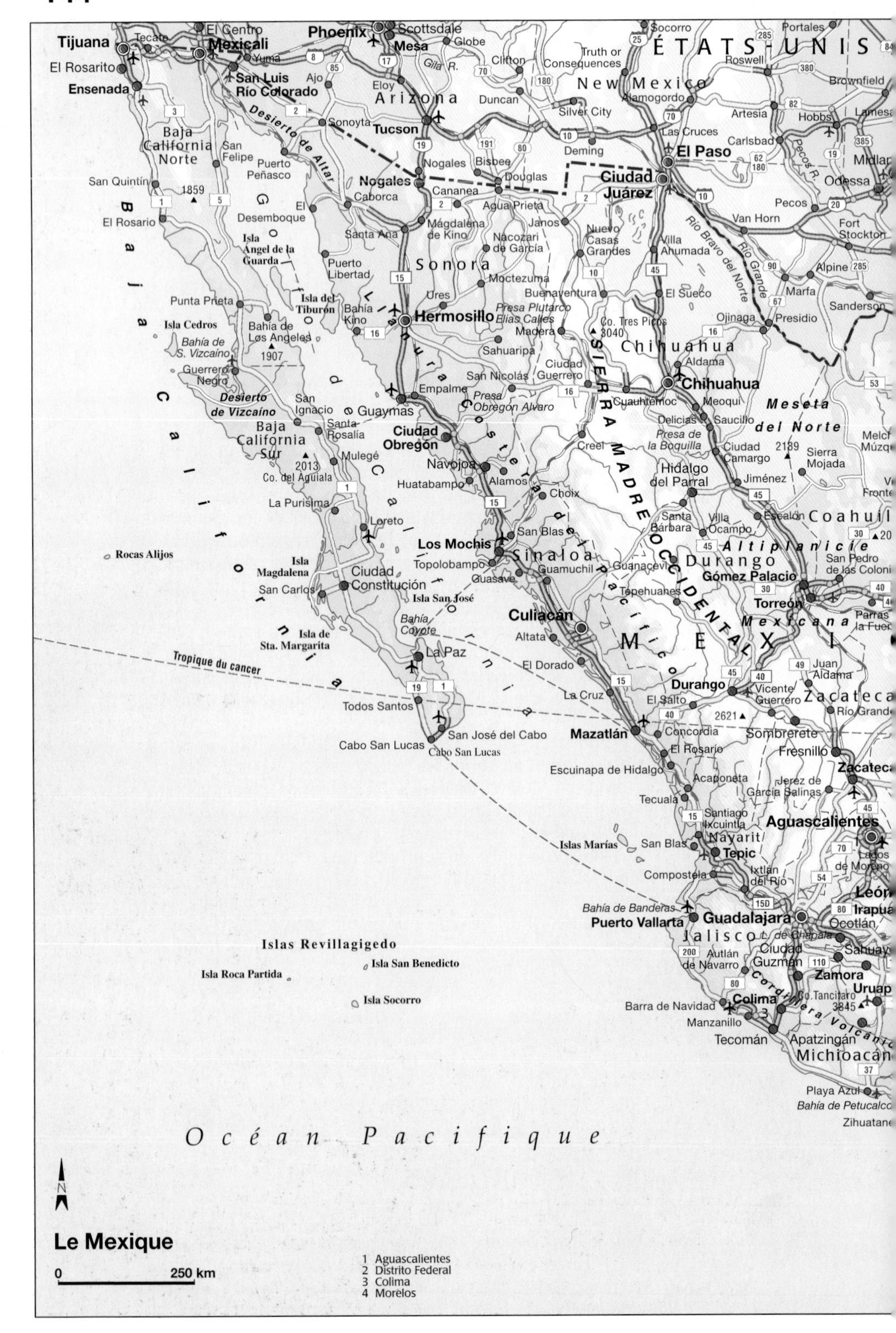
Le Mexique
0 250 km
1 Aguascalientes
2 Distrito Federal
3 Colima
4 Morelos
ÉTATS-UNIS
New Mexico
Arizona
Baja California Norte
Baja California Sur
Baja California
Golfo de California
Sonora
Chihuahua
Sinaloa
Durango
Coahuila
Zacatecas
Nayarit
Jalisco
Michoacán
MEXIQUE
SIERRA MADRE OCCIDENTAL
Llanura Costera del Pacifico
Meseta del Norte
Altiplanicie Mexicana
Cordillera Volcánica
Desierto de Altar
Desierto de Vizcaíno
Océan Pacifique
Tropique du cancer
Tijuana
Tecate
El Rosarito
Ensenada
El Centro
Mexicali
Yuma
San Luis Río Colorado
Phoenix
Scottsdale
Mesa
Globe
Ajo
Eloy
Gila R.
Clifton
Duncan
Truth or Consequences
Socorro
Portales
Roswell
Brownfield
Alamogordo
Silver City
Artesia
Hobbs
Lamesa
Carlsbad
Pecos R.
Midland
Odessa
Las Cruces
Deming
El Paso
Ciudad Juárez
Pecos
Van Horn
Fort Stockton
Alpine
Marfa
Sanderson
Presidio
Ojinaga
Río Bravo del Norte
Rio Grande
Sonoyta
Tucson
Nogales
Bisbee
Douglas
Cananea
Agua Prieta
Janos
Nuevo Casas Grandes
Villa Ahumada
El Sueco
Caborca
San Felipe
Puerto Peñasco
San Quintín
1859
El Rosario
El Desemboque
Isla Ángel de la Guarda
Isla del Tiburón
Santa Ana
Magdalena de Kino
Nácozari de García
Moctezuma
Puerto Libertad
Bahía Kino
Hermosillo
Ures
Buenaventura
Presa Plutarco Elías Calles
Madera
Co. Tres Picos 3040
Punta Prieta
Isla Cedros
Bahía de Los Angeles
1907
Bahía de S. Vizcaíno
Guerrero Negro
Sahuaripa
Ciudad Guerrero
San Nicolás
Empalme
Guaymas
Presa Obregón Alvaro
Cuauhtémoc
Chihuahua
Aldama
Meoqui
Delicias
Saucillo
Presa de la Boquilla
Ciudad Camargo
2139
Sierra Mojada
San Ignacio
Santa Rosalía
Mulegé
2013
Co. del Aguiala
Ciudad Obregón
Navojoa
Huatabampo
Alamos
Creel
Hidalgo del Parral
Jiménez
La Purísima
Loreto
Choix
Santa Bárbara
Villa Ocampo
Escalón
Rocas Alijos
Isla Magdalena
Los Mochis
Topolobampo
San Blas
Guamuchil
Guasave
Guanaceví
Gómez Palacio
Torreón
San Pedro de las Colonias
Parras de la Fuente
Ciudad Constitución
San Carlos
Isla San José
Bahía Coyote
Tepehuanes
Culiacán
Altata
Isla de Sta. Margarita
La Paz
El Dorado
Juan Aldama
Durango
Vicente Guerrero
Río Grande
El Salto
2621
La Cruz
Todos Santos
San José del Cabo
Cabo San Lucas
Mazatlán
Concordia
Sombrerete
El Rosario
Fresnillo
Zacatecas
Escuinapa de Hidalgo
Acaponeta
Jerez de García Salinas
Tecuala
Santiago Ixcuintla
Aguascalientes
Islas Marías
San Blas
Tepic
Lagos de Moreno
Compostela
Ixtlán del Río
León
Irapuato
Bahía de Banderas
Puerto Vallarta
Guadalajara
Ocotlán
L. de Chapala
Sahuayo
Autlán de Navarro
Ciudad Guzmán
Zamora
Uruapan
Islas Revillagigedo
Isla San Benedicto
Isla Roca Partida
Isla Socorro
Colima
Co. Tancítaro 3845
Barra de Navidad
Manzanillo
Tecomán
Apatzingán
Playa Azul
Bahía de Petucalco
Zihuatanejo

Wichita Falls
Ardmore
L. Ray Roberts
Denison
Paris
Arkansas
Arkadelphia
Camden
El Dorado
Texarkana
Columbus
Bessemer
Birmingham
Greenwood
Greenville
Mississippi
Tuscaloosa
Selma
Meridian
Montgomery
Alabama
Seymour
Gainesville
Denton
Haskell
Snyder
Fort Worth
Dallas
Weatherford
Arlington
Abilene
Sweetwater
Spring
Cleburne
Longview
Bossier City
Ruston
Monroe
Vicksburg
Shreveport
Louisiana
Tyler
Jacksonville
Jackson
Laurel
Pearl R.
Andalusia
Brownwood
Corsicana
Natchitoches
Natchez
Hattiesburg
Crestview
Angelo
Palestine
Lufkin
Alexandria
Toledo Bend Res.
McComb
Pensacola
Colorado R.
Killeen
Waco
Temple
Brady
Sam Rayburn L.
Huntsville
Baton Rouge
Hammond
Biloxi
Mobile
Fort Walton Beach
Texas
Bryan
Lake Charles
Lafayette
Long Beach
Pascagoula
Austin
Beaumont
Orange
Metaire
New Orleans
Kerrville
New Braunfels
San Marcos
Houston
New Iberia
Port Arthur
Baytown
Houma
Mississippi River Delta
San Antonio
Del Rio
Uvalde
Texas City
Galveston Bay
Galveston
Atchafalaya Bay
Pleasonton
Victoria
Bay City
Freeport
Eagle Pass
Beeville
Port Lavaca
Matagorda Island
Nueva Rosita
Sabinas
Corpus Christi
Nuevo Laredo
Laredo
Alice
Kingsville
Falfurrias
Laguna Madre
Padre Island
Monclova
Sabinas Hidalgo
McAllen
Raymondville
Harlingen
Camargo
Brownsville
Reynosa
Nuevo León
Monterrey
Matamoros
Golfe du Mexique
Montemorelos
Laguna Madre
San Fernando
Linares
Hidalgo
Santander Jiménez
Peña Nevada
4054
La Pesca
Tropique du cancer
Ciudad Victoria
Tamaulipas
Ciudad Mante
San Luis Potosí
Ciudad Madero
Cerritos
Tampico
Cárdenas
Ciudad Valles
Río Verde
Laguna de Tamiahua
Progreso
Tizimín
Cancún
Motúl
Mérida
Yucatán
Bahía de Campeche
Valladolid
Guanajuato
Tamazunchale
Querétaro
Tuxpan
Maxcanú
Ticul
Peto
Felipe Carrillo Puerto
Poza Rica
Papantla
Celaya
Hidalgo
Veracruz
Campeche
Península de Yucatán
Pachuca
Tulancingo
Champotón
Quintana Roo
Ciudad de México
Xalapa
Tlaxcala
Veracruz
Ciudad del Carmen
Campeche
Chetumal
Toluca
México
Puebla
Córdoba
San Andrés Tuxtla
Laguna de Términos
Cuernavaca
5465
Vol. Popocatépetl
Atlixco
Orizaba
Tierra Blanca
Comalcalco
Villahermosa
365
Orange Walk
Iguala
Puebla
Tehuacán
Coatzacoalcos
Minatitlán
Tabasco
Belize City
Guerrero
Huajuapan de León
Presa Miguel Alemán
Las Choapas
Belmopan
Istmo de Tehuantepec
Tenosique
San Ignacio
Dangriga
Sierra Madre del Sur
Chilpancingo
Oaxaca
2224
Río Usumacinta
Teotepec
3703
Tuxtla Gutiérrez
San Cristóbal de las Casas
Bélize
Tecpan Galeana
Oaxaca
Matías Romero
Chiapas
Acapulco
Ometepec
Ciudad Ixtepec
Comitán de Domínguez
Punta Gorda
Puerto Barrios
Puerto Cortés
Pinotepa Nacional
Miahuatlán
Co. León
3139
Salina Cruz
Juchitán de Zaragoza
Tonalá
Sa. Madre de Chiapas
3764
Guatemala
Cobán
San Pedro Sula
Puerto Escondido
Puerto Angel
Golfo de Tehuantepec
Huehuetenango
Zacapa
Huixtla
Quezaltenango
Ciudad de Guatemala
Honduras
Tapachula
Mazatenango

MEXICO ET SES ENVIRONS

Mexico est la ville la plus peuplée du monde. Elle est aussi l'une des plus élevées, avec une altitude de 2250 m – ce qui expliquerait en partie les performances des athlètes aux Jeux olympiques qui s'y déroulèrent en 1968. Elle a enfin la réputation d'être l'une des villes les plus polluées du monde.

Quoique certains préfèrent se diriger d'emblée vers Cancún, Puerto Vallarta ou d'autres plages, Mexico est en général la première étape des voyageurs, du moins de ceux qui arrivent par les airs. La capitale du Mexique mérite bien qu'on y reste deux jours, et la visite du musée d'Anthropologie est indispensable pour ceux qui prévoient de se rendre à Teotihuacán ou sur d'autres sites précolombiens.

La plupart des sites intéressants de Mexico se concentrent le long d'une artère centrale qui part du Zócalo – la place principale – et le Templo Mayor aztèque à l'est, pour aboutir à l'ouest, au-delà de l'Alameda et de la Zona Rosa, au Bosque de Chapultepec, où se trouve le musée d'Anthropologie.

Cela vaut la peine de se promener un peu plus au sud, dans les faubourgs (*colonias*) de San Angel, connu pour ses maisons coloniales et son bazar du samedi, et de Coyoacán, avec ses saltimbanques, ses terrasses de cafés, son ambiance bohème et ses glaces rafraîchissantes. Les jardins flottants de Xochimilco sont eux aussi une destination appréciée, avant de se diriger vers d'autres sites plus éloignés de Mexico.

Mexico est le point de départ d'excursions de toutes sortes : ruines précolombiennes, villes coloniales, églises baroques. On peut aussi aller à Taxco acheter des objets en argent. Ceux, enfin, qui cherchent avant tout le repos ou la détente ont le choix entre des villes d'eaux semi-tropicales et des lacs d'altitude où l'on peut pratiquer la voile, parmi de nombreux autres sports nautiques.

Pages précédentes : la cathédrale de Mexico la nuit. Page de gauche, vue aérienne du Palacio de Bellas Artes, face au parc Alameda Central, dans la vieille ville de Mexico.

TORRE
TAXI

MEXICO

Mexico – ou, de son nom précolombien, « Gran Tenochtitlán » – fut fondé entre 1320 et 1350, sans doute par la tribu aztèque des Mexicas qui, après son implantation, assura son pouvoir grâce à la valeur de ses guerriers. En deux cents ans à peine, la cité s'étendit sur le centre et le sud de l'actuel Mexico (au moment de la Conquête, elle comptait environ 200 000 habitants).

Selon une légende, la migration des Indiens devaient prendre fin sur une île au milieu d'un lac. Ils fondèrent la ville à l'endroit où un signe prophétique leur apparut. Des jardins flottants étaient reliés entre eux par des canaux, des chaussées rejoignaient la terre ferme, un centre de cérémonie avait été édifié sur une place majestueuse. D'énormes pyramides se dressaient à la gloire des dieux et de somptueux palais abritaient les souverains. Au centre, à l'emplacement de l'actuel Zócalo, s'élevait le temple principal, avec sa double pyramide dédiée à Huitzilopochtli et à Tlaloc, dieu de l'eau.

En novembre 1519, après que Cortés eut été reçu somptueusement par le souverain aztèque Moctezuma, les Espagnols occupèrent la ville pendant six mois, puis en furent chassés lors de la Noche Triste. Préparant sa revanche, Cortés s'allia aux Indiens ennemis des Aztèques et assiégea la cité lacustre, qu'il soumit à un blocus sévère. Celle-ci tomba le 13 août 1521. Sur ses décombres, les conquistadors reconstruisirent la *« Cité la plus noble et la plus loyale »*, possession lointaine du roi Charles Quint.

Véritable mégalopole s'étirant sur près de 2 000 km², Mexico est devenu, avec ses 20 millions d'habitants, l'une des villes les plus peuplées et les plus bruyantes du monde ; et, depuis la crise des années 1990, le clivage entre riches et pauvres y est d'autant plus frappant.

Dominée par les sommets majestueux du Popocatépetl, de l'Iztaccíhuatl et des Sierras qui se rejoignent autour d'elle, la ville s'étend au fond d'une large vallée à plus de 2 200 m d'altitude. Protégée par les montagnes, elle a longtemps joui d'un microclimat agréable, mais l'air, aujourd'hui très pollué du fait du développement de la circulation automobile et de l'activité industrielle, ne parvient plus à se disperser, rendant souvent le séjour dans cette ville difficile pour les enfants et les personnes fragiles. Malgré tout, sa richesse architecturale et l'atmosphère insolite qui y règne en font une cité attrayante.

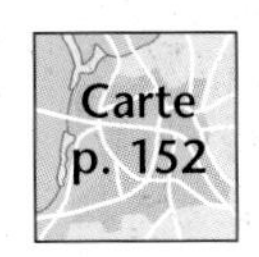

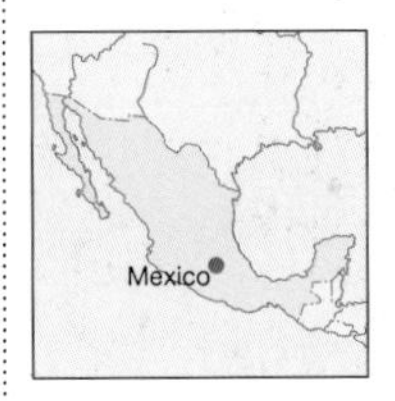

L'ANCIEN MEXICO

Correspondant à peu près à l'ancienne ville aztèque et coloniale, la vieille ville comporte une centaine de pâtés de maisons. On peut la délimiter ainsi : par la Calle República de Perú au nord, la Calle José Maria Izazaga au sud, la Circunvalación La Viga à l'est, les anciennes Calles

Pour circuler dans Mexico, les amateurs de Coccinelles trouveront leur bonheur auprès des taxis.

Le Mexique a une population jeune, puisque les moins de quinze ans en représentent plus du tiers, contre 5 % pour les plus de soixante ans. Avec 1 million d'habitants, Mexico représente 10 % d'une population mexicaine qui est urbaine à 72 %.

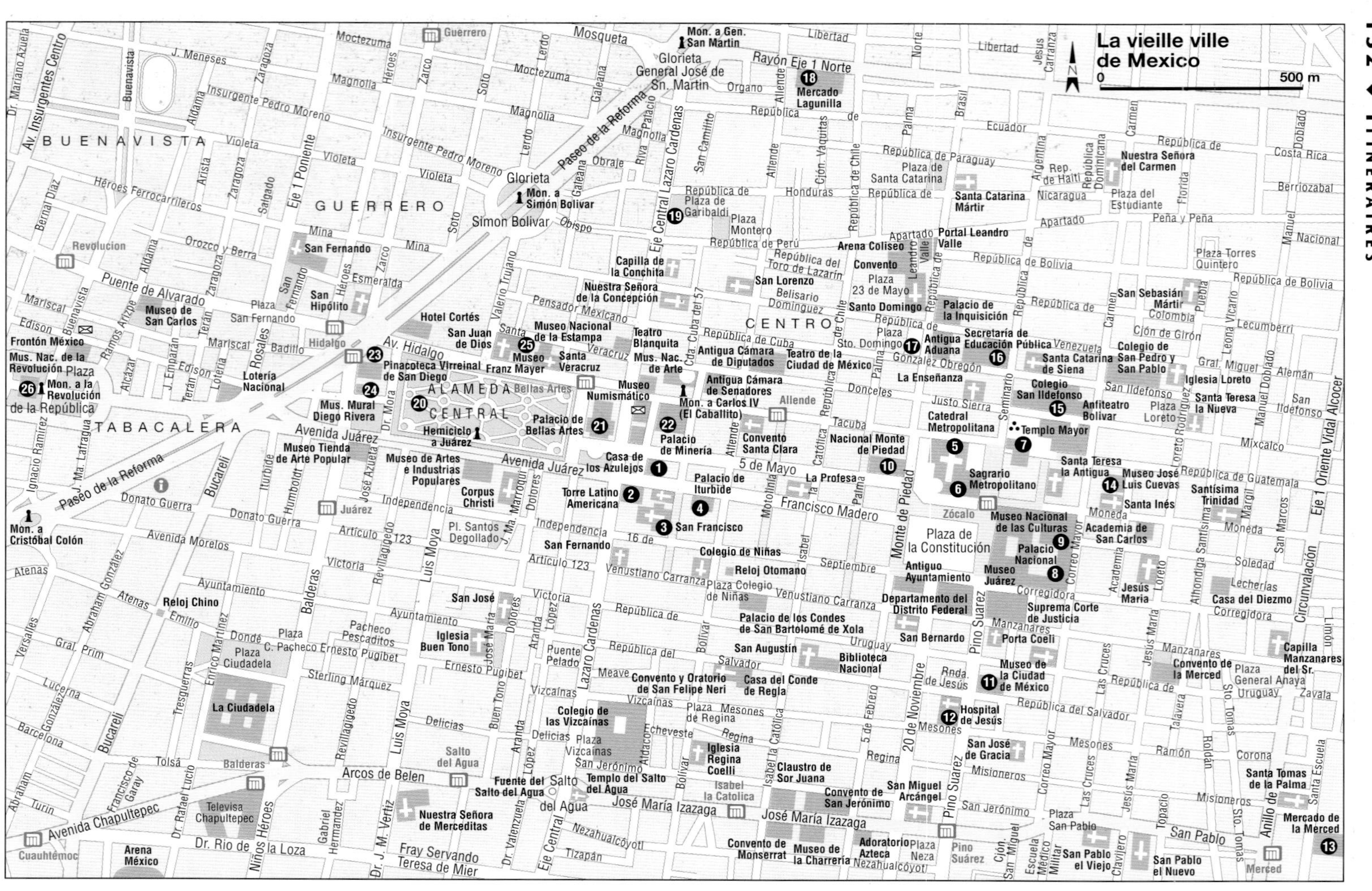
La vieille ville de Mexico
0
500 m
N
Mercado Lagunilla
Plaza de Garibaldi
Mon. a Gen. San Martin
Glorieta General José de Sn. Martin
Mon. a Simón Bolivar
Glorieta Simon Bolivar
BUENAVISTA
GUERRERO
CENTRO
TABACALERA
ALAMEDA CENTRAL
Frontón México
Mus. Nac. de la Revolución
Mon. a la Revolución
Plaza de la República
Museo de San Carlos
Lotería Nacional
Pinacoteca Virreinal de San Diego
Mus. Mural Diego Rivera
Hemiciclo a Juárez
Museo Tienda de Arte Popular
Museo de Artes e Industrias Populares
Corpus Christi
Hotel Cortés
San Juan de Dios
Museo Franz Mayer
Museo Nacional de la Estampa
Santa Veracruz
Palacio de Bellas Artes
Museo Numismático
Teatro Blanquita
Mus. Nac. de Arte
Mon. a Carlos IV (El Caballito)
Palacio de Minería
Casa de los Azulejos
Torre Latino Americana
San Francisco
Palacio de Iturbide
Convento Santa Clara
La Profesa
Nacional Monte de Piedad
Antigua Cámara de Diputados
Antigua Cámara de Senadores
Teatro de la Ciudad de México
Capilla de la Conchita
Nuestra Señora de la Concepción
San Lorenzo
Arena Coliseo
Convento
Portal Leandro Valle
Santo Domingo
Plaza 23 de Mayo
Antigua Aduana
Palacio de la Inquisición
Secretaría de Educación Pública
La Enseñanza
Santa Catarina de Siena
Colegio San Ildefonso
Anfiteatro Bolívar
Catedral Metropolitana
Templo Mayor
Sagrario Metropolitano
Zócalo
Plaza de la Constitución
Museo Nacional de las Culturas
Palacio Nacional
Museo Juárez
Antiguo Ayuntamiento
Departamento del Distrito Federal
Suprema Corte de Justicia
Santa Teresa la Antigua
Museo José Luis Cuevas
Santa Inés
Santísima Trinidad
Academia de San Carlos
Jesús María
Casa del Diezmo
Capilla Manzanares del Sr.
Convento de la Merced
Colegio de San Pedro y San Pablo
Iglesia Loreto
Santa Teresa la Nueva
San Sebasián Mártir
Nuestra Señora del Carmen
Santa Catarina Mártir
San Fernando
San Hipólito
San José
Iglesia Buen Tono
Colegio de Niñas
Reloj Otomano
Palacio de los Condes de San Bartolomé de Xola
San Bernardo
Porta Coeli
Museo de la Ciudad de México
Hospital de Jesús
San Augustín
Biblioteca Nacional
Convento y Oratorio de San Felipe Neri
Casa del Conde de Regla
Colegio de las Vizcaínas
Iglesia Regina Coelli
Claustro de Sor Juana
Convento de San Jerónimo
San José de Gracia
San Miguel Arcángel
Convento de Monserrat
Museo de la Charrería
Adoratorio Azteca
Templo del Salto del Agua
Fuente del Salto del Agua
Nuestra Señora de Merceditas
La Ciudadela
Plaza Ciudadela
Reloj Chino
Televisa Chapultepec
Arena México
Mon. a Cristóbal Colón
Santa Tomas de la Palma
Mercado de la Merced
San Pablo el Viejo
San Pablo el Nuevo

San Juán de Letrán et Niño Perdido, devenues Eje Central Lázaro Cárdenas à l'ouest (parfois les rues changent de nom plusieurs fois en cours de route).

Sordide ou majestueux, ce quartier est tantôt espagnol ou indien, tantôt d'un classicisme à la française, tantôt encore résolument moderne. Marché, quartier colonial, centre d'affaires désordonné et délicieusement mexicain, c'est la partie la plus intéressante de la capitale.

La Calle Madero

La Calle Madero, principalement piétonne, est bordée d'édifices fascinants qui sont une excellente introduction à l'éclectisme architectural de Mexico. La **Casa de los Azulejos** ❶ est un bel exemple d'architecture civile, avec sa façade émaillée de carreaux de faïence bleu et blanc. Elle abrite aujourd'hui le restaurant **Sanborn**, sans doute un des plus célèbres de la ville. L'escalier est orné de fresques du peintre José Clemente Orozco.

En face se dressent les 47 étages de la **Torre Latinoamericana** ❷, construite en 1956. Au 42e étage, un observatoire permet, par temps clair, de jouir d'une vue panoramique sur la ville. Un bar et un restaurant ont été aménagés au niveau inférieur.

L'**Iglesia San Francisco** ❸ faisait autrefois partie d'un monastère édifié en 1524 par Cortés. Avec ses volutes baroques exubérantes, sa façade est une des plus belles réalisations de l'art churrigueresque.

Un peu plus loin, le **Palacio de Iturbide** ❹, fondé au XVIIIe siècle, fut saisi en 1821 par l'« empereur » Agustín de Iturbide, qui lui a donné son nom. Le rez-de-chaussée de l'édifice abrite la collection d'art du Fomento Cultural Bananex.

A l'angle de la Calle Francisco Oradero et de la Calle 5 de Mayo, l'**Iglesia de la Profesa**, construite au XVIe siècle, accueillit des réunions secrètes des partisans de l'indépendance. Sa décoration intérieure a été ravagée par un incendie.

Le Zócalo

Carte p. 152

Le cœur de la capitale s'organise autour du **Zócalo**, ou Plaza de la Constitución. Transformé au fil des siècles, c'était à l'origine le centre de cérémonie aztèque. Il y a quelques dizaines d'années encore, ses palmiers et son petit train lui donnaient un air provincial. Aujourd'hui, c'est une esplanade immense que bordent de somptueux édifices d'une grande unité architecturale.

Sur le côté nord, la cathédrale et le Sagrario forment un ensemble harmonieux en dépit de leurs styles différents.

Commencée au XVIe siècle dans le style de la Renaissance espagnole, poursuivie pendant trois siècles, l'édification de la **cathédrale** ❺ fut achevée au XIXe siècle dans le style néoclassique. Son immense façade baroque, flanquée de trois portails, fut décorée de sculptures de l'Espagnol Manuel Tolsa représentant les trois vertus théologales : la Foi, l'Es-

Détail d'un bas-relief sur la façade de la cathédrale.

Le drapeau mexicain flotte sur le Zócalo, cœur de Mexico, édifié sur les ruines du Templo Mayor de Tenochtitlán. Chaque jour, la montée et la descente des couleurs est l'occasion d'une cérémonie importante. C'est là également que se déroule chaque année, les 15 et 16 septembre, la fête de l'Indépendance si chère aux Mexicains.

pérance et la Charité. Elle est surmontée de deux clochers et de tours de la fin du XVIIIe siècle dessinées par le Mexicain José Damián Ortiz de Castro. Les proportions grandioses de l'intérieur surprennent. Une impression d'élégance se dégage des trois nefs faiblement éclairées par les vitraux contemporains. Elles s'étendent sur une longueur de 110 m pour 46 m de largeur. Au centre, le chœur est isolé par de superbes grilles forgées au XVIIIe siècle.

La **Capilla de los Reyes**, au fond de la nef centrale, est décorée d'un retable de style churrigueresque sculpté par un artiste sévillan, Jerónimo de Balbás. Gigantesque, surchargé, il représente sur deux registres l'Assomption de la Vierge et l'Adoration des Mages. Colonnes, moulures, angelots, personnages et motifs végétaux entremêlent leurs mouvements, leurs dorures et leurs vibrants coloris dans une folie baroque.

Quatorze chapelles contenant de nombreux trésors s'ouvrent sur les côtés de la cathédrale, dont la **Capilla del Pardón**, qui possède un retable et des orgues magnifiques.

Contigu à la cathédrale, le **Sagrario ❻**, fermé au public, fut édifié au XVIIIe siècle pour abriter les objets du culte, les archives et les trésors de l'archevêché. Sa façade baroque s'orne d'une profusion de sculptures en ronde bosse et de reliefs. Son constructeur, l'architecte Lorenzo Rodriguez, ne l'a pas doté de fondations assez solides, si bien que l'édifice penche et présente des lézardes impressionnantes.

En contournant la cathédrale par le flanc est, on débouche sur une petite place pittoresque dont la fontaine fut élevée à la gloire de Bartolomé de Las Casas, célèbre évêque espagnol qui voua sa vie à la défense des Indiens tout en contribuant, en toute bonne foi, au commerce des esclaves par sa proposition d'importer d'Afrique des Noirs qui accom-

Sculpture à tête de serpent sur les vestiges du Templo Mayor.

pliraient les travaux les plus pénibles.

Templo Mayor et Palacio Nacional

Le **Templo Mayor** ❼ se dresse au nord-est du Zócalo. C'est en 1977, à l'occasion de travaux, que l'on mit au jour ce grand temple de 80 m sur 100 m, dernier vestige de la cité religieuse de Gran Tenochtitlán. La reconstruction dura jusqu'en 1982. La pyramide qu'on voit aujourd' hui était surmontée de deux temples, l'un dédié au dieu de la pluie, Tlaloc, l'autre au dieu du soleil, Huitzilopochtli. Mais, surtout, les fouilles permirent de dégager de nombreux objets: bijoux, armes, statuettes, objets usuels. Ces pièces sont exposées au **Museo de Templo Mayor** situé à proximité du temple.

A l'angle sud-est du Zócalo, le **Palacio Nacional** ❽ déploie, sur plus de 200 m, sa façade en pierre volcanique rythmée par de beaux balcons en fer forgé. L'édifice s'élève à l'emplacement du palais de Moctezuma et abrite le siège du gouvernement. Un musée à la mémoire de Benito Juárez, la bibliothèque Miguel Lerdo de Tejada ainsi que les archives nationales y sont également installés. Chaque année, dans la nuit du 15 au 16 septembre, le président de la République « proclame » l'indépendance du pays. Il apparaît au balcon du Palacio Nacional, où il fait sonner la cloche que fit retentir le père Hidalgo à Dolores et lance « le Cri » qui déclencha le soulèvement contre les Espagnols. Ce rite ouvre les cérémonies commémoratives. Dans la liesse, la foule répond en chœur: *« Vive le Mexique, Vive l'indépendance ! »*, et la fête commence.

Derrière la façade du Palacio Nacional se cache une succession de cours et de patios aux nobles proportions. On peut y admirer les fresques peintes entre 1929 et 1945 par le muraliste Diego Rivera. Celle

Carte p. 152

Cireur de chaussures dans une rue de Mexico.

Colonne publicitaire.

qui orne l'escalier central est une représentation de l'histoire du Mexique. Le peintre y a rassemblé Indiens, Espagnols, métis, héros du pays, de la Conquête aux temps modernes, dans un style qui rappelle les grandes allégories si prisées par les pays socialistes. Sur les murs des galeries, des scènes de la vie précolombienne témoignent de la connaissance profonde qu'avait le peintre de la culture indienne.

Diego Rivera (1886-1957), ami de Trotski, était un artiste engagé ; il s'attacha à développer un symbolisme national qui revendiquait des origines indigènes, païennes, en les mêlant d'idées marxistes. Ses œuvres aux couleurs éclatantes sont traitées avec un lyrisme qui rappelle les retables de la fin du baroque. C'est à Mexico que se trouvent ses plus belles productions. On peut en admirer quelques-unes, notamment au palais des Beaux-Arts, ou visiter l'atelier que l'artiste possédait dans le quartier de San Angel, au sud de la ville. Rivera décora aussi l'école d'agriculture Chapingo de Texcoco, à 48 km à l'est de Mexico.

Voisin du Palacio Nacional, le **Museo Nacional de las Culturas ❾** occupe un ancien hôtel de la Monnaie édifié au XVIIIe siècle. Il rassemble un ensemble hétéroclite d'œuvres d'art, de costumes et d'objets artisanaux du monde entier.

A l'ouest du Zócalo, un majestueux édifice colonial abrite le **Monte de Piedad ❿**, fondé en 1775 par Don Pedro Romero de Terreros, riche propriétaire de mines d'argent. Celui-ci s'associa avec des amis pour fonder cette institution. Le mont-de-piété continue de jouer un rôle important dans la vie de la cité.

Vers le sud, deux édifices méritent une visite : le premier est le **Museo de la Ciudad de México ⓫**, au 20, Calle Pino Suárez, installé dans l'ancien palais des comtes de Santiago de Calimaya. L'architecture du bâtiment permet de se faire une idée de ce qu'était une maison

« Gran Tenochtitlán », par Diego Rivera, au Palacio Nacional.

Carte p. 152

citadine noble, avec sa fontaine au centre du patio, ses corridors sans fin desservant d'innombrables pièces. Il renferme des documents illustrant l'histoire de la vallée de Mexico depuis l'époque préhispanique, et de la ville, dont une maquette de la Gran Tenochtitlán.

En face du musée, l'**Hospital de Jesús** ⓬ est le premier hôpital fondé dans le Nouveau Monde ; il fut bâti par Hernán Cortés à l'endroit de sa toute première rencontre avec Moctezuma. C'est là que repose aujourd'hui le conquistador (il mourut à Séville en 1547, mais ses restes furent transférés à Mexico en 1556). La voûte de la **chapelle** est recouverte d'une fresque impressionnante où Clemente Orozco a représenté des scènes de l'Apocalypse.

Les marchés

Le marché le plus important et le plus animé de Mexico est le **Mercado de la Merced** ⓭, près du monastère du même nom, dont seul subsiste un beau cloître baroque. Marchands de fruits et légumes, de *tortillas* et d'épices voisinent avec les vendeurs ambulants, les étals de tissus et de produits de l'artisanat.

Deux pâtés de maisons plus loin, le **Mercado Sonora** offre les mêmes couleurs et la même diversité. On y trouve des plantes médicinales et des objets religieux, ainsi que des vendeurs d'animaux : serpents, lapins, pigeons, et toutes sortes d'oiseaux en cage.

Au nord du Zócalo

Au nord du Zócalo, on traverse l'ancien quartier universitaire. Sur la Calle Academia, le **Museo José Luis Cuevas** ⓮, fondé par l'un des meilleurs artistes d'avant-garde du Mexique, expose une collection d'art moderne, dont plus de 30 œuvres de Picasso.

Derrière le Templo Mayor, le **Colegio de San Ildefonso** ⓯ est un ancien collège jésuite qui joua un rôle important dans la culture mexicaine. Il abrite aujourd'hui l'École normale et est décoré de peintures murales dues à José Clemente Orozco, Diego Rivera, David Alfaro Siqueiros, Fernando Leal et Jean Charlot. Ceux qui s'intéressent au mouvement muraliste mexicain en trouveront là un exposé très complet.

D'autres fresques de Diego Rivera datant des années 1920 ornent également le **Secretaria de Educación Publica** ⓰, sur la place San Ildefonso : au nombre de 235, elles comptent parmi les plus belles œuvres de cet artiste.

En repartant vers le nord, à trois pâtés de maisons du Zócalo, la **Plaza Santo Domingo** ⓱ est caractéristique de l'architecture coloniale. Sous ses colonnades se pressent les écrivains publics, ou *evangelistas*.

Sur cette place, l'**Iglesia Santo Domingo** fut fondée en 1539 par les dominicains. En partie détruite par des inondations, elle fut rebâtie en 1736. Elle possède une étonnante

Vendeuses d'épices et de plantes médicinales sur un marché de Mexico.

Parmi les nombreux marchés de la capitale, les plus courus sont La Merced et Sonora, au sud-est du Zócalo, La Lagunilla et Tepito au nord, La Ciudadella et San Juan au sud de l'Alameda. On y trouve des fruits et des légumes à bon prix, et il ne faut pas hésiter à marchander. Le samedi, un marché artisanal se tient Plaza San Jacinto, dans le quartier de San Angel.

façade baroque et une tour ornée de carreaux de faïence colorée.

Sur le côté ouest de la place Santo Domingo, le **Palacio de la Inquisición**, édifié au XVIIIe siècle, était le siège de l'Inquisition à Mexico.

Vers la place Garibaldi

En continuant vers le nord, on atteint le pittoresque **Mercado Lagunilla** ⓲. Un des côtés de la place est bordé par les éventaires de nourriture, tandis que l'autre côté est occupé par les vendeurs de vêtements et de produits artisanaux.

La Calle República de Honduras et l'Eje Central Lázaro Cárdenas mènent à la **Plaza de Garibaldi** ⓳. Jadis mal famée, elle est aujourd'hui touristique, avec ses tavernes, ses restaurants, ses boîtes de nuit, ses *pulquerias* (bars où l'on boit du *pulque*, boisson légèrement alcoolisée obtenue à partir de la sève de l'agave) et surtout ses orchestres de *mariachis* en costume de *charros*. La classe moyenne loue volontiers les services de ces musiciens à l'occasion d'une soirée ou pour une sérénade lors de la fête des Mères.

A proximité, le **Mercado San Camilito**, consacré aux produits de bouche, est un des meilleurs endroits pour découvrir la cuisine locale.

L'Alameda

L'**Alameda** (promenade des Peupliers) ⓴ fut ouverte à l'ère coloniale en prolongement de la ville construite par les Espagnols sur les décombres de Tenochtitlán. Fondé en 1592 sur les ordres du vice-roi d'Espagne Luis de Velasco, sur les vestiges d'un marché, le parc était à l'origine entouré de murs.

Sous l'Inquisition, on brûlait les hérétiques sur la **Plaza del Quemadero** (place du Bûcher). Au XIXe siècle, cet ensemble fut aménagé en un parc romantique jalonné d'arbres, de fontaines, de sculptures et d'un kiosque à musique.

Écrivain public sur la place Santo Domingo.

Avec ses sentiers et ses bancs, l'Alameda est la réplique de la place provinciale mexicaine, lieu de rencontres ombragé et fleuri. Au sud se trouve l'**Hemiciclo** en marbre blanc, monument dédié à Benito Juárez. Deux charmantes sculptures exécutées par des Français, intitulées *Désespoir* et *Malgré tout*, représentent des jeunes femmes. Au milieu du chaos de la ville, le parc est un havre de paix.

LE PALAIS DES BEAUX-ARTS

A l'extrémité est du parc se dresse le **Palacio Nacional de Bellas Artes** ㉑. Commencé en 1904 par l'architecte italien Adamo Boari, l'édifice a été construit en marbre blanc et orné à l'extérieur, dans le style Arts déco, d'une profusion de fleurs et de sculptures en bronze. Achevé en 1934 par le Mexicain Federico Mariscal, l'intérieur présente un style d'inspiration aztèque. En marbre mexicain rouge et noir, l'ensemble dégage une impression grandiose mais un peu sévère.

Cet immense bâtiment abrite une salle de théâtre et de concert, un musée d'art moderne et une collection de peintures murales. Les fresques de Rufino Tamayo sont empreintes de poésie cosmique ; celles de Clemente Orozco dégagent une impression violente. David Siqueiros a réalisé trois œuvres en composition polyangulaire dont la perspective se modifie au fur et à mesure qu'on se déplace. La fresque de Diego Rivera date de 1934 ; elle remplace celle que l'artiste avait peinte pour le siège de Radio City, à New York, et qui fut détruite, son inspiration marxiste ayant déplu au commanditaire, John D. Rockefeller.

Le rideau de scène du théâtre est fait de cristaux de verre teinté, exécuté par l'Américain Tiffany d'après un carton de Murillo, et représente le Popocatépetl et l'Iztaccíhuatl. Un ingénieux dispositif d'éclairage

Carte p. 152

La statue de Charles IV, dite « El Caballito ».

La façade du Palacio Nacional de Bellas Artes, dans le centre de Mexico.

figure un lever de soleil sur les deux volcans. On peut le voir lors de la séance du Ballet folklorique d'Amalia Hernández. Le spectacle est de qualité et généralement apprécié.

Face au palais des Beaux-Arts, de l'autre côté de l'Eje Central Lázaro Cárdenas, s'élève le **Correo Central** (palais de la Poste), de style Renaissance vénitienne.

En suivant la Calle Tacuba, on voit apparaître la statue équestre de Charles IV d'Espagne par Manuel Solsá, monument de 4,75 m de haut surnommé ironiquement **El Caballito** (« le petit cheval ») par les Mexicains. Ce « Caballito » a galopé à travers tout Mexico : après avoir été érigé en 1803 sur le Zócalo, il gagna le jardin de l'Université, pour être ensuite transféré au carrefour du Paseo de la Reforma et de l'avenue Juárez. La circulation automobile devenant plus intense, il dut quitter les lieux.

De beaux immeubles l'entourent, comme le **Palacio de Minería** ㉒, néoclassique, dont les plans furent dessinés par Manuel Tolsá. Quatre météorites ornent l'entrée de l'édifice.

Les taxis « verts » de Mexico. L'explosion démographique de la capitale, conjuguée au développement incontrôlé du parc automobile et à l'implantation d'industries lourdes dans la vallée ont entraîné une pollution atmosphérique importante. Le gouvernement a dû prendre des mesures pour limiter la circulation et a demandé aux industriels de réduire leur activité.

La Pinacothèque

L'Avenida Hidalgo, qui borde l'Alameda au nord, a conservé un peu de son charme du passé. A l'ouest, elle conduit à la **Pinacoteca Virreinal de San Diego** ㉓, qui abrite une belle collection de peintures des maîtres de l'époque coloniale : Cabrera, Echave, Juárez, López de Herrera et bien d'autres. Le style de ces œuvres, généralement d'inspiration religieuse, fait appel à des tonalités sombres, mais le travail des artistes est remarquable tant par leur maîtrise de la technique picturale que par leur science de la composition.

En bordure ouest de l'Alameda, le **Museo Mural Diego Rivera** ㉔ présente la célèbre fresque colorée du muraliste, *Sueño de una Tarde de Domingo en la Alameda* (« Songe d'un dimanche après-midi dans l'Alameda »). Cette vaste peinture de 15 m de long sur 4 m de haut, exécutée en 1947, figure le peintre à différents âges, entouré de ses amis et de ses proches – dont sa femme Frida Kahlo –, ainsi que des portraits parfois satiriques des grands hommes de l'histoire mexicaine depuis la Conquête. Le décor alentour représente le parc Alameda au début du XXe siècle. Initialement installée dans l'Hotel del Prado, cette fresque a été transférée ici après que le tremblement de terre de 1985 eut détruit une grande partie de l'établissement.

Deux petites églises coloniales, **San Juan de Dios** et **Santa Veracruz**, se font face sur une place voisine de l'Alameda, rafraîchie par une charmante fontaine.

Entre ces deux églises, le **Museo Franz Mayer** ㉕ présente un important ensemble de céramiques, de tapisseries, d'argenterie et de peintures. Installée dans une jolie demeure, cette collection a été réunie par un financier allemand qui, à la fin de sa vie, prit la nationalité mexicaine.

A gauche de l'entrée principale, on débouche dans un superbe jardin colonial qui mérite une halte. La Cafeteria del Claustro y sert de délicieux en-cas.

Au-delà du rond-point que forment l'Avenida Hidalgo avec le Paseo de la Reforma, l'**Iglesia San Hipólito** fut élevée pour commémorer la fuite des Espagnols lors de la Noche Triste.

Le Paseo de la Reforma

Suivant une direction sud-ouest–nord-est, passant à l'ouest du parc de l'Alameda, le **Paseo de la Reforma** est une des plus grandes avenues du monde.

Au carrefour formé par le Paseo, les avenues Juárez et Bucareli, la grande tour sombre du siège de la **Lotería Nacional** s'élance encore fièrement face à l'ancien bâtiment de la société des jeux. Il est même possible d'assister, les mardi et vendredi, au tirage des numéros gagnants.

Juste à côté, le gratte-ciel de la compagnie pétrolière **Pemex** symbolise une des plus importantes sources de richesse du pays.

A ce croisement, l'Avenida Juárez prend le nom d'Ejido et mène au **Monumento a la Revolución** ㉖. Cette imposante structure édifiée au début du XXe siècle par Porfirio Díaz devait servir de salle de réunion pour les députés et les sénateurs, mais la révolution mit fin à la folie des grandeurs du président. Quelques années après son abandon, le dôme imposant fut dédié à la révolution, et on déposa dans ses piliers les tombes des deux présidents, Venustiano Carranza et Francisco Madero, enfin réconciliés, ainsi que celles de héros de l'indépendance comme Pancho Villa ou Lázaro Cárdenas.

En face, le **Frontón México**, grande arène de style Arts déco, est

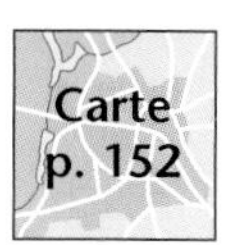
Carte p. 152

Pause lecture pendant que le cireur de chaussure s'active.

Boutique d'artisanat.

la Mecque du *jai alai* (sorte de pelote basque typique du Mexique).

A quelques rues vers le nord, le **Museo de San Carlos**, installé dans l'ancien palais Buenavista, abrita longtemps la première académie des Beaux-Arts du pays. Les grands peintres Rivera, Siqueiros et Orozco y ont été étudiants. Aujourd'hui transformé en musée, l'édifice conserve des œuvres des plus grands peintres européens (le Greco, Murillo, Rubens, Bosch, Breughel...) ainsi qu'une salle consacrée à la peinture coloniale.

Octavio Paz comparait le Paseo de la Reforma à une « Seine en ciment ». C'était à l'époque où Porfirio Díaz voulait faire de Mexico un second Paris. Il est vrai que l'avenue d'alors, bordée d'arbres, coupée de places ornées de monuments et ponctuée par le parc de Chapultepec, lui-même couronné par le Castillo, avait fière allure. Hélas ! c'est son succès même qui causa sa perte. On rasa les hôtels particuliers pour construire des gratte-ciel, les attelages et les cavaliers cédèrent la place à une cohorte de voitures créant une pollution qui détruisit la végétation.

Le Paseo n'en reste pas moins une belle avenue animée, jalonnée, vers le sud, de monuments intéressants. Celui dédié à **Christophe Colomb** précède, dans cette direction, l'étrange statue élevée à la gloire du dernier empereur aztèque, **Cuauhtémoc**. Son destin romantique, le courage dont il fit preuve face à Cortés, les tortures qu'il a subies avant son exécution par les Espagnols, ont fait de Cuauhtémoc le premier héros national. Sous une curieuse apparence de sénateur romain coiffé d'un chapeau de plumes, il règne sur la ville affairée. L'indépendance du pays est symbolisée par un ange, **El Angel**, qui s'élance du haut d'une élégante colonne, environnée de tours et de luxueux immeubles dont l'hôtel Sheraton Maria Isabel et l'ambassade des États-Unis.

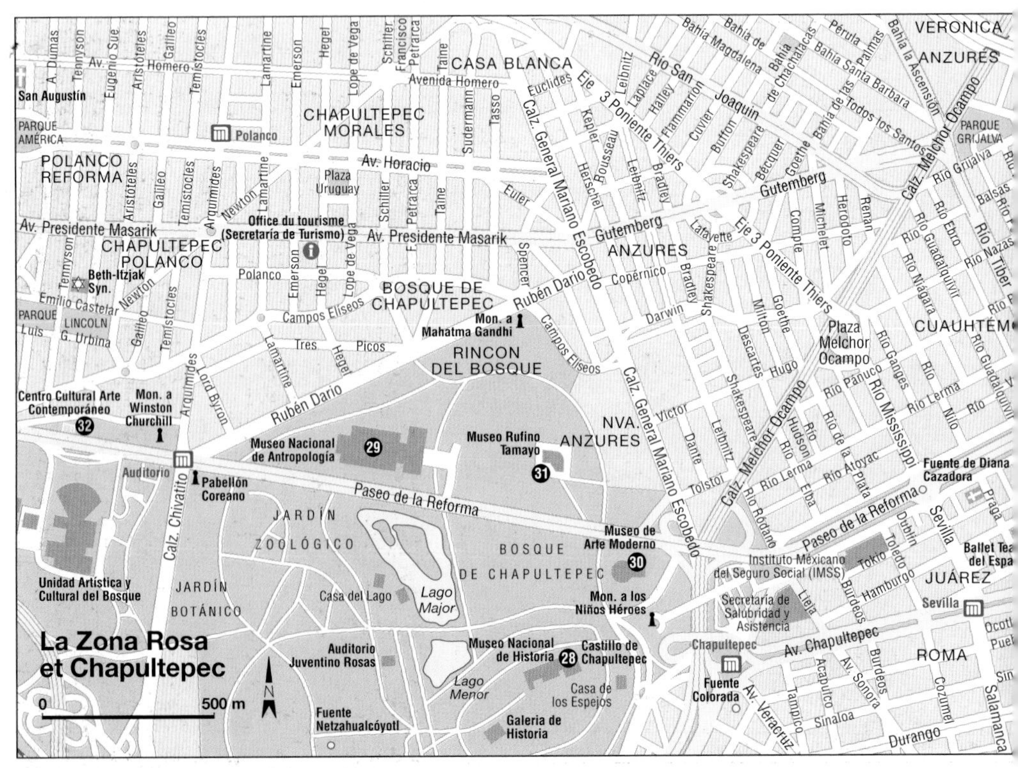

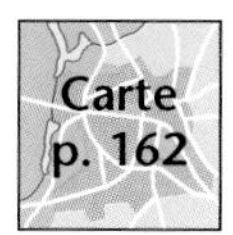

LA ZONE ROSE

Entre ces deux monuments, l'ancienne Colonia Juárez est devenue la **Zona Rosa** ㉗, quartier chic où magasins de luxe, grands hôtels et restaurants onéreux côtoient les boîtes de nuit. L'ensemble, qui se veut cosmopolite et européen (ses rues se nomment Hambourg, Nice ou Copenhague), ne ressemble finalement ni à un quartier chaud, ni au faubourg Saint-Honoré. La Zone rose, encore naïve et provinciale, est colorée, désordonnée et, au bout du compte, très mexicaine. Des gratte-ciel modernes y côtoient des bâtiments anciens, dans un mélange pas toujours harmonieux mais qui demeure cependant assez vivant pour qu'on ait envie d'y flâner. Desservi par la station de métro Insurgentes, le quartier est, quoi qu'il en soit, un lieu de passage obligé pour les visiteurs, car c'est là que sont concentrées la majorité des banques et bureaux d'ambassades.

LE PARC DE CHAPULTEPEC

Le **Bosque de Chapultepec** est le plus vaste de la ville. Agréable lieu de repos en plein air, il comporte un jardin botanique, un parc zoologique, des lacs et des fontaines, mais aussi des terrains de sport, des théâtres et plusieurs très bons musées. S'étendant sur une surface de près de 4 km², il attire chaque jour des milliers de visiteurs.

Les sources de la colline qu'il escalade fournissaient la ville en eau potable aux temps précolombiens, car le lac de Tenochtitlán était saumâtre. Le site séduisit d'ailleurs les chefs aztèques, et le roi de Texcoco Netzahualcóyotl y aurait eu un palais.

A l'époque coloniale, le vice-roi Matias de Galvez y fit construire sa résidence d'été, **El Castillo**, qui devint ensuite l'académie militaire. Ce sont les tout jeunes cadets de cette académie qui défendirent jusqu'à la mort le château, attaqué en

L'Ange de l'indépendance domine le Paseo de la Reforma.

Statue huastèque dans le Museo Nacional de Antropología.

Barques sur le lac du parc de Chapultepec.

1847 par les troupes américaines. Le souvenir de **Los Niños Heroes** est perpétué par le monument élevé en mémoire de leur sacrifice à l'entrée du parc.

Le **Castillo de Chapultepec** ㉘ s'élève sur une esplanade d'où l'on a une très belle vue sur l'est de la ville. Construit au XVIIe siècle pour servir de résidence aux vice-rois de la Nouvelle-Espagne, le bâtiment reste hanté par l'archiduc Maximilien d'Autriche et sa femme Charlotte, qui y résidèrent au milieu du XIXe siècle et connurent une fin tragique. Devenu empereur du Mexique sous les auspices de la France, Maximilien maintenait son pouvoir avec l'appui d'un corps expéditionnaire français qui, deux ans après son avènement, quitta le pays. Les troupes de Benito Juárez ne tardèrent pas à battre le prince, qui fut capturé, puis exécuté. Sa femme Charlotte perdit la raison et mourut bien des années plus tard. L'édifice, après avoir servi de résidence aux présidents de la République du Mexique jusqu'en 1940, fut transformé en musée d'Histoire. Outre les appartements impériaux que l'on peut encore visiter, on trouve dans ce **Museo Nacional de Historia** une série de salles consacrées aux diverses époques de l'histoire du pays, de la période précolombienne à l'époque moderne, en passant par la Conquête, le déclin de la Nouvelle-Espagne, la naissance des mouvements indépendantistes, la proclamation de l'autonomie... Chaque période est documentée par des peintures, des photographies, des écrits, des plans, des maquettes, des armes et des objets d'époque. Certaines salles sont réservées aux arts mineurs, aux vêtements et aux parures.

LES MUSÉES DU PARC

Le **Museo Nacional de Antropología** ㉙, situé lui aussi dans le parc de Chapultepec, est un des plus magnifiques musées du monde.

Remarquable réussite architecturale de Pedro Ramirez Vásquez, c'est un immense édifice avec une cour rectangulaire à demi couverte d'une coupole parapluie sculptée, supposée représenter Tlaloc, dieu de la pluie. Sa visite nécessite un long moment; si l'on dispose de peu de temps (il faut toutefois prévoir d'y consacrer au moins une demi-journée), on ne manquera en aucun cas la magnifique **salle Mexica**, où trônent le Calendrier aztèque, ou Pierre du Soleil – gigantesque monolithe de basalte de 3,35 m de diamètre et pesant 25 t – et la statue de Coatlicue, admirable déesse de la terre vêtue d'une jupe de serpents. Toute la salle consacrée à la civilisation aztèque est d'autant plus passionnante que les sculptures y sont d'une fascinante beauté. Les salles sont distribuées autour de la cour selon un ordre chronologique (en commençant par la droite à partir de l'entrée) : introduction à l'anthropologie; l'Amérique centrale; les origines du premier peuplement d'Amérique; les civilisations préclassiques (entre 1500 av. J.-C. et 250 apr. J.-C.); Teotihuacán et la culture toltèque; la salle Mexica (au centre), consacrée à la civilisation aztèque; la salle Oaxaca (Zapotèques et Mixtèques); le golfe du Mexique (Huastèques, Totonaques et Olmèques); la salle Maya; les cultures du Nord et de l'Occident.

Au premier étage, le **Museo Etnologico** présente les ethnies indiennes qui vivent toujours dans le pays. Leur vie quotidienne, leurs objets usuels, artisanat, costumes, techniques de chasse et de pêche, céramiques, instruments de musique, tous présentés de manière remarquable, font de cette visite un merveilleux voyage à travers le Mexique.

Le plus important des musées d'art du parc de Chapultepec est le **Museo de Arte Moderno** ㉚, qu'entourent de remarquables sculptures. L'intérieur, lumineux et bien conçu,

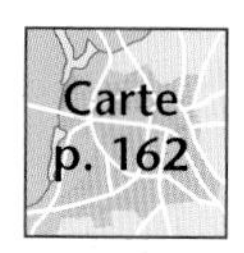
Carte p. 162

Coyoxauhqui, déesse de la lune.

permet une excellente présentation des collections. Deux expositions permanentes méritent une attention particulière : l'une est consacrée au photographe Manuel Alvarez Bravo, l'autre présente des paysages de José Maria Velasco. Quoique sa célébrité n'ait pas atteint celle des muralistes, Velasco est un excellent peintre dont l'œuvre offre un regard nostalgique sur le Mexico de jadis.

A l'est du musée d'Anthropologie, un luxueux édifice moderne, conçu par les architectes Zabludosky et González de León, abrite le **Museo Rufino Tamayo** ㉛. Parmi les peintures contemporaines, les plus remarquables sont celles de Tamayo lui-même, en particulier un grand portrait de sa femme Olga.

NOTRE-DAME DE GUADALUPE

Sans être aussi raffinée que le Paseo de la Reforma, l'**Avenida Insurgentes** est une magnifique artère qui traverse la ville du nord au sud. En se dirigeant vers le nord, après le croisement avec le Paseo, on atteint la gare ferroviaire de Buenavista.

Quelques kilomètres plus loin, toujours vers le nord, la **Basílica de Nuestra Señora de Guadalupe** Ⓐ fut agrandie et restaurée à plusieurs reprises. Elle abrite l'image miraculeuse de la Madone à la peau brune, symbole religieux national depuis 1531. La tradition veut que, cette année-là, un Indien, Juan Diego Cuauhtlatoatzin, ait vu la Vierge apparaître au sommet de la colline. Pour convaincre l'évêque, sceptique, la Vierge revint et imprima son image sur la cape de Juan. Des reproductions à son effigie sont omniprésentes dans les foyers, les magasins, les bureaux et jusque dans les autobus, les camions, les taxis et les *peseros* (taxis collectifs). Notre-Dame de Guadalupe est vénérée non seulement comme la Vierge, mais comme la protectrice du Mexique et des Indiens. Elle figurait sur la bannière de Michel Hidalgo et tous la respectent, même les politiciens les plus anticléricaux. Lors de sa visite au Mexique, en juillet 2002, le pape Jean-Paul II y a canonisé Juan Diego Cuauhtlatoatzin, qui devenait ainsi le premier saint indien du calendrier chrétien. Le 12 décembre, jour anniversaire de la seconde apparition de la Vierge, des pèlerinages se déroulent dans une atmosphère de fête. Sur le parvis de la basilique, diverses confréries exécutent des danses, dont celle, très réputée, des Concheros.

Tout près de la basilique, la **Capilla del Pocito** (chapelle du Petit-Puits) est un très bel exemple de l'architecture baroque du XVIIIe siècle. On dit qu'une source aurait jailli d'un rocher à l'endroit où la Vierge s'était tenue et où se dresse aujourd'hui l'édifice.

Les marchés citadins sont une institution au Mexique. Chaque produit occupe une zone précise : d'un côté les vendeurs de pain, de sel ou de sucre, plus loin les marchands d'épices et d'herbes, ailleurs encore les fruits et les légumes. On y voit également fleurir les petits métiers : porteurs de marchandises, prêteurs sur gage, photographes de rue, etc.

LES RUINES DE TLATELOLCO

Au sud de Notre-Dame-de-Guadalupe, sur le Paseo de la Reforma, la **Plaza de las Tres Culturas** Ⓑ symbolise l'actuel Mexico, né de la fusion des populations indienne et blanche. Des vestiges de pyramides datant d'avant la Conquête, un mur de crânes, des calendriers aztèques gravés, une église coloniale reconstruite au XVIIe siècle, l'**Iglesia Santiago**, et des bâtiments modernes (dont le ministère des Affaires étrangères) entourent la place. Les ruines sont celles de **Tlatelolco**, ancien centre de cérémonie aztèque qui rivalisait avec Tenochtitlán avant d'être supplanté par ce dernier au XVe siècle.

Le 12 octobre, anniversaire de la découverte du Nouveau Monde, la **Plaza de las Tres Culturas** accueille la fête annuelle du jour de la Race, qui témoigne de l'obsession des Mexicains pour leur double origine, indienne et européenne.

INSURGENTES VERS LE SUD

A peu près à la moitié de son parcours, l'Avenida Insurgentes devient Avenida Insurgentes Sur et s'enfonce vers la partie la plus agréable de la ville. Parmi tous les hauts immeubles qui la bordent, il faut mentionner l'énorme **hôtel de Mexico** (World Trade Center) **C**.

Le **Poliforum Cultural Siqueiros** **D** est une sorte de temple des arts que Siqueiros a décoré avec audace sur toutes ses parois, y compris le plafond. On peut ensuite se reposer un peu dans le bar-restaurant tournant, installé au dernier étage.

Un peu plus loin encore, la **Cité sportive**, dont le projet n'a pas abouti complètement, comprend un énorme stade et la plus vaste arène de taureaux du monde, **Plaza México** (50000 places).

En descendant vers le sud, on découvre le **Teatro de los Insurgentes** **E**, orné d'une imposante mosaïque due à Diego Rivera, qui raconte l'histoire du Mexique à travers les portraits de ses grands hommes. On admirera en particulier la figure de Cantinflas, héros national de la comédie populaire, représenté en Christ au centre de la com-

Carte p. 168

Les « gorditas » sont une spécialité de la Villa de Guadalupe.

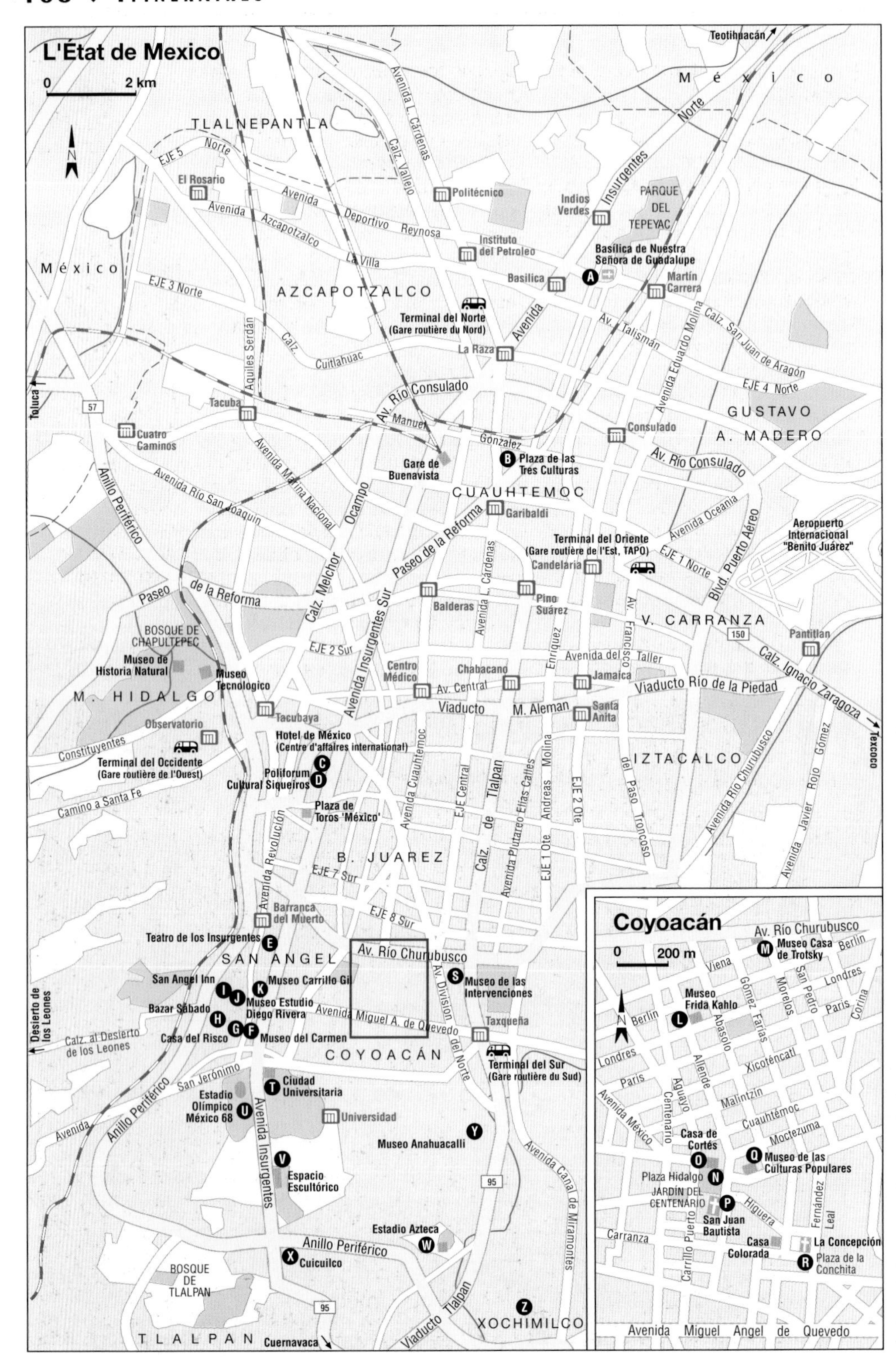

L'État de Mexico
0 2 km
TLALNEPANTLA
AZCAPOTZALCO
GUSTAVO A. MADERO
CUAUHTEMOC
M. HIDALGO
V. CARRANZA
IZTACALCO
B. JUAREZ
SAN ANGEL
COYOACÁN
TLALPAN
XOCHIMILCO
México
Teotihuacán
Toluca
Texcoco
Cuernavaca
Desierto de los Leones
A Basílica de Nuestra Señora de Guadalupe
B Plaza de las Tres Culturas
C Hotel de México (Centre d'affaires international)
D Poliforum Cultural Siqueiros
E Teatro de los Insurgentes
F Museo del Carmen
G Casa del Risco
H Bazar Sábado
I San Angel Inn
J Museo Estudio Diego Rivera
K Museo Carrillo Gil
S Museo de las Intervenciones
T Ciudad Universitaria
U Estadio Olímpico México 68
V Espacio Escultórico
W Estadio Azteca
X Cuicuilco
Y Museo Anahuacalli
Z
Terminal del Norte (Gare routière du Nord)
Terminal del Oriente (Gare routière de l'Est, TAPO)
Terminal del Occidente (Gare routière de l'Ouest)
Terminal del Sur (Gare routière du Sud)
Gare de Buenavista
Aeropuerto Internacional "Benito Juárez"
BOSQUE DE CHAPULTEPEC
Museo de Historia Natural
Museo Tecnologico
Plaza de Toros 'México'
PARQUE DEL TEPEYAC
BOSQUE DE TLALPAN
El Rosario
Politécnico
Indios Verdes
Instituto del Petroleo
Basilica
Martín Carrera
La Raza
Tacuba
Cuatro Caminos
Consulado
Garibaldi
Candelaria
Balderas
Pino Suárez
Pantitlan
Centro Médico
Chabacano
Jamaica
Santa Anita
Tacubaya
Observatorio
Barranca del Muerto
Taxqueña
Universidad
Paseo de la Reforma
Avenida Insurgentes Sur
Avenida Insurgentes
Anillo Periférico
Viaducto Río de la Piedad
Viaducto M. Aleman
Calz. Ignacio Zaragoza
Av. Río Consulado
Av. Río Churubusco
Avenida Miguel A. de Quevedo
Calz. de Tlalpan
Viaducto Tlalpan
Avenida Canal de Miramontes
Coyoacán
0 200 m
M Museo Casa de Trotsky
L Museo Frida Kahlo
O Casa de Cortés
N Plaza Hidalgo
P San Juan Bautista
Q Museo de las Culturas Populares
R Plaza de la Conchita
JARDÍN DEL CENTENARIO
Casa Colorada
La Concepción
Avenida Miguel Angel de Quevedo

position et prenant aux riches pour donner aux pauvres.

SAN ANGEL

Situé à une quinzaine de kilomètres du centre, le vieux village de **San Angel** fait désormais partie intégrante de la ville. Il a cependant conservé tout son charme ; ses rues tortueuses encore pavées recèlent des hôtels particuliers discrets, cachant leurs fabuleux jardins derrière de hauts murs.

L'ancien couvent du Carmel, **El Carme**, possède un cloître ravissant et une fontaine décorée d'azulejos. Dans l'enceinte du couvent, le **Museo del Carmen** **F** présente une belle collection de peintures de l'époque coloniale et de peintures religieuses ainsi que du mobilier ancien. Son sous-sol abrite les restes momifiés de prêtres et de religieuses.

Sur la **Plaza San Jacinto**, superbe ensemble entouré de demeures de l'époque coloniale, la **Casa del Risco** **G** témoigne du passé militaire de San Angel : c'est là en effet que fut installé le quartier général des troupes de Caroline du Nord lors de la guerre américano-mexicaine. On peut y admirer une splendide fontaine décorée de carreaux de faïence.

Non loin de là, l'**Iglesia San Jacinto**, édifiée à la fin du XVIe siècle, a une façade de style Renaissance ornée de magnifiques portes en bois sculpté.

Un marché d'artisanat, le **Bazar Sábado** **H**, se tient chaque samedi sur la place. On peut y découvrir les plus belles créations des artistes et artisans du Mexique : sculptures sur bois, textiles, objets en argent, etc. Ce marché est très réputé et il est donc préférable de s'y rendre tôt le matin.

L'auberge San Angel **I**, ancienne hacienda joliment décorée, est un excellent restaurant, fréquenté par des Mexicains qui en apprécient le

Carte p. 168

Les nombreuses églises de Mexico, témoignent du culte des saints instauré par les missionnaires espagnols.

La Plaza de las Tres Culturas.

Les coyotes de Coyoacán, dans le Jardín Centenario.

charme nostalgique et la qualité de la cuisine.

San Angel honore lui aussi la mémoire de Diego Rivera, avec son **Museo Estudio Diego Rivera** ❶, dans la Calle Altavista. L'ancien atelier du peintre, revisité par Juan O'Gorman, présente, outre certaines de ses dernières œuvres, une sélection de sa collection personnelle (en particulier un bel ensemble de masques préhispaniques).

Enfin, à quelques pâtés de maisons de là, sur l'Avenida Revolución, le **Museo Carrillo Gil** Ⓚ expose une collection privée d'artistes mexicains du XXe siècle, dont des peintures de Rivera, Siqueiros et Orozco.

COYOACÁN

La petite ville de Coyoacán a conservé de très belles maisons et églises baroques de la période coloniale.

Coyoacán (le « lieu du coyote ») était un important site indien avant la Conquête. C'est là que Cortés s'installa après qu'il se fut emparé de Tenochtitlán. De cette époque, la ville a conservé son ambiance coloniale et ses pittoresques maisons hispanisantes. De nombreuses célébrités y ont séjourné.

Léon Trotski, à son arrivée au Mexique, avait été accueilli par Diego Rivera et sa femme, Frida Kahlo. La renommée de cette artiste née à Coyoacán en 1907 a longtemps été éclipsée par celle de Rivera mais, depuis les années 1980, l'importance de son œuvre est universellement reconnue. Par sa personnalité même, Frida Kahlo est devenue une figure importante du XXe siècle. On lui doit des toiles singulières, empreintes d'onirisme, et d'une facture très personnelle, mais imprégnées de tradition populaire ; un monde imaginaire haut en couleur dont la fantaisie a suscité l'intérêt des artistes surréalistes européens. Dans ses nombreux autoportraits vivement colorés, l'exotisme et les tons chatoyants contrastent avec l'angoisse exprimée dans le visage de l'artiste. Atteinte de poliomyélite à l'âge de

Carte p. 168

quatre ans et gravement blessée lors d'un accident de tramway, Frida Kahlo resta en effet paralysée et dut subir plusieurs opérations. Cependant, son handicap semble avoir exacerbé son goût de la liberté et son exubérance. Le **Museo y Casa de Frida Kahlo** Ⓛ est installé dans sa maison natale, à l'angle de la Calle Allende. Un an après la mort de sa femme, en 1955, Rivera en fit don sans rien y changer au peuple mexicain. On peut y voir de nombreux dessins et quelques tableaux de Rivera, des œuvres de Frida Kahlo et des objets personnels comme ses vêtements indiens, des objets d'art et d'artisanat ainsi que la correspondance du couple.

Six blocs plus loin, le **Museo Casa de León Trotsky** Ⓜ conserve les souvenirs du séjour du révolutionnaire, qui fut hébergé par Frida Kahlo entre 1937 et 1939. S'étant opposé à Staline après la mort de Lénine, Trotski fut déporté dans le Kazakhstan, avant d'être expulsé d'URSS. Mais il ne cessa pas de lutter contre Staline, fondant la IVe internationale. Il vécut quatre ans au Mexique, et fut assassiné en mai 1940 par un agent du Guépéou, la police secrète soviétique. Sa tombe se trouve dans le jardin de sa maison de Coyoacán.

Au centre de la ville, la **Plaza Hidalgo** Ⓝ est ombragée par les arbres du **Jardín Centenario**, particulièrement animé le week-end, avec ses musiciens ambulants, ses diseuses de bonne aventure, ses vendeurs, etc. Les terrasses des cafés regorgent de monde, et on oublie alors que Coyoacán est en réalité un quartier paisible où il fait bon vivre loin de la cohue de Mexico.

En face, la **Casa de Cortés** Ⓞ se dresse à l'endroit où le roi aztèque Cuauhtémoc fut emprisonné par les Espagnols, puis torturé (les troupes de Cortés voulaient savoir où il avait caché le trésor de son peuple) avant d'être assassiné.

Au sud de la place, la **Parroquia San Juan Bautista** Ⓟ est l'une des

La place Hidalgo, à Coyoacán, avec le Jardín Centenario et, au fond, l'église San Juan Bautista.

plus vieilles paroisses du Mexique. L'église et le monastère adjacent ont été construits par les dominicains entre 1538 et 1582.

Toujours sur la place Hidalgo, le **Museo de las Culturas Populares** Q permet de découvrir la culture populaire du Mexique, ses rites encore vivaces (comme ceux du jour des Morts), ses traditions et ses mythes passés et présents.

MARIAGES BAROQUES

Sur la **Plaza de la Conchita** R voisine se dresse la façade baroque de la **Capilla de la Concepción**, l'un des édifices préférés des jeunes mariés.

De l'autre côté, la **Casa Colorada** fut édifiée pour la Malinche, jeune Indienne qui fut l'interprète de Cortès et devint sa maîtresse.

Enfin, le **Museo de las Intervenciones** S occupe une partie de l'ancien couvent de Churubusco, à l'est de Coyoacán. Ce musée retrace l'histoire de quelques-unes des interventions des armées étrangères au Mexique. C'est là que le général Anaya se constitua prisonnier en 1847, lors de la guerre contre les États-Unis. Le lieu rend hommage à un groupe de soldats irlandais de l'armée américaine, exécutés parce qu'ils avaient choisi de se battre aux côtés des Mexicains.

Frida Kahlo, « Autoportrait ».

Frida Kahlo fut une artiste prolifique, proche des surréalistes et une des premières féministes du pays. Elle a surtout peint des autoportraits, aux tonalités souvent vives. Sur ces peintures, on la voit portant des bijoux précolombiens et des costumes inspirés de la tradition mexicaine, aux tons bariolés et aux motifs exotiques.

LA CITÉ UNIVERSITAIRE

Au sud de San Angel, Insurgentes Sur traverse l'immense campus de l'**Université nationale autonome mexicaine** (UNAM) T. Conçue dans les années 1950, son architecture fut longtemps considérée comme une merveille, débauche colorée de peintures murales et de sculptures. Aujourd'hui, les étudiants ont recouvert de graffitis bien des murs et des statues.

Cependant, la **Bibliothèque centrale** reste une œuvre étonnante. Exécutée par Juan O'Gorman, elle symbolise, sur trois faces, les périodes préhispanique, coloniale et moderne de l'histoire du Mexique, tandis que la quatrième face propose une vision de l'avenir. Cette décoration est en mosaïque de pierres très colorées. Le mur du rectorat est orné d'une peinture de David Siqueiros symbolisant l'importance de l'éducation; celui de l'école de médecine porte une vaste mosaïque de Francisco Huelguera figurant les différentes origines du peuple mexicain; tandis que la décoration du bâtiment des sciences, due au peintre José Chalvez Morado, célèbre l'harmonie de la vie humaine. L'université abrite aussi une belle **serre** où poussent divers spécimens de fleurs, de plantes et d'arbres tropicaux.

Le **Estadio Olímpico México 68** U, qui fait face à la Cité universitaire, présente une structure surbaissée qui rappelle les pyramides mexicaines. Diego Rivera a exécuté des reliefs en pierre colorés qui illustrent la place du sport dans l'histoire de la nation.

Le campus a été édifié sur un champ de lave, **El Pedregal**, où se trouve également un des quartiers les plus chic de Mexico, **Jardines del Pedregal**. Des villas, souvent fort belles, sont entourées de surprenants jardins qui épousent les contours de la coulée de lave.

Le **centre culturel** aménagé au sud du campus comporte des théâtres, des cinémas, des cafés et une librairie.

L'**Espacio Escultórico** Ⓥ, édifié dans les années 1980 par six sculpteurs, a été réalisé en pierre volcanique. D'imposantes sculptures ornent cette vaste esplanade circulaire.

A proximité, le **stade Azteca** Ⓦ est un des plus grands du monde. Il a été aménagé à l'emplacement de l'un des plus anciens centres de cérémonie du Mexique.

De ce centre a été conservée la **pyramide ronde de Cuicuilco** Ⓧ, probablement édifiée vers 500 av. J.-C. Le site archéologique et son petit musée se visitent. Difficilement dégagée de la lave vitrifiée, la pyramide a dû être protégée par un revêtement de pierre.

Enfin, à Montezuma, le **Museo Anuhuacalli** Ⓨ, construit en pierre volcanique, abrite la collection de sculptures et d'objets précolombiens de Diego Rivera. L'édifice revêt la forme d'une pyramide aztèque.

Des jardins sur l'eau

Autre souvenir historique lointain, les **jardins flottants de Xochimilco** Ⓩ sont les seuls vestiges de la cité lacustre de Tenochtitlán. Ils approvisionnent encore la capitale en fleurs et en légumes cultivés sur ces radeaux nommés *chinampas*. Des barques fleuries glissent sur les canaux bordés de hauts arbres. Ces *trajineras* à fond plat peuvent être louées pour une agréable promenade. Un marché populaire très animé où des Indiens vendent les produits de leur artisanat se tient dans une rue donnant sur la place centrale.

Carte p. 168

Les 190 km de canaux de Xochimilco invitent à la promenade.

LES ENVIRONS DE MEXICO

A l'est, au nord et à l'ouest, l'État de Mexico enserre la ville proprement dite, limitée au sud par l'État de Morelos. Avec la capitale en son centre, cette région constitue le cœur historique du pays. Elle offre une mosaïque de paysages allant des froides et majestueuses forêts de pins aux vallées chaudes et humides, recouvertes d'une végétation luxuriante.

TEPOTZOTLÁN

La route de Querétaro prolongeant le *periférico* vers le nord-ouest part de la grande arène Cuatro Caminos et traverse les quartiers industriels de la banlieue nord, habitée par les classes moyennes.

On dépasse, en cours de route, les cinq grandes tours d'allure moderne du quartier de **Ciudad Satélite**, dont les structures de couleur vive sont dues à Luis Barragán et Mathias Goeritz. Ces réservoirs d'eau figurent parmi les plus originaux du monde.

A 26 km au nord, au péage, **Tepotzotlán** ❶ est l'un des établissements jésuites les plus célèbres du Nouveau Monde. L'église et le monastère, magnifiques, abritent le Museo Nacional del Virreinato. Les jésuites avaient d'abord fondé ici une école destinée aux Indiens puis, au XVIIe siècle, ils commencèrent l'édification de l'église et agrandirent les bâtiments pour y installer leur noviciat. Le musée, nouveau propriétaire des lieux, les a transformés en centre culturel.

L'ensemble de Tepotzotlán est un des chefs-d'œuvre mexicains du style baroque interprété par les artistes indigènes. L'art churrigueresque (du nom de l'artiste Churriguero), importé d'Espagne, fut transposé par les Mexicains, qui en firent un style original. La façade de l'**Iglesia San Francisco Javier**, achevée en 1762, est caractéristique du style religieux colonial. Ses proportions harmonieuses, la chaude patine de sa pierre, mettent en valeur les quatre colonnes richement décorées et les statues de saints qui encadrent son portail. Elle est flanquée d'une tour unique. La décoration intérieure, baroque, marie les surfaces planes aux reliefs accusés en un contraste audacieux. De splendides retables ornent l'abside et les chapelles latérales. Ces panneaux de bois sculpté, peints, dorés, incrustés de miroirs ou de coquillages, creusés de niches contenant des statuettes, racontent une histoire. Ce désordre apparent, qui a l'exubérance d'une plante tropicale, obéit à une logique interne. La place de chaque scène et de chaque personnage est précisément définie dans l'ensemble.

Sur le retable de la **Capilla de Nuestra Señora de Guadalupe**, on peut voir un tableau représentant la Madone, exécuté par Miguel Cabrera.

Carte p. 178

Pages précédentes : les monts Iztaccíhuatl et Popocatépetl. A gauche, les ors baroques de l'église San Francisco Javier, à Tepotzotlán. Ci-dessous, les Atlantes de Tula.

Les imposants atlantes de Tula soutenaient autrefois le toit du temple disparu de la pyramide de Quetzalcóatl, à Tula. Ils représentent la divinité toltèque armée et sont tournés vers le sud. Chacun est constitué de quatre blocs de pierres superposés, et leurs coiffures sont ornées de plumes et d'étoiles, attributs de la divinité.

La **Capilla de la Virgen de Loreto** renferme une réplique de la maison où la Vierge aurait vécu à Nazareth et un autre beau retable doré.

Une chapelle de plan octogonal, la **Camarín de la Virgen**, est un chef-d'œuvre du baroque le plus exubérant. Le plafond s'orne d'angelots, de motifs floraux, de conques et de fresques. Un lanternon fait de minces plaques d'albâtre éclaire les trois retables consacrés à saint Pierre, à saint Paul et à l'Immaculée Conception.

Aménagé dans le monastère du XVIe siècle adjacent, le **Museo Nacional del Virreinato** (musée national du Vice-Roi) comporte quelques salles présentant des œuvres originales. Dans la salle 15, figure une statue en bois peint de saint Jacques. Patron de l'Espagne, saint Jacques fut adopté par les Mexicains de l'époque coloniale, qui le représentent souvent. Dans la salle 19, une toile attribuée à Murillo représente la Vierge de Bethléem tandis que, dans la salle 20, une œuvre de Juan Rodriguez Juárez fait revivre les noces de la Vierge. Dans les salles 32 à 41 sont exposés les riches ornements et objets de culte en usage à l'époque coloniale.

L'autre chef-d'œuvre baroque, la **chapelle du Noviciat**, présente une prolifération ornementale. La voûte s'orne des emblèmes et des dates des ordres religieux installés en Nouvelle-Espagne. L'autel est remarquable, avec ses statuettes en ivoire, ses reliquaires. Les murs sont tendus de brocart de soie.

TULA

Tula ❷, centre archéologique du Mexique central précolombien d'une importance majeure, est à 50 km au nord de Tepotzotlán. Au IXe siècle, alors que Teotihuacán était déjà détruit et que Tenochtitlán n'existait pas encore, Tula fut un maillon de la chaîne culturelle qui unit les civilisations dans les mon-

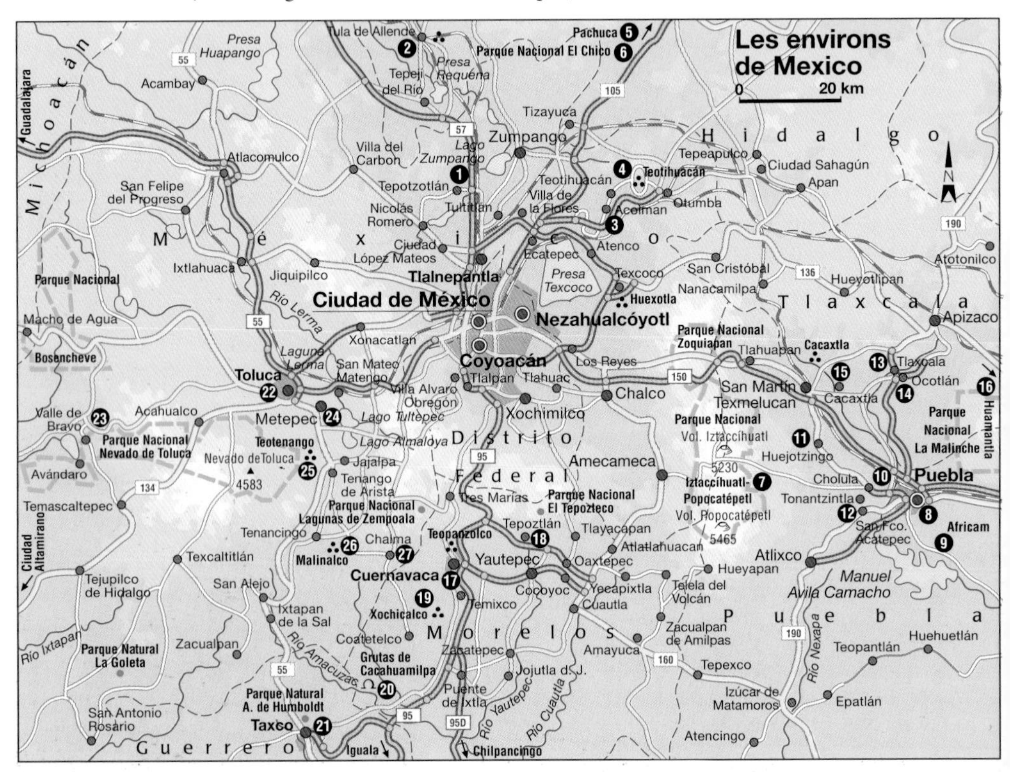

tagnes mexicaines. Tula fut fondée par le roi-prêtre Acatl Topiltzin, qui faisait partie de la tribu des Chichimèques, venue du nord. La tradition veut que Tula soit ensuite devenue la capitale des Toltèques, l'une des grandes cultures du Mexique précolombien. Dix rois toltèques auraient régné sur la ville durant trois cent douze ans, avant sa destruction par une nouvelle invasion chichimèque. En l'absence de documents écrits, les mythes sur Tula abondent.

Une figure émerge des légendes, celle d'Acatl Topiltzin, prince civilisateur déifié, dont le culte était voué à Quetzalcóatl, le serpent à plume. Il aurait donné à son peuple ses métiers, ses arts, ses sciences, son calendrier et même sa religion. Ces dons exaspérèrent les dieux, l'un d'eux surtout, Tezeatlipoca, dieu de la chance et de la magie. Ce dernier entraîna Topiltzin à s'enivrer avec du *pulque* et, à la suite de sa mauvaise conduite, le contraignit à quitter Tula. Le roi déchu se dirigea vers le pays de l'Aurore où, purifié par le feu, il s'envola au ciel et s'y transforma en Vénus, l'Étoile du matin.

Le principal monument du site, **Tlahuizcalpantecuhtli**, temple de l'Étoile du matin, est très beau. Un portique couvert dont on voit les piliers de maçonnerie s'étendait sur une plate-forme conduisant à la pyramide. Celle-ci, haute de 10 m, sur plan carré de 40 m de côté, était couverte d'un toit porté par quatre atlantes composés de quatre fûts de basalte encastrés les uns dans les autres. Ils représentent Quetzalcóatl en Étoile du matin. Son pagne est maintenu dans le dos par une boucle de ceinture figurant le soleil couchant sous forme d'un visage entouré de serpents; ils est paré d'un pectoral en forme de papillon stylisé. D'énormes ornements d'oreilles rectangulaires encadrent son visage, surmonté d'une couronne de plumes.

Le mur des Serpents, ou **Coatepantli**, se dresse au nord et à l'ouest

Carte p. 178

La chaussée des Morts conduisant à la pyramide de la Lune, à Teotihuacán.

de la pyramide. Haut de 2,20 m, il est couronné de motifs symbolisant les nuages fécondants. Sur ses faces, des reliefs représentent des serpents dévorant des squelettes humains.

Dans une cour du **Palacio Quemado** (« palais incendié »), dont les fondations sont seules visibles, se trouve un *chacmol*. Représentation typique de la civilisation toltèque, ce personnage allongé sur le dos, au masque expressif, est le messager qui apporte aux dieux les offrandes déposées dans un petit plateau posé sur son ventre.

Le monastère d'Acolman

On quitte Mexico par l'autoroute à péage qui prolonge l'Avenida Insurgentes Norte en direction d'Acolman et de Teotihuacán.

Avant d'atteindre ce fabuleux site aztèque, on peut visiter un édifice qui fut construit, plus de quinze siècles plus tard, par l'ordre des augustins, le **Convento San Agustín Acolman** ❸. Ce monastère fortifié fut édifié alors que la pacification n'était pas achevée. Devant l'église, le vaste parvis accueillait les Indiens convertis. En son centre se dresse une impressionnante croix, dont les sculptures, inspirées par des motifs précolombiens, sont sans doute dues à un artiste indigène.

La façade de l'église, d'une grande pureté de lignes, ne comporte en revanche aucun élément d'art indien. Deux doubles colonnes portent une corniche et encadrent des sculptures et des statues. Le raffinement de la décoration est caractéristique du style plateresque (ornementation qui rappelle le travail de l'argent, d'où son nom). Une fenêtre s'ouvre en haut de la façade entre deux écussons; au-dessus un campanile ajouré abrite les cloches. Bien qu'ayant la même disposition architecturale, cette façade ne rappelle en rien le délire baroque de celle de Tepotzotlán: ses élégantes proportions sont mises en valeur par l'ornemen-

Têtes de serpents émergeant d'une collerette solaire en plumes.

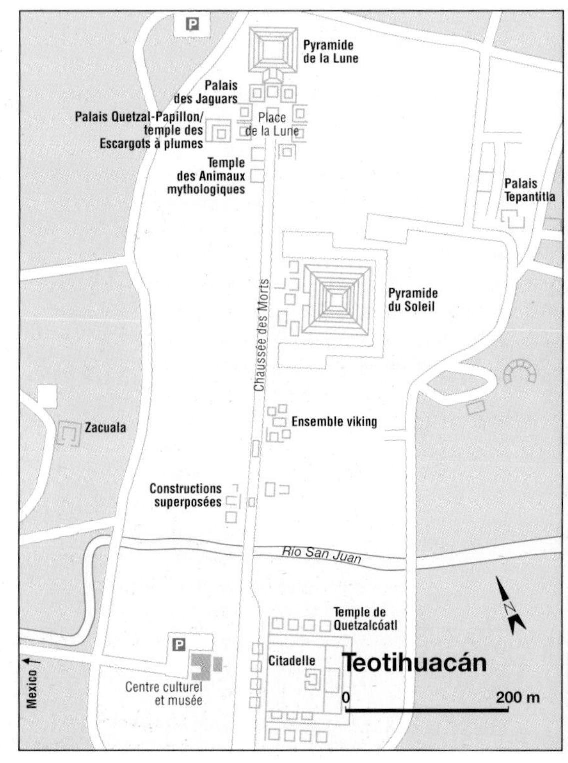

tation et non cachées par une surcharge de sculptures. L'intérieur, mélange de styles gothique et Renaissance, est harmonieux. Les murs massifs soutiennent une voûte à nervures élancées. Au fond de cette vaste nef, des fresques du XVIe siècle, exécutées dans des tons rouge, ocre et noir, font défiler les dignitaires de l'ordre, tandis que les retables latéraux sont de style churrigueresque. Le couvent s'ouvre sur le parvis par un portique ; son cloître, avec ses colonnes et ses arcs massifs, est encore très médiéval.

La campagne environnante est typique du Mexique central. Un *pueblo* (village) nommé **Otumba** garde le souvenir d'un combat que Cortés dut livrer contre les Aztèques lorsqu'il fuyait Tenochtitlán après la Noche Triste. Vers le nord-est et l'État d'Hidalgo s'étendent des plateaux recouverts de champs d'agave. La plante n'atteint sa maturité qu'au bout de sept à dix ans et ne fleurit qu'une seule fois. La récolte de son jus, l'*aguamiel*, doit se faire à un moment précis, juste avant la floraison. En l'aspirant à l'aide de deux pièces de roseau, on pompe le suc de l'agave plusieurs fois par jour et pendant plusieurs mois. Une seule plante peut fournir 500 l de jus. On obtient le *pulque* après fermentation. C'est un breuvage un peu aigre, rafraîchissant et peu alcoolisé (6 °). L'agave sert aussi à la fabrication de la *tequila* et du *mezcal*, et ses fibres servent à fabriquer des cordages ou des tissus. Les grandes plantations se sont développées durant l'ère coloniale, et certaines demeures des grands propriétaires subsistent. L'une d'elle, à **Xala**, près de **Ciudad Sahagún**, a été transformée en hôtel.

TEOTIHUACÁN

Le site archéologique de **Teotihuacán** ❹, mis au jour dès 1962 après des siècles d'ensevelissement, est l'un des plus importants. Ses proportions – si imposantes que les

Carte p. 178

Détail d'une fresque du palais des Jaguars, à Teotihuacán.

Aztèques en firent le berceau des dieux – ainsi que la rigueur monotone de son plan peuvent paraître austères, mais il s'en dégage encore une impression de grandeur et de majesté. D'octobre à mai, un féerique spectacle son et lumières concourt à la magie des lieux. Les bâtiments religieux, qui se répartissent autour d'un axe central, n'occupent que 5 % à 7 % de la superficie de la ville, qui, à son apogée, entre le Ier et le VIe siècle apr. J.-C., était la plus grande d'Amérique. Selon le mythe, Teotihuacán (en nahua « ville des dieux ») aurait été le lieu où les dieux se seraient réunis pour créer le soleil afin d'éclairer le monde ; puis, pour lui donner mouvement et énergie, ils se seraient eux-mêmes sacrifiés. L'ordonnance précise avec laquelle les monuments sont orientés en fonction de la course du soleil, de son zénith et de sa position lors du solstice d'été, montre que le culte de cet astre y était primordial.

La culture de Teotihuacán semble être l'héritière de la civilisation archaïque qui s'était développée dans la vallée de Mexico. On ne sait rien de la langue de cette civilisation, mais on a pu examiner en détail son architecture civile et évaluer que, à son apogée, la cité comptait environ 200 000 habitants.

Malgré la majesté du site, il est difficile de se faire une idée précise de ce qu'était Teotihuacán à cette époque. En effet, les édifices étaient alors recouverts de stuc peint de fresques multicolores, dont il ne reste à peu près rien.

Une artère de 45 m de large environ sur 4 km de long part de la pyramide de la Lune et suit un axe nord-sud. Cette **chaussée des Morts** est bordée d'édifices et scandée d'esplanades et d'escaliers qui lui confèrent une admirable unité. Son nom lui vient des Aztèques qui, impressionnés par son ordonnance, crurent voir dans les monuments qu'elle longe les tombes d'anciens rois et prêtres.

Au marché du dimanche, on vend aussi bien des bidons d'eau en plastique que des « comales » en osier.

La chaussée des Morts conduit à la **Ciudadela** (Citadelle). Les Espagnols ont ainsi baptisé cet énorme carré de 366 m de côté en raison de son aspect. Cet édifice imposant, qui servait de résidence au chef suprême de la ville, est constitué de quatre plates-formes surmontées de petites pyramides qui entourent une cour.

Dans cette cour s'élève le **Templo de Quetzalcóatl**. Il se compose de trois constructions superposées ; un passage a été aménagé sous la pyramide la plus récente pour permettre d'examiner les reliefs remarquables, qui figurent des serpents à plumes entourés de coquillages et d'escargots symbolisant les eaux terrestres. Des masques stylisés avec leurs deux crocs et leurs gros yeux ronds alternent avec des serpents ; ils représentent Tlaloc, dieu de la pluie.

D'esplanade en escalier et bâtiment en ruine, on atteint ensuite une vaste plate-forme où se dresse la **Pirámide del Sol** (pyramide du Soleil). Tous les édifices, ainsi que l'allée des Morts, furent alignés sur l'axe de cette pyramide orientée vers le coucher du soleil lors de sa phase zénithale. Selon les dates des cérémonies, les prêtres pouvaient gravir l'escalier méridional pour redescendre par la voie septentrionale ou *vice versa*. On a souvent comparé cet édifice à la pyramide de Chéops, en Égypte. Par les dimensions de sa base (220 m sur 225 m), elle est à peine moins grande que la pyramide égyptienne, mais sa hauteur (73 m contre 144 m) est cependant moins impressionnante. L'escalier d'accès au sommet, en plusieurs volées flanquées de rampes, conduisait probablement à un sanctuaire dont il ne reste que les fondations.

On parvient ensuite, en suivant la voie sacrée, bordée des ruines des temples où étaient célébrés les cultes divers, à la **Pirámide de la Luna** (pyramide de la Lune), qui termine la chaussée. Sa masse, qui s'élève à 46 m sur un fond de collines, parachève l'unité architecturale de l'ensemble. Sa base (140 m sur 150 m) est précédée d'un avant-corps qui forme le premier des trois paliers qui s'étagent avant le sommet. Tout autour de la place que surplombe la pyramide de la Lune, des palais ont également été dégagés.

Le **Palacio de Quetzalpapalotl** (palais de Quetzal-Papillon) a été reconstruit avec les matériaux d'origine, dont certains piliers carrés, ornés de reliefs magnifiques, représentent des animaux mythiques, hybrides du *quetzal* (oiseau) et du papillon.

Le **Palacio de los Jaguares** (palais des Jaguars) est précédé d'un portique abritant des peintures murales étonnantes et dans un état de conservation remarquable. Ces fresques représentent des jaguars à plumes jouant de la musique dans une conque marine, tandis que les notes sont représentées par des signes s'échappant de l'instrument. Au-dessus de cette composition court une frise qui fait alterner des masques du dieu de la pluie et des symboles de l'année.

Carte p. 178

Jaguar guerrier sur les fresques de Cacaxtla, près de Tlaxcala.

Le « Mural de la Batalla » (fresque de la Bataille), long de 22 m et très bien préservé, représente deux groupes de guerriers revêtant pour les uns la forme de jaguars, pour les autres celle d'oiseaux. La scène est une allusion à la bataille engagée par les Olmèques pour repousser l'envahisseur huastèque.

Décor à figure d'ange dans la cathédrale de Puebla.

De cette même place, il est possible de rejoindre le **Templo de las Conchas Plumadas** (temple des Escargots à plumes). Aujourd'hui souterrain, cet édifice est orné, sur sa façade, de conques marines sculptées et, sur sa base, d'une fresque où sont peints des oiseaux verts crachant un liquide bleu et des fleurs à quatre pétales.

Pour découvrir d'autres fresques du même type, on peut se rendre à **Tetitla**, quartier résidentiel où de nombreux bâtiments décorés d'animaux sacrés, de prêtres aux riches parures ont été découverts, puis à **Tepantitla**, où ont été retrouvées les peintures les plus importantes. Consacrées au culte du dieu de la pluie, Tlaloc, elles le représentent en compagnie de ses desservants qui chantent des hymnes symbolisés par des volutes fleuries sortant de leurs bouches. Le dieu masqué émerge de l'océan et répand la pluie. Une autre composition célèbre est celle du *Paradis de Tlaloc*, lieu idyllique baigné d'eau où les êtres de la création coulent des jours heureux. La copie exacte se trouve au Museo Nacional d'Antropología, à Mexico.

L'État d'Hidalgo

L'État le moins visité du centre du Mexique est pourtant l'un des plus pittoresques. **Pachuca ❺**, sa capitale, située à 90 km au nord-est de Mexico, était un grand centre minier à l'époque coloniale. L'architecture de sa vieille ville rappelle celle des autres cités minières mexicaines. Tout près de la Plaza de Independencia, un ancien édifice religieux du XVIe siècle, le **Convento de San Francisco**, abrite aujourd'hui le **Centro Cultural** d'Hidalgo. Une importante collection de photographies du début du XXe siècle y est présentée, en particulier des documents sur la révolution de 1910 et des œuvres du photographe Tina Modotti.

A 30 km au nord-est de Pachuca, le **Parque Nacional El Chico ❻**

englobe d'épaisses forêts de pins poussant au milieu d'étranges formations rocheuses qui attirent les grimpeurs. Des rivières et des barrages permettent de pêcher.

Tout près, les rues pittoresques de l'ancienne cité minière **Mineral El Chico** invitent à la promenade.

A environ 80 km de Pachuca par la route 85, la petite ville d'**Ixmiquilpan** accueille tous les lundis un marché où l'on peut admirer de nombreuses productions de l'artisanat local, en particulier les très beaux textiles et objets en bois des Indiens otomis.

Sur la route, le **monastère-forteresse de San Nicolás** (XVIe siècle), à **Actopán**, est renommé pour les fresques de son escalier.

Enfin, le **Barranca de Tolatongo** est accessible depuis Actopán par une petite route accidentée. Sa cascade d'eau pure, ses grottes et ses sources chaudes font de ce canyon l'un des plus beaux sites naturels du Mexique.

PUEBLA, JOYAU COLONIAL

La route de Mexico à Puebla, prolongement de la Calzada Ignacio Zaragoza de la capitale, commence au sud de l'aéroport Benito Juárez. A la lisière de ce quartier, la route traverse **Netzahualcóyotl**, ancien bidonville de plus de 2 millions d'habitants.

La route pénètre alors dans une magnifique région montagneuse et traverse le **Parque Nacional de Iztaccíhuatl-Popocatépetl** ❼, que dominent les deux volcans auxquels il doit son nom (respectivement 5230 m et 5456 m d'altitude).

La route redescend ensuite vers la large vallée de Puebla. Capitale de l'État du même nom, **Puebla** ❽ fut fondée au début de l'époque coloniale dans une haute vallée fertile. Située à 2160 m d'altitude, elle est entourée des hautes montagnes de la Sierra Nevada à l'ouest et du Cerro de la Malinche à l'est. La ville doit son charme à son architecture

Cartes pp. 178 et 184

Place arborée devant l'église de San Francisco Acatepec, à la façade entièrement recouverte de tuiles vernissées.

coloniale. C'est une véritable ville-musée, qui compte plus de 60 églises.

La **cathédrale** Ⓐ, édifiée de 1588 à 1649, s'élève au centre de la ville, sur le Zócalo bordé d'arcades. Son portail nord, qui donne sur la place, rappelle le style sobre et élégant adopté par Juan de Herrera, architecte de l'Escurial de Tolède, en Espagne. Son portail principal, à l'ouest, est un beau spécimen de composition baroque à trois registres superposés. L'intérieur est majestueux, avec ses cinq travées coupées par le transept et la croisée surmonté d'une coupole. Les stalles en bois du XVIIe siècle sont incrustées de nacre, d'onyx et d'ivoire. Le beau maître-autel néoclassique a été sculpté par Manuel Tolsá.

Derrière la cathédrale, la **Casa de la Cultura** a été aménagée dans l'ancien **palais épiscopal** (XVIIe siècle), édifice de style classique en brique. Le jardin est orné de sculptures, et un petit café permet une pause agréable.

La **Biblioteca Palafoxiana** Ⓑ est l'une des plus riches d'Amérique latine. Elle conserve près de 50000 volumes, parmi lesquels une très belle bible en plusieurs langues du XVIe siècle.

Sur l'Avenida 3 Poniente, le **Museo Bello y González** Ⓒ possède une belle collection d'art européen et d'artisanat, rassemblée par un riche industriel du XIXe siècle.

Au sud, sur l'Avenida 7 Oriente, le **Museo Amparo** Ⓓ est un musée d'archéologie très réputé. Il a été inauguré en 1991 dans deux bâtiments du XVIIIe siècle, et on peut y admirer de très beaux spécimens de peintures rupestres du monde entier, des objets précolombiens ainsi que des pièces d'art et du mobilier de la période coloniale.

Au nord du Zócalo, la **Casa de los Muñecos** (maison des Marionnettes) Ⓔ abrite, derrière ses murs revêtus de faïence émaillée, le Museo Universitario, consacré à l'histoire de l'enseignement à Puebla.

Les cuisines du couvent Santa Rosa sont tapissées d'azulejos typiques de Puebla.

Quelques mètres plus loin, le **Templo de la Compañía** Ⓕ, du XVIIIe siècle, présente une belle façade de style churrigueresque et une coupole recouverte de faïences multicolores.

Sur la place voisine, la statue d'une princesse asiatique surmonte une fontaine. On prétend qu'elle représente une jeune femme arrivée au XVIIe siècle sur un galion philippin, et qui inspira aux femmes de la région leur costume traditionnel: châle, jupe courte et blouse de soie aux couleurs éclatantes. Dans le folklore mexicain, la *china poblana* apparaît toujours aux côtés du *charro*. Bien des aspects de la vie locale se découvrent au marché du **Parían** Ⓖ, avec ses vendeurs de *sombreros* et autres éléments du costume traditionnel.

Un peu plus loin sur Calle 8 Norte, entre les Avenidas 4 et 6 Oriente, le **Barrio del Artista** Ⓗ abrite des ateliers d'artistes et de sculpteurs.

La version mexicaine du baroque espagnol, avec ses surcharges décoratives, est parfaitement représentée par la **Casa del Alfeñique** (maison du Sucre d'orge) Ⓘ. A l'intérieur, le Museo del Estado présente un ensemble d'objets locaux des XVIIIe et XIXe siècles, en particulier une collection de céramiques de Puebla ou *talaveras*. Cette technique originaire de Talavera de la Reyna, en Espagne, fut introduite dans la région par les dominicains. A l'origine bleu et blanc avec des motifs hispano-mauresques, elle subit au fil du temps de nombreuses transformations, révélant des influences chinoise, italienne et même locales, avec l'apport des Mixtèques du Sud. Les *talaveras* prennent des formes variées: assiettes, tasses, vases, mais aussi fontaines ou carreaux de faïence.

Au nord, le **Teatro Principal** Ⓙ est l'un des plus anciens théâtres du continent américain. Achevé en 1759, il a été reconstruit au début du XXe siècle après un incendie qui l'avait terriblement endommagé.

L'**Iglesia San Cristóbal** Ⓚ, avec ses fenêtres en onyx et ses voûtes sculptées, mérite une visite.

Juste à côté, le **Museo de la Revolucíon Mexicana** Ⓛ fut le théâtre de la première bataille du soulèvement de 1910. La maison appartenait à Aquiles Serdán, opposant au régime de Porfirio Díaz dont la famille se battit contre 500 soldats avant de succomber sous les balles.

Au nord de la ville, le **Convento Santa Mónica** Ⓜ abrite aujourd'hui un intéressant musée d'art religieux.

L'**Iglesia Santa Rosa** Ⓝ présente une belle collection d'art et d'artisanat local. L'ancienne cuisine du couvent est un bel exemple des décorations en faïence typiques de Puebla.

Enfin, l'**Iglesia Santo Domingo** jouxte la **Capilla del Rosario** Ⓞ, érigée en 1690. Ce petit sanctuaire cruciforme est une merveille de l'art baroque mexicain, naïf, gai, coloré, désordonné et prolixe. Tous les motifs sont sculptés en bois, en stuc, en marbre ou en onyx. La Vierge du Rosaire, richement parée, se dresse sur le maître-autel. Le retable doré, avec ses grandes statues poly-

Carte p. 184

Exemple de la production de « talaveras » à Puebla.

Un étal sur un marché des environs de Mexico.

Les fruits et les légumes, abondants sur les marchés, se prêtent à toutes sortes de préparations. En bocaux, on en trouve des assortiments variés et souvent parfumés de condiments divers. Ainsi, les « chipotles », piments séchés puis fermentés dans du vinaigre, comptent parmi les ingrédients de base de la cuisine mexicaine.

chromes, révèle lui aussi une facture mexicaine.

A 12 km au sud-est de Puebla, sur la route de **Valsequillo**, les amoureux de la nature pourront se rendre dans le **parc Africam** ❾. Rhinocéros, ours, tigres et autres animaux exotiques s'ébattent en liberté. On peut également y observer de nombreuses espèces d'oiseaux.

Pour les Mexicains, le nom de Puebla évoque non seulement la grandeur coloniale, le général Zaragoza et le soulèvement de 1910, mais aussi trois spécialités gastronomiques : les *camotes*, le *mole* et le *rompope.*

Les *camotes* sont un dessert à base de patates douces confites auxquelles on mêle divers fruits.

Le *mole* est une sauce que l'on sert avec les volailles. On raconte qu'elle fut composée pour un évêque par sa gouvernante. Ses ingrédients sont nombreux et variés : quatre sortes de piments, de l'ail, du cumin, des raisins secs, des amandes, de la cannelle, des oignons, des graines de sésame et de coriandre, etc., auxquels on ajoute du cacao.

Enfin, le *rompope* est une boisson composée d'un jaune d'œuf battu avec du sucre dans de l'alcool.

CHOLULA

Limitrophe de Puebla, **Cholula** ❿ était un lieu de culte très important aux temps précolombiens. En 1519, lors de son avancée, Cortés craignit d'être attiré dans une embuscade, il ordonna alors le massacre de plus de 3 000 personnes et fit incendier les temples. Vingt-cinq ans plus tard, la population de la ville dévastée fut décimée par une épidémie de peste. Les Espagnols y installèrent des monastères et la ville se dota de nombreuses chapelles et églises. La tradition veut qu'il y en ait une pour chacun des jours de l'année.

Parmi les plus intéressantes, l'église du **Convento San Gabriel** est

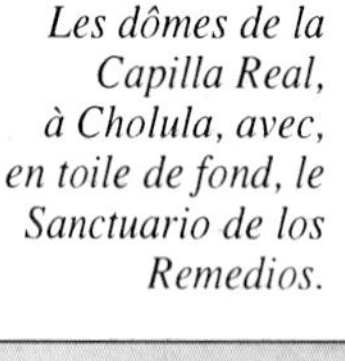

Les dômes de la Capilla Real, à Cholula, avec, en toile de fond, le Sanctuario de los Remedios.

Carte p. 178

composée d'une nef unique voûtée à nervures gothiques. A son chevet, la **Capilla Real** (chapelle royale) fut construite en 1540 sur le plan de la mosquée de Cordoue. Ses nefs sont couvertes de 49 petits dômes, ajoutés au XVIIIe siècle et soutenus par huit rangées de sept piliers.

La **Pirámide de Tepanapa**, dédiée à Quetzalcóatl, est la plus grande du monde. A son sommet s'élève **Nuestra Señora de los Remedios**. Des tunnels ont été creusés pour sonder les vestiges de la pyramide. L'accès à la zone archéologique, accessible au public, se fait sur le côté nord de l'édifice.

HUEJOTZINGO

Huejotzingo ⓫ est une petite bourgade dans laquelle les franciscains érigèrent un couvent au XVIe siècle. Aux angles du porche qui se trouve devant l'église, on remarquera des chapelles *posas*, ou chapelles reposoirs. Ces petits oratoires étaient destinés à permettre aux fidèles de se reposer pendant les longues processions. L'église-forteresse est austère et sobre; le couvent, qui a conservé son cloître et ses bâtiments communautaires, est l'un des plus beaux ensembles monastiques du Mexique.

Huejotzingo est célèbre pour son carnaval (tous les ans au mois de février) et pour son artisanat de la laine. On y fabrique les *sarapes*, les couvertures traditionnelles.

On peut aller voir deux autres chefs-d'œuvre de l'architecture *poblana* (de la région de Puebla) dans deux villages situés sur la route d'Oaxaca. Le premier, **San Francisco Acatepec**, est célèbre pour son église décorée de briques et d'azulejos, surmontée d'une corniche et d'un clocher de pierre blanche.

La décoration intérieure de l'**Iglesia Santa María Tonantzintla** ⓬ est le résultat de la verve fantaisiste des artistes indigènes, qui sculptèrent à profusion des motifs polychromes et dorés au gré de leur inspiration. C'est un parfait exemple de l'originalité avec laquelle les Mexicains interprétèrent l'art baroque espagnol.

TLAXCALA

La ville de **Tlaxcala** ⓭ est la capitale de l'État du même nom. Après trois rudes combats, Cortés proposa une alliance aux Tlaxcaltèques, qui lui restèrent fidèles et le servirent avec bravoure.

L'histoire de la Conquête est relatée par des fresques peintes sur les murs du **Palacio de Gobierno**, élevé sur la Plaza de la Constitución.

L'église du **Convento de San Francisco** a un curieux plafond de style mudéjar du XVIIe siècle.

A ne pas manquer non plus, le **Museo Regional** voisin, pour sa collection préhispanique, et le **Museo de Artes y Tradiciones Populares**, où des artisans exposent leur production et expliquent leur travail aux visiteurs: sculpture de masques, tissage, fabrication du *pulque*…

La façade richement ornée de l'église de San Francisco Acatepec.

Nombre de petites villes de la vallée de Mexico offrent une architecture rehaussée de faïences colorées, ou azulejos. Ces carreaux sont utilisés pour la décoration des murs et des sols et présentent souvent des motifs géométriques d'influence arabe.

A quelques kilomètres de Tlaxcala s'élève, sur une colline, un autre beau sanctuaire de style churrigueresque faisant partie du village d'**Ocotlán** ⓮, lequel possède également une très belle basilique baroque du XVIIIe siècle.

Au sud-ouest de Tlaxcala, le site de **Cacaxtla** ⓯ abrite les ruines d'une cité vieille de deux mille ans. Les édifices sont très abîmés (ils sont en cours de restauration), mais certains ont conservé leur décor de fresques.

Plus à l'est, la petite ville de **Huamantla** ⓰ est le cadre, au moment de l' Assomption, d'une grande fête appelée Huamantlada, dont les temps forts sont des courses de taureaux dans les rues de la ville.

VERS CUERNAVACA AU SUD

En quittant Mexico par le sud, l'autoroute qui prolonge l'Avenida Insurgentes Sur conduit à **Cuernavaca** ⓱ à travers de très beaux paysages. La route est souvent chargée car elle dessert une région très fréquentée en fin de semaine par les habitants de la capitale, les *capitafinos*, qui partent à la recherche d'air pur et de calme. Cuernavaca a, depuis des temps anciens, attiré les classes aisées. Les empereurs aztèques y avaient déjà des palais. Cortés lui-même s'y installa. Aujourd'hui petite ville prospère, Cuernavaca est un lieu de villégiature et de résidence très recherché. On pourra y flâner dans les **jardins Borda**.

Dans la **cathédrale**, édifice fortifié du XVIe siècle, une fresque retrouvée en 1959, lors de travaux de restauration, représente la crucifixion de missionnaires franciscains au Japon. Elle pourrait avoir été peinte au XVIIe siècle par un Japonais converti au christianisme.

Le **Palacio Cortés**, construit dans les années 1530 par le conquistador sur les vestiges d'une structure précolombienne, abrite désormais le

Peinture murale de Diego Rivera dans le palais de Cortés, à Cuernavaca.

Museo de Cuauhnáhuac, consacré à l'histoire du Mexique et présentant également du mobilier et des objets de l'époque coloniale. Il possède une belle loggia qui s'ouvre sur la vallée de Morelos et du Popocatépetl. Diego Rivera y exécuta d'immenses fresques retraçant l'histoire de la Conquête, un beau portrait d'Emiliano Zapata et des scènes de la guerre d'Indépendance.

A l'est de la gare, la double pyramide de **Teopanzolco** est tout ce qui reste de la cité de **Tlahuicán**.

Si sa capitale est un peu décevante, le petit État de Morelos n'en contient pas moins quelques sites remarquables. A 22 km au nord de Cuernavaca, on atteint **Tepoztlán ⓲** par une route récente. Niché dans un cirque de montagnes volcaniques, ce bourg pittoresque est célèbre pour ses fêtes et ses danses : le carnaval en février, la Fiesta del Brinco pendant la semaine sainte et, le 7 septembre, la Fiesta del Tepozteco, célébrée sur le *cerro* du même nom. Sur les ruines du centre de cérémonie précolombien dédié au dieu du *pulque* et de l'ivresse, Tepoztécatl, se livrent des parodies de combats, tandis qu'un poème en nahuatl relate l'histoire du dieu. Un beau couvent dominicain transformé en musée borde la place centrale de Tepoztlán.

Au sud de Cuernavaca, dans un cadre verdoyant au milieu des montagnes, le site de **Xochicalco ⓳**, inscrit au patrimoine mondial, renferme la **Pirámide de le Serpiente** (pyramide des Serpents), composée de deux massifs superposés. Le premier est formé de murs en talus ornés de bas-reliefs bien conservés qui représentent des serpents à plumes enlaçant dans leurs anneaux des symboles qui alternent avec des personnages assis dont la tête est surmontée d'un masque d'animal. Au-dessus de ces murs, un panneau vertical, lui aussi décoré de personnages assis, est surmonté d'une corniche ornée d'une frise. Le second

Carte p. 178

Statue de saint Christophe dans une église de la vallée de Mexico.

Jeunes filles nahuas à Cuetzalán.

étage est moins bien conservé. On distingue à travers les ruines l'emplacement d'un jeu de pelote et des souterrains conduisant à une vaste salle éclairée par un puits de lumière.

Sur la route entre Xochicalco et Taxco, à 30 km de cette dernière, on peut visiter les **grottes de Cacahuamilpa ⑳**, les plus vastes et les mieux aménagées du pays.

Taxco, ville de l'argent

Dans l'État de Guerrero, sur la route Mexico-Acapulco, à 72 km au sud de Cuernavaca, **Taxco ㉑** est une belle petite ville pittoresque. Le style local y a été partout respecté : ses jolies maisons basses aux toits rouges et aux balcons fleuris bordent de petites rues étroites pavées de gros galets qui serpentent à flanc de colline. C'est une excellente étape sur la route d'Acapulco ou pour rayonner dans la région.

Dès 1529, les Espagnols découvrirent et exploitèrent les mines d'argent des alentours. Au XVIIIe siècle, après un siècle de stagnation, José de la Borda, sans doute d'origine française, exploita une mine qui assura sa fortune. Entre 1751 et 1758, il fit édifier à ses frais l'église paroissiale Santa Prisca. Après sa mort, les mines furent vite épuisées et la ville retomba dans sa torpeur. Mais, dans les années 1920, un Américain, professeur à l'université de Tulane, découvrit que les mines abandonnées contenaient encore un peu de minerai. Il se fixa dans la ville sous le nom de don Guillermo et, avec la participation des artisans locaux, relança la fabrication des bijoux et de la vaisselle en argent. Dans l'atelier qu'il fonda en 1932, il développa des formes nouvelles qui rencontrèrent un vif succès et ont fait depuis la fortune de l'orfèvrerie locale. Le **Museo Guillermo Spratling** abrite sa collection personnelle d'objets précolombiens, notamment des statues de jade et des céramiques olmèques.

Une rue en pente typique de Taxco, avec son sol pavé et ses maisons fleuries.

Achats ou promenades ramènent inévitablement sur le **Zócalo**, charmante place ombragée de lauriers d'Inde. Sur le côté sud, l'**Iglesia Santa Prisca**, construite en pierre rose, est un bel exemple d'architecture churrigueresque, avec sa façade délicatement sculptée. Deux hautes tours la surmontent. De magnifiques retables, disparaissant sous la profusion des ornements de fleurs et de fruits, décorent l'intérieur.

En flânant dans la ville, on ne manquera pas non plus la très jolie **Casa Humbolt**, maison coloniale dans le style mauresque où a résidé l'explorateur Alexander von Humbolt. Un petit musée évoque brièvement les expéditions de ce savant et expose également quelques beaux objets de la période coloniale: costumes, mobilier...

Le marché étale ses éventaires sur une pente abrupte: il est particulièrement animé en fin de semaine.

MONTAGNES ET VIEUX VILLAGES

L'État de Morelos est le « grenier à sucre » du Mexique. Cortés y acclimata la canne à sucre et importa des esclaves noirs pour la cultiver. Il fallut attendre quatre siècles pour que la révolte éclate, au cri de guerre de Zapata: *« Terre et liberté »*. Le souvenir de la révolution agraire du grand chef qui y consacra sa vie est resté vif dans sa province natale. Chaque village arbore son portrait légendaire: longues moustaches hérissées, costume de *charro* et immense sombrero au-dessus d'un regard profond et triste.

D'anciens monastères, construits pour la plupart au XVIe siècle, parsèment l'État de Morelos. Leurs contreforts et leurs merlons rappellent l'architecture des forteresses, mais les vents et les pluies tropicales les ont recouverts d'une patine qui les font ressembler à de paisibles châteaux.

De nombreux *pueblos* indiens se succèdent à l'est de Cuernavaca. **Oaxtepec** comprend un vaste hôtel (l'institut de la Sécurité sociale mexicaine y a reconstitué les splendides jardins de Moctezuma), et le parc propose en outre un restaurant et une piscine.

A **Cocoyoc**, un luxueux hôtel a été aménagé.

Dans les villages voisins de **Tlayacapan**, **Atlatlahuacan** et **Yecapixtla**, couvents, églises et cloîtres continuent de défier le temps.

Une route partant de la petite ville d'**Amecameca** rejoint, à 3580 m d'altitude, un col planté de grands pins sombres, le **Paso de Cortés**. Les grimpeurs bien entraînés peuvent entreprendre l'ascension du **Popocatépetl**, la « montagne fumante », en compagnie de guides d'Amecameca. La course comprend une halte au **col de Tlamacas**, où se trouve un refuge. Les pentes sont recouvertes de cendres volcaniques et les sommets, qui culminent à 5456 m, sont coiffés de neiges éternelles.

L'ascension de l'**Iztaccíhuatl**, « la femme couchée », autre volcan haut de 5272 m, est plus difficile. Ce vol-

Carte p. 178

Une des nombreuses boutiques d'objets en argent de Taxco.

Si l'argent fut découvert par les Espagnols dès leur arrivée, ce n'est qu'au XVIIIe siècle que la prospérité atteignit Taxco. Aujourd'hui, une foire nationale de l'Argent s'y déroule tous les ans, et la ville compte plus de deux cents boutiques d'artisanat.

can doit son nom à une légende nahuatl selon laquelle le guerrier Popocatépetl tomba un jour amoureux de la princesse Iztaccíhuatl. Le père de cette dernière exigea du jeune homme qu'il combatte l'un des ennemis les plus redoutables de la tribu. Celui-ci remporta le combat, mais la jeune princesse, à l'idée qu'il pouvait être mort, avait succombé de douleur. Popocatépetl porta son corps au sommet d'une colline, et il alluma au chevet de sa bien-aimée un feu qui brûle encore aujourd'hui.

TOLUCA

Plusieurs routes relient Mexico à Toluca, capitale de l'État de Mexico. La plus directe est celle qui, du parc de Chapultepec, suit l'Avenida Constituentes, traverse de grandes forêts de pins dans les montagnes, le **Desierto de los Leones**, puis pénètre dans la vallée de Toluca, où le paysage redevient typiquement mexicain : champs dorés et secs, agaves, maisons en adobe.

La petite ville provinciale de **Toluca** ㉒ est surtout célèbre pour son vaste marché où l'artisanat indien ajoute ses couleurs à celles des monceaux de fruits et légumes et des petites cuisines ambulantes. Le centre historique ne manque pas de charme, avec ses petites rues, ses nombreuses églises et, surtout, sa place principale, la **Plaza de los Martíres**, entourées d'arcades du XIXe siècle.

L'ancien marché central, avec sa structure en fer forgé Art nouveau, a été aménagé en un très joli jardin botanique, le **Cosmovitral Botánico**.

A partir de Toluca, deux excursions sont possibles, l'une vers le sud, l'autre à l'ouest vers la vallée de Bravo. Dans ce second cas, la route traverse la vallée de Toluca, dominée par le volcan Nevado, toujours enneigé.

Mais si la **Valle de Bravo** ㉓ est tellement appréciée des gens de la

Détail d'un arbre de vie en céramique réalisé dans le village de Metepec.

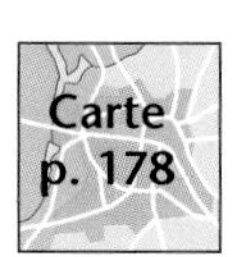

capitale, c'est qu'elle offre un lac artificiel propice à la baignade et à la pratique de la voile.

IXTAPAN DE LA SAL

Vers le sud, la route menant à Ixtapan de la Sal traverse des villages intéressants. **Metepec** ㉔ est un gros bourg où l'on fabrique une très belle céramique vernissée verte à usage domestique et de remarquables figurines d'argile polychromes. Les moules où sont coulés la plupart des modèles ont été transmis de génération en génération, tandis que la technique traditionnelle a été conservée dans toutes ses étapes: préparation de la pâte, séchage au soleil puis au four, peinture. Outre les « soleils de Metepec », larges disques solaires au visage peint, les artisans fabriquent des arbres de vie très symboliques représentant Adam et Ève entourés du serpent tentateur et des anges, qu'accompagne une procession de saints, d'animaux, de squelettes. Ce monde naïf et coloré est rendu avec verve et fantaisie. Certains ateliers se visitent. Metepec célèbre avec des danses sa fête locale, le 1er février, et la San Isidro (le mardi qui suit le 140e jour après Pâques).

On peut ensuite faire un arrêt à **Tenango de Arista**, située au pied d'un plateau rocheux où s'élevait la grande cité de **Teotenango** ㉕, qu'habitait une population matlazinca, alliée traditionnelle des Aztèques. Le site présente une remarquable unité de style.

Plus au sud, **Tenancingo**, réputé pour ses châles, *rebozos*, est le point de départ d'une excursion vers les vestiges du site aztèque de **Malinalco** ㉖, dont les pierres servirent à l'édification d'un monastère. Il s'agissait d'un centre initiatique destiné aux chevaliers des ordres militaires. On distingue cinq pyramides dont la principale, le **Templo de Cuauticalli**, qui devait être un temple du soleil personnifié par l'aigle, est taillé d'une pièce dans le roc. L'entrée figure la tête du « monstre de la terre », représenté par un serpent. A l'intérieur se déroulaient vraisemblablement les cérémonies d'initiation des jeunes guerriers aztèques, et sur le sol on a retrouvé un petit réceptacle, sans doute destiné à recevoir le cœur des victimes de sacrifices humains. Tout le temple est couvert de sculptures et de bas-reliefs décorés de serpents, de jaguars et d'aigles.

Non loin de là, les maisons de **Chalma** ㉗ s'étagent dans la gorge où coule un torrent. Les cinq premiers jours de l'année, un crucifix miraculeux y attire une foule de pèlerins.

Parmi les vallées encaissées et les *pueblos* indiens, **Ixtapan de la Sal** est une station thermale fleurie, qui dispose entre autres d'un grand hôtel. L'établissement affirme que ses eaux sont source de jouvence. C'est un chef-d'œuvre de mauvais goût, construit dans les années 1940, mais la piscine, sur laquelle veillent des divinités grecques et romaines, est agréable.

Valle de Bravo est à près de trois heures de route de Mexico, mais les « chilangos » (les riches habitants de la capitale) s'y rendent volontiers pour fuir le bruit et la pollution. Ce village typiquement mexicain, avec ses rues pavées et ses maisons blanches à toit rouge, est situé au bord d'un lac artificiel. Les citadins viennent y faire du ski nautique, de la voile ou de la planche à voile.

LE NORD

La plus grande partie du nord du Mexique, qui s'étend sud de la frontière avec les États-Unis, n'est pas touristique. C'est justement là l'un de ses principaux attraits.

Cette région rude, au peuplement clairsemé et souvent inhospitalière se compose d'étendues désertes où poussent de très nombreuses espèces de cactus, de montagnes arrondies et de hauts plateaux. Elle est connue pour ses grands élevages de bétail, et d'ailleurs de nombreux westerns ont été tournés dans la région de Durango. Mais c'est aussi l'une des régions les plus fertiles du pays.

La Sierra Madre orientale et la Sierra Madre occidentale s'élèvent parallèlement à la côte est et à la côte ouest. A l'est s'ouvre le golfe du Mexique, à l'ouest le golfe de Californie et l'océan Pacifique. Les tremblements de terre, récurrents le long de la faille de San Andreas, ont entraîné, la séparation des 40 000 km² de la Basse-Californie du continent, il y a vingt millions d'années.

La Basse-Californie est devenue une destination à part entière pour des visiteurs de plus en plus nombreux. Outre Tijuana (qui reçoit chaque année sans doute plus d'Américains que n'importe quel autre lieu du monde), la péninsule se compose de déserts, de forêts de conifères d'altitude, de plages délicieuses nichées dans des baies bien abritées, et bien entendu de localités qui se tournent vers le tourisme.

Une grande partie de la côte n'est accessible que par la mer, et de nombreuses pistes à l'intérieur des terres ne sont praticables qu'en véhicule tout-terrain. La Basse-Californie a la réputation d'être un coin idéal pour la pêche. Mais les visiteurs, de plus en plus nombreux, se contentent pour la plupart de rester sur les plages, ou d'observer les baleines grises qui viennent mettre bas dans la Laguna de Scammon.

D'ordinaire, on ne fait que traverser l'extrême nord du Mexique : le vaste désert de Sonora, l'imposante Sierra Madre et les villes industrielles. Mais ces paysages monotones réservent tout de même des surprises de taille : les ruines précolombiennes de Paquimé, à Casas Grandes, sont le clou de tout circuit dans le Nord ; et la traversée du Barranca del Cobre, de Chihuahua à Los Mochis, est le voyage en train le plus spectaculaire qui soit.

Au sud du tropique du Cancer, les paysages se font plus riants, le climat plus doux, et les stations balnéaires du Pacifique, à Mazatlán ou à San Blas, confirment cette impression.

Pages précédentes : le paysage de la Bahía de los Angeles. Pages de gauche, des communications difficiles...

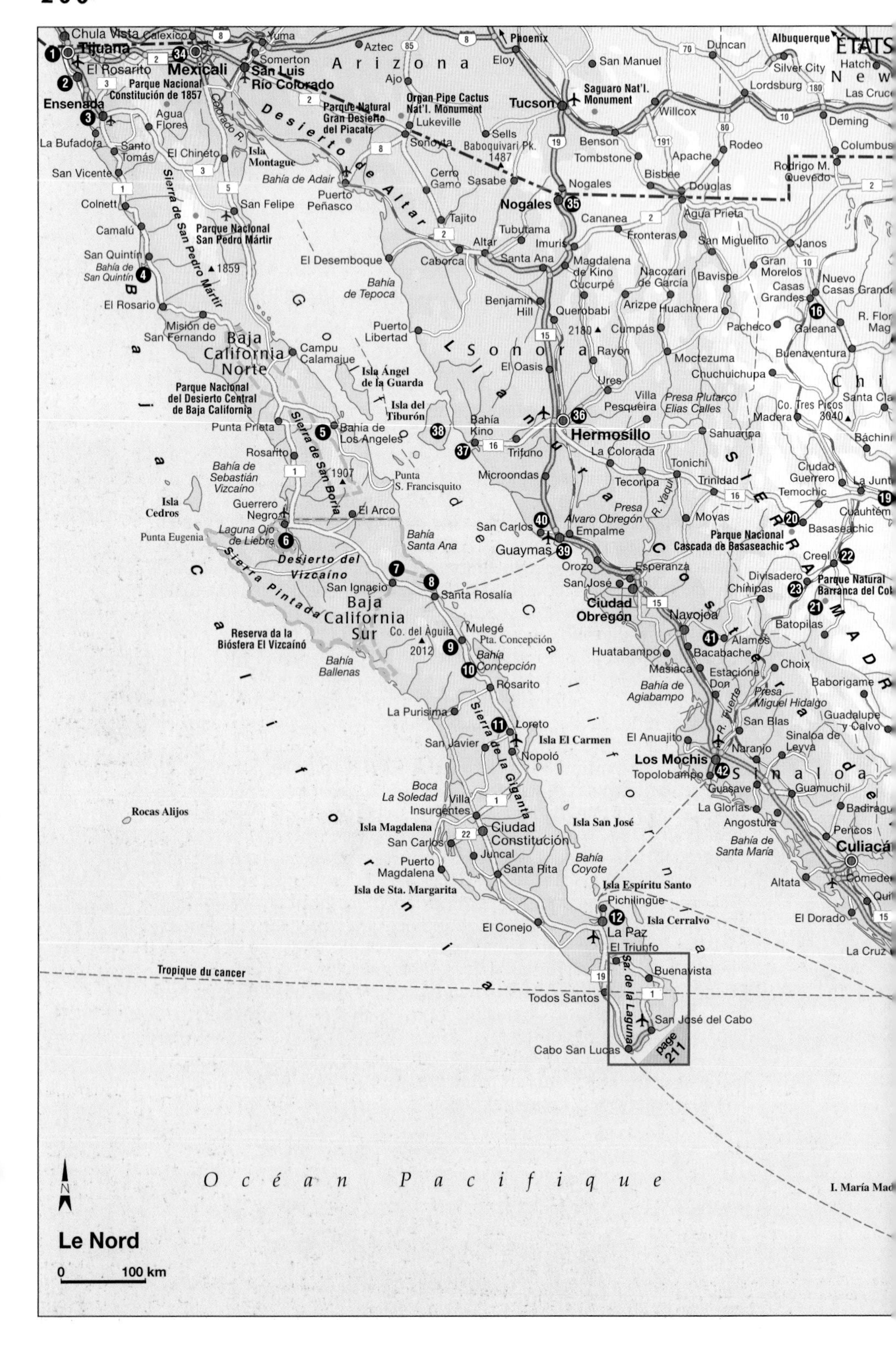
Le Nord
0 100 km
N
Océan Pacifique
Tropique du cancer
Arizona
New
ÉTATS
Sonora
Baja California Norte
Baja California Sur
Sinaloa
Chi
Desierto de Altar
Desierto del Vizcaíno
Golfo de California
Bahía California
Sierra Madre Occidental
Llanura Sonorense
Sierra de San Pedro Mártir
Sierra de San Borja
Sierra Pintada
Sierra de la Giganta
Sa. de la Laguna
Chula Vista
Calexico
Yuma
Tijuana
El Rosarito
Mexicali
San Luis Río Colorado
Somerton
Aztec
Ajo
Phoenix
Eloy
San Manuel
Duncan
Albuquerque
Silver City
Hatch
Lordsburg
Las Cruces
Deming
Columbus
Tucson
Saguaro Nat'l. Monument
Willcox
Benson
Tombstone
Apache
Rodeo
Bisbee
Douglas
Nogales
Agua Prieta
Rodrigo M. Quevedo
Parque Nacional Constitución de 1857
Ensenada
Agua Flores
La Bufadora
Santo Tomás
El Chinero
Isla Montague
San Vicente
Colorado R.
Colnett
San Felipe
Camalú
Parque Nacional San Pedro Mártir
San Quintín
Bahía de San Quintín
El Rosario
Misión de San Fernando
Parque Natural Gran Desierto del Piacate
Organ Pipe Cactus Nat'l. Monument
Lukeville
Sonoyta
Sells
Baboquivari Pk. 1487
Sasabe
Cerro Gamo
Bahía de Adair
Puerto Peñasco
Tajito
Tubutama
Altar
Imuris
Caborca
Santa Ana
Cananea
Fronteras
San Miguelito
Janos
El Desemboque
Bahía de Tepoca
Magdalena de Kino
Cucurpé
Nacozari de García
Bavispe
Gran Morelos
Casas Grandes
Nuevo Casas Grandes
Benjamin Hill
Querobabi
Arizpe
Huachinera
Pacheco
Galeana
R. Flor
Puerto Libertad
2180
Cumpás
Rayón
Moctezuma
Buenaventura
Campu Calamajue
El Oasis
Chuchuichupa
Isla Ángel de la Guarda
Ures
Parque Nacional del Desierto Central de Baja California
Isla del Tiburón
Villa Pesqueira
Presa Plutarco Elías Calles
Co. Tres Picos 3040
Santa Cla
Madera
Punta Prieta
Bahía de Los Ángeles
Bahía Kino
Hermosillo
Sahuaripa
Báchini
Trifuno
La Colorada
Rosarito
Bahía de Sebastián Vizcaíno
1907
Punta S. Francisquito
Microondas
Tonichi
Ciudad Guerrero
Tecoripa
Trinidad
La Junt
Temochic
Isla Cedros
Guerrero Negro
El Arco
Presa Álvaro Obregón
R. Yaqui
Movas
Cuauhtém
Basaseachic
Punta Eugenia
Laguna Ojo de Liebre
San Carlos
Empalme
Bahía Santa Ana
Guaymas
Parque Nacional Cascada de Basaseachic
Creel
Orozco
Esperanza
Divisadero
San Ignacio
Santa Rosalía
San José
Chinipas
Parque Natural Barranca del Cob
Ciudad Obregón
Navojoa
Batopilas
Reserva da la Biósfera El Vizcaíno
Co. del Águila 2012
Mulegé
Pta. Concepción
Alamos
Huatabampo
Bacabache
Bahía Ballenas
Bahía Concepción
Masiaca
Estación Don
Choix
Baborigame
Bahía de Agiabampo
Presa Miguel Hidalgo
Guadalupe y Calvo
R. Fuerte
La Purísima
Loreto
Isla El Carmen
San Blas
El Anuajito
Sinaloa de Leyva
San Javier
Nopoló
Los Mochis
Naranjo
Topolobampo
Guasave
Guamuchil
Boca La Soledad
Villa Insurgentes
La Glorias
Badiragu
Rocas Alijos
Isla Magdalena
Ciudad Constitución
Isla San José
Angostura
Pericos
San Carlos
Bahía de Santa María
Culiacán
Juncal
Puerto Magdalena
Santa Rita
Bahía Coyote
Altata
Comede
Isla de Sta. Margarita
Isla Espíritu Santo
Pichilingue
Isla Cerralvo
El Dorado
El Conejo
La Paz
El Triunfo
La Cruz
Buenavista
Todos Santos
San José del Cabo
Cabo San Lucas
page 211
I. María Mad

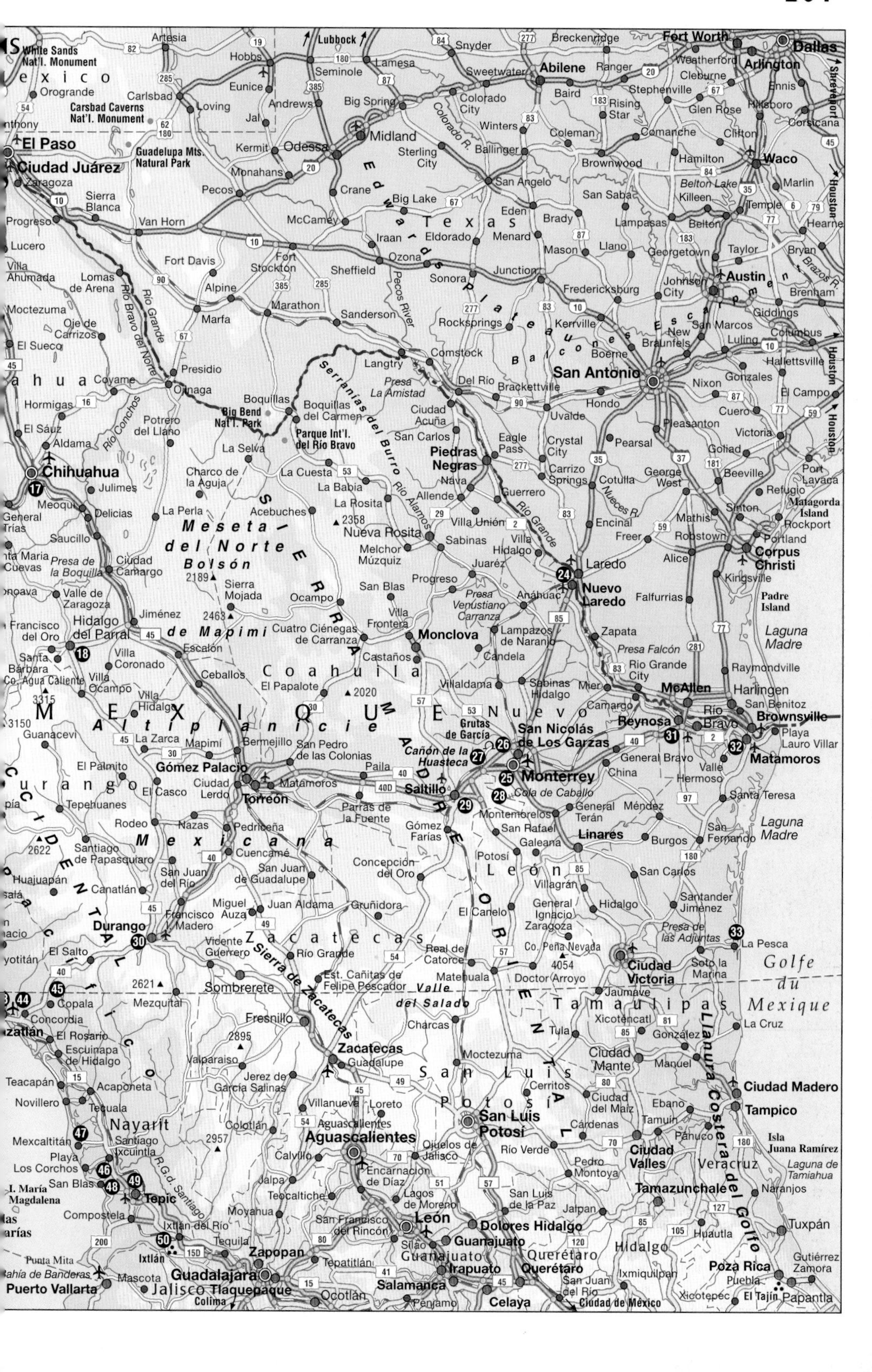
White Sands Nat'l. Monument
Artesia
Hobbs
Lubbock
Snyder
Breckenridge
Fort Worth
Dallas
Shreveport
Lamesa
Seminole
Weatherford
Arlington
Sweetwater
Abilene
Ranger
Cleburne
Eunice
Mexico
Orogrande
Carlsbad
Loving
Andrews
Big Spring
Colorado City
Baird
Stephenville
Ennis
Rising Star
Glen Rose
Hillsboro
Carlsbad Caverns Nat'l. Monument
Jal
Winters
Corsicana
Anthony
Coleman
Comanche
Clifton
El Paso
Guadelupa Mts. Natural Park
Kermit
Odessa
Midland
Colorado R.
Ballinger
Ciudad Juárez
Sterling City
Brownwood
Hamilton
Waco
Zaragoza
Monahans
Edwards
San Angelo
Belton Lake
Marlin
Houston
Pecos
Crane
Killeen
Sierra Blanca
Big Lake
San Saba
Temple
Progreso
Van Horn
McCamey
Texas
Eden
Brady
Lampasas
Belton
Hearne
Lucero
Iraan
Eldorado
Menard
Mason
Llano
Georgetown
Taylor
Bryan
Fort Davis
Ozona
Villa Ahumada
Fort Stockton
Sheffield
Plateau
Junction
Austin
Brazos R.
Lomas de Arena
Sonora
Fredericksburg
Johnson City
Brenham
Río Bravo del Norte
Río Grande
Alpine
Marathon
Moctezuma
Sanderson
Pecos River
Rocksprings
Kerrville
New Braunfels
San Marcos
Giddings
Escarpment
Ojo de Carrizos
Marfa
Balcones
Luling
Columbus
El Sueco
Comstock
Boerne
Hallettsville
Langtry
Presidio
San Antonio
Gonzales
Chihuahua
Coyame
Ojinaga
Presa La Amistad
Del Río
Brackettville
Nixon
El Campo
Hormigas
Boquillas
Serranías del Burro
Hondo
Uvalde
Cuero
Big Bend Nat'l. Park
Boquillas del Carmen
Ciudad Acuña
Pleasanton
El Sáuz
Potrero del Llano
Parque Int'l. del Río Bravo
San Carlos
Victoria
Aldama
Río Conchos
La Selva
Piedras Negras
Eagle Pass
Crystal City
Pearsal
Goliad
Port Lavaca
Charco de la Aguja
La Cuesta
Nava
Carrizo Springs
Cotulla
George West
Beeville
Refugio
Julimes
La Babia
Allende
Guerrero
Nueces R.
Matagorda Island
Meoqui
La Rosita
Mathis
Sinton
Rockport
General Trías
Delicias
La Perla
Acebuches
Río Álamos
Villa Unión
Encinal
Saucillo
Meseta del Norte
Sierra
Nueva Rosita
Sabinas
Villa Hidalgo
Freer
Robstown
Portland
Corpus Christi
Presa de la Boquilla
Ciudad Camargo
Bolsón
Melchor Múzquiz
Juaréz
Laredo
Alice
Santa María Cuevas
Sierra Mojada
Progreso
Kingsville
Valle de Zaragoza
San Blas
Ocampo
Nuevo Laredo
Falfurrias
Padre Island
Jiménez
Presa Venustiano Carranza
Anáhuac
Hidalgo del Parral
Francisco del Oro
de Mapimi
Cuatro Ciénegas de Carranza
Villa Frontera
Monclova
Lampazos de Naranjo
Zapata
Laguna Madre
Presa Falcón
Santa Bárbara
Villa Coronado
Escalón
Castaños
Candela
Rio Grande City
Raymondville
Agua Caliente
Villa Ocampo
Ceballos
Coahuila
Villaldama
Sabinas Hidalgo
Mier
McAllen
Harlingen
El Papalote
Camargo
Villa Hidalgo
Nuevo
San Benitez
Mexique
Altiplanicie
Grutas de García
San Nicolás de Los Garzas
Reynosa
Río Bravo
Brownsville
Guanacevi
La Zarca
Bermejillo
San Pedro de las Colonias
Cañón de la Huasteca
Playa Lauro Villar
Mapimí
Monterrey
General Bravo
Matamoros
Durango
El Palmito
Gómez Palacio
Paila
China
Valle Hermoso
Ciudad Lerdo
Torreón
Matamoros
Saltillo
Cola de Caballo
El Casco
Santa Teresa
Tepehuanes
Parras de la Fuente
Montemorelos
General Terán
Méndez
Rodeo
Nazas
Pedriceña
Gómez Farías
San Rafael
Linares
Laguna Madre
Santiago de Papasquiaro
Mexicana
Galeana
Burgos
San Fernando
Cuencamé
Potosí
Concepción del Oro
León
San Juan del Río
San Juan de Guadalupe
San Carlos
Huajuapán
Canatlán
Villagrán
Santander Jiménez
Miguel Auza
Juan Aldama
Gruñidora
General Ignacio Zaragoza
Hidalgo
Francisco I. Madero
El Canelo
Presa de las Adjuntas
Durango
Zacatecas
Vicente Guerrero
Sierra de Zacatecas
Río Grande
Real de Catorce
Co. Peña Nevada
La Pesca
El Salto
4054
Ciudad Victoria
Soto la Marina
Golfe du Mexique
Est. Cañitas de Felipe Pescador
Matehuala
Doctor Arroyo
Valle del Salado
Sombrerete
Jaumave
Copala
Mezquital
Tamaulipas
Concordia
Fresnillo
Xicoténcatl
La Cruz
Mazatlán
El Rosario
Charcas
Tula
González
Llanura Costera del Golfo
Escuinapa de Hidalgo
Zacatecas
Guadalupe
Moctezuma
Ciudad Mante
Manuel
Valparaiso
Jerez de García Salinas
San Luis
Cerritos
Ciudad Madero
Teacapán
Acaponeta
Ciudad del Maíz
Tampico
Novillero
Tecuala
Villanueva
Loreto
Potosí
Ebano
Nayarit
Colotlán
Aguascalientes
San Luis Potosí
Tamuín
Santiago Ixcuintla
Cárdenas
Pánuco
Isla Juana Ramírez
Mexcaltitán
Aguascalientes
Ojuelos de Jalisco
Río Verde
Ciudad Valles
Veracruz
Laguna de Tamiahua
Playa Los Corchos
R.G.d. Santiago
Calvillo
Encarnación de Díaz
Pedro Montoya
San Blas
Jalpa
Naranjos
I. María Magdalena
Tepic
Teocaltiche
Lagos de Moreno
San Luis de la Paz
Tamazunchale
Compostela
Moyahua
León
Dolores Hidalgo
Jalpan
Tuxpán
Ixtlán del Río
San Francisco del Rincón
Guanajuato
Hidalgo
Huautla
Tequila
Silao
Querétaro
Punta Mita
Ixtlán
Zapopan
Tepatitlán
Guanajuato
Ixmiquilpan
Poza Rica
Gutiérrez Zamora
Bahía de Banderas
Mascota
Guadalajara
Irapuato
Querétaro
Puebla
Puerto Vallarta
Jalisco
Tlaquepaque
Ocotlán
Salamanca
San Juan del Río
Xicotepec
El Tajín
Papantla
Colima
Pénjamo
Celaya
Ciudad de México

LA BASSE-CALIFORNIE

Dans le prolongement de la Californie, la péninsule de Basse-Californie (Baja California), qui s'étire sur plus de 1 500 km, est longtemps restée isolée. Jusqu'à la construction de la route transpéninsulaire, on ne pouvait s'y rendre qu'en avion privé, en bateau... et avec beaucoup d'argent. Aujourd'hui, on peut assez facilement partir à la découverte de ses déserts, de ses montagnes et de ses côtes, paradis pour les amateurs de pêche, de plongée sous-marine et d'observation des baleines.

La Conquête

L'un des premiers missionnaires jésuites décrivit les Indiens de Basse-Californie comme des hommes paresseux entretenus par des épouses complaisantes. Mais cette existence paisible ne dura pas longtemps. L'Église les regroupa ; la variole et la syphilis les décimèrent. Des quelque 40 000 habitants originels de Basse-Californie, il en reste moins de 500, qui vivent aujourd'hui dans le Nord. Dans le Sud, les vestiges d'un peuplement indien se résument à quelques peintures rupestres. On compte environ 400 grottes peintes, vieilles de cinq cents à mille ans.

Ce sont les Espagnols qui ont donné à la péninsule son nom de California (en latin *callida fornax,* « four brûlant »). Cortés avait entendu dire qu'une partie de l'or aztèque venait du nord, et il eut pour mission de partir à sa recherche. Il envoya des vaisseaux, sous le commandement de Diego de Becerra, en 1533. Mais l'équipage fut massacré par les Indiens quand il débarqua à l'emplacement actuel de La Paz. Les survivants revinrent avec quelques perles et un monceau de légendes, dont celle de jeunes filles habillées de robes de perles. Cortés fit alors voile vers la péninsule, débarqua à La Paz, y trouva quelques perles, nomma l'endroit Santa Cruz et y établit une colonie, qui cependant ne se maintint pas longtemps.

Quelques années plus tard, Francisco de Ulloa remonta la côte occidentale du Mexique, découvrit l'embouchure du Colorado et contourna la péninsule jusqu'à Bahía Magdalena. Puis, pendant des années, les Espagnols oublièrent la Basse-Californie. Des pirates la choisirent comme base pour attaquer les vaisseaux espagnols qui arrivaient des Philippines. Plus d'un boucanier fit son apprentissage au large de la péninsule : en 1587, Thomas Cavendish captura, au large de Cabo San Lucas, un galion arrivant de Manille chargé de trésors.

Les premières missions

Au XVIIe siècle, le père Kino, missionnaire jésuite, arriva en Basse-Californie et traversa la péninsule. Le père Salvatierre, également jésuite, fonda la première mission à

Carte p. 200

A gauche, l'impressionnante arche de pierre de Cabo San Lucas, sur la pointe sud de la Basse-Californie. Ci-dessous, petite marchande à El Rosarito.

L'activité touristique de la Basse-Californie est longtemps restée concentrée dans les villes-frontières mexicaines. Le long des rues ont fleuri boutiques et restaurants, mais on a vu aussi augmenter le nombre des vendeurs de rues, dont les maigres bénéfices font souvent vivre toute une famille.

Loreto en 1697. Pendant soixante-dix ans, les jésuites bâtirent des églises et évangélisèrent les Indiens. Quand ils furent expulsés du Mexique en 1767, les franciscains reçurent à leur tour cette mission. Six ans plus tard, les dominicains reprirent le flambeau. Une trentaine de missions furent fondées, mais au milieu du XIXe siècle, elles étaient toutes abandonnées; les Indiens survivants n'étaient pas assez nombreux pour qu'elles soient viables. D'après les statistiques, sur les 50 000 Indiens que comptait la région au XVIIe siècle, il n'en restait plus que 20 000 cent ans plus tard, et à peine 3 700 en 1842.

Loreto, site de la première mission, fut pendant cent trente ans la capitale de la Haute et de la Basse-Californie. Elle le demeura jusqu'à ce qu'une tempête la rase en 1828. On déplaça alors la capitale au centre perlier de La Paz. Lors de la guerre entre le Mexique et les États-Unis, la marine américaine envahit les principaux ports de la péninsule et une bataille navale se déroula à Mulegé. On put croire un temps que la péninsule allait être rattachée aux États-Unis comme prise de guerre, mais il n'en fut rien. Pourtant, certains Américains tentèrent de l'annexer. William Walker mit La Paz à sac en 1853. Il voulait faire de la Basse-Californie un État esclavagiste de l'Union. En 1911, quelques révolutionnaires mexicains se joignirent à des anarchistes américains et à des promoteurs pour essayer de séparer la Basse-Californie du Mexique. Le gouvernement mexicain envoya des troupes qui mirent fin à leurs ambitions. Les Yankees comprirent vite les possibilités des terres irriguées de la Basse-Californie septentrionale. Ainsi fut créée, par exemple, la Colorado River Land Company, qui mit des terres en culture près de Mexicali, avant d'être expulsée par le gouvernement mexicain en 1946.

Marché de souvenirs à Tijuana.

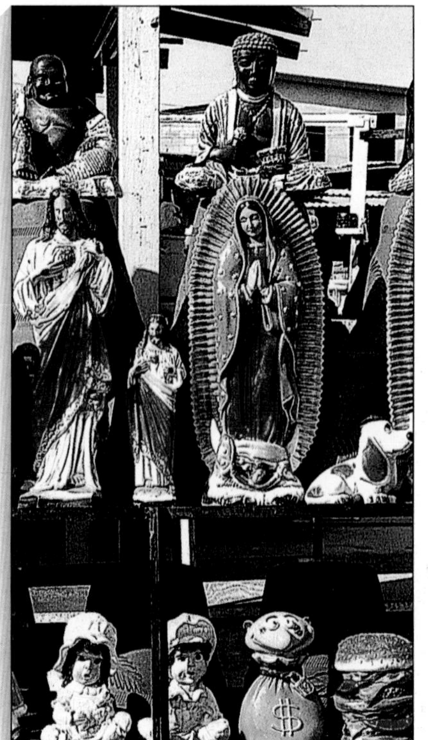

Si certaines boutiques de Tijuana vendent les plus beaux objets d'artisanat du Mexique, on trouve aussi beaucoup de marchands de souvenirs en tous genres, où se reflète le caractère cosmopolite de la ville. Les vendeurs itinérants et les éventaires de souvenirs foisonnent dès qu'on passe la frontière, et sont surtout concentrés sur la Calle 2, entre Ocampo et Nigrete.

Un paysage désertique

Bordée au nord par les États-Unis, la péninsule de la Basse-Californie s'est détachée du continent voici quelques millions d'années. A l'époque, sa pointe était située quelque part entre Mazatlán et Puerto Vallarta. Les mouvements de la faille de San Andreas ont créé le golfe de Californie, qui se rétrécit vers le nord et dans lequel le Pacifique s'est précipité. Les marées y sont fortes et capricieuses, le vent violent.

Cette longue bande de terre, d'une largeur moyenne de 90 km pour près de 3 500 km de côtes, offre des paysages désertiques couverts de cactus à l'intérieur des terres, interrompus çà et là par des massifs montagneux que la route contourne. Les agglomérations, peu nombreuses, se trouvent le plus souvent sur la côte, où alternent plages de sable et falaises rocheuses. La population et la vie économique sont concentrées dans le nord. Autour de Mexicali, les terres irriguées permettent la culture du coton, de la luzerne, des tomates et de la vigne.

Tijuana

Tijuana ❶ est née en 1848 d'un poste de douane faiblement peuplé. C'est aujourd'hui une ville importante, avec une population estimée à 1 million d'habitants (soit vingt fois plus qu'en 1950) que viennent grossir plus de 40 millions de touristes par an.

De la prohibition américaine à la Seconde Guerre mondiale, Tijuana fut le pré carré des États-Unis, comme bon nombre de villes-frontières mexicaines. Américains ordinaires ou vedettes hollywoodiennes venaient y consommer l'alcool dont ils étaient privés et profiter d'une vie nocturne débridée. Bien qu'elle n'ait jamais perdu sa réputation de ville chaude, Tijuana est aussi connue pour être une zone franche où tout s'achète bon marché, du caviar russe au cuir espagnol, du parfum français aux vêtements italiens, de la sole japonaise au cigare cubain.

La grande majorité des magasins, restaurants, bars et boîtes de nuit sont situés sur l'**Avenida de la Revolución**, principale avenue du centre de la ville, qui a été rénovée sans perdre de son charme originel. Les autres endroits où l'on fera des affaires intéressantes sont le Tiá Juana River Basin Development, qui a été agrémenté d'un centre culturel, le Paseo Agua Caliente et les environs du champ de courses ainsi que le centre commercial du Palacio Frontón, un édifice de style mauresque où se déroulent des parties de *jai alai* (pelote basque) donnant lieu à des paris.

Tijuana possède deux arènes, dont l'impressionnante **Plaza de Toros Monumental**, à 10 km de la ville, au bord de l'océan (les corridas s'y déroulent chaque dimanche de fin mai à début septembre). Sur le front de mer, des paillottes proposent des fruits de mer et des boissons.

Carte p. 200

Robert Louis Stevenson (1850-1894) a écrit une partie de « L'Ile au trésor » dans le port d'Ensenada.

Le Rockodile Bar, à San Felipe.

Près de 80 espèces de plantes poussent dans le désert de Basse-Californie.

Un trolleybus, reconnaissable à sa couleur rouge relie les principaux sites de la ville, mais on peut également remonter à pied l'Avenida Poniente jusqu'au **Pueblo Amigo**, lieu commerçant très fréquenté conçu sur le modèle des anciennes places coloniales.

Tijuana regorge d'excellents restaurants à des prix plus que raisonnables. Certains sont agrémentés de terrasses ombragées, d'autres de patios fleuris. Les délicieux plats de poissons et de fruits de mer en sont, bien sûr, les spécialités.

Le **Centro Cultural Tijuana**, sur le Paseo de los Héroes, abrite une exposition permanente sur l'histoire du Mexique (avec projections de films dans l'Omnimax Theater voisin) et présente régulièrement le travail d'artistes mexicains contemporains.

Derrière la Plaza de la Revolución, le **Museo de Cera** expose des effigies en cire de personnalités célèbres, comme la chanteuse Madonna ou le Mahatma Gandhi, mais aussi celles de héros de la révolution mexicaine ou de la cantinière Tía Juana (« Tante Jeanne »), qui a donné son nom à la ville.

Reconnaissable à son dôme en verre, **Mexitlán** est un fascinant musée en plein air qui présente des reproductions en réduction des sites et monuments les plus intéressants du Mexique.

SUR LA ROUTE D'ENSENADA

De Tijuana, on plongera vers le sud en direction d'Ensenada et des superbes paysages de la Basse-Californie. Prendre la *cuota* (autoroute à péage) vers Ensenada. A 32 km au sud de Tijuana, on arrive à **Rosarito** ❷, charmante petite ville au bord de la mer devenue très réputée depuis l'ouverture du Rosarito Beach Hotel en 1927.

Les 80 km qui séparent Rosarito d'Ensenada offrent des paysages souvent spectaculaires. Ici et là, on

Observation des baleines dans la lagune de San Ignacio.

domine de plusieurs centaines de mètres une côte vierge. La route est ponctuée de nombreux points panoramiques en haut de la falaise, surplombant la mer à une hauteur vertigineuse. Tout le long se trouvent d'excellents *spots* de surf (les meilleurs sont au kilomètre 38, au kilomètre 39 et au kilomètre 42).

LA CAPITALE MONDIALE DE LA RASCASSE

Ensenada ❸ (230 000 habitants) s'est développée autour de la baie de Todos Santos. Bien qu'elle soit aussi en zone franche, la ville a conservé son atmosphère et attire un grand nombre de visiteurs. Les principales rues marchandes s'étirent autour de l'Avenida López Mateos, mais les magasins de l'Avenida Ruiz et de la Calle 11 sont moins chers.

Ensenada est aussi un paradis pour les amoureux des sports nautiques. La pêche au gros y règne en maître. La ville se surnomme elle-même, non sans raison, la capitale mondiale de la rascasse (*Seriola dorsialis*). Mais on y pêche aussi le barracuda, le thon (surtout la bonite), le bar et de nombreux autres poissons. On peut louer des bateaux à des prix tout à fait raisonnables ou aller observer les baleines à bord d'embarcations pneumatiques, sous la conduite de guides. Depuis des siècles, en effet, les baleines grises parcourent chaque hiver des milliers de kilomètres depuis le détroit de Béring, en Alaska, pour venir mettre bas dans les eaux chaudes du Pacifique (de décembre à mars). Pourchassée sans répit au XIXe siècle et menacée d'extinction, cette espèce est aujourd'hui protégée.

Parmi les principales attractions d'Ensenada, on signalera la visite des celliers de **Las Bodegas Santo Tomás** (Miramar 666) et une excursion à **La Bufadora**, où les vagues s'engouffrent dans les fissures de la roche avec une telle violence qu'elles font jaillir de grandes gerbes d'eau à 18 m dans les airs (à marée haute, le phénomène est d'autant plus impressionnant ; voir l'indicateur des marées dans le *Baja Sun*).

Au sud d'Ensenada s'étend un paysage de montagnes et de déserts caractéristique de la péninsule. La **Sierra de San Pedro Mártir**, plantée de forêts de chênes et de pins, a été aménagée en parc national. L'observatoire national se trouve sur le point culminant (3 095 m) de cette montagne, El Picacho del Diablo (« le pic du Diable »), également appelé La Providencia (« la Providence ») et La Encantada (« l'Ensorcelée »).

LE « BOOJUM »

San Quintín, à 200 km au sud d'Ensenada, est une petite bourgade perdue au milieu des champs. Au sud du camp militaire de Lázaro Cárdenas, une bifurcation à droite mène à l'hôtel Old Mill, après 5 km de piste. La nature sauvage de **Bahía de San Quintín** ❹ est propice au camping.

Carte p. 200

Un guide de Guerrero Negro chargé de conduire les visiteurs sur les sites d'obervation des baleines.

La Laguna Ojo de Liebre, au sud de Guerrero Negro, devenue parc naturel des Baleines grises, est un lieu de reproduction pour les 21 000 cétacés de cette espèce (contre 10 000 au début du XXe siècle). De janvier à mars, les baleines s'installent au large pour mettre bas leurs petits. L'accès au parc est limité, seuls quelques guides sont autorisés à organiser des excursions.

Chariot abandonné dans la mine de cuivre d'El Boleo.

Au sud de San Diego, on pénètre dans le domaine de l'étrange *cirio* (*Idria columnaris*). On appelle aussi ce cactus « boojum », nom inventé par un botaniste imaginatif pour désigner les gracieuses créatures du désert de *La Chasse au Snark* de Lewis Carroll. Le boojum est endémique du nord de la Basse-Californie. Les jeunes arbres, qui ressemblent à des cierges (d'où leur nom), ont des rameaux fins comme des crayons qui s'échappent du tronc.

Dans la partie sud du territoire du boojum, une route goudronnée conduit, vers l'est, à **Bahía de Los Angeles** ❺, dont les eaux calmes sont protégées par la bien nommée **Isla Angel de la Guardia**. La pêche et le ramassage des coquillages y sont des activités très prisées.

La minuscule **île de La Raza** est une réserve naturelle. On y trouve seulement un hôtel, des bungalows, un camping, une boutique et un restaurant, une « station-service » et une petite piste d'atterrissage.

Le sanctuaire des baleines

En revenant sur la route principale, plus au sud, on atteint le 28e parallèle, où un aigle en béton marque la frontière entre la Basse-Californie Nord et la Basse-Californie Sud.

Au sud de cette frontière, **Guerrero Negro** dispose d'hôtels, de restaurants et de magasins. Les salines qui bordent le désert de Vizcaíno ont fait de la ville l'un des plus grands producteurs de sel au monde (un tiers de la production mondiale). Entre janvier et mars, on se rend à Guerrero Negro pour observer les baleines grises au terme de leur longue migration de l'Alaska vers les eaux du Pacifique (9 500 km).

Le site le plus fréquenté par ces mammifères est la **Laguna Ojo de Liebre** ❻ ou lagune de Scammon, du nom du chasseur de baleines Charles Melville Scammon qui, en 1857, découvrit ce terrain de reproduction des cétacés. Pendant dix ans, il se livra à une chasse assidue, jusqu'au

San Quintín, le lieu le plus venteux de Basse-Californie.

jour où la population des baleines grises fut presque exterminée. Site protégé depuis 1972, la lagune est interdite aux baleiniers et l'observation des baleines se fait de la rive ou au cours d'excursions organisées.

De Guerrero Negro, la grand-route coupe la péninsule d'ouest en est et se dirige vers le golfe. Aux deux tiers du parcours, on fera une halte à **San Ignacio** ❼, dont l'église, récemment restaurée, est la plus charmante de tous les vestiges de l'architecture coloniale en Basse-Californie. Elle a été construite par les Indiens sous les ordres d'un missionnaire jésuite, le père Piccolo, qui fonda la mission en 1716. Bâtie en pierre de taille et non en *adobe* (briques de terre séchée), elle a pu ainsi survivre aux outrages du temps.

C'est également au père Piccolo que la bourgade doit ses premiers palmiers. Elle en compte plus de 80000, et ils sont la principale ressource économique du village.

L'église d'Eiffel

Non loin de San Ignacio, le volcan de **Las Tres Virgenes** (« les Trois Vierges ») domine la plaine. Des arbres éléphants au tronc difforme (*Pachycormus discolor*) surgissent des champs de lave. Ils conservent l'eau dans leur tronc et peuvent survivre plusieurs années sans pluie.

Après quelques virages sévères, on atteint le niveau de la mer sur le golfe à **Santa Rosalía** ❽, à 73 km de San Ignacio. Si le lieu n'est pas propice à un long séjour (il y fait toujours très chaud et les hôtels sont assez médiocres), il ne faut pas manquer l'**église d'Eiffel** (Iglesia Santa Barbara) bâtie par l'ingénieur français. Cette structure préfabriquée, qui remporta le deuxième prix à l'Exposition universelle de 1889, avait été conçue pour être édifiée en Afrique. Elle fut acquise par un dirigeant de la compagnie El Boleo, qui la fit expédier à Santa Rosalía, où il ne resta qu'à l'assembler.

Carte p. 200

L'église de Nuestra Señora de Loreto.

De Santa Rosalía, un bac de nuit mène à **Guaymas**, sur la côte de Sonora. Vers le sud, la route en corniche longe la côte du golfe jusqu'à **Mulegé** ❾, près de l'embouchure de **Bahía de la Concepción** ❿. En juillet et août, il y fait vraiment très chaud, mais la palmeraie et les plantations le long de la rivière Santa Rosalía permettent d'y trouver un peu de fraîcheur. Construite en 1705, l'Iglesia Santa Rosalía de Mulegé se dresse sur une petite colline. Les eaux paisibles de la baie attirent les pêcheurs et les amateurs de kayak, mais la plupart des criques ne sont accessibles qu'en 4 x 4. Des excursions sont organisées vers les sites de **peintures rupestres** des sierras avoisinantes. Au sud de Mulegé, la grand-route contourne la baie tandis qu'à l'ouest s'étend le désert.

Loreto ⓫, qui fut le site de la première mission de Californie, se trouve à 136 km de Mulegé, sur le golfe. En 1829, un ouragan balaya la ville. L'église originelle, **La Madre de las Misiónes**, a été reconstruite. Loreto a le charme d'une ville mexicaine traditionnelle, avec sa place centrale plantée d'arbres et son front de mer. Les hôtels y sont excellents et la pêche remarquable. On peut aussi louer un bateau pour aller voir les lions de mer à **Isla Coronado**.

A 25 km au sud de la ville, le complexe touristique de **Nopoló**, conçu par le gouvernement mexicain, devrait accueillir près de 8000 bateaux par an dans son port de plaisance de luxe.

LA PAZ

Après Loreto, la route surplombe la mer avant de s'enfoncer dans la **Sierra de la Giganta** jusqu'aux champs fertiles de **Ciudad Constitución**, dans la vallée de San Domingo.

De là, on peut soit se diriger vers le petit port de **San Carlos**, à 57 km à l'ouest sur le Pacifique, soit rallier directement La Paz par la route transpéninsulaire.

La plage de l'hôtel Presidente, à San José del Cabo.

Cartes pp. 200, 211

La Paz ⓬ (180 000 habitants) est le plus grand port de Basse-Californie Sud sur la côte du golfe. Avec ses maisons coloniales, ses rues plantées d'arbres, sa jolie place centrale et son front de mer où trônent quelques-uns des plus anciens hôtels de la ville, c'est un lieu de villégiature agréable. Le **Museo de Antropología** propose plusieurs expositions consacrées à l'art rupestre et aux Indiens de la région. Jusqu'en 1940, La Paz fut une destination recherchée à cause de ses perles blanches, roses et noires, mais une mystérieuse épidémie fit disparaître les huîtres qui les produisaient. Aujourd'hui, ses eaux poissonneuses attirent les pêcheurs, notamment au large de l'**Isla Espíritu Santo**.

LE FABULEUX FINISTÈRE

San José del Cabo ⓭, à 180 km au sud de La Paz, est devenu l'une des stations balnéaires les plus raffinées du Mexique, avec des équipements touristiques qui s'étendent sur une trentaine de kilomètres jusqu'au Cabo San Lucas. Mais le cœur de la ville a gardé tout son cachet, et ses plages sont très belles, même si les courants rendent la baignade dangereuse. Près de l'estuaire San José, refuge de plus de 200 espèces d'oiseaux, **La Playita** est une plage très agréable où l'on peut déguster en plein air poissons et fruits de mer.

La route continue vers le sud jusqu'au **Cabo San Lucas** ⓮. Ce cap marque l'endroit où les eaux fraîches du Pacifique rencontrent les eaux tièdes du golfe du Mexique, face à un spectaculaire groupe de formations rocheuses dominées par une gigantesque arche naturelle baptisée **El Arco**. C'est un site de pêche et de plongée très couru.

De Cabo San Lucas, il est possible de revenir à La Paz par la spectaculaire route qui serpente le long de la côte ouest jusqu'à **Todos Santos**, petite ville située exactement sur le tropique du Cancer.

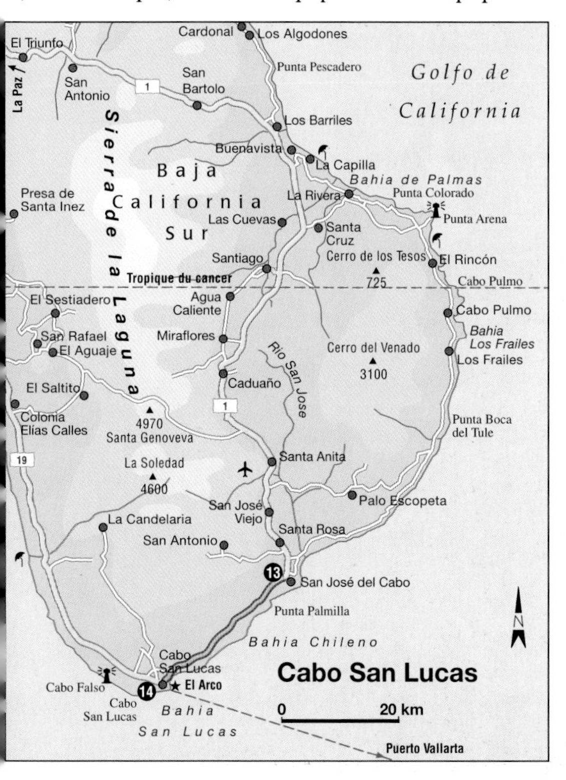

Râtelier de pêcheur à Bahía de Los Angeles.

Carte p. 200

A TRAVERS LES SIERRAS

Près de 1600 km séparent Ciudad Juárez de Guadalajara. Cette vaste région du Nord central offre des paysages très variés : montagnes déchiquetées, déserts sauvages, collines et plateaux arides, et elle n'est en rien comparable aux autres régions du pays. Les fêtes y sont moins colorées, il y a peu d'architecture coloniale, peu d'artisanat ; les lieux de cérémonie précolombiens y sont rares, et seuls les Tarahumaras ont conservé une partie de leur mode de vie traditionnel. En revanche, c'est un paradis pour les chasseurs et les pêcheurs, comme pour ceux qu'enchantent les paysages sauvages et grandioses.

Pour rejoindre la côte du Pacifique, il faut franchir deux barrières montagneuses : la Sierra Madre orientale et la Sierra Madre occidentale, de loin la plus difficile. Deux possibilités s'offrent pour traverser cette dernière : soit prendre le train entre Chihuahua et Los Mochis sur la côte, soit emprunter la route de Durango à Mazatlán.

En face d'El Paso, sur la rive sud du Río Grande, qui sépare le Mexique du Texas, **Ciudad Juárez** ⓯ est la ville la plus importante de l'État de Chihuahua. On peut y assister à des courses de lévriers, à des corridas, à des combats de coqs ou bien tenter sa chance au jeu, mais c'est avant tout une ville de transit, notamment pour les millions d'Américains qui la traversent chaque année.

CASAS GRANDES

A 300 km au sud-ouest, le site précolombien de **Casas Grandes** ⓰ est considéré comme un des plus importants du nord du Mexique. Les édifices qu'on a pu y mettre au jour laissent supposer que des sociétés précolombiennes très évoluées ont occupé cette région avant la conquête espagnole. Également appelé Paquimé, le site de Casas Grandes serait né de la fusion de groupes issus de l'aire culturelle du sud-ouest des États-Unis et qui auraient émigré vers le sud à partir du IXe siècle. Le site a été abandonné au XIVe siècle.

Outre un nombre important de pièces ou de maisons en terre d'un étage ou plus, l'architecture de Casas Grandes est caractérisée par des *kivas*, constructions semi-souterraines, ou par des habitations en surplomb sur les parois des ravins.

On a également mis au jour un important réseau de canaux destiné à alimenter la cité en eau.

Enfin, les poteries de Casas Grandes sont très belles et offrent une grande variété de formes (personnages, animaux, plantes...). Décorées de rangées de motifs géométriques et de représentations stylisées d'oiseaux ou de serpents rouges ou noirs sur fond crème, elles témoignent d'une sensibilité artistique et d'une belle habileté de la

A gauche, vendeuse de fleurs en papier.

Les grottes de Garcia, au nord de Monterrey, sont parmi les plus grandes du Mexique. Elles comportent 16 salles éclairées et bien aménagées, dans lesquelles on peut admirer de très belles formations de stalagmites et de stalactites produites pendant environ soixante millions d'années.

part de ceux qui les réalisèrent. Plusieurs poteries retrouvées sur le site sont aujourd'hui exposées au musée national d'Anthropologie, à Mexico.

CHIHUAHUA

Fondée en 1709, **Chihuahua** 17 (1,5 million d'habitants) est une ville dynamique où vivent des Indiens tarahumaras. C'est aussi un excellent point d'attache pour rayonner dans les environs. Plusieurs monuments rappellent l'ère coloniale, entre autres un aqueduc de 5 km, construit au XVIIIe siècle pour alimenter la ville en eau à partir d'un petit barrage.

La **cathédrale**, édifiée grâce aux contributions des mineurs travaillant dans les mines d'argent des environs, abrite un petit musée d'art sacré où l'on peut admirer une intéressante collection d'art mexicain du XVIIIe siècle.

La dépouille du père Miguel Hidalgo, exécuté en 1811, fut inhumée jusqu'en 1823 dans l'**Iglesia San Francisco**, avant d'être ramenée à Mexico.

L'intérieur du **Palacio del Gobierno**, une reconstitution fidèle d'un édifice du début du XVIIIe siècle, est décoré de fresques relatant l'histoire de l'État de Chihuahua, tandis que dans la cour un monument commémore l'appel du père Hidalgo et son exécution.

La **Quinta Gameros**, demeure victorienne à la décoration Art nouveau, abrite le **Museo Regional**, avec sa collection d'objets découverts lors des fouilles de Casas Grandes.

La **Quinta Luz**, maison qui appartenait à une des femmes de Pancho Villa, morte en 1984, est consacrée au souvenir du héros de la révolution. On y voit la voiture dans laquelle il fut assassiné à Parral en 1923.

La route en direction d'Ojinaga, au nord-est de la ville, traverse, après **Santa Anna de Chinarras**, les *pueblitos*, parcelles de 8 ha de terre irriguée qui furent attribuées aux combattants de Pancho Villa, les

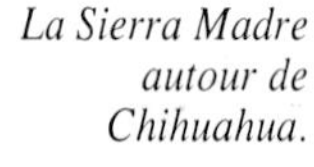

La Sierra Madre autour de Chihuahua.

dorados, pour les réinsérer dans la vie civile. Souhaitant transformer ces combattants en cultivateurs tranquilles, le gouvernement leur fournit le matériel nécessaire à la mise en culture et des subsides pour un an.

Hidalgo del Parral

En quittant Chihuahua en direction du sud, la route traverse la région agricole la plus riche de l'État, celle où sont cultivés les fameux piments mexicains. Au sud-est, à 157 km de Chihuahua, le lac du **barrage de Boquilla** regorge de perches noires.

Hidalgo del Parral ⓲, à 150 km plus au sud, est une ville animée et prospère qui a longtemps tiré sa fortune des mines d'argent. Une église du XVIIIe siècle est dédiée à la Vierge de la Foudre, **Virgen del Rayo**. Un mineur indien, qui prétendait avoir découvert une mine d'or, en aurait financé la construction, mais on ne sut jamais où se trouvait le filon. L'église est décorée d'angelots jouant à travers les vignes, dans un style très mexicain.

L'autre église, **Nuestra Señora de Fátima**, est entièrement construite avec des pierres recelant des minerais divers : or, argent, cuivre, plomb et zinc. Même les bancs sont taillés dans des roches métallifères.

Enfin, Parral est aussi connue pour avoir été le théâtre de l'assassinat de Pancho Villa en 1923. Sur les lieux du drame, un petit musée est consacré au souvenir du héros.

Au pays des mennonites

Dans la région qui entoure **Cuauhtémoc** ⓳, à 95 km à l'ouest de Chihuahua, vivent 15000 fermiers de langue allemande, les mennonites. Émigrés en 1921 du Canada, où leurs ancêtres étaient eux-mêmes arrivés d'Europe en 1871, ces réformés appartiennent à une secte fondée au XVIe siècle par Menno Simonis. Celle-ci ne reconnaît d'autre

Carte p. 200

Famille de mennonites.

La bière Carta Blanca est produite par la brasserie Cuauhtémoc, à Monterrey.

autorité que les textes bibliques et obéit à une morale stricte. Ses membres se marient entre eux, et la télévision est bannie des foyers, où il n'est pas rare de voir jusqu'à dix enfants.

Ayant, à leur arrivée, acheté 92 000 ha de terrains désertiques, les mennonites les transformèrent en pâturages et en vergers. Ils vendent leurs fromages, leur viande et des pommes réputées, mais comme leur religion condamne les excès de la vie moderne, ils se déplacent souvent en charrette.

De Cuauhtémoc, une route asphaltée sur la moitié du parcours conduit au **Parque National de Basaseachi** ⓴, où tombent les plus hautes chutes d'eau du Mexique (300 m). On parvient facilement au sommet de la cascade. Un sentier mène au fond de la gorge, mais il est préférable de se faire escorter par un guide local car il est mal indiqué. A mi-chemin, un dégagement offre un spectacle saisissant sur le canyon.

Les chutes de Basaseachi, dans le parc du même nom.

La cascade de Basaseachi, qui tombe d'une hauteur de 300 m, est la plus haute du Mexique. Le sommet, accessible en voiture, offre une vue magnifique. Toutefois, la route qui y conduit est difficile, surtout pendant la saison des pluies, de juillet à septembre.

LA SIERRA TARAHUMARA

La **Barranca del Cobre** (canyon du Cuivre) ㉑, sur la route qui relie la petite ville de Creel à La Bufa, est l'un des sites les plus impressionnants et les plus sauvages du monde. Elle se trouve à proximité du village de Batopilas. Souvent comparée au grand canyon du Colorado, elle se compose d'une douzaine de gorges imposantes. Dominant entre 2 000 et 3 000 m, les crêtes sont plantées de cactus géants et de conifères tandis que le fond des canyons offre une végétation tropicale, en particulier des orchidées sauvages.

La Sierra environnante est le pays des Tarahumaras, l'une des tribus les plus importantes du Mexique, qu'on peut évaluer à quelque 50 000 individus. Ce peuple de nomades a conservé son mode de vie et sa culture traditionnelle. Son costume de coton blanc, ou *tapote*, est complété par un bandeau rouge noué autour du front. L'hiver, ils occupent le fond de gorges, et rejoignent les sommets en été. Des épreuves de course à pied, combinées avec un jeu qui consiste à pousser du pied en courant une boule de bois de 10 cm de diamètre, sont organisées régulièrement. Elles peuvent durer deux à trois jours, sur des centaines de kilomètres.

La petite ville de **Creel** ㉒, prospère cité minière au XVIIIe siècle, compte aujourd'hui moins de 1 000 habitants. Située à proximité du sommet de la Barranca del Cobre, elle offre de belles possibilités d'excursions dans la Sierra Tarahumara.

Le train qui relie Chihuahua au Pacifique s'arrête à **El Divisadero** ㉓, merveilleux belvédère d'où admirer la Barranca del Cobre et ses ravins aux parois verticales; partout, des éboulements pétrifiés adoptent des formes extraordinaires dont les teintes varient selon l'éclairage.

MONTERREY

La majorité des visiteurs commencent leur périple mexicain à **Nuevo**

Laredo ㉔, à deux heures de route au nord de Monterrey.

Monterrey ㉕, capitale industrielle de l'État du Nuevo León, est la ville la plus importante de la région. Cette cité du Nord qui pratique la libre entreprise entretient des relations difficiles avec le gouvernement fédéral et aurait tendance à se tourner vers les États-Unis, avec lesquels elle a plus d'affinités tant culturelles qu'idéologiques. Fondée à la fin du XVIe siècle, la ville, sans cesse menacée par les incursions indiennes, végéta jusqu'à ce qu'un vaste complexe sidérurgique y fût implanté au XIXe siècle. Elle fut occupée en 1846 par les troupes texanes, puis par les militaires français en 1864.

On attribue souvent l'essor industriel de Monterrey aux efforts de la famille Garza-Sada, qui émigra d'Espagne au XIXe siècle. Cette impulsion amena un succès durable, car Monterrey produit 25 % des produits manufacturés du Mexique et la moitié de ceux qui sont exportés. Mais la surpopulation y est telle que le nombre d'emplois proposés ne peut jamais suffire à la demande.

Sur la vaste **Plaza Zaragoza** se dresse la façade baroque d'une **cathédrale** qui ne fut achevée qu'au XIXe siècle. L'art moderne est représenté par la sculpture abstraite du Mexicain Rufino Tamayo, qui se dresse à proximité du **MARCO** (musée d'Art contemporain). L'édifice abrite des œuvres d'artistes mexicains et latino-américains du XXe siècle.

L'**Iglesia de la Purisima Concepción**, dessinée par Enrique de la Mora, illustre l'architecture mexicaine des années 1940. Elle recèle une statue miraculeuse en bois dont on dit qu'elle aurait empêché l'inondation de la ville par la rivière Santa Catarina au XVIIIe siècle.

A 2,5 km à l'ouest du centre, l'ancien évêché, **Obispado**, se dresse au flanc d'une colline qui a pour arrière-plan l'impressionnante barrière du pic de la Selle, le **Cerro de la**

Carte p. 200

La Barranca del Cobre (canyon du Cuivre), dans la Sierra Madre.

Silla. Il garde la trace des assauts de l'invasion américaine de 1846; on remarque les trous des boulets et les égratignures des obus. A l'intérieur a été aménagé un musée consacré à l'histoire de la région.

Au nord de Monterrey, la **Cervecería Cuauhtémoc** est la plus grande et la plus ancienne brasserie du Mexique. On y produit une bière excellente, très appréciée des amateurs. L'ancienne brasserie a été convertie en musée : le **Museo de Monterrey** est l'un des meilleurs musées d'art du Mexique. Il présente, entre autres, des œuvres de Murillo, Siqueiros, Orozco, Rivera et Tamyo, et organise de remarquables expositions.

On peut faire de belles excursions dans un rayon de 50 km autour de Monterrey. Les **grottes de Garcia** ㉖, découvertes en 1834 et accessibles en funiculaire, comportent de belles formations calcaires.

A 20 km de Monterrey, le plateau de **Mesa Chipinique**, à 1 267 m d'altitude, offre une belle vue sur la ville.

Également impressionnantes, les gorges du **Cañón de la Huasteca** ㉗ sont formées de parois verticales de 250 m à 300 m de haut tombant à pic sur le torrent. A proximité, le **barrage de la Boca** est un excellent lieu de pêche.

En poursuivant vers Saltillo, à 35 km au sud-ouest de Monterrey, on parvient aux chutes de la **Cola de Caballo** ㉘ (« Queue de cheval »). **Las Tres Gracias** (« les Trois Grâces »), cascade à triple retombée, est un lieu charmant pour un pique-nique.

Saltillo

Une autoroute relie Monterrey à Saltillo, capitale de l'État voisin, le Coahuila. Perché à 1 600 m d'altitude, **Saltillo** ㉙ (650 000 habitants) jouit d'un climat ensoleillé et est devenu un lieu de vacance fréquenté. La ville ne fut colonisée qu'en 1575,

Les vignobles du Coahuila.

après l'arrivée de Francisco Urdiñola. Élevée dans la seconde moitié du XVIIIe siècle, la **cathédrale** est un très bel exemple d'architecture churrigueresque. De l'autre côté de la place se dresse l'élégant **Palacio de Gobierno**.

Parmi les musées, signalons les **Archivos Juárez**, consacrées à l'histoire récente du Texas, et le **Museo de las Aves**, qui évoque les espèces d'oiseaux du Mexique.

Saltillo s'est spécialisé dans la confection de *sarapes* bariolés, que l'on trouve facilement dans les nombreuses boutiques et sur le marché Juárez. La ville est aussi réputée pour ses carrelages en terre cuite, recherchés pour les patios et pour les toitures.

Vers la côte pacifique

A 160 km à l'ouest de Saltillo, **Parras**, dont le nom signifie « treille », est devenu un centre viticole important depuis la fin du XVIe siècle. L'irrigation a permis de mettre en valeur les terres semi-arides de la région. On y cultive le coton et surtout la vigne, moins exigeante en eau. La ville a vu naître Francisco Madero, chef de la révolution de 1910.

Durango ㉚, capitale de l'État du même nom, jouit d'un magnifique cadre de montagnes et d'une luminosité remarquable, ce qui lui vaut d'être un important lieu de tournage. Des visites des studios **Chapudaderos** et **Villa del Oeste** sont organisées par l'office du tourisme de la ville.

En quittant Durango, on parcourt une des routes les plus spectaculaires du Mexique. Elle passe par un col de la Sierra Madre occidentale, **El Espinazo del Diablo** (« l'épine du diable »), puis redescend en lacet jusqu'à Mazatlán, sur la côte pacifique.

Le golfe du Mexique

De Monterrey, on peut rejoindre la côte du golfe du Mexique, d'où les Espagnols lancèrent leurs expéditions vers les riches terres du Mexique. Quand on vient de Brownsville ou de McAllen, villes frontalières du Texas, les premières grandes agglomérations que l'on rencontre sont **Reynosa** ㉛ ou **Matamoros** ㉜.

Si la côte du golfe du Mexique n'est pas une grande destination touristique, on y trouve cependant des plages bordées de palmiers, une végétation luxuriante, ainsi que des sites de chasse et de pêche.

La plupart des visiteurs qui viennent du Texas se dirigent directement vers Monterrey et les régions centrales, mais il est aussi possible de suivre la côte vers **Tampico**.

La petite ville de **San Fernando** est l'occasion d'une halte agréable, avant de poursuivre jusqu'à **La Pesca** ㉝, adorable village de pêcheurs qui a bien failli devenir, dans les années 1990, un « piège à touristes ». Heureusement, le gouvernement a renoncé à son projet d'implantation d'un aérodrome et d'un complexe hôtelier.

Carte p. 200

Fête du Vin dans le Coahuila.

C'est près de Parras de la Fuente, à San Lorenzo, qu'on trouve le plus ancien vignoble du Mexique, planté à la fin du XVIe siècle. A proximité, les « bodegas » de San Lorenzo de Casa Madero, le deuxième vignoble en âge, produisent des vins réputés. La région, rendue fertile par l'irrigation, est une véritable oasis au cœur du désert.

LE BARRANCA DEL COBRE

C'est dans le Chihuahua qu'on trouve quelques-uns des paysages les plus spectaculaires du Mexique. Il s'agit des gorges profondes de la Sierra Madre connues sous le nom de Barranca del Cobre, c'est-à-dire le « canyon du Cuivre ».

Il a fallu aux vents et aux pluies des millions d'années pour façonner cette succession de gorges qui communiquent entre elles. L'ensemble représente 25 000 km² d'un paysage accidenté qui part du niveau de la mer pour atteindre 3 046 m à son point culminant. C'est là que se trouve la chute d'eau la plus haute du Mexique, la Cascada de Basaseachi. On y trouve aussi toutes sortes de plantes, qui en font un site naturel d'un grand intérêt, malgré l'absence presque totale de faune : en dépit de la présence de quelques busards et pygargues à tête blanche, les grands animaux ont presque entièrement disparu de la région. En revanche, les tribus indiennes les plus fidèles à leurs propres traditions y vivent toujours.

DES VUES SPECTACULAIRES

La ligne de chemin de fer Chihuahua al Pacifico passe au milieu de ce paysage extraordinaire. La construction de cette voie ferrée de 661 km de long commença en 1881 mais ne fut achevée qu'en 1961. La ligne passe par 87 tunnels (dont l'un fait plusieurs kilomètres de long) et franchit 35 ponts. Le trajet entre Chihuahua et Los Mochis prend 12 heures, avec de brefs arrêts le long du parcours pour admirer les paysages de forêts alpines et de torrents impétueux, les gorges rocailleuses où vivent des communautés d'Indiens tarahumaras et qui recèlent les vestiges d'anciennes missions ou de villes minières.

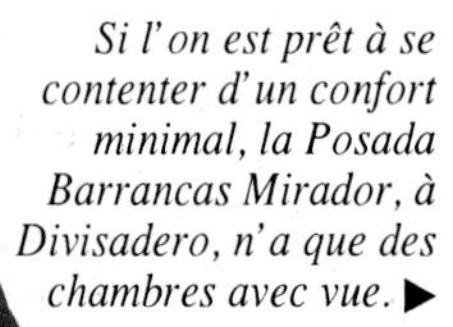

Les femmes et les jeunes filles tarahumaras sont en général vêtues d'une tunique en forme de robe-sac. Elles portent aussi parfois une jupe de laine retenue à la taille par une ceinture. ▶

Une femme tarahumara et sa petite fille vendent leurs produits artisanaux le long de la ligne de chemin de fer, au bord du Barranca del Cobre. ▶

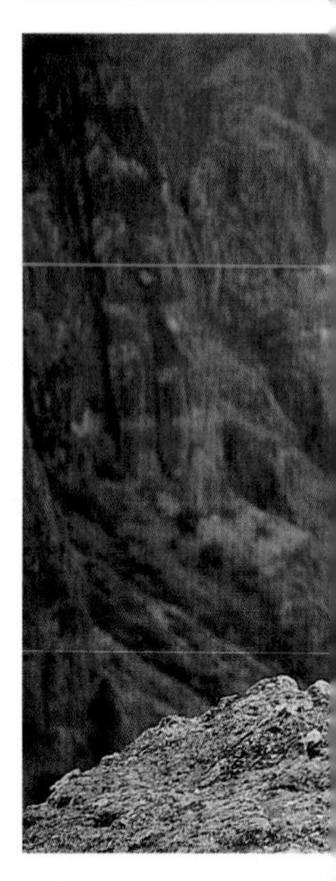

▲ *La ligne de chemin de fer Chihuahua-Pacifique est connue pour les vues qu'elle offre, mais aussi pour ses arrêts-buffet à base de tortillas.*

▲ *L'idée du chemin de fer du canyon est sortie du cerveau d'Albert Owen, idéaliste américain venu fonder une colonie utopiste sur la côte pacifique.*

Si l'on est prêt à se contenter d'un confort minimal, la Posada Barrancas Mirador, à Divisadero, n'a que des chambres avec vue. ▶

▲ *Des mennonites du Canada firent l'acquisition de 230 000 acres de terre dans le Cuauhtémoc, et vinrent s'y installer en 1921.*

La meilleure manière d'explorer le Barranca del Cobre est de le parcourir à pied ; mais les « rancheros » se séparent peu de leur monture. ▼

LES INDIENS TARAHUMARAS

Longtemps avant la construction de la voie de chemin de fer, les hauts plateaux et les gorges profondes du Barraca del Cobre (canyon du Cuivre), étaient habités par des Indiens de la tribu des Tarahumaras. Placés pendant des siècles sous la dépendance des colons espagnols et des métis, les 60 000 descendants de cette tribu vivent repliés sur eux-mêmes et évitent le monde moderne. Ils habitent des grottes aménagées ou de simples cabanes de bois. Leur ordinaire se compose de tortillas, de pommes de terre, de haricots et de courges. Ils sont catholiques, même s'ils placent dans leurs églises des images de leurs anciens dieux du soleil et de la lune.

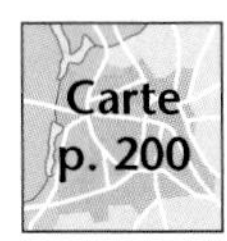

LA CÔTE NORD-OUEST

Ce n'est qu'au XVIIe siècle que les missionnaires vinrent évangéliser les tribus du Nord-Ouest. Les jésuites obtinrent un certain succès auprès des Pimas et des Opatas, ainsi que des Mayos et des Yaquis, mais échouèrent auprès des Seris. Partout où des missions furent implantées, les prêtres introduisirent les animaux domestiques, apprirent aux Indiens à mieux cultiver leurs terres et les aidèrent à construire leurs maisons.

La situation se dégrada avec l'arrivée des colons espagnols, qui prirent les meilleures terres et contraignirent les Indiens à travailler pour eux. Ceux-ci se rebellèrent. Il était impossible de soumettre d'un seul coup tant de tribus différentes, dispersées sur d'aussi vastes étendues. Pendant des décennies, des soulèvements violents et sporadiques éclataient ici ou là. Puis, devant le nombre sans cesse croissant de Blancs qui s'installaient, la révolte se fit plus marquée.

Les persécutions des Indiens

Lorsque les jésuites furent expulsés du Mexique, en 1767, leurs missions furent abandonnées et les Indiens du Nord-Ouest perdirent leurs seuls protecteurs et porte-parole. Maltraités, spoliés de leurs terres ancestrales, les Yaquis, tribu de guerriers, réagirent violemment, et la répression espagnole fut terrible. Il en fut de même quand le Mexique devint indépendant.

Pendant des siècles, le nord-ouest du Mexique demeura isolé, sans protection et vulnérable. Les Indiens y vivaient de façon marginale, prenant peu de part à la vie nationale, ne s'associant pas au mouvement pour l'indépendance de 1810.

Cette région délaissée était une proie tentante. En 1852, Gaston

Pélicans guettant le poisson, à La Paz.

Raousset de Bourbon, aidé de quelques Français, s'empara d'Hermosillo, dans le Sonora, et Henry Crabb, un Américain de Californie, tenta en 1857 de prendre le nord du Sonora. Dans les deux cas, les Mexicains chassèrent les envahisseurs et exécutèrent leurs chefs.

Les gouvernements nordistes

Lorsque la révolution de 1910 éclata, le Nord-Ouest se lança dans la lutte armée, apportant son soutien au général Obregón, qui sortit victorieux de ce combat.

La réforme agraire ne toucha cependant la région que très lentement. De vastes territoires ne furent pas concernés avant la réalisation du programme du président Cárdenas, qui remit aux Indiens 405 000 ha de terres de part et d'autre du cours de la Yaqui.

Le Nord-Ouest est une région de grosse production. L'État du Sonora est le premier producteur de coton, de soja et de blé du pays. L'État du Sinaloa, qui produit du blé, du coton, de la canne à sucre et des pois chiches exportés en Espagne et à Cuba, est aussi le premier producteur de tomates, qu'il exporte vers les États-Unis. Les mines d'argent ne sont plus rentables mais, dans le nord du Sonora, celles de cuivre de Cananea sont les plus importantes du pays.

Le nord du Sonora

Les plages de la côte ouest, recherchées par les fanatiques du soleil, s'égrènent le long d'une autoroute qui, partant du Rio Colorado, rejoint Puerto Madero, dans le Chiapas. Cette route, parallèle à la côte, s'écarte par endroits de l'océan pour s'enfoncer à travers l'exubérante végétation tropicale.

Sur la côte du Sonora, les nuits d'hiver peuvent être froides, mais le soleil revient avec le jour. L'eau est toutefois trop froide pour qu'on puisse s'y baigner. Grâce aux brises venues du large, l'atmosphère de la côte ouest est moins lourde que celle du golfe de Californie ; il peut néanmoins y faire très chaud.

Cette partie de la côte pacifique est réservée à la détente. Elle offre de magnifiques plages et un soleil souvent généreux, mais elle ne comporte aucun site archéologique et très peu d'architecture coloniale.

Parties de pêche

Pour rejoindre la côte du golfe de Californie depuis les États-Unis, on peut entrer au Mexique par les deux villes frontalières que sont **Mexicali** ㉞ et **Nogales** ㉟.

A mi-chemin entre les deux, au nord-ouest du Sonora, **Puerto Peñasco** est un agréable village de pêcheurs. On peut y louer des bateaux pour faire des excursions en mer, mais les courants, les marées et les vents sont parfois violents dans les eaux peu profondes du golfe de Californie, qu'on nomme aussi mer de Cortés.

L'artisat du nord-ouest du Mexique provient surtout des autres régions, mais on y trouve des réalisations originales, comme cette tête sculptée dans une noix de coco.

Les plages de la côte ouest sont recherchées par les amateurs de soleil. La côte offre en effet des plages magnifiques, qui invitent à la promenade, même si la température de l'eau reste plutôt fraîche. Plus au sud, les vagues sont propices à l'équitation et à la pratique du surf.

Un peu de repos en attendant la vague.

Le grand désert

Le Sonora, deuxième État du Mexique par sa superficie, possède un littoral de plus de 1200 km, aux fonds marins très riches. A l'intérieur règnent la montagne et le désert. Pour rompre la monotonie de cette traversée, on peut faire halte à **Magdalena**, où sont conservées les reliques du père jésuite Eusébio Francisco Kino, qui fonda les missions de la région nord-ouest du Sonora, remontant ensuite jusqu'en Californie et en Arizona.

Fondé au milieu du XVIIIe siècle, **Hermosillo** ㊱, capitale du Sonora, a conservé peu d'édifices de la période coloniale.

En revanche, à une centaine de kilomètres, **Bahía Kino** ㊲ est resté pittoresque en raison de la présence d'un groupe d'Indiens seris.

La plupart habitent l'**Isla Tiburón** ㊳, séparée de la côte par un chenal, **El Estrecho del Infiernillo** (« le détroit de l'Enfer »). La tribu des Seris ne compte plus que quelques centaines d'individus. Ils sculptent dans des bois durs de petits animaux. Certains fabriquent aussi des bijoux avec l'appendice caudal des serpents. Les Seris récoltent les fruits d'un cactus candélabre, la *pitaaya*, et une espèce de fraise savoureuse, la *kuabari*, ainsi que d'autres fruits sauvages délicieux. On peut louer un bateau pour se rendre sur l'île de Tiburón (dont le nom signifie « requin »), devenue une réserve naturelle.

Guaymas ㊴ et **San Carlos** ㊵, tout comme **Bocochibampo**, sont des centres de pêche en haute mer : poisson-voile, marlin, makaire, pèlerin... Le désert s'étend jusqu'à la mer et les cactus géants décorent le paysage. Un bac relie quotidiennement Guaymas à Santa Rosalía, en Basse-Californie. Dans la baie abritée de Guaymas, les voiliers viennent jeter l'ancre ; des complexes hôteliers et des bungalows ont été construits sur ses rives.

Coucher de soleil sur le port de Guaymas.

Carte p. 200

Au sud de Guaymas, une réserve d'Indiens yaquis est installée sur le cours moyen du Río Yaqui. Jusqu'au début du XXe siècle, cette tribu lutta pour son indépendance et ne fut soumise qu'après de nombreuses rébellions. Les quelques milliers d'individus regroupés dans la région se consacrent à l'agriculture. Ils vivent dans des cabanes assez basses en bois et en roseaux. Très croyants, ils pratiquent un culte qui mêle les rites catholiques et païens. Certains, rassemblés en congrégations, participent aux cérémonies religieuses et aux danses qui les accompagnent. La plus célèbre de ces danses est exécutée le 7 octobre pour la fête du Rosaire. L'un des danseurs est coiffé d'une tête de cerf, d'autres portent des masques de coyotes.

Ciudad Obregón, ville moderne, est un gros marché agricole. Dans ses environs, sur les contreforts de la Sierra Madre occidentale, les chasseurs traquent les cerfs, les dindes et les chats sauvages, voire les ours.

Au sud de cette ville, **Navojoa** se trouve au centre d'une importante région cotonnière où vivent des Indiens mayos.

ALAMOS

A 50 km à l'est de Navojoa, **Alamos** ❹❶, au pied de la Sierra Nevada, est une petite ville minière du XVIIIe siècle très pittoresque. Elle est classée monument national et on peut y admirer quelques-uns des plus beaux édifices de style colonial de la côte du Pacifique.

Sa petite **Plaza de Armas**, pavée de galets, est bordée de portiques à colonnes sur trois côtés tandis que sur le quatrième se dresse la façade baroque de l'**Iglesia Nuestra Señora de la Concepción** (1784). Le plafond du kiosque à musique est entièrement décoré.

La petite ville était presque abandonnée lorsque, après la Seconde Guerre mondiale, de riches Américains la découvrirent et restaurèrent

Yachts américains dans la baie de San Carlos.

ses plus belles demeures, dont certaines ont été transformées en hôtels.

Los Mochis

Depuis Navojoa, la route descend jusqu'à **Los Mochis** ㊷, gros centre agricole exportateur de coton et de riz. La production locale de canne à sucre y est traitée dans la plus importante raffinerie de la côte ouest.

Los Mochis est la gare de départ du **train Chihuahua al Pacifico la Barranca del Cobre**, qui relie la côte à Chihuahua en traversant les spectaculaires canyons de la Sierra Madre. Le trajet dure une journée. L'idée de cette voie ferrée remonte au XIXe siècle, mais il fallut près d'un siècle et de nombreuses tentatives avant qu'elle puisse être menée à bien. La ligne, partie de Chihuahua en 1868, ne fut achevée qu'en 1961. La révolution, le manque de crédits et les difficultés techniques interrompirent à plusieurs reprises les travaux.

De Los Mochis, on peut rejoindre **Topolobampo** et la plage d'**Animas**, paradis des pêcheurs et des chasseurs.

L'**Isla de Farallón**, survolée de nuées d'oiseaux de mer, est le rendez-vous d'accouplement des phoques. L'île est entourée de magnifiques fonds marins.

Au nord-est, la route traverse une région agricole irriguée et prospère avant d'arriver à **El Fuerte**, petite ville minière au charme colonial. La **Posada del Hidalgo**, belle demeure du XIXe siècle, a été récemment aménagée en hôtel.

A proximité, les eaux du **barrage Hidalgo** sont poissonneuses.

A mi-chemin entre Los Mochis et Mazatlán, **Culiacán** est la capitale du Sinaloa. Cet État, énorme producteur de tomates et d'opium, exporte ces denrées vers les États-Unis. L'opium est très légalement destiné à des fabrications pharmaceutiques.

Vue de Mazatlán.

Carte p. 200

Mais la région n'en est pas moins le fief des trafiquants de drogue, en dépit des opérations menées régulièrement par la police et l'armée.

Mazatlán

Surnommée la « Perle du Pacifique », **Mazatlán** ⓭ (le « lieu du cerf » en nahuatl) est une cité balnéaire très vivante. Construite sur une péninsule entourée de criques et de pics rocheux, la ville offre toute une gamme de loisirs et de bons hôtels à des prix raisonnables, sauf pendant la semaine du carnaval, où les tarifs peuvent être multipliés par deux.

Du **Cerro del Crestón** – pointe qui sépare le port de l'océan – on jouit d'une très belle vue. Le phare qui la couronne est un des plus hauts du monde.

La plupart des visiteurs séjournent dans la **Zona Dorada** (« zone dorée »), sur le front de mer. Sur près de 3 km se succèdent hôtels, restaurants et boutiques.

Au sud, le **Centro de Artesanías** regorge de souvenirs. On peut y assister à un spectacle de *voladores de Papantla* : au cours de cette « danse » d'origine préhispanique, quatre voltigeurs se lancent dans le vide depuis une plate-forme placée au sommet d'un mât.

La vieille ville possède quelques beaux monuments. Sur le Zócalo, où se tient régulièrement un marché de plantes médicinales, se dresse la **cathédrale** néogothique. Sa façade est ornée de sculptures en roche volcanique.

A proximité, le **Theatro Angela Peralta**, également néogothique, a rouvert ses portes depuis peu. Son intérieur baroquisant est un des joyaux de la ville.

Le **Malecón**, ou front de mer, s'étire sur près de 10 km. Au nord, la très longue **Playa Norte** est très fréquentée. A mi-chemin, l'**Aquarium de Mazatlán** héberge plus de 200 espèces de poissons.

Les meilleures plages pour la baignade sont la **Playa Sábalo** et la **Playa Las Gaviotas**, dans la Zona Dorada. Toutes deux sont abritées des vagues du Pacifique par un chapelet d'îles. Sur cette partie de la côte, l'eau, souvent très agitée, ne facilite pas l'observation des fonds sous-marins. En revanche, Mazatlán est un site de pêche réputé, riche en thons, en espadons et en pèlerins, auxquels s'ajoutent les marlins bleus et noirs (de mars à décembre) et les marlins rayés (de novembre à avril).

La lagune **El Caimanero** (« le lieu du Cerf ») est renommée pour sa chasse aux canards, pigeons et faisans. On peut même participer à des chasses au jaguar et au cerf.

Le carnaval de Mazatlán est une des fêtes les plus réputées du Mexique. Il fut lancé en 1898 et n'a cessé depuis d'attirer les foules.

Avant de poursuivre vers le sud, on peut faire un détour jusqu'à **Concordia** ⓮, au pied de la Sierra Madre. Cette ville est réputée pour ses meubles sculptés, ses vanneries et ses poteries.

C'est d'El Faro, phare qui se dresse à la pointe sud de la péninsule, qu'on a la meilleure vue sur Mazatlán, le plus grand port de la côte pacifique du Mexique. Ce phare s'élève à 157 m au-dessus de la mer, ce qui en fait le deuxième du monde après celui de Gibraltar.

L'aigle, emblème du Mexique, est un des animaux du panthéon aztèque.

Jeune métisse en habits de fête.

Un peu plus loin, **Copala** ⓯, est une cité minière du XVIe siècle. Ses rues pavées sont bordées de maisons blanchies à la chaux qui se dressent à flanc de montagne. La route continue à l'est sur ces escarpements boisés et offre de très beaux paysages.

Au pays des Indiens huichols

Au sud de Mazatlán, la route rejoint **Santiago Ixcuintla** ⓰, patrie des Indiens huichols. Un centre consacré à cette ethnie permet de découvrir leur artisanat, un des plus riches de la région.

Mexcaltitán ⓱ est un curieux village qui s'intitule – non sans humour – la « Venise du Mexique ». En effet, à la saison des pluies, les rues sont inondées et on ne peut y circuler qu'en canoë. Les produits de la pêche y sont exquis, les restaurants et les hôtels nombreux. Certains historiens pensent que Mexcaltitán est la mythique île d'Aztlán, d'où serait originaire le peuple aztèque.

Parachute ascensionnel sur la plage. Entre la frontière avec les États-Unis et l'État du Nayarit, la côte ne possède que très peu de sites archéologiques et de curiosités architecturales, et l'on y séjourne surtout pour profiter de son bord de mer : sports nautiques, excursions, pêche et farniente au bord de l'eau…

De Mexcaltitán, on descend par un canyon recouvert d'une végétation dense de palmiers, de bananiers, d'avocatiers, de manguiers, de papayers et, à la limite de la terre et de la mer, ce paysage si curieux de la mangrove et des palétuviers.

Une belle balade dans l'estuaire de San Cristóbal mène à travers les marigots aux sources de la **Tovara**. On glisse sur des canaux ombragés par une voûte végétale où s'ébattent une foule d'oiseaux aquatiques. Aux sources, les eaux cristallines invitent à la baignade.

Une promenade en mer mène aux **Islas Tres Marias**, à une centaine de kilomètres au large. Leurs côtes escarpées ont favorisé l'installation d'une colonie pénitentiaire.

San Blas ⓲, qui a été un port et a compté un chantier naval réputé, est un village de pêcheurs aujourd'hui assoupi. Les ruines de ses fortifications évoquent l'arrivée des galions des Philippines, guettée par les boucaniers. Si cette localité est réputée pour la férocité de ses moustiques, c'est aussi un site privilégié pour la pratique du surf en raison de longues vagues.

Cette partie de la côte est également un refuge pour de nombreuses espèces d'oiseaux, qu'il est possible d'observer en louant les services d'un guide.

Aux confins du Nayarit

A 70 km à l'intérieur des terres, **Tepic** ⓳, capitale de l'État du Nayarit, est une halte agréable. Le **Zócalo** est charmant, avec son jardin tropical et son kiosque à musique. La **cathédrale** du XVIIIe siècle est flanquée de deux tours néogothiques. Le **Museo Regional** abrite une collection de céramiques préhispaniques. En fin de semaine, les Indiens huichols et coras viennent y vendre leurs bijoux et leurs textiles.

Au sud, **Ixtlán del Río** est un des rares sites précolombiens de l'ouest du Mexique. Sa structure principale, un temple circulaire, est dédiée à Quetzalcóatl.

LE CENTRE

Pour les colons espagnols, les hauts plateaux du centre du Mexique étaient une énorme source de richesse. La route de l'argent, qui allait de Zacatecas à Mexico, passait par les plus belles villes coloniales. Les cathédrales, les monastères et couvents, les chapelles et les grandes demeures qu'on visite aujourd'hui sont le legs de cette époque prospère.

Le sort des Indiens était en revanche moins enviable, et il n'est pas étonnant que le mouvement indépendantiste du XIXe siècle ait pris naissance dans le Bajío, triangle dont les sommets sont les villes de Querétaro, San Luis Potosí et Aguascalientes.

Au sud du Bajío s'étendent les collines verdoyantes du Michoacán, l'une des plus belles provinces du Mexique. On peut y faire l'ascension des cratères fumants des volcans ou admirer les papillons monarques qui arrivent chaque année par millions du Canada. Les artisans du Michoacán sont réputés pour leur habileté et pour la variété de leurs réalisations. Si l'on voyage au mois de novembre, on aura l'occasion d'assister au jour des Morts, qui ne se fête nulle part avec plus de ferveur qu'à Pátzcuaro et dans l'île voisine de Janitzio.

Des champs d'agave bleu-vert entourent à perte de vue la ville petite mais indirectement célèbre de Tequila, dans l'État voisin du Jalisco. Non seulement on y fabrique cette boisson typique, mais c'est dans le Jalisco qu'on trouve le plus de *charros* et de *mariachis*. Ce qui n'empêche pas la capitale de l'État, Guadalaraja, d'être la seconde ville du Mexique. A l'opposé, les Indiens coras et huichols qui vivent dans les montagnes font chaque année un pèlerinage à San Luis Potosí – ce qui représente 1 600 km aller et retour – pour récolter le *peyotl*, cactus hallucinogène lié à leurs rites.

Le Jalisco est enfin la porte de l'océan Pacifique, où des stations balnéaires attirent désormais les touristes par milliers. Les sommets de la Sierra Madre occidentale et de la Sierra Madre del Sur dominent les plages bordées de palmiers et les lagons azurés. Outre les grandes stations qui organisent des parties de pêche et offrent tous les sports aquatiques et nautiques imaginables, il existe des kilomètres de plages désertes, bordées de plantations de bananiers, de manguiers et de cocotiers.

Pages précédentes : en pirogue sur les eaux paisibles du lac de Pátzcuaro. A gauche, fleurs orangées de « cempasúchil » (proche du souci) apportées en offrande pour le jour des Morts.

LE BAJÍO ET LE CŒUR DU MEXIQUE COLONIAL

Dans le centre du Mexique, les cinq États de Zacatecas, Aguascalientes, San Luis Potosí, Guanajuato et Querétaro occupent un espace presque aussi grand que la France. Les grands édifices élevés dans la région à l'époque coloniale ont été préservés pendant les périodes de léthargie qui suivirent, et ces témoignages remarquablement conservés offrent de belles occasions de découvertes au voyageur curieux qui dispose de temps et de patience.

ZACATECAS

L'État de Zacatecas se situe entre le Nord aride et dépeuplé et le Mexique central, région fertile dont les riches mines attirèrent de nombreux colons. La zone fut occupée à l'époque précolombienne, comme en témoigne le site de **Chalchihuites** ❶. Les fouilles ont permis de dégager une véritable forteresse, élevée aux alentours de l'an 1000 et entourée de fortifications. Les céramiques retrouvées sur place rappellent à la fois le style géométrique de l'Ouest américain et les dessins mexicains des hauts plateaux.

Géographiquement très excentrée, la région de Zacatecas a cependant connu un épanouissement culturel comparable à celui des villes de l'Altiplano. Cet essor se reflète aujourd'hui dans l'architecture de sa capitale. Entourée d'austères montagnes (2 500 m d'altitude), **Zacatecas** ❷ recèle des monuments parmi les plus beaux du Mexique colonial. Fondée en 1546 par des conquistadors, la ville prospéra grâce à la découverte d'importants gisements d'argent. La première paroisse fut fondée en 1553 et le statut de *ciudad* fut accordé en 1585 par le roi d'Espagne.

Zacatecas, devenue une agglomération importante (300 000 habitants), reste cependant une des villes les plus accueillantes du Mexique, qui séduit par son mélange de rudesse et de raffinement. La pierre est sculptée avec une sobre élégance, les anciens palais s'ornent de ferronneries délicates.

Son monument le plus prestigieux est la **cathédrale**, élevée au XVIIIe siècle sur la Plaza de Armas. Sa façade, ornée d'une sculpture exubérante caractéristique du style churrigueresque mexicain, se dresse entre deux tours, et un triple portail donne accès à l'intérieur, qui a malheureusement perdu au fil du temps son riche décor baroque.

De l'autre côté de la place s'élève le **Palacio del Gobierno**, belle résidence privée du XVIIIe siècle dont les fresques intérieures retracent l'histoire de la ville.

A proximité, le **Palacio de la Mala Noche**, ancienne maison coloniale construite en pierre rose locale par un riche propriétaire de mines d'argent, abrite aujourd'hui le palais de justice de Zacatecas.

Carte p. 236

A gauche, les toits de Pátzcuaro, dans l'État du Michoacán.

Masque de la danse du Jaguar au Museo Rafael Coronel de Zacatecas. Généralement taillés dans un bois léger et décorés de couleurs vives, les masques cérémoniels figurent les créatures des mythes indiens (jaguar, singes, cerfs...) ou les acteurs de l'histoire du pays (conquistadors, chefs indiens, rois et princes aztèques).

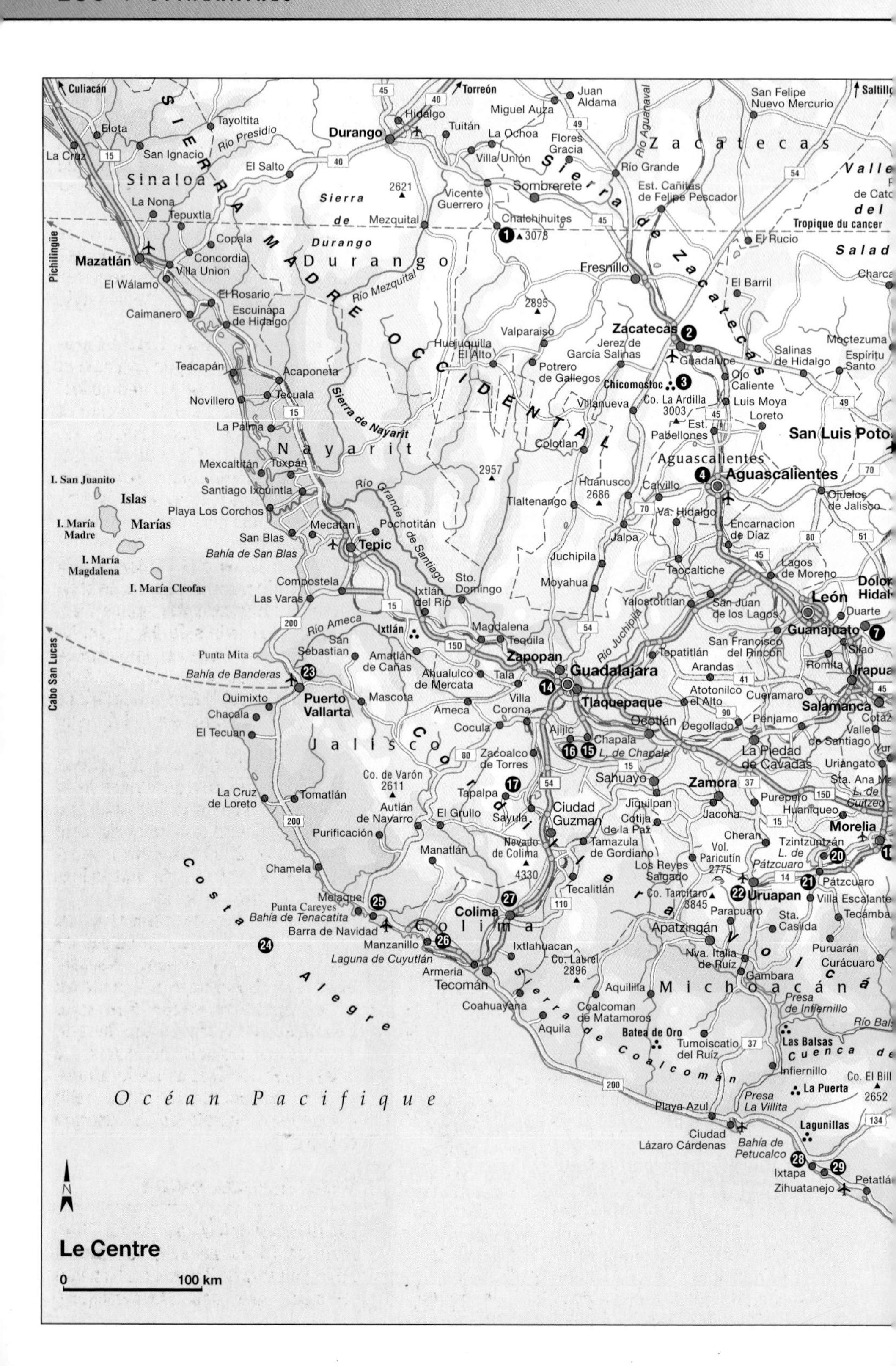
Le Centre
0
100 km
N
Océan Pacifique
Culiacán
Torreón
Saltillo
Elota
La Cruz
Tayoltita
Río Presidio
San Ignacio
Sinaloa
El Salto
La Nona
Tepuxtla
Copala
Concordia
Mazatlán
Villa Union
El Wálamo
Pichilingüe
El Rosario
Caimanero
Escuinapa de Hidalgo
Teacapán
Acaponeta
Novillero
Tecuala
La Palma
Nayarit
Mexcaltitán
Tuxpán
Santiago Ixcuintla
Playa Los Corchos
San Blas
Bahía de San Blas
Mecatán
Tepic
Pochotitán
Río Grande de Santiago
Sierra de Nayarit
Compostela
Las Varas
Ixtlán del Río
Sto. Domingo
Río Ameca
Ixtlán
San Sebastian
Amatlán de Cañas
Punta Mita
Bahía de Banderas
Puerto Vallarta
Quimixto
Chacala
El Tecuan
Mascota
Ahualulco de Mercata
Magdalena
Tequila
Zapopan
Tala
Guadalajara
Tlaquepaque
Villa Corona
Ameca
Cocula
Ajijic
Chapala
L. de Chapala
Jalisco
Zacoalco de Torres
Co. de Varón 2611
Tapalpa
Sayula
La Cruz de Loreto
Tomatlán
Autlán de Navarro
El Grullo
Purificación
Ciudad Guzmán
Nevado de Colima 4330
Manatlán
Chamela
Costa Alegre
Melaque
Punta Careyes
Bahía de Tenacatita
Barra de Navidad
Manzanillo
Laguna de Cuyutlán
Armeria
Tecomán
Colima
Tecalitlán
Ixtlahuacan
Co. Laurel 2896
Coahuayana
Aquila
Sierra de Coalcoman
Coalcoman de Matamoros
Aquililla
Batea de Oro
Tumoiscatio del Ruiz
Playa Azul
Ciudad Lázaro Cárdenas
Bahía de Petucalco
Ixtapa
Zihuatanejo
Petatlán
Lagunillas
Presa La Villita
La Puerta
Co. El Bill 2652
Infiernillo
Las Balsas
Cuenca de
Río Bals
Presa de Infiernillo
Michoacán
Gambara
Nva. Italia de Ruiz
Apatzingán
Co. Tancitaro 3845
Paracuaro
Uruapan
Sta. Casilda
Puruarán
Curácuaro
Tecámbaro
Villa Escalante
Pátzcuaro
Tzintzuntzán
L. de Pátzcuaro
Morelia
Huaniqueo
Purepero
Cheran
Vol. Paricutín 2775
Los Reyes Salgado
Tamazula de Gordiano
Cotija de la Paz
Jiquilpan
Sahuayo
Jacona
Zamora
La Piedad de Cavadas
Uriangato
Sta. Ana Maya
L. de Cuitzeo
Yuriria
Valle de Santiago
Salamanca
Cortazar
Irapuato
Silao
Romita
Guanajuato
León
Dolores Hidalgo
Duarte
Pénjamo
Degollado
Ocotlán
Atotonilco el Alto
Cuerámaro
Arandas
San Francisco del Rincon
Tepatitlán
San Juan de los Lagos
Yalostotitlan
Río Juchipila
Lagos de Moreno
Teocaltiche
Encarnacion de Díaz
Ojuelos de Jalisco
Aguascalientes
Calvillo
Va. Hidalgo
Jalpa
Juchipila
Moyahua
Tlaltenango
Huanusco 2686
2957
Colotlan
Est. Pabellones
Co. La Ardilla 3003
Villanueva
Chicomostoc
Potrero de Gallegos
Valparaiso
Huejuquilla El Alto
Jerez de García Salinas
Zacatecas
Guadalupe
Ojo Caliente
Luis Moya
Loreto
San Luis Potosí
Salinas de Hidalgo
Moctezuma
Espíritu Santo
El Barril
Charcas
Salado
Tropique du cancer
El Rucio
Fresnillo
Sierra de Zacatecas
Zacatecas
Est. Cañitas de Felipe Pescador
Río Grande
Río Aguanaval
Sombrerete
Chalchihuites
3078
Flores Gracia
La Ochoa
Villa Unión
Vicente Guerrero
Miguel Auza
Juan Aldama
San Felipe Nuevo Mercurio
Tuitán
Hidalgo
Durango
Sierra de Durango
Mezquital
2621
Río Mezquital
2895
Sierra Madre Occidental
Cordillera Volcánica
I. San Juanito
Islas Marías
I. María Madre
I. María Magdalena
I. María Cleofas
Cabo San Lucas
Valle de

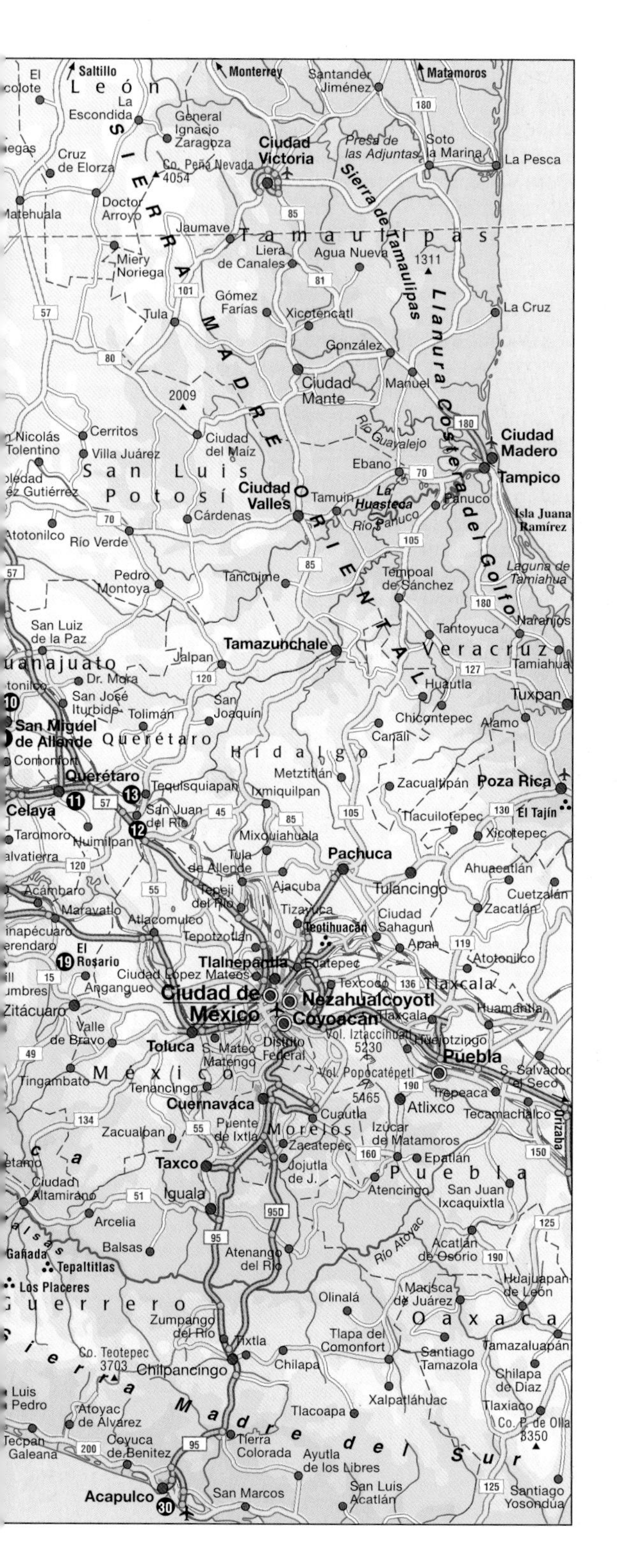

Au sud-ouest de la cathédrale, on peut voir le **Teatro Calderón** (XIXe siècle) et le **Mercado González Ortega**, ancien marché central, dont la très belle structure métallique abrite aujourd'hui un centre commercial.

Dans les environs proches de la Plaza de Armas, la très belle église baroque **Santo Domingo** conserve de magnifiques retables dans le style churrigueresque.

Tout près, le **Museo Rafael Coronel**, aménagé dans l'ancien couvent San Francisco, conserve une collection exceptionnelle d'art ancien et moderne, dont des œuvres de Picasso, Braque, Chagall et Miró, ainsi qu'un magnifique ensemble de masques, des marionnettes du XIXe siècle et des poteries précolombiennes.

Derrière le **parc de l'Alameda**, la **Mina El Eden** fut exploitée de 1586 à 1950. C'était une des mines d'argent les plus riches du Mexique. La visite de ses galeries est impressionnante et permet de prendre conscience des difficiles conditions de travail des mineurs à l'époque coloniale.

A la sortie du site, un téléphérique conduit au sommet du **Cerro de la Bufa**, d'où l'on peut jouir d'une belle vue sur la ville. Au sommet de cette montagne de 2700 m s'élève le **sanctuaire de la Vierge de Patrocino**, sainte patronne de la ville.

A une dizaine de kilomètres au sud de Zacatecas, dans le village de Guadalupe, le **Convento Nuestra Señora de Guadalupe** fut fondé au début du XVIIIe siècle. Son style témoigne de l'interprétation du style baroque par les artisans locaux. Le couvent abrite également le **Museo de Arte Virreinal**, riche d'une belle collection de peintures de l'époque coloniale.

VESTIGES PRÉCOLOMBIENS

Le site archéologique de **La Quemada** ou **Chicomostoc** ❸ se trouve à 50 km au sud de Zacatecas. Bâtie au Xe siècle par des Chichimèques,

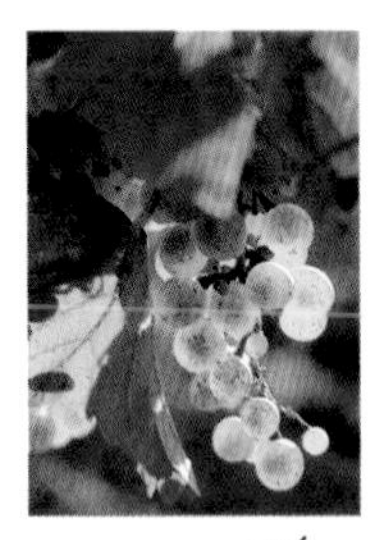

L'État d'Aguascalientes produit un petit vin qui rappelle un peu le brandy.

cette imposante forteresse est un des rares centres de cérémonie du nord-ouest du Mexique. Cette cité précolombienne qui fut détruite par le feu au début du XIIIe siècle a été édifiée à flanc de colline. On peut y admirer des nombreux vestiges : pyramides, temples et palais, jeux de balles...

Aguascalientes

Le petit État d'Aguascalientes (« eaux chaudes » en espagnol), au sud de Zacatecas, doit son nom à ses sources thermales. Sa capitale, qui porte le même nom, est longtemps demeurée oubliée, mais la viticulture lui a apporté une prospérité nouvelle. La majeure partie de la production est transformée en un brandy qui ne ressemble que d'assez loin à l'eau-de-vie espagnole ou au cognac français.

Aguascalientes ❹ est une ville agréable. Son **Jardín San Marcos**, aménagé au XIXe siècle, est le théâtre d'une grande *feria* de printemps ; pendant dix jours, fin avril, début mai, courses de taureaux, bals, jeux d'argent (pourtant interdits au Mexique) font la joie d'une foule qui vide allègrement maintes bouteilles et dépense ses pesos.

La place principale, la **Plaza de la Patria**, est entourée de quelques beaux monuments de l'époque coloniale.

Le patio intérieur du **Palacio de Gobierno**, édifié au XVIIIe siècle, est orné de fresques dues à l'artiste chilien Oswaldo Barra Cuningham.

Tout à côté, la **cathédrale** abrite, derrière sa façade baroque, des œuvres de Miguel Cabrera, célèbre peintre mexicain de l'époque coloniale. On peut admirer d'autres œuvres de cet artiste dans la galerie de peinture religieuse qui jouxte la cathédrale.

La ville compte plusieurs musées, mais le plus intéressant est le **Museo José Guadalupe Posada**, aménagé dans l'ancien couvent Templo del Encino. Artiste satirique, Posada

Cheval au repos dans une rue de la ville.

(1852-1913) est considéré comme un des fondateurs de l'art moderne mexicain. Son œuvre a inspiré des peintres comme Diego Rivera et José Clemente Orozco. Le musée d'Aguascalientes conserve près de 200 œuvres (gravures et dessins) de cet artiste prolifique.

San Luis Potosí

L'État voisin de San Luis Potosí offre des paysages contrastés: chauds et arides à l'est, avec ses steppes de cactus (c'est là que pousse le *peyotl*), secs dans les plaines centrales, tandis qu'à l'ouest, les chaînes de la Sierra Madre sont inabordables.

La capitale, **San Luis Potosí** ❺, que l'armée française occupa pendant trois ans jusqu'en 1866, a conservé un cachet colonial et victorien. Elle fut fondée à la fin du XVIe siècle, après la découverte d'importants filons d'or, d'argent et de cuivre.

La place centrale, occupée par le **Jardín Hidalgo**, est bordée d'une **cathédrale** baroque et d'un édifice néoclassique, le **Palacio de Gobierno**, qui servit de résidence au premier empereur du Mexique, Agustín de Iturbide.

Le joyau de la ville est le **Templo del Carmen**, avec son ornementation de coquillages et sa coupole revêtue d'azulejos aux couleurs vives.

Tout près, le **Teatro de La Paz**, remanié au cours du XXe siècle, fut construit à l'origine sur le modèle de l'Opéra de Paris.

De l'autre côté de la rue, dans l'ancien palais fédéral, le **Museo Nacional de la Máscara** abrite une riche collection de près de 1500 masques de cérémonie mexicains, dont certains datent de l'époque préhispanique.

A gauche du **Templo San Francisco**, reconnaissable à son décor d'azulejos blanc et bleu, le **Museo Regional Potosino** renferme un bel ensemble d'œuvres d'art préhispanique et des réalisations artisanales locales. L'édifice mérite également une visite pour sa superbe **Capilla de Aranzazú**, décorée de magnifiques retables baroques exubérants.

Une ville fantôme

Au nord de l'État de San Luis Potosí, **Real de Catorce** ❻, ancienne ville minière qui compta jusqu'à 40000 habitants, a aujourd'hui des allures de ville fantôme. Elle fut abandonnée après la révolution, lorsque les grands propriétaires de la région furent expropriés par le gouvernement. On y pénètre par un ancien tunnel minier de près de 2,5 km de long. Les édifices qui subsistent témoignent de l'ancienne prospérité du lieu: maisons coloniales en ruine, Casa de la Moneda (hôtel de la monnaie), église de la Purísima Concepción, Palenque de Gallos (arènes réservées aux combats de coqs)... Quelque 800 habitants demeurent encore sur place: Real de Catorce est un lieu souvent

Carte p. 236

La récolte du « peyotl » près de Real de Catorce.

Le « peyotl » est une plante hallucinogène qui était utilisée par les Aztèques et qui continue d'être récoltée par les Indiens huichols, qui accomplissent chaque année un pèlerinage de 43 jours, de l'État du Nayarit, où ils résident, à San Luis Potosí, pour venir cueillir cette plante sacrée.

Statues de Don Quichotte et Sancho Pança, à Guanajuato.

visité, et ses rues s'animent de quelques restaurants et magasins de souvenirs. Le 4 octobre, des milliers de pèlerins affluent pour célébrer la fête de saint François.

GUANAJUATO

Guanajuato ❼ est une ville singulière, construite dans une vallée étroite et sinueuse qu'une rivière inondait périodiquement. La cité ne s'ordonne pas autour d'une large artère ; ses rues font de larges boucles à flanc de colline ou suivent la pente abrupte du ravin. L'accès de certaines maisons se fait par le toit en terrasse. Tout y est charmant, romantique et original. La rivière qui ravageait la ville a été maîtrisée, recouverte et convertie en voie touristique nommée Calle Padre Belauzaràn. Serpentant au niveau des fondations des bâtiments, suite de tunnels et de croisements, cette rue débouche tantôt sur une place ombragée, tantôt sur une rue commerçante.

La place du **Jardín de la Unión** Ⓐ, au cœur de la ville, est ombragée de lauriers d'Inde, fraîche et provinciale. Elle est dominée par l'église San Diego et le Teatro Juárez. La façade de **San Diego** Ⓑ, dans le plus pur style churrigueresque, est d'une élégance raffinée. L'intérieur, cependant, n'a rien de remarquable. L'architecture surprenante du **Teatro Juárez** Ⓒ est un curieux mélange des styles néoclassique et colonial. La profusion de sa décoration rappelle qu'il fut élevé à la fin du XIXe siècle, sous Porfirio Díaz, alors que la ville connaissait sa seconde période de prospérité. L'intérieur mérite une visite, avec son décor mauresque revisité dans le style Art nouveau.

En continuant vers le sud, le **Museo Iconográfico del Quijote** Ⓓ est consacré au célèbre roman picaresque espagnol de Cervantes, *Don Quichotte de la Manche*. Le musée abrite un ensemble d'œuvres inspirées par ce personnage, entre autres

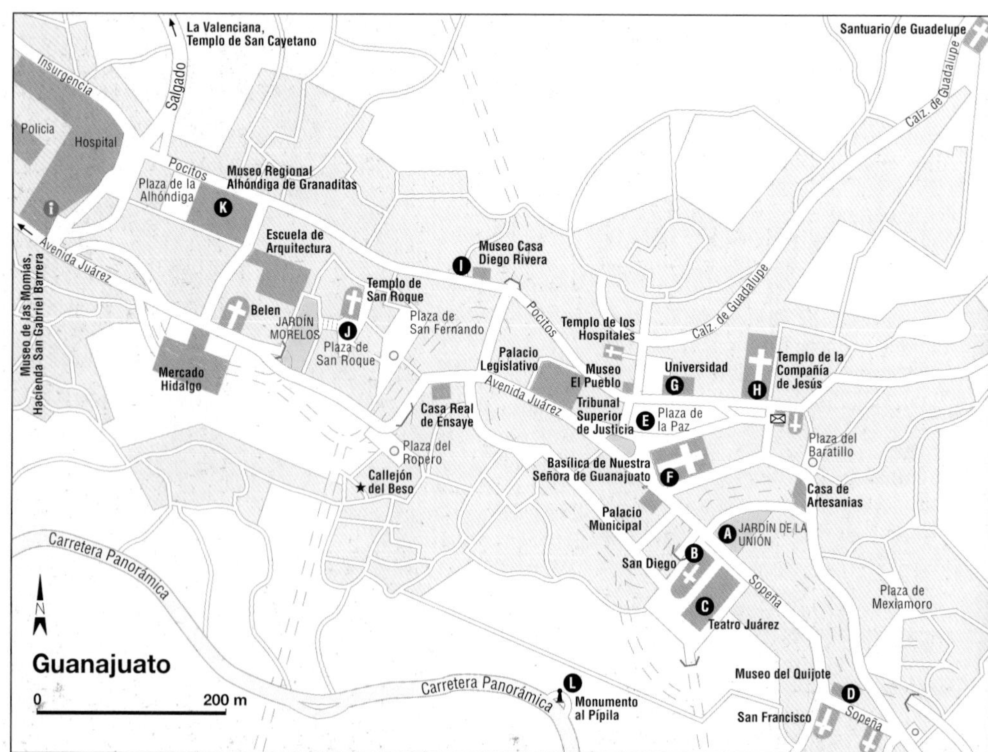

des dessins de Dalí et de Picasso. Cette collection fut léguée à la ville par un réfugié de la guerre d'Espagne, Eulalio Ferrer.

En remontant vers l'ouest, on atteint la **Plaza de La Paz** Ⓔ, enserrée entre deux rues animées. Des édifices remarquables la bordent.

La **Casa Rul y Valenciana**, qui abrite aujourd'hui la Cour suprême, fut édifiée au XVIIIe siècle pour le propriétaire du plus riche gisement argentifère du Mexique. Le grand architecte mexicain Eduardo de Tresguerras conçut cette résidence avec somptuosité.

Sur le côté est de la place, la **Basílica Nuestra Señora de Guanajuato** Ⓕ date de 1671. A l'intérieur, une statue en bois de la Vierge qui daterait du VIIe siècle fut offerte à la ville par le roi d'Espagne Philippe II. Elle est conservée dans une chapelle, sur un piédestal en argent massif.

La blancheur des vastes bâtiments de l'**université** Ⓖ attire les regards. Réplique moderne du style baroque, les pinacles qui ornent les balustrades de l'escalier intègrent son architecture au décor urbain.

Le dôme voisin du **Templo de la Compañía** Ⓗ surmonte le plus grand temple néoclassique de la ville. Sa façade en pierre rose dans le style churrigueresque dissimule un intérieur d'une grande sobriété, simplement décoré de peintures de Miguel Cabrera.

En allant vers l'église San Roque par la Calle Pocitos, on passera devant le **Museo Casa Diego Rivera** Ⓘ, où naquit l'artiste en 1886. Outre un mobilier du début du XXe siècle, le musée abrite quelques-unes des premières œuvres de Rivera et des expositions d'art contemporain sont régulièrement organisées à l'étage supérieur.

Sur la **Plaza de San Roque** Ⓙ sont jouées chaque année les *Entremeses Cervantinos*, petites comédies dont certaines furent écrites par Cervantes. Ces farces tirées du réper-

Carte p. 240

Vue aérienne de Guanajuato.

toire espagnol du XVIe siècle connurent un tel succès que le spectacle est devenu, pendant la saison sèche, un festival international très officiel.

L'impressionnante **Alhóndiga de Granaditas** Ⓚ, élevée à l'extrême fin du XVIIIe siècle, servait d'entrepôt à grains. Lors de la proclamation de l'indépendance les royalistes s'y réfugièrent comme dans une forteresse. Les insurgés donnèrent l'assaut; l'un d'eux, un mineur indien, José Pípila, s'avança et, protégé par une dalle de pierre qu'il portait sur son dos, réussit à faire sauter la porte et à mettre le feu à l'intérieur. Un **musée** y est maintenant installé, dont l'escalier a été décoré de fresques historiques par Chávez Morado. Des toiles d'un peintre local du XIXe siècle, Hermenegildo Bustos, y sont exposées.

Au sud de la ville, en bordure de la Carretera Panorámica, le **monument à Pípila** Ⓛ, construit sur une esplanade d'où l'on découvre une belle vue sur le centre de Guanajuato, témoigne de la fidélité à ce héros de l'histoire locale.

L'énorme **marché**, à l'image de tous ceux du Mexique, est bruyant et odorant. Son immense carcasse de fer 1900, inspirée de modèles française, présente l'avantage de rassembler toute la population et tous les produits de la ville.

Les *callejones*, rues et ruelles qui serpentent à travers la ville, ressemblent à des gorges urbaines où s'engouffre la vie de la cité. Ici, on ne dit pas « se promener », mais *callejonear*, ce qui signifie: déambuler sans but précis à travers les méandres des ruelles, en quête d'une demeure amie ou d'un balcon fleuri. Les *callejones* portent des noms charmants, tels que Lune, Coquillage, Bronze, Lion, Échine, Tombe, Ange, voire Enfer. Celui du Baiser, *Del Beso*, est si étroit que la légende veut qu'il ait été le théâtre des amours contrariées d'un Roméo et d'une Juliette mexicains qui seraient parvenus à s'embrasser en

La façade baroque de l'église San Cayetano à Guanajuato.

se penchant à leurs fenêtres situées de part et d'autre de la rue.

Sur la route de Dolores Hidalgo, à côté de la mine de **La Valenciana**, sur une crête rocheuse d'où la vue s'étend sur la vallée, s'élève la magnifique façade baroque de l'**Iglesia San Cayetano**. Un retable de bois doré occupe le fond de l'abside, une profusion de motifs et de statues admirables y sont sculptés.

En chemin, la route passe devant le **Museo de las Momias**, qui présente une exposition de corps momifiés retirés du cimetière municipal après son extension en 1865.

A 2 km de la ville sur la route de Marfil, l'**Hacienda San Gabriel Barrera**, belle demeure du XVIIe siècle, témoigne de l'opulence des propriétaires terriens à l'époque coloniale.

DOLORES HIDALGO

A 40 km environ au nord-est de Guanajuato, **Dolores Hidalgo** ❸ est le berceau de l'indépendance mexicaine. Sur le parvis de l'église paroissiale, la **Parroquia**, le père Miguel Hidalgo lança le *Grito de Dolores*, l'appel au soulèvement contre la domination espagnole, à l'aube du 16 septembre 1810. Le père Hidalgo exhorta ses fidèles à se rassembler pour combattre, puis devint le chef moral et politique de la rébellion. Ce prêtre créole était à la fois un intellectuel et un homme d'action. Quoique n'ayant aucun entraînement militaire, ses troupes, composées de paysans, parvinrent à contrôler une grande partie du Mexique central. Finalement vaincu, il fut emprisonné et fusillé. Dans son ancienne résidence, à l'angle des Calles Hidalgo et Morelos, a été aménagé le **Museo Casa de Hidalgo**, où sont rassemblés des souvenirs de la guerre d'Indépendance.

La ville a gardé son cachet mexicain : les maisons solides abritent des patios ombragés, les églises rustiques s'accordent au paysage environnant, dépouillé et lumineux.

Carte p. 236

A Atotonilco, de rudes vieux *« rancheros ».*

Dolores Hidalgo est réputé pour ses poteries et ses carrelages, typiques de la région du Bajío.

San Miguel de Allende

Séjour d'une importante colonie d'artistes, pittoresque petite ville classée monument national, **San Miguel de Allende** ❾ est un centre artisanal.

Sa curiosité principale est son église paroissiale, la **Parroquia**, construite au XIXe siècle dans le style néogothique. Toute blanche, elle se dresse sur la Plaza de Allende, bordée de belles maisons des XVIIe-XVIIIe siècles. La demeure la plus décorée est la **Casa de los Condes de Canal**, voisine du **Museo Histórico de San Miguel de Allende**, musée régional aménagé dans la maison natale de don Ignacio Allende. Ce dernier commanda l'armée levée par le père Hidalgo pour libérer le pays de la tutelle espagnole. En hommage, la ville prit son nom.

Jeune mariée mexicaine. Près d'un siècle d'une politique anticléricale souvent violente n'a pas le moins du monde fait disparaître la pratique religieuse, même si de nombreux lieux de culte ont été accaparés par l'État et transformés en musées. Et le mariage reste une institution solide, ce qui est l'un des gages de la stabilité de la société.

Les comtes de Canal firent élever l'**Iglesia de la Santa Casa de Loreto**, dans laquelle on peut admirer la somptueuse sacristie, décorée dans un style baroque exubérant.

Tout près, l'**Oratorio de San Felipe Neri** présente une délicate façade de pierre rose typique de l'architecture locale.

A l'ouest de la place Allende, le dôme grandiose de l'**église de La Concepción** rappelle celui des Invalides de Paris. Le couvent attenant à cette église a été laïcisé et accueille le centre culturel de **Bellas Artes**. Une des salles est ornée d'une fresque inachevée due au peintre David Siqueiros.

Autre grande institution de la ville qui a contribué à faire de San Miguel un important centre de la culture, l'**Instituto Allende** occupe l'élégante demeure de Tomás de Canal, édifiée au XVIIIe siècle. Cette école des beaux-arts fondée en 1951 attire des étudiants du monde entier.

Situé à 1,5 km du centre, **El Charco del Ingenio** est un vaste parc de 65 ha aménagé sur une colline. On peut y découvrir diverses espèces de cactus et de plantes caractéristiques des régions semi-arides du Mexique. La vue sur la ville et sur la vallée est spectaculaire.

Non loin de San Miguel, le **Santuario de Atotonilco** ❿, lieu de pèlerinage, a été décoré de fresques par un peintre de l'époque coloniale, Miguel Antonio Martínez de Pocasangre. L'inspiration populaire ou historique s'exprime dans un foisonnement baroque où une foule de personnages évoluent parmi des motifs végétaux.

Le Bajío

Le **Bajío** est la plus grande vallée du Mexique central. Au cœur de la dépression fertile du Bajío oriental, « grenier de la capitale », se pressent quatre villes coloniales prospères et en plein essor.

Celaya, fondée par une colonie basque, vit naître, en 1759, Francisco Eduardo Tresguerras, qui devint un architecte, peintre et sculpteur de grand talent. Il édifia dans sa ville l'**Iglesia Nuestra Señora del Carmen**, qui est un chef-d'œuvre du néoclassicisme.

Salamanca n'était qu'une petite ville agricole endormie lorsque PEMEX, la compagnie pétrolière mexicaine, décida d'y installer une énorme raffinerie. La cité a retrouvé activité et prospérité. Son **Iglesia San Agustín** abrite des retables parmi les plus chargés du Mexique.

Yuriria, village rustique au sud de Salamanca, possède un imposant monastère du XVIe siècle doté d'une belle façade de style churrigueresque.

Irapuato, ville industrielle, organise chaque année en février une foire importante tournée vers son abondante production de fraises.

Si **León** ne présente aucun intérêt architectural, c'est une ville très animée. Nombre des fabricants de cette capitale mexicaine de la chaussure, se sont enrichis et ont fait construire de luxueuses demeures entourées de beaux parcs. L'ancienne place principale, autrefois délabrée, a retrouvé une seconde jeunesse.

Non loin de León se situe le centre géographique du Mexique. C'est une montagne appelée le **Cubilete** (« cornet à dés »), au sommet de laquelle un Christ étend ses bras ouverts pour bénir la vallée.

QUERÉTARO LA COLONIALE

Querétaro ⓫, capitale de l'État du même nom et limitrophe du Guanajuato, est renommée pour sa tauromachie. Sa *feria* attire dans ses belles arènes les toreros les plus réputés. Ville industrielle, elle est l'héritière de tout un passé colonial, historique et religieux. Elle a joué un rôle précurseur dans le soulèvement des Mexicains contre la domination espagnole. C'est là également que fut signé, en 1848, le traité de Guadalupe Hidalgo, qui mit un terme à la guerre américano-mexi-

Carte p. 236

Les feuilles du nopal peuvent se manger, à condition d'en retirer les piquants, venimeux.

Le « charro » cherche à attraper le taureau par la queue.

caine. Querétaro accueillit la nouvelle présidence de Benito Juárez. Elle vit la capture et l'exécution de l'empereur Maximilien de Habsbourg, en 1867. C'est ici enfin que la Constitution fut signée, en 1917. En parcourant la cité, où pouvoirs politiques et religieux se sont entrecroisés, où tant de luttes mais aussi de concertations ont eu lieu, on a le sentiment de feuilleter des pages importantes de l'histoire mexicaine, car chacun des principaux monuments conserve le souvenir d'un événement historique.

La **Casa de la Corregidora** (aujourd'hui Palacio de Gobierno), résidence du *corregidor*, gouverneur de l'époque coloniale, se dresse fièrement sur la plus charmante des places de Querétaro, le **Jardín Obregón**. En 1810, la femme du gouverneur, Josefa Ortiz de Dominguez, ayant été avertie que le complot contre les Espagnols avait été découvert, prévint les conjurés. Cet avertissement décida le père Hidalgo à proclamer le soulèvement. Une plaque commémore cet événement.

Cette plaque est toutefois la seule évocation de la révolte et de l'indépendance. L'atmosphère de la ville est restée très coloniale, et le monument érigé au centre du Jardín Obregón est dédié à un aristocrate espagnol, le marquis de la Villa del Villar del Aguila, don Juan Antonio Uviutia y Aranda, qui construisit vers 1730 le magnifique **aqueduc** qui alimentait la ville en eau.

Le petit **Teatro de la República** doit son importance aux scènes qui s'y déroulèrent. Le conseil de guerre y condamna à mort Maximilien de Habsbourg et le Congrès qui s'y réunit en 1916-1917 modifia la Constitution.

C'est sur une petite éminence dénudée à l'est de la ville, le **Cerro de las Campanas**, que Maximilien fut exécuté. Une statue de Benito Juárez rappelle le verdict de la condamnation.

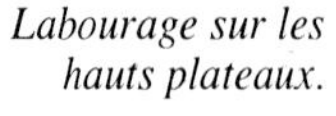

Labourage sur les hauts plateaux.

Carte p. 236

A travers toute la ville, des églises et des couvents ont été érigés. Des établissements laïcs sont installés dans certains d'entre eux. Le **Museo Regional** présente ses collections d'histoire locale et de peinture coloniale dans l'ancien **Convento de San Francisco**, de style Renaissance. Cet édifice a conservé un beau cloître à galeries superposées.

L'ancien **Monasterio de San Agustín** abrite désormais un musée consacré à l'art de la période coloniale. Sur sa façade baroque richement décorée, les détails sont sculptés avec un grand raffinement. On prétend que les gargouilles grimaçantes récitent de silencieux *Ave Maria*. Dans le cloître, des cariatides illustrent des thèmes religieux.

L'**Iglesia Santa Clara** cache, derrière une sobre façade, une décoration intérieure exubérante. Les murs sont recouverts de retables dorés dont les motifs s'entremêlent autour de chérubins et de statues de saints en une fabuleuse profusion. Dans le jardin, une **fontaine de Neptune** a été exécutée par l'architecte Tresguerras.

Les arcs-boutants à volutes de l'**Iglesia Santa Rosa de Viterbo** semblent d'inspiration chinoise ; l'intérieur est richement décoré de retables, de ferronneries et d'étonnantes orgues churrigueresques.

Le **Convento de la Santa Cruz** est plus austère. C'est là que Maximilien de Habsbourg fut emprisonné avant son exécution.

A 60 km au sud de Querétaro, **San Juan del Río** ⓬ est une bourgade typiquement mexicaine, avec ses rues étroites bordées de maisons provinciales cossues. L'artisanat local fabrique des articles de vannerie et d'ébénisterie, mais il est surtout spécialisé dans la taille de pierres semi-précieuses, en particulier les opales de la région.

Tequisquiapan ⓭, village indien possédant des sources thermales, est également réputé pour ses vanneries.

Le Jardín Obregón, qui forme la place centrale de Querétaro.

LE JALISCO ET LE MICHOACÁN

L'État du Jalisco, à l'ouest de Mexico, en pleine expansion agricole et industrielle, est bordé par une côte touristique. Il conserve de solides traditions rurales et un riche folklore. On y rencontre les légendaires *charros* (éleveurs) et les *mariachis*, musiciens ambulants aux costumes chamarrés qui interprètent, avec un ou deux chanteurs, des succès traditionnels et sont devenus un des clichés du folklore mexicain.

GUADALAJARA L'ESPAGNOLE

Avec ses 4 millions d'habitants, **Guadalajara ⓮**, la capitale de l'État du Jalisco, est la deuxième ville du pays. Perchée sur un plateau à 1 550 m au-dessus de la riche vallée d'Atimapac, elle jouit d'un des meilleurs climats de l'Amérique du Nord : clair, sec et doux, avec une température oscillant entre 21 °C et 26 °C toute l'année. Ses habitants portent fièrement le surnom d'origine indienne qu'ils s'attribuèrent : les *Tapatíos*, « Trois fois dignes ». La ville a conservé un beau quartier central édifié à l'époque coloniale. Elle a aussi de superbes parcs décorés de fontaines, et son commerce offre une profusion de choix. Librairies et galeries d'art, comme les belles peintures murales dont José Clemente Orozco orna une chapelle de l'Hospice, témoignent de sa vitalité culturelle. De silencieux trolleybus blanc et rouge glissent à travers l'animation citadine. Une fois la région conquise, non sans peine, Guadalajara fut fondée en 1542 par Nuño de Guzmán et devint, en 1560, capitale de la Nouvelle-Galice. Elle garda une certaine autonomie vis-à-vis de la vice-royauté de Nouvelle-Espagne et prospéra, fondant sa propre université qui attirait tous les étudiants de l'ouest du pays.

Au cœur de la ville, un très bel ensemble est constitué par quatre places qui entourent la **cathédrale Ⓐ**, imposant édifice où tous les styles se mélangent curieusement et que flanquent deux tours recouvertes de tuiles jaunes.

A l'ouest, la **Plaza de los Laureles Ⓑ** est ornée en son centre d'une fontaine monumentale commémorant la fondation de la cité.

Sur la place voisine, la **Rotonda de los Hombres Illustres Ⓒ**, colonnade dorique, rappelle le souvenir des héros morts pour le Mexique. Certains y sont ensevelis. Les statues des hommes les plus fameux du Jalisco ornent la Plaza de los Hombres Illustres.

A l'est, le **Museo Regional Ⓓ** occupe un ancien séminaire baroque construit au XVIIe siècle. Réparties autour d'un patio à la végétation exubérante, les salles conservent une belle collection de peintures européennes et mexicaines du XVIe au XXe siècle, ainsi qu'un important ensemble de pièces précolombiennes, en particulier des figurines

Cartes pp. 236 et 250

A gauche, un « campesino » confectionne un chapeau en fibre de cactus (« ixtle »). Ci-dessous, ceintures en cuir inspirées du costume des « charros ».

L'artisanat représente une source non négligeable de revenus pour les populations indigènes. Les objets en cuir (sacoches, ceintures, équipement de selleries...) sont l'apanage des régions d'élevage comme l'État du Jalisco. On les trouve sur les marchés ou dans les boutiques artisanales des gros bourgs.

humaines en céramique dont les répliques sont encore fabriquées à Tonalá.

Au sud, la **Plaza de Armas** Ⓔ est impressionnante, avec ses assemblages de cubes en pierre colorée qui contrastent avec le gris des édifices voisins. Au centre de la place, le kiosque à musique en fonte, fabriqué à Paris, rappelle ceux qui ornent les jardins publics français. Des concerts y sont régulièrement organisés.

A l'est de la place, la façade du **Palacio de Gobierno** Ⓕ, typique du style churrigueresque avec ses colonnes très ornementées, dissimule un patio à deux galeries superposées. L'escalier principal fut décoré par José Clemente Orozco en 1937. Un portrait immense du père Hidalgo, une des grandes figures de l'indépendance du Mexique, est le centre d'une composition célébrant le combat du peuple mexicain pour sa liberté. Une scène, surnommée « le Cirque politique », représente les régimes et idéologies qui ont permis, à travers l'histoire, l'exploitation du peuple.

Sur les autres côtés, la place est bordée par le **Sagrario** et à des galeries couvertes.

A l'est, la **Plaza de la Liberación** Ⓖ, récemment redessinée par l'architecte Ignacio Díaz Morales, est plus connue sous son nom de Plaza del 2 de Copas. Ces deux coupes font sans doute référence aux figures qui ornaient les jeux de cartes espagnols.

Au fond s'élève le **Teatro Degollado** Ⓗ, construit au XIXe siècle. Sa coupole fut décorée par Suárez d'une grande fresque représentant le quatrième chant de la *Divine Comédie* de Dante.

Derrière le théâtre, une succession de petites places appelée **Tapatía** Ⓘ, en référence aux *Tapatíos*, les habitants de la ville, a été aménagée, mais les plans d'origine ont dû être abandonnés pour des raisons d'économie et l'ensemble manque d'unité.

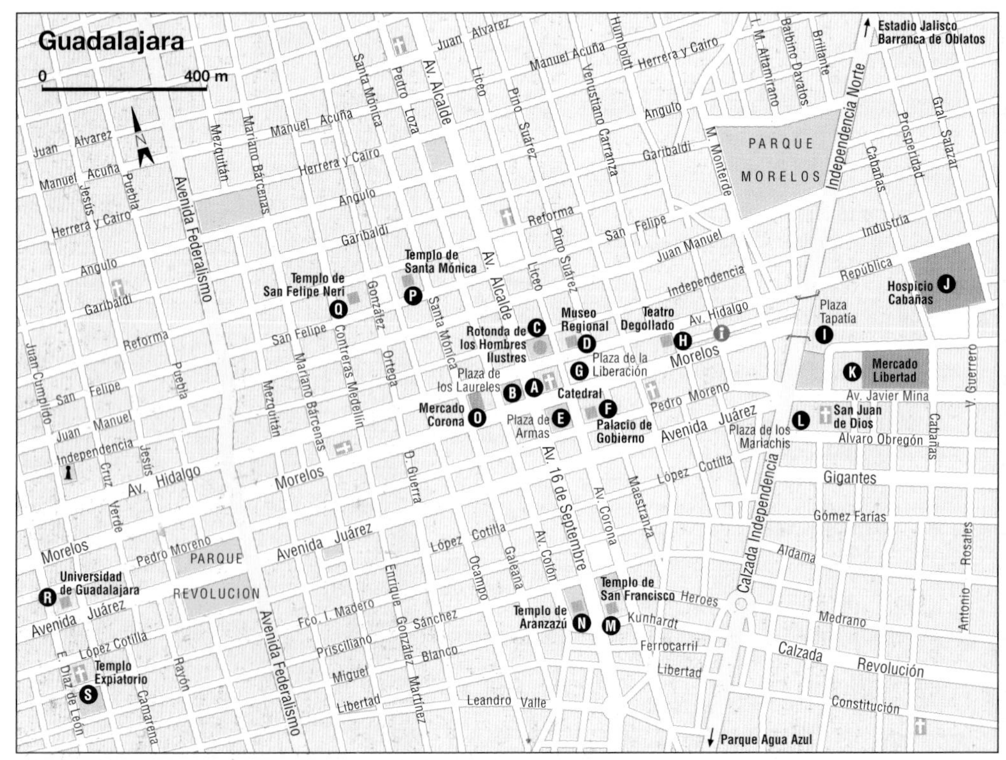

Cette esplanade conduit à un bel édifice néoclassique construit en 1805 par Manuel Tolsá pour l'évêque Juan Ruiz de Cabañas, qui y fonda un orphelinat. L'**Hospicio Cabañas** ❶ est aujourd'hui un centre culturel où sont organisés des expositions, des concerts, des projections...

Sur l'un des 23 patios que comporte l'édifice donne une **chapelle** décorée en 1939 par José Clemente Orozco. Le syncrétisme pictural de l'artiste se manifeste dans les représentations de toutes les divinités, des conquistadors à cheval sur d'étranges monstres piétinant des Indiens; les arts et la littérature sont symbolisés, ainsi que la révolution, l'avenir, etc. On considère ces fresques comme le chef-d'œuvre du célèbre muraliste. La coupole est décorée de quatre figures géantes dont le peintre n'a jamais donné la signification.

Typiquement mexicain, le **Mercado Libertad** ❸, plus connu sous le nom de marché de San Juan de Dios, du nom de l'église voisine, est un imposant bâtiment moderne où l'on peut trouver toutes sortes d'articles, produits alimentaires, vêtements, etc., sans oublier les remèdes « de bonne femme » et les inévitables tortillas.

En suivant la Calzada Independencia, on rencontre la **Plaza de los Mariachis** ❶, particulièrement animée le soir avec ses orchestres de *mariachis*. Les musiciens portent le traditionnel costume brodé des *charros* et chantent leurs sérénades, à la demande des flâneurs attablés aux terrasses.

Guadalajara possède quelques très belles églises. Non loin du marché, **San Francisco** Ⓜ et **Nuestra Señora de Aranzazú** Ⓝ furent édifiées par les franciscains, au XVIIe siècle. Avec leur délicieux jardin, elles attirent les flâneurs en quête d'un peu de calme. L'église d'Aranzazú offre un intérieur très chargé, orné de trois splendides retables churrigueresques dorés.

Carte p. 250

Équipage traditionnel dans les rues de Guadalajara.

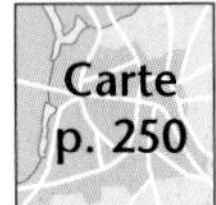

Plus au sud par la Calzada Independencia, le vaste **Parque Agua Azul**, avec ses volières, sa serre d'orchidées et sa collection de papillons, est un havre agréable pour fuir les bruits de la ville.

Au nord du parc, la **Casa de las Artesanías de Jalisco** est une excellente adresse pour dénicher des produits de l'artisanat du Jalisco.

A deux pâtés de maisons à l'ouest de la cathédrale, le **Mercado Corona** **O** est lui aussi très animé, avec ses vendeurs de plantes médicinales et autres tisanes naturelles. Les rues à l'entour sont parmi les plus agréables de Guadalajara. Nombre d'entre elles sont plantées d'orangers et bordées de maisons aux couleurs vives, décorées de grilles en fer forgé et de patios où fleurissent des bougainvilliers et des jasmins.

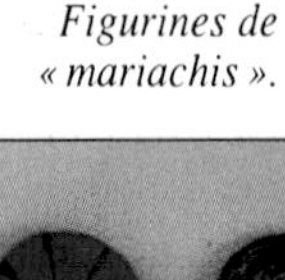

Dans ce quartier, l'**Iglesia Santa Mónica** **P** présente une façade plateresque très chargée qui s'organise autour d'un portail à colonnes annelées sur lesquelles s'enroulent des rameaux de vigne ; les sculptures des fenêtres sont d'une grande délicatesse. Dans une niche, une gigantesque statue de saint Christophe reçoit les prières des jeunes filles désireuses de trouver un mari.

Moins impressionnante, la façade baroque de **San Felipe Neri** **Q** est dominée par un clocher et un dôme aux belles proportions. L'église est entourée par de charmantes demeures du XIXe siècle, avec de frais patios fleuris.

Construite en 1920, l'**université de Guadalajara** **R** recèle de splendides fresques d'Orozco qui illustrent un passage de Dante. L'une d'elles montre des créatures diaboliques conduisant les masses crédules sur le chemin de l'enfer. C'est une illustration magistrale de la manière mordante avec laquelle le peintre a fustigé l'ordre social.

Ceux que le style d'Orozco séduit pourront visiter l'atelier du maître, qui accueille désormais le **Museo José Clemente Orozco**. On

Figurines de « mariachis ».

LA TEQUILA

Comme Jerez, Curaçao ou Bordeaux, la petite ville de Tequila s'est forgé une réputation mondiale en donnant son nom à un alcool fameux entre tous au Mexique. Des millions d'amateurs de boissons fortes connaissent le nom de cette petite bourgade, sans s'y être jamais rendus.

A 56 km au nord-ouest de Guadalajara, Tequila est située au pied d'un volcan éteint, et toute la plaine alentour est recouverte des plantations gris bleuté des agaves *mezcal*, variété un peu plus petite que le *maguey*. Cette plante pousse à 2 000 m d'altitude, à une température d'environ 18 °C, sur des sols en pente douce peu fertiles.

La récolte se fait au cours de la neuvième année. On débarrasse les fruits de leurs feuilles pour ne conserver que le cœur (couramment appelé *piña*, « ananas », en raison de sa silhouette). Ces derniers sont tailladés en tous sens, puis mis à chauffer dans des fours creusés dans la terre et tapissés de pierres. Ils sont ensuite laissés à refroidir pendant quatre jours, avant d'être broyés et malaxés dans un moulin, puis pressés dans une meule. Le jus ainsi obtenu est mis à fermenter dans des bacs et repose près de trois jours dans l'obscurité, avant d'être distillé.

Il faut 6 à 7 kg d'agave brut pour faire 1 l de tequila à 55°. Si les méthodes traditionnelles sont encore en usage à la distillerie El Cuervo (meules de pierre, fermentation en fût de chêne...), les autres producteurs ont aujourd'hui recours à des procédés modernes. Fraîchement élaborée, la tequila est blanche. Vieillie pendant trois mois en tonneau, on l'appelle la *reposada*. Enfin, l'*añejada*, vieillie dix-huit mois, prend une belle couleur ambrée et un goût délicat.

La tequila ressemble un peu à la vodka, tant par sa teinte que par son degré d'alcool. Les Mexicains ont des principes très stricts quant à sa consommation et préconisent de la boire pure, en apéritif. Ainsi, avant le déjeuner, on la déguste avec quelques grains de sel, du citron vert et de la *sangrita*, mélange d'oranges et de piments. On procède de la manière suivante : après avoir placé quelques grains de sel sur son poing, on les lèche, puis on suce quelques gouttes de citron, et on boit sa tequila soit dans un *fajo*, soit dans un *caballito*. Une petite gorgée de *sangrita* vient enfin clore le rite.

Il s'agit, bien sûr, de mieux apprécier la saveur même de l'alcool en lui ajoutant la chaleur de la *sangrita*, après avoir préparé son palais par l'acidité du citron et l'adoucissement que procure le sel. Les authentiques buveurs la consomment avec modération et l'apprécient réellement, vous citant leurs grands-pères qui ont bu leur coupe (*fajo*) quotidienne jusqu'à leur mort, à un âge très avancé.

Chacun a sa marque préférée. Néanmoins, les plus couramment commercialisées et de bonne qualité sont Herradura, qui offre plusieurs millésimes (*añejo*), Tequileño, Centiriela, Orendain, Cuervo et Sauza.

Bénéficiant d'accords commerciaux avec les États-Unis, la tequila reste aujourd'hui une importante source de revenus pour le Mexique.

peut y admirer des études et des esquisses que réalisa le peintre pour ses fresques, ainsi qu'un ensemble de peintures qui retracent l'évolution de son œuvre.

L'université abrite également le **Museo de Arte Contemporáneo**, où sont conservées des œuvres d'artistes mexicains du XXe siècle.

Derrière l'université, la curieuse église gothique **Expiatorio** ❺ fut conçue sur le modèle de la cathédrale d'Orvieto, en Italie.

Enfin, tout au nord de Calzada Independencia, rue animée et bruyante, l'**Estadio Jalisco** est le temple du football, sport national le plus prisé. Guadalajara, fanatique de ce sport, a eu jusqu'à cinq équipes de première division. Les plus pauvres se saignent pour payer l'entrée aux deux ou trois matchs hebdomadaires de l'interminable saison. Les paris vont bon train dans les *pronósticos*. La coupe du monde tant convoitée n'est, hélas ! jamais venue récompenser tant d'ardeur.

AU NORD DE GUADALAJARA

Le village de **Zapopán**, à 7 km du centre, est un des lieux de pèlerinage les plus fréquentés du pays. Il abrite une Vierge miraculeuse du XVIe siècle qu'il prête chaque année à la ville de Guadalajara, du début de juin au 4 octobre, afin de la protéger des inondations. Du 4 au 12 octobre, le village fête le retour de la statue, ramenée solennellement par des milliers de pèlerins en procession. Des congrégations de danseurs en costumes du XVIe siècle, des *mariachis*, des chars représentant des scènes bibliques, l'escortent dans un brouhaha joyeux et respectueux. Tout près de l'église, le petit **Museo Huichol** évoque l'art et les traditions des Indiens huichols.

Au nord, en direction de Zacatecas ou vers le lac de Chapala, on peut admirer la majestueuse **Barranca de Oblatos**.

Au fond d'un canyon encaissé, le Río Santiago coule vers le lointain

« Charro » coiffé du chapeau traditionnel.

Pacifique. A la saison des pluies, les eaux se précipitent en cascade pour former la **Colla de Caballo**. Le spectacle est impressionnant, mais le cadre des hautes falaises est adouci par la végétation luxuriante.

Du sommet, on peut voir le **Zoológico Guadalajara**, à l'intérieur du **Parque Natural Huetitán**. Un parc d'attraction et un planétarium jouxtent le zoo, qui abrite plus de 1500 animaux.

SAN PEDRO ET TONALÁ

Avant de quitter Guadalajara, à 6 km au sud du centre, le faubourg de **San Pedro Tlaquepaque** est réputé pour ses poteries. Les pièces traditionnelles sont sobres et belles, à l'image de celles qu'on peut voir au **Museo Regional de Cerámica y las Artes Populares**. Malheureusement, la production s'est beaucoup vulgarisée. Le village a gardé son cachet et rappelle les *pueblos* d'autrefois, avec ses rues pavées, ses maisons spacieuses et discrètes. Très animée, la place centrale, **El Parián**, est typiquement mexicaine. Elle a longtemps été le lieu de rencontre favori des *Tapatíos* (habitants de Guadalajara), qui y écoutaient les *mariachis* et buvaient de la bière en regardant les promeneurs. On y dégustait aussi du chevreau grillé au barbecue, le *birria*. D'imposantes demeures ont été construites au XIXe siècle par de riches habitants de la ville qui pensaient qu'en cas de tremblement de terre San Pedro serait moins exposée que Guadalajara.

Autre village réputé pour sa céramique, **Tonalá** fabrique des poteries traditionnelles assez fragiles mais décorées à la main de motifs d'une grande finesse. Récemment, des artistes ont introduit des formes contemporaines, décorées au pinceau selon la technique ancienne. Le résultat est remarquable. On découvrira des services de table d'un grand raffinement et toute une variété de pièces en forme d'animaux, dont les

Carte p. 236

La ville tranquille de Tapalpa.

Cartes postales pieuses.

figurines évoquent l'art chinois. Le jeudi et le dimanche, un marché se tient devant l'église, où de nombreux artisans viennent vendre des pièces de second choix. Il est cependant préférable de faire ses achats dans les boutiques : les poteries y coûtent plus cher, mais sont en général d'une très belle facture.

Le lac de Chapala

Au sud-est de Guadalajara, le **lac de Chapala**, le plus grand lac naturel du Mexique, s'étend à plus de 1 500 m d'altitude. Mesurant 85 km sur 27 km, il offre des rivages paisibles. Peu profondes, ses eaux sont poissonneuses et fréquentées par de nombreux oiseaux aquatiques.

De belles propriétés bordent la rive nord autour de **Chapala** ⓯, petite station balnéaire à moins de trois quarts d'heure de Guadalajara. On peut déguster, dans les restaurants proches de la jetée, le délicieux poisson blanc (*pescado blanco*) ou louer une barque pour mieux apprécier la douceur du site.

A l'ouest, sur les bords du lac, se trouvent la petite ville d'**Ajijic** ⓰ et la source thermale de **San Juan Cosalá**.

En se dirigeant vers la côte pacifique, on traverse **Tapalpa** ⓱, jolie agglomération aux maisons ornées de balcons de bois. Au milieu de collines verdoyantes, ce lieu est idéal pour une escapade loin des rues bruyantes de Guadalajara.

De là, des autocars permettent de rejoindre **Puerto Vallarta**, sur la côte. Ce petit village lancé par le tournage du film *La Nuit de l'iguane*, avec Elizabeth Taylor et Richard Burton, est devenu une plage très courue, avec ses hôtels luxueux, ses nombreuses boutiques et ses équipements sportifs.

Morelia et le Michoacán

Le Michoacán est souvent considéré comme l'un des États les plus beaux

Les rues de Morelia, capitale du Michoacán, s'illuminent à la nuit tombante.

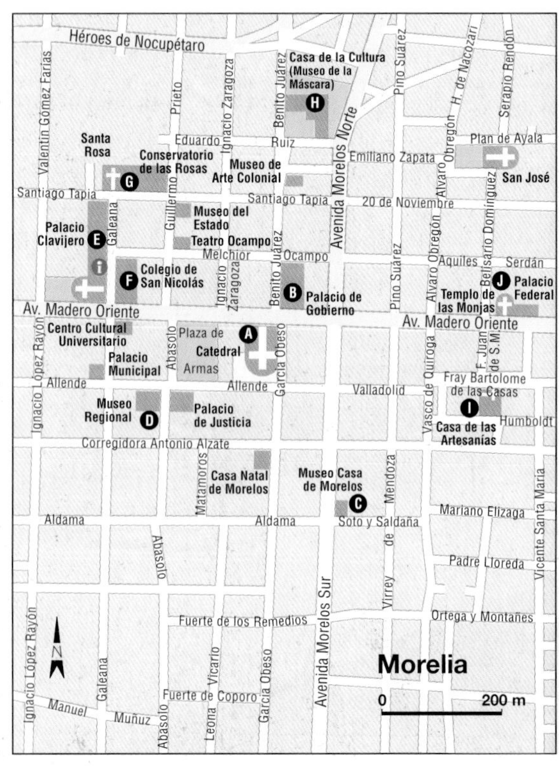

Cartes pp. 236 et 256

et les plus pittoresques du Mexique. Parmi toutes les raisons qui expliquent cette préférence, il y a les montagnes, les lacs, les rivières, les villages indiens, les volcans, les villes coloniales... Certains visiteurs estiment même que le Michoacán est à lui seul un résumé du pays.

Morelia ⓭, dans le nord-est de l'État, en est la capitale. La route qui y conduit depuis Mexico, les **Mil Cumbres**, traverse des paysages magnifiques : montagnes boisées, fraîches cascades, reliefs accidentés offrant des vues à couper le souffle. Au mirador Mil Cumbres, on jouit d'une vue admirable sur les chaînes de la Sierra Madre occidentale.

Morelia, qui s'appela Valladolid jusqu'en 1828, doit son nom actuel à un enfant du pays, le prêtre révolutionnaire José Maria Morelos, qui joua un grand rôle dans la lutte pour l'indépendance. Construite en pierre rose, la ville a conservé le charme de l'époque coloniale. Son climat est doux, ses édifices élégants, la vie s'y écoule tranquillement, et on y ressent comme une nostalgie de ces temps anciens.

Le **Zócalo** est dominé par la **cathédrale** Ⓐ. Édifiée entre 1640 et 1744, celle-ci offre un mélange des styles baroque et néoclassique. Coiffée de deux tours baroques qui atteignent 65 m de hauteur, elle présente un décor intérieur sobre, la plupart des éléments rococos ayant été remplacés au XIXe siècle.

La cathédrale donne sur l'Avenida Madero. En face, le **Palacio de Gobierno** Ⓑ est installé dans un ancien séminaire du XVIIIe siècle. A l'intérieur, les murs sont décorés de fresques vivement colorées dues au peintre Alfredo Zalce, qui a retracé les grands événements de l'histoire du Mexique.

A l'angle des Calles Gorregidora, Antonia Alzate et Garcia Obeso se trouve la **maison natale de José María Morelos**.

A proximité, le **Museo Casa de Morelos** Ⓒ a été aménagé dans la

Marché traditionnel en pays tarasque.

Devanture d'un bar à Morelia.

maison où ce héros de l'indépendance vécut de 1801 à sa mort, en 1815.

Tout près du Zócalo, dans un ancien palais du XVIIIe siècle, le **Museo Regional** Ⓓ abrite une belle collection d'objets d'artisanat du Michoacán, qui témoigne des plus riches traditions indiennes.

Le **Palacio Clavijero** Ⓔ, construit en 1660 par les jésuites, est un bel édifice dont la cour rappelle la tradition castillane.

Une des plus anciennes universités du continent, le **Colegio San Nicolás** Ⓕ, fondé au XVIe siècle, occupe un beau bâtiment baroque. On y évoque le souvenir de Miguel Hidalgo, qui fut doyen du collège avant d'être nommé curé de Dolores.

Les bâtiments du **Convento de Santa Rosa** Ⓖ hébergent la plus ancienne école de musique liturgique d'Amérique, toujours en activité. L'église de l'ancien monastère dresse sa remarquable façade baroque sur la place, ornée d'un monument romantique dédié à Cervantes. C'est également dans le monastère de Santa Rosa qu'a été installé le **Museo del Estado**, qui présente des expositions sur les Indiens du Michoacán.

Dans l'enceinte de la maison de la culture de Morelia, qui occupe une partie de l'ancien **Convento del Carmen**, le **Museo de la Máscara** Ⓗ conserve une fascinante collection de masques de cérémonie venus de tout le Mexique. La maison de la Culture organise aussi de nombreuses expositions temporaires.

Un autre aspect des traditions populaires mexicaines est visible à la **Casa de las Artesanías** Ⓘ, à l'est de la cathédrale. L'artisanat des différents villages du Michoacán – sans doute l'un des plus riches avec celui de la région d'Oaxaca – y est présenté dans des salles séparées.

Au nord, de l'autre côte de l'Avenida Madero Oriente, le très beau **Templo de las Monjas** Ⓙ jouxte un

Pêcheurs sur le lac de Chapala.

aqueduc du XVIIe siècle qui compte 253 arches.

Au sud, dans le **Bosque de Cuauhtémoc**, le plus grand parc de Morelia, on peut visiter le **Museo de Arte Contemporáneo**, riche d'un bel ensemble d'œuvres du XXe siècle.

LE SANCTUAIRE DES PAPILLONS

Chaque année, des milliers de papillons monarques quittent les grands lacs du Canada ou du nord des États-Unis pour rejoindre leur « sanctuaire » mexicain, dans l'est du Michoacán.

Près du village d'**Angangueo**, à l'est de Morelia, le **Santuario de Mariposas El Rosario** ⓳ se visite entre novembre et mi-avril, lorsque les papillons couvrent le sol de leur vive couleur orangée. Il faut se rendre à la réserve de préférence le matin, quand les papillons se laissent descendre des arbres pour goûter la fraîcheur de la rosée déposée sur le sol.

LE LAC DE PÁTZCUARO

Carte p. 236

A l'ouest de Morelia, le **lac de Pátzcuaro** est entouré de villages indiens. Les pêcheurs se servent de grands filets en forme d'immense papillon pour attraper un délicieux poisson blanc, le *pecito*.

Au milieu du lac, l'**Isla de Janitzio** est couronnée par un monument en l'honneur du père José Maria Morelos, dont le souvenir est resté vivace dans la région. Une grande fête se déroule chaque année dans l'île pour honorer les morts. Dans la nuit du 31 octobre au 1er novembre, les Purépechas viennent veiller leurs disparus, fleurissent les tombes, y déposent des offrandes de nourriture. A la lueur des chandelles, on se recueille, on pleure, on chante, on évoque les êtres chers, on se remémore leur vie, car jamais un Mexicain n'oublie ses *muertitos*.

Au sud du lac, **Pátzcuaro** ㉑ est une ville indienne typique, avec ses rues pavées et ses maisons blanches

Maison traditionnelle de Pátzcuaro.

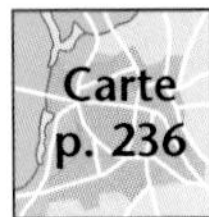

ornées de grands auvents de bois. Quelques édifices rappellent cependant les fastes de l'ère coloniale.

L'immense **Basílica Nuestra Señora de la Salud**, aux plans trop ambitieux, ne fut jamais achevée. La vénération de Notre-Dame de la Santé donne lieu à de grandes fêtes autour de sa statue le 8 décembre (fête de l'Immaculée Conception).

La **Casa de los Once Patios**, ancien couvent dominicain du XVIIIe siècle, abrite l'office du tourisme et la coopérative locale d'artisanat.

A proximité, la **Casa del Gigante**, dotée d'un portique, arbore au premier étage la statue polychrome d'un soldat surnommé le Géant.

Le bâtiment du **Museo Regional de Artes Populares**, sur Alcantarillas, date de 1640. Il conserve un riche fonds d'artisanat local.

Les Indiens des villages alentour sont des Tarasques. Lors de la colonisation, ils furent massacrés par Guzmán et s'enfuirent dans les montagnes. Ils revinrent sur les bords du lac, protégés par l'évêque du Michoacán, don Vasco de Quiroga, qui s'employa à faire respecter leur mode de vie et leur apprit de nouvelles techniques en tenant compte de leurs traditions ancestrales.

A droite, le kiosque à musique de Santa Clara, village célèbre pour son artisanat du cuivre ; ci-dessous, danse traditionnelle au son des instruments des « mariachis ».

Si les premiers « mariachis » sont apparus à Guadalajara, ils sont aujourd'hui omniprésents dans tout le pays et forment un des éléments importants du folklore mexicain. Leur nom dérive du mot français « mariage », et aucune noce ne peut se concevoir sans au moins un intermède musical.

Le village des colibris

L'ancienne capitale de la tribu tarasque se nommait **Tzintzuntzan** (20) (le « lieu des colibris »). Ces tribus parlent un langage musical qui n'est pas apparenté au nahuatl mais au maya. Jusqu'à nos jours, elles ont conservé leur langue et leurs traditions, surtout dans les montagnes, où l'on voit encore leurs temples, les *yacatas*. Ces monuments étaient constitués d'un noyau de pierres plates entassées, maintenues par des murs de soutènement, et ils étaient recouverts d'une couche de pierres volcaniques. A la base de certains d'entre eux, on a retrouvé des tombes contenant un important mobilier funéraire.

A 60 km de Pátzcuaro commence la végétation tropicale de la *tierra caliente*. A la limite des collines et des montagnes verdoyantes, **Uruapan** (22) est une ville agréable. Installé dans une demeure du XVIe siècle, la Casa Huapatera, le **Museo Regional de Arte Popular** présente une riche collection d'artisanat local. Le principal attrait d'Uruapan est le **Parque Nacional Eduardo Ruiz**, dont l'entrée principale se trouve sur la Calle Independencia. Riche d'une végétation luxuriante, il protège la source de la Cupatitzio.

A 10 km au sud d'Uruapan, au cœur de la forêt, les **chutes de Tzararácua** sont impressionnantes.

Dans cette superbe contrée, l'artisanat indien est resté très riche. A **Santa Clara**, on travaille le cuivre, tandis que **Paracho** est célèbre pour ses guitares.

Les randonneurs pourront se rendre au **Paricutín**, volcan dont la dernière éruption remonte à 1943. Un village fut enfoui sous la lave, dont le gris lunaire contraste avec la végétation environnante.

LE JOUR DES MORTS

De toutes les fêtes qui marquent les étapes de l'année au Mexique, la plus frappante pour les étrangers, et sans doute la plus représentative de la culture du pays, est le jour des Morts (Día de los Muertos). Certains rattachent les origines de cette fête aux rites précolombiens consacrés à Mitlantecuhtli, divinité des mondes souterrains chez les Mexicas, et à Huitzilopochtli, dieu de la guerre auquel les Aztèques offraient de nombreux sacrifices humains. Après la conquête espagnole, le jour des Morts, qui suit la fête de la Toussaint, remplaça avantageusement ces cérémonies macabres. Et, quoi qu'on en dise, elle est une fête authentiquement chrétienne, sous une forme baroque débridée. Le motif de la tête de mort est d'ailleurs récurrent dans l'art baroque, en particulier architectural.

Une fête authentique

La manière de fêter le jour des Morts varie bien entendu d'une province à l'autre. Les cérémonies les plus fameuses sont celles de Purépecha, dans le Michoacán : des veillées toute la nuit durant dans les cimetières et des processions aux flambeaux qui traversent le lac à bord de bateaux jusqu'à la petite île de Janitzio. Des visiteurs du monde entier viennent admirer ces fêtes. A Mexico, les têtes de mort et les squelettes sont omniprésents, qu'ils soient en papier mâché, en chocolat, en sucre, ou encore sous forme de masques de danseur. Dans les grandes villes, d'extraordinaires expositions de ces *ofrendas* sont organisées. Elles servent aussi à lutter contre l'invasion de la fête américaine d'Halloween, avec les masques en caoutchouc et les gadgets commerciaux qui l'accompagnent.

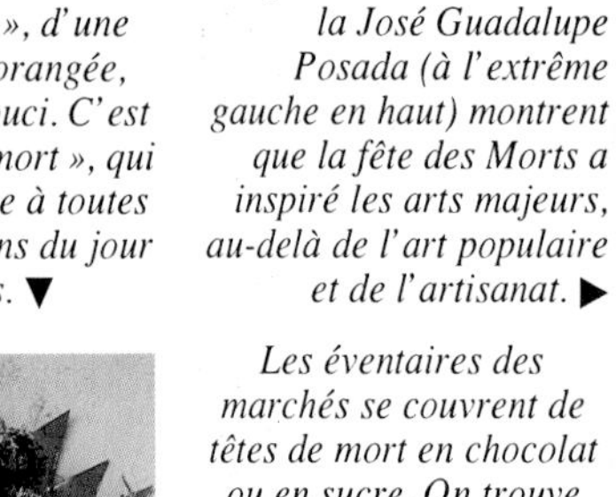

La fleur de « cempasúchil », d'une belle couleur orangée, ressemble au souci. C'est la « fleur de la mort », qui est omniprésente à toutes les manifestations du jour des Morts. ▼

Les gravures conservées à la José Guadalupe Posada (à l'extrême gauche en haut) montrent que la fête des Morts a inspiré les arts majeurs, au-delà de l'art populaire et de l'artisanat. ▶

◀ *Masque précolombien associant la vie et la mort. Les anciens Indiens ne croyaient pas à l'immortalité de l'âme mais à la permanence d'une force vitale abstraite.*

Les éventaires des marchés se couvrent de têtes de mort en chocolat ou en sucre. On trouve aussi des squelettes aux expressions comiques ou de petits cercueils faits de terre cuite et de papier mâché. ▼

◀ *Chacun s'apprête à accueillir les âmes des défunts. Certains préparent un reposoir à la maison, d'autres se rendent au cimetière.*

▲ *Le jour des Morts est une vraie fête collective, mais dont le sens religieux n'est pas oublié. Elle offre l'occasion à chacun de se livrer à la contemplation, à la prière et à la médiation.*

▲ *Les offrandes destinées aux défunts varient d'une province à l'autre et d'une famille à l'autre. Mais le « pain de mort », orné de motifs en forme d'os, se trouve partout.*

L'effet des décors macabres finit par être parfois comique, non dans un esprit malsain mais pour dédramatiser un événement inévitable. ▼

Le retour des Angelitos

Une croyance populaire veut que les âmes des enfants morts, les *angelitos*, regagnent leur résidence terrestre le 1er novembre, tandis que celles des adultes n'arrivent que le lendemain. On allume une bougie en mémoire de chacune de ces âmes et on prépare de belles *ofrendas*. On place sur la table les photographies des disparus, au milieu de leurs plats préférés, d'*aantojitos*, de « pain de mort » (*pan de muerto*) et d'un verre de téquila ou d'*atole*. Le tout est orné de guirlandes de tissu découpé et de fleurs en papier orange. De petites têtes de mort en chocolat ou en sucre complètent l'*ofrenda*, et on fait brûler un encens appelé *copal*. Parfois, un sentier jonché de pétales de fleurs orange indique le chemin.

KON TIKI

ACAPULCO ET LES PLAGES DU PACIFIQUE

La côte sud du Pacifique, avec ses magnifiques plages ensoleillées et son infrastructure hôtelière très complète, est une destination très prisée. Acapulco et Ixtapa sont les plus fréquentées, mais toute la côte, avec ses falaises plongeant à pic dans la mer, est bordée de stations balnéaires souvent plus modestes, mais au charme indéniable.

VALLARTA LA ROMANTIQUE

C'est le film *La Nuit de l'iguane*, tourné sur la plage de Mismaloya, qui a fait la renommée de **Puerto Vallarta** ㉓. La jungle elle-même fut propice aux amours de Richard Burton et d'Elizabeth Taylor, qui achetèrent une propriété dans un endroit surnommé Gringo Gulch (le « ravin des étrangers »).

Entre mer et montagne, Puerto Vallarta est au centre de la **Bahía de Banderas** (baie des Drapeaux). Elle se divise en deux parties distinctes. D'une part la vieille ville, qui s'étend le long du **Río Cuale**; d'autre part **Vallarta**, partie vouée au tourisme avec ses plages de sable fin et ses eaux transparentes.

La partie la plus ancienne, un ancien village de pêcheurs, a conservé tous son cachet, avec ses maisons à toit rouge s'étageant à flanc de rocher, ses rues pavées et son église pittoresque, **Nuestra Señora de Guadalupe**, surmontée d'une tour originale en forme de couronne. Certains prétendent qu'il s'agirait d'une réplique de la couronne de l'impératrice Charlotte, femme de Maximilien.

Dans l'estuaire du fleuve, la petite **Isla Río Cuale**, reliée à la rive par une série de ponts, abrite des jardins tropicaux, plusieurs cafés, restaurants et galeries, ainsi qu'un petit musée archéologique.

Au nord de la vieille ville s'étend le quartier des grands hôtels, de la **Playa Norte** à **Marina Vallarta**. Dans ce quartier de 178 ha sont rassemblés les hôtels les plus luxueux. Outre le golf, on peut y pratiquer le parachute ascensionnel (tiré par un hors-bord) ainsi qu'une multitude de sports nautiques.

Sur la rive gauche du fleuve, **Playa Olas Altas** et **Playa de los Muertos** sont les plages les plus fréquentées, mais il est possible de trouver des endroits plus calmes au-delà des limites de la ville, à **Mismolaya** ou à **Boca Tomatlán**.

D'autres plages, comme celles de **Las Animas**, **Quimixto** ou **Yelapa** ne sont accessibles que par bateau. Ancien village de pêcheurs, Yelapa est un paradis tropical. A un quart d'heure à pied de la plage, on découvre une superbe chute d'eau en pleine jungle.

AU SUD DE VALLARTA

En quittant Puerto Vallarta, la route s'enfonce à l'intérieur des terres, puis

Carte p. 236

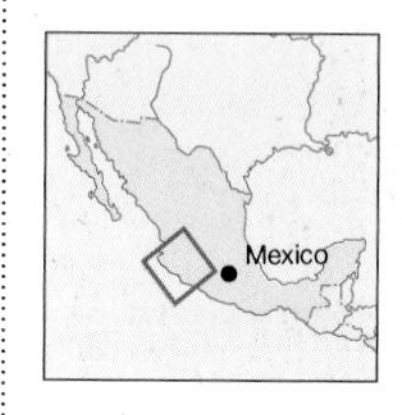

A gauche, les héroïques plongeurs de La Quebrada ; ci-dessous, héron blanc sur la côte pacifique.

Les régions côtières du Mexique abritent quantité d'oiseaux, en particulier les lagons, les marécages et les mangroves des rivages du Pacifique. A Pie de la Cuesta, près d'Acapulco, la lagune de Coyuca est un site idéal pour observer différentes espèces d'oiseaux.

rejoint le site magnifique de **Playa Blanca**, qui abrite le Club Méditerranée, et **Pueblo Nuevo**, vaste résidence hôtelière.

Après **Bahía Chamela**, on atteint la très belle **Costa Alegre** ㉔, encore relativement épargnée.

La station balnéaire la plus proche est **Barra de Navidad** ㉕, fréquentée par les habitants de Guadalajara.

Deux kilomètres plus loin, **San Patricio Melaque** attire aussi une importante clientèle. C'est de cette baie que Miguel López Legazpi partit en 1564 à la conquête des Philippines.

MANZANILLO

Manzanillo ㉖, dans l'État de Colima, est un port actif dont les rues étroites débordent d'animation. Il y existe d'excellents hôtels et même un luxueux complexe, **Las Hadas** (« les Fées »). Construit par un magnat de l'étain , son style pseudo-mauresque semble tout droit sorti d'un dessin animé. Manzanillo fut le port de Guadalajara vers l'Orient. C'est encore une ville bien vivante, qui se veut la capitale mondiale du poisson-voile.

COLIMA

A 100 km vers l'intérieur, **Colima** ㉗, capitale de l'État du même nom, est dominée par le **Nevado de Colima** (4240 m), dont le sommet est souvent enneigé, et par le **Volcán de Fuego** (3900 m), dont le cratère de 2 km de diamètre émet encore quelques rares fumées. Des chemins de terre permettent d'escalader ces deux volcans jusqu'à une altitude d'environ 3000 m.

La ville possède quelques bons musées. Le **Museo de las Culturas de Occidente** (cultures mexicaines de l'Ouest) abrite des figurines de céramique très intéressantes : personnages et scènes de la vie quotidienne préhispanique, « maternités », infirmes, êtres fabuleux,

Marina de Puerto Vallarta.

animaux et *itzcuintlis*, ces chiens dodus, courts sur pattes, que les Aztèques engraissaient pour les manger.

On retrouve d'autres exemplaires de ces figurines au **Museo Regional de Historia**, qui expose également des objets artisanaux.

Le **Museo Universitario de Culturas Populares** conserve une intéressante collection de costumes et de masques portés lors des danses traditionnelles.

Dans un autre registre, l'étonnant **Museo Zaragoza** présente un ensemble de vieilles automobiles américaines des années 1920-1930.

IXTAPA ET ZIHUATANEJO

Étant desservies par le même aéroport et distantes de quelques kilomètres seulement, les deux stations balnéaires d'Ixtapa et de Zihuatanejo ont tendance à ne faire qu'une dans l'esprit des gens. Pourtant, elles ont chacune leur caractère propre.

Ixtapa ㉘, tout comme Cancún, dans le Yucatán, est le fruit d'un vaste programme gouvernemental : le tourisme constituant depuis quelques années la plus importante ressource du pays, l'État mexicain entreprit de développer de nouveaux aménagements : hôtels luxueux, piscines et parcours de golf émergèrent de la jungle.

Les hôtels les plus luxueux ont été édifiés le long de **Playa del Palmar** et autour de **Punta Ixtapa**. Le front de mer est bordé de cafés, de restaurants de poissons et de fruits de mer et de boutiques (Ixtapa et Zihuatanejo comptent à elles deux plus de 1 000 magasins et trois marchés d'artisanat).

A Ixtapa, les golfeurs pourront choisir entre deux parcours, tous deux assez complexes. On peut y pratiquer une grande variété de sports nautiques, mais c'est autour d'**Isla Ixtapa** que la baignade et la plongée sont les plus agréables. Des liaisons par bateaux sont organisées

Carte p. 236

Une coccinelle baroque sculptée par un artisan local.

Vendeuse de vanneries en fibre d'« ixtle ».

de Playa Quieta jusqu'à cette île à 2 km au large de la côte, classée réserve naturelle.

Ancien village de pêcheurs, **Zihuatanejo** profite des retombées de sa voisine tout en demeurant plus calme. Certes ses rues ont été goudronnées et la ville compte aujourd'hui plus de 50000 habitants, mais elle garde un visage humain.

Longeant la mer, le **Paseo del Pescador** conduit du port de pêche aux sentiers rocheux de l'extrémité sud de la baie. Au centre de la promenade, le **Museo Arqueológico de la Costa Grande** conserve un ensemble d'objets découverts sur les sites archéologiques du Guerrero.

Zihuatanejo, tout comme Ixtapa, propose un large choix de restaurants où l'on peut déguster fruits de mer et poissons.

A une demi-heure de route au nord-ouest de Zihuatanejo-Ixtapa, le village de **Playa de Troncones** offre un contraste intéressant. Son front de mer, Burro Borracho, et sa Casa de las Tortugas (maison des tortues) permettent de se reposer un moment de « l'enfer touristique » du Guerrero.

Le pont vers l'Orient

Au XVIe siècle, aussitôt après avoir conquis la capitale aztèque, les Espagnols prirent **Acapulco** ㉙ et en firent leur port principal vers les mers du Sud. Pendant deux cent cinquante ans, les galions sillonnèrent les mers, apportant à Acapulco les richesses de l'Asie. On estime que 200 millions de pesos d'argent durent être échangés contre les épices, la soie, l'ivoire et les porcelaines d'Orient. Ces riches chargements ne pouvaient que susciter la convoitise des pirates, des flibustiers et des Anglais, ennemis jurés de l'Espagne. Les marins anglais faisaient la chasse aux navires espagnols, leur objectif principal étant de s'emparer du *Galeón de Manila*, qui transportait les cargaisons pré-

Sea, sun et farniente à Acapulco.

Carte p. 236

cieuses, tribut de la colonie à la Couronne. Acapulco dut donc se protéger. On construisit en 1616 le fort San Diego, armé de canons puissants. En 1776, cependant, un tremblement de terre détruisit l'ouvrage, qui fut aussitôt reconstruit et dont les cinq bastions sont toujours debout.

Durant la période coloniale, Acapulco assoupie ne se mettait à vivre qu'à l'arrivée d'un galion venu de Manille. Dès qu'un navire faisait halte à La Navidad, sur la côte du Jalisco, un messager galopait jusqu'à Mexico pour annoncer la nouvelle. Dans la capitale, les cloches se mettaient à sonner à toutes volées, et les marchands partaient aussitôt avec leurs caravanes pour être à Acapulco lors du déchargement. L'explorateur allemand Alexander von Humboldt raconte comment, en 1803, il fut frappé par le contraste d'une ville qui lui semblait assez misérable et le spectacle auquel il assistait à l'arrivée d'un navire. Acapulco, dont le nom nahuatl signifiait « lieu des roseaux épais », devenait alors provisoirement le rendez-vous des trésors et des légendes de l'Orient.

La guerre d'Indépendance mexicaine devait mettre fin à ce trafic. Le père Morelos prit pied à deux reprises dans la place, chassé ensuite par les troupes royalistes. Après ces faits d'armes, la petite ville retomba dans l'oubli, jusqu'au jour où de riches Mexicains et quelques Américains en découvrirent la situation privilégiée. Une route fut tracée ; le président Miguel Alemán (1946-1952) soupçonna le potentiel touristique d'Acapulco et misa sur son avenir.

Bahía de Acapulco

Acapulco a été édifié dans un cadre admirable où les derniers contreforts de la Sierra Madre del Sur tombent en falaises à pic dans la mer. C'est la plus ancienne station balnéaire du

Mules transportant du sable.

Affiche des années 1950 vantant les charmes d'Acapulco, la « Riviera de l'Ouest ».

Mexique, très en vogue dans les années 1950. Malgré un certain déclin, Acapulco reste chère au cœur des Mexicains et de tous ceux qui viennent y chercher le luxe, le soleil et la fête.

La vieille ville se trouve à l'extrémité ouest de l'ample baie d'Acapulco. Tout au bout, le secteur de **Playa Caleta** Ⓐ abrite les plus anciens hôtels de la station. Dans les années 1930, c'est d'abord le long de la péninsule de Las Playas que s'implanta le tourisme. Cette presqu'île qui ferme la baie à l'ouest comporte de nombreuses petites plages. Le premier hôtel fut construit en 1937 ; ils sont maintenant légion et, sans être aussi luxueux ni tape-à-l'œil que ceux de la partie ouest, certains offrent d'excellents services à des prix plus accessibles.

Depuis ce quartier, l'avenue Lopes Mateos conduit jusqu'aux escarpements rocheux de **La Quebrada** Ⓑ, où les célèbres *clavalistas* plongent des 45 m de la falaise au risque de se briser les membres ou de se tuer sur les rochers en contrebas. Leur saut doit en effet coïncider exactement avec l'arrivée de la vague qui recouvre le pied de la falaise. On peut les observer du bar de l'hôtel **Mirador** voisin.

Acapulco ne cesse de s'étendre, en particulier dans le secteur est où ont été construits les hôtels modernes. L'extension rapide de la ville dans ce quartier proche de l'aéroport s'est accentuée avec l'ouverture d'une route à péage directe depuis Cuernavaca et Mexico.

Récemment cependant, les dégâts occasionnés par le cyclone Pauline, qui s'est abattu sur la côte pacifique en octobre 1997, ont momentanément éteint l'enthousiasme des visiteurs. Acapulco, durement touché, eut de nombreuses victimes à déplorer. Si la plupart des grands hôtels ont pu être rapidement remis en état, des centaines d'habitants des environs de la ville se sont retrouvés sans logis.

La baie d'Acapulco.

Au centre de la vieille ville, le **Zócalo** ou Plaza Alvarez a su conserver un petit air mexicain. Vendeurs de journaux et cireurs de chaussures s'y installent à l'ombre des arbres, et les cafés sont bondés à l'heure de la pause. La place est dominée par la haute silhouette de la **cathédrale Nuestra Señora de la Soledad**, édifiée en 1930 et coiffée d'un dôme de style mauresque.

C'est également dans la veille ville que se tient, tous les jours, le **Mercado Municipal**, important marché de produits de l'artisanat : *sarapes* (couvertures de laine percées d'une ouverture pour la tête), bijoux en argent, *huaraches* (sandales de cuir tressé), etc. Ce quartier fourmille de petits restaurants qui servent d'excellents poissons. Ils sont surtout fréquentés par les habitants de la ville, mais les visiteurs étrangers y sont les bienvenus.

A proximité, sur le **Malecón** ©, se trouvent les quais où accostent les bateaux chargés de la pêche du jour. Comme dans les autres stations balnéaires du Pacifique, il est possible de participer à des expéditions de pêche. Les prises les plus courantes sont le pèlerin, le marlin, le requin et le coryphène.

Le **Fuerte de San Diego**, un des plus anciens édifices de la ville, fut bâti en 1616 par les Espagnols. En forme d'étoile, il était destiné à protéger les galions des attaques des pirates. Rasé après un tremblement de terre en 1776, il a été reconstruit à l'identique et abrite aujourd'hui le **Museo Histórico de Acapulco**, consacré à l'histoire de la région.

A partir de **Costera Miguel Alemán** Ⓓ commence le quartier touristique, avec ses riches hôtels, ses innombrables restaurants et ses plages très fréquentées. On entre ici dans la ville des loisirs.

Au début de la Costera, le **Parque Papagayo** Ⓔ est un espace vert de 21 ha dont le principal attrait est le parc d'attraction pour enfants : circuit pour rollers, manèges, lac avec

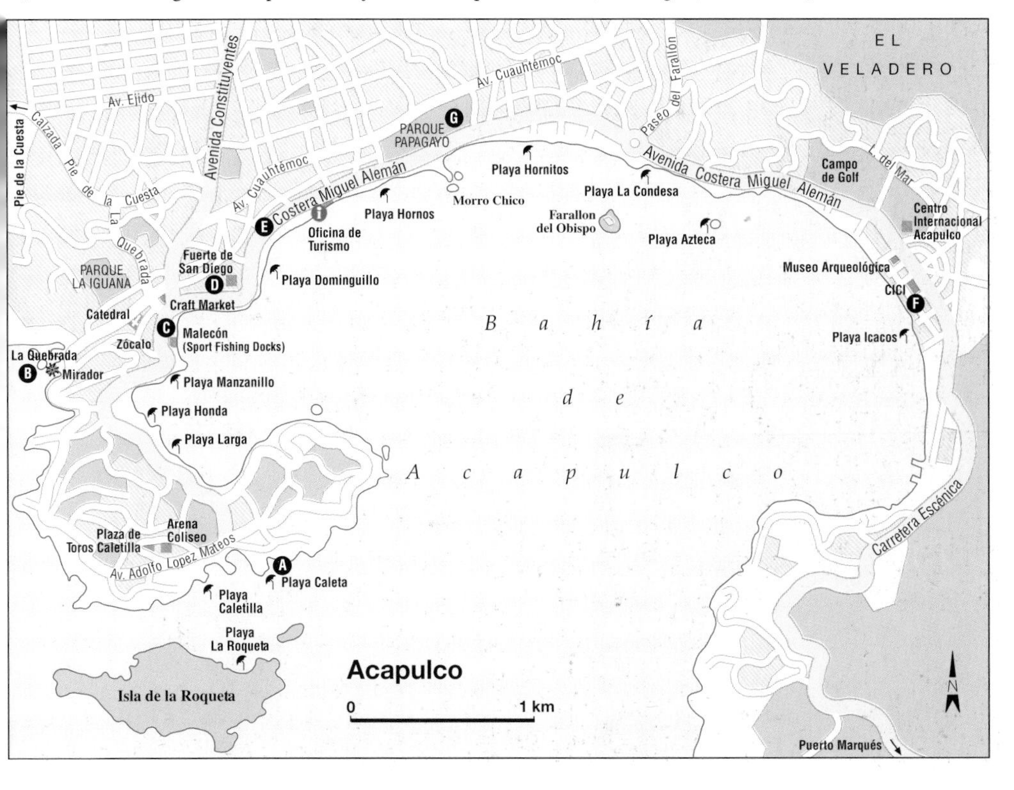

pédalos... Le **Centro Internacional Acapulco**, à l'extrémité de la Costera, propose parfois des spectacles de danses folkloriques et une exposition permanente d'artisanat.

Juste à côté, le **Centro Internacional Convivencia Infantil** Ⓕ ou CICI fait le bonheur des enfants avec ses toboggans aquatiques et ses piscines. Des spectacles de dauphins et de phoques sont montrés plusieurs fois par jour.

Isla de la Roquetta

Au large de Playa Caleta, **Isla de la Roquetta** offre des plages moins encombrées que celles du littoral. La plus fréquentée est celle de **La Roquetta**. Des sentiers conduisent au sommet des collines escarpées de l'île, et l'on peut y faire de la plongée sous-marine.

Des bateaux partent régulièrement de Playa Caletilla et de Playa Caleta pour rejoindre l'île ; l'un d'eux, équipé d'un fond transparent, propose une excursion jusqu'à **Capilla Submarina**, chapelle sous l'eau qui abrite une statue en bronze de la Vierge de Guadalupe.

Pour la plupart des étrangers, les principaux attraits d'Acapulco sont sans doute ses bars et ses boîtes de nuit ouverts toute la nuit. Les plus à la mode sont concentrés dans les nouveaux quartiers, dans l'est de la ville. Ils ouvrent à 22 h, mais l'ambiance ne s'anime vraiment qu'à partir de minuit, quand lasers et feux d'artifices tirés sur la baie donnent le signal des festivités.

Pie de la Cuesta

A 10 km au nord-ouest d'Acapulco, **Pie de la Cuesta** est une étroite péninsule qui sépare l'océan de la **lagune de Coyuca**. Le lieu est relativement calme et agréable, mais la baignade y est dangereuse en raison des vagues qui peuvent entraîner les nageurs vers le large. De nombreux restaurants de fruits de mer bordent la plage de Pie de Cuesta ; ce village est par ailleurs un des meilleurs endroits de la côte pour admirer le coucher du soleil.

Une ville de plaisirs

La profusion et la variété des plaisirs qu'offre Acapulco explique l'engouement qui y amène plus de trois millions de touristes chaque année. Le climat, l'animation, les sports, les amusements, tout se conjugue pour l'agrément de tous et de chacun. Même de juin à octobre, pendant la saison des pluies, le soleil reste de la fête. Des averses tombent l'après-midi, laissant le loisir de faire la sieste. Les températures oscillent entre 27 °C et 33 °C, descendant de 6 °C à 8 °C degrés la nuit. Les prix varient en fonction de la saison, les plus élevés étant pratiqués de la mi-décembre à Pâques. Pour cette période, la plus recherchée pendant les fêtes de Noël et de Pâques, où les Mexicains affluent, il est prudent de réserver assez à l'avance.

Acapulco la nuit

Rares sont les villes qui rivalisent avec Acapulco pour l'animation nocturne. Les soirées sont prétexte à des divertissements variés : spectacles, musique, danse, disco. Rien ne s'arrête à minuit et l'on trouve toute la nuit des taxis pour rentrer à l'hôtel. A partir de 22 heures, les noctambules affluent dans les boîtes de nuit et les clubs comme le célèbre **Extravaganzza**, le **Baby'O**, réputé l'une des meilleures boîtes d'Acapulco, ou le **Fantasy** ; ce dernier propose un spectacle laser et de la musique disco. Le **Palladium** et l'**Andrómeda** ont les faveurs de la jeunesse, tandis que le **Salon Q** rassemble les *aficionados* de la salsa. Le choix est vaste et même en changeant chaque soir de décor, il est difficile d'épuiser toutes les possibilités de la ville.

Pour une soirée plus tranquille, on peut se rendre au Centro Acapulco, qui organise plusieurs fois par semaine une *fiesta mexicana* présentant des danses flokloriques, des spectacles de *voladores* ou d'acrobates. Un buffet mexicain permet de se restaurer sur place.

LES GRANDS HÔTELS

Sur la route de l'aéroport, à 2,5 km du centre, on rencontre deux extraordinaires complexes hôteliers : l'Acapulco Princess et le Pierre Marqués. Par son architecture néo-précolombienne, le **Princess** est le plus classique des deux. Toutes les chambres jouissent de terrasses décorées de plantes tropicales et s'échelonnent le long du bâtiment en forme de pyramide. Le luxueux **Pierre Marqués** fut construit sous l'égide du milliardaire Paul Getty. Outre le magnifique isolement de leur implantation, les deux hôtels disposent d'équipements sportifs privées : parcours de golf, courts de tennis en plein air, piscines.

A proximité du Princess, le **Vidafel Mayan Palace** est un spectaculaire complexe hôtelier de Punta Diamante. Des séries d'habitations décorées dans le style maya et de pavillons en verre se succèdent le long d'un réseau de canaux. Sur 4,5 ha, l'ensemble comporte également des grands immeubles hôteliers et une importante infrastructure de loisirs incluant entre autres une douzaine de courts de tennis.

Carte p. 271

Fillettes prêtes pour la fête.

LE SUD

Le sud du Mexique est la partie la plus variée du pays, qu'il s'agisse des paysages, des monuments ou des activités. Les plantations tropicales de Veracruz et les forêts humides du Tabasco alternent avec les plateaux frais ou les forêts denses du Chiapas, les collines d'Oaxaca et les étendues calcaires plates de la péninsule du Yucatán.

L'État de Veracruz, qui longe la côte du golfe du Mexique, est l'un des plus verdoyants et des plus beaux du pays. Bien que ses plages ne vaillent pas celles de la côte pacifique ou caraïbe, cet État a beaucoup à offrir : visite du site précolombien d'El Tajín, descente en rafting de torrents écumeux, randonnées sur les pas d'Hernán Cortés et de ses conquistadors. Pour mieux connaître le passé de cette région, une visite au musée d'Anthropologie de Xalapa s'impose. Mais si ce sont la musique, la danse et la fête qui sont à l'ordre du jour, le mieux est de se rendre à Veracruz. Ce lieu de villégiature pour les Mexicains est la ville la plus agréable de toute la côte.

Les paysages accidentés de l'État d'Oaxaca sont bien différents. Les Indiens, descendants des bâtisseurs des pyramides, y vivent dans des conditions difficiles. Mais leurs villages et les magnifiques objets que produit leur artisanat attirent les visiteurs. Oaxaca est une ville coloniale et cosmopolite. Ici, le voyageur a encore le choix entre une vie sauvage pleine de richesse, de petites plages à l'écart le long de la côte pacifique et Huatulco, dernière née des grandes stations balnéaires mexicaines.

Le Tabasco, région la plus humide du Mexique, riche en pétrole et berceau des cultures méso-américaines les plus anciennes, est la porte des hauts plateaux du Chiapas et du cœur de l'ancien monde maya.

Le Chiapas est très varié, avec ses petites villes coloniales, ses villages indiens, l'impressionnante gorge de Sumidero, les lacs de Montebello aux couleurs changeantes, les cascades d'Agua Azul au cœur de la forêt vierge, et enfin Palenque, le plus remarquable des sites mayas.

La péninsule du Yucatán contraste avec le Chiapas par sa platitude. On peut y combiner la visite des sites mayas et les séjours dans les stations balnéaires les plus réputées du Mexique. Le Yucatán est aussi connu pour ses élégantes villes coloniales et, grâce à la grande diversité de sa flore et de sa faune, pour ses parcs naturels.

Pages précédentes : groupe de représentants des Indiens tzeltales du Chiapas. A gauche, le Tabasco est riche en pétrole.

LA CÔTE DU GOLFE

L'État de Veracruz forme une longue bande de terre comprise entre la côte du golfe du Mexique et les montagnes centrales. C'est une région tropicale chaude et humide, relativement méconnue des visiteurs étrangers. On y trouve pourtant des plages bordées de palmiers, une végétation luxuriante et, plus au sud, certains des plus anciens sites précolombiens du pays.

Après avoir été le berceau des civilisations olmèque, totonaque et huastèque, Veracruz devait devenir la porte d'entrée des conquistadors sur les territoires de la Nouvelle-Espagne. En 1519, Cortés établit son premier campement près de la ville actuelle, avant de marcher sur la capitale aztèque, Tenochtitlán. Le port de Veracruz devait par la suite jouer un rôle essentiel dans le commerce et les échanges avec l'Espagne.

Aujourd'hui, l'« or noir » a remplacé l'or des Aztèques et les riches denrées en provenance de l'Asie : Veracruz est devenu un grand centre de commerce pour le pétrole. Les plus grandes raffineries se trouvent à l'extrême nord et au sud de l'État de Veracruz, à Tampico (à la frontière de l'État du Tamaulipas), à Minatitlán et à Coatzacoalcos (près du Tabasco). Cependant, avec une population de 6 millions d'habitants, dont 350 000 Indiens, l'État reste essentiellement agricole. Il est le premier producteur de canne à sucre, de pomme de terre, de piment, d'orange, d'ananas et de vanille.

La Huasteca

Le nord de l'État de Veracruz, avec ses raffineries de pétrole, n'est guère attrayant. Proche de l'embouchure du Río Panuco, Bruyant et animé, **Tampico** est un grand port commercial et pétrolier ; il abrite également une importante flottille de pêche. Toute cette agitation portuaire le rend très pittoresque, et l'on y déguste des fruits de mer délicieux.

Au sud de la ville s'étend la vaste **Laguna de Tamiahua**, dont on peut explorer les îles et la mangrove en bateau.

Dans l'arrière-pays de Tampico, la région connue sous le nom de **La Huasteca** ❶ s'étend jusqu'aux premiers contreforts de la Sierra Madre orientale, à la frontière de l'État de San Luis Potosí. Du nord au sud, elle est comprise entre le Tamaulipas et le port de Veracruz.

Les Huastèques ont développé une civilisation originale, antérieure à celle des Toltèques de Tula et dont l'apogée se situe entre le IXe et le XIIIe siècle. Quelques fouilles archéologiques ont été menées dans la région, et certains sites se visitent, comme **El Tamuín**, à une centaine de kilomètres à l'ouest de Tampico. Quelques-uns des plus beaux vestiges de la culture huastèque sont conservés au musée d'Anthropologie de Xalapa.

Carte p. 281

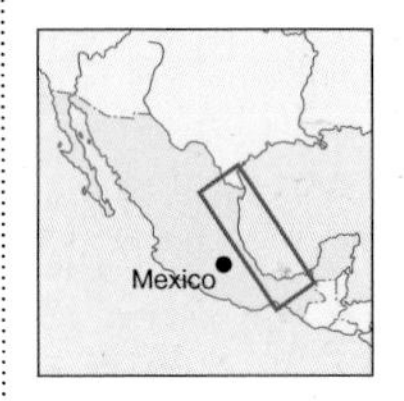

A gauche, les célèbres « voladores » de Papantla. Ci-dessous, petites filles déguisées pour le carnaval.

Certaines villes du Mexique, comme Veracruz, célèbrent le carnaval avec faste. Cette fête ouvre un des trois temps de l'année liturgique, celui de Pâques. Bals et danses sont le prélude au carême, consacré à la prière et au repentir. Mais le carnaval mexicain peut aussi être comparé aux fêtes mayas qui célébraient l'avènement d'une année nouvelle.

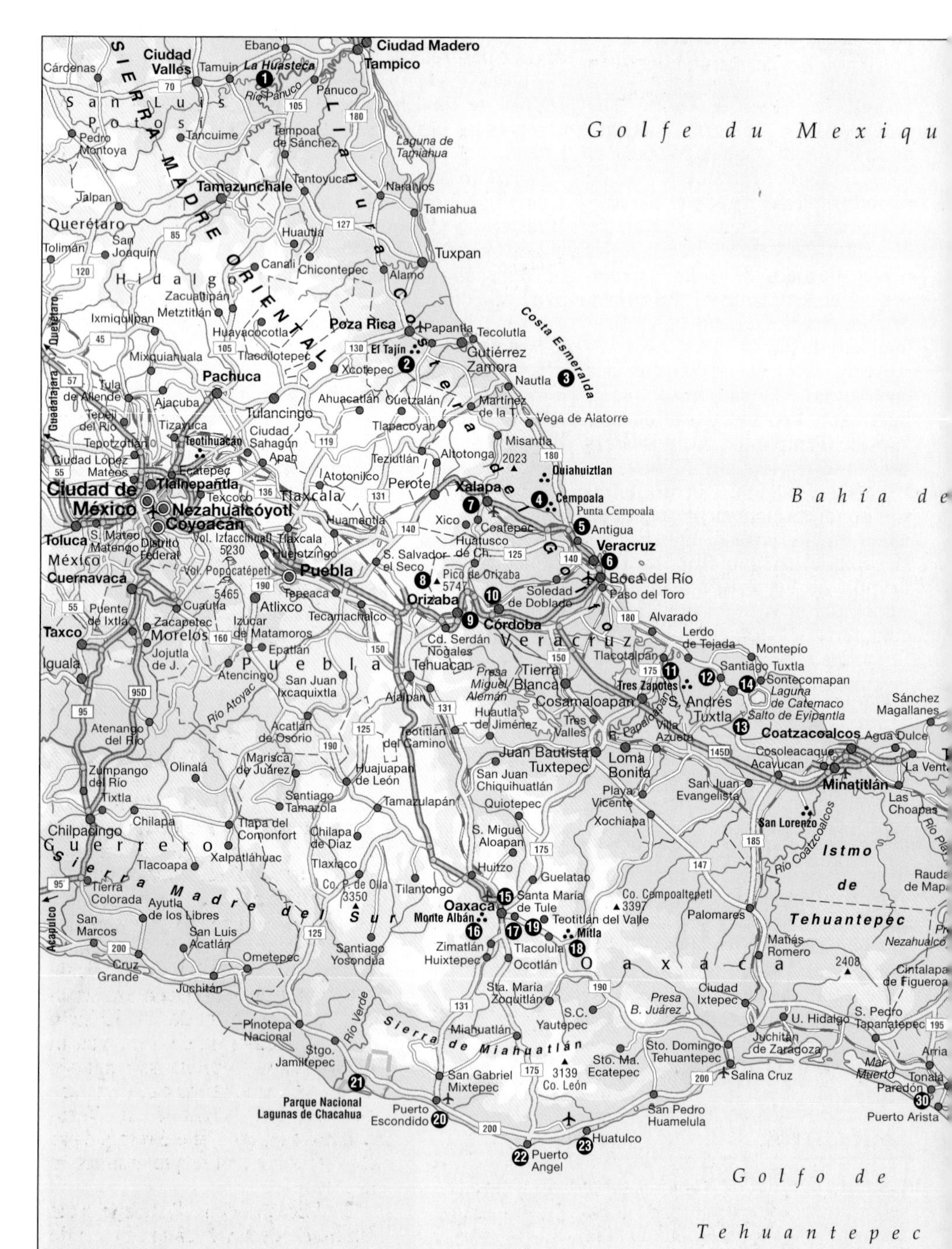
Golfe du Mexiqu
Bahía de
Golfo de
Tehuantepec
Océan Pacifique
Ciudad Madero
Tampico
Ciudad Valles
La Huasteca
San Luis Potosí
Sierra Madre Oriental
Llanura Costera del Golfo
Tamazunchale
Tuxpan
Poza Rica
Papantla
El Tajín
Costa Esmeralda
Querétaro
Hidalgo
Pachuca
Tulancingo
Teotihuacán
Ciudad de México
Tlalnepantla
Nezahualcóyotl
Coyoacán
Toluca
México
Distrito Federal
Cuernavaca
Taxco
Iguala
Morelos
Tlaxcala
Puebla
Vol. Iztaccíhuatl 5230
Vol. Popocatépetl 5465
Atlixco
Quiahuiztlan
Cempoala
Punta Cempoala
Antigua
Xalapa
Veracruz
Boca del Río
Pico de Orizaba 5747
Orizaba
Córdoba
Veracruz
Tehuacán
Tres Zapotes
S. Andrés Tuxtla
Santiago Tuxtla
Laguna de Catemaco
Salto de Eyipantla
Coatzacoalcos
Minatitlán
San Lorenzo
Istmo de Tehuantepec
Puebla
Guerrero
Chilpancingo
Sierra Madre del Sur
Oaxaca
Monte Albán
Santa María de Tule
Teotitlán del Valle
Mitla
Tlacolula
Sierra de Miahuatlán
Parque Nacional Lagunas de Chacahua
Puerto Escondido
Puerto Angel
Huatulco
Salina Cruz
Juchitán de Zaragoza
Puerto Arista
Acapulco

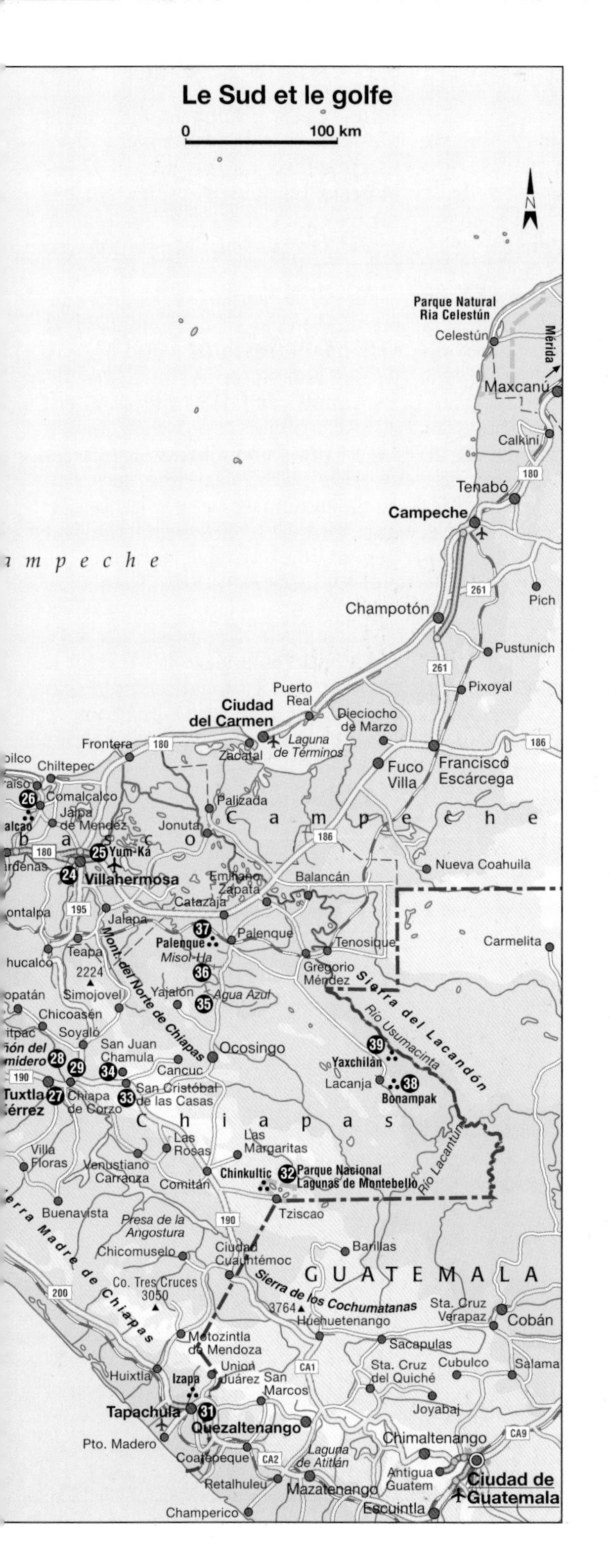

Au sud de Ciudad Valles, **Xilitla** est un pittoresque *pueblo* indien au milieu de la forêt tropicale. La petite ville de **Tamazunchale**, très animée le dimanche par les Indiens venus y faire leur marché, possède une ravissante église du XVIe siècle. Le 2 novembre, jour des Morts, les rues se couvrent de confettis et de pétales de fleurs. En raison de la végétation tropicale qui l'entoure, c'est un excellent centre d'excursion pour les ornithologues et les chasseurs de papillons.

EL TAJÍN

Papantla, capitale mexicaine de la vanille, est célèbre pour ses *voladores*. Ces danseurs, après avoir exécuté des figures sur une plate-forme au sommet d'un mât de 20 m à 30 m de haut, se jettent dans le vide, attachés par un pied à des cordes fixées à la plate-forme, et descendent en virevoltant, la tête en bas, jusqu'au sol où, par un brusque rétablissement, ils atterrissent debout. Cette cérémonie d'origine précolombienne revêtait à l'origine une signification symbolique sans doute liée à un rite de fertilité.

Le site d'**El Tajín** ❷ (« l'éclair » en langue totonaque) se cache dans les montagnes, à quelques kilomètres de Papantla. Cette ancienne cité précolombienne est souvent oubliée, en dépit de son intérêt. Pourtant, les vestiges de cette ville se dressent au cœur d'une végétation tropicale luxuriante qui contribue au caractère impressionnant du site. El Tajín était contemporain de Teotihuacán et connut sans doute son apogée entre le IXe et le XIIe siècle. Ce centre de cérémonie, attribué aux Totonaques, a également été marqué par les civilisations olmèque, huastèque et maya.

L'édifice principal d'El Tajín est la **Pirámide de los Nichos** (pyramide des Niches), construction à sept niveaux haute de 25 m et de 35 m de côté. Ses flancs sont percés de 365 niches, une pour chaque jour de l'année solaire. Au VIIe siècle, date

Les premiers contreforts de la Sierra Madre orientale.

de son achèvement, chaque niche était recouverte de stuc peint de couleurs éclatantes.

Au sud de la pyramide, les six frises en bas relief qui ornent le mur du **Juego de Pelota Sur** (jeu de balle sud) témoignent que ce jeu s'accompagnait de sacrifices humains.

Au nord de la pyramide des Niches, un sentier conduit à **El Tajín Chico**, centre résidentiel destiné aux prêtres et aux dignitaires. Au sommet de l'édifice le plus haut, sans doute la résidence du gouverneur, on découvre une vue magnifique sur tout le site. Un petit musée abrite quelques-unes des découvertes faites au cours des fouilles, mais les objets les plus intéressants sont conservés au musée d'Anthropologie de Xalapa.

LA COSTA ESMERALDA

La **Costa Esmeralda** ❸ s'étend *grosso modo* entre La Guadalupe et Nautla. Cette partie de la côte du golfe du Mexique abonde en hôtels et en restaurants.

La région comporte également plusieurs sites précolombiens, dont le cimetière totonaque de **Quiahuitzlán**. La plupart ne figurant pas sur les cartes, il est préférable de se renseigner sur leur localisation une fois sur place.

Au sud de **Nautla**, la ville précolombienne totonaque de **Cempoala** ❹ joua un rôle essentiel dans l'histoire de la Conquête. A l'arrivée des Espagnols, en 1519, elle comptait 30 000 habitants. Leur chef conclut avec Cortés une alliance contre les Aztèques, et des hommes de Cempoala accompagnaient le conquistador lorsque celui-ci marcha sur Tenochtitlán l'année suivante. La cité totonaque fut abandonnée au XVIIe siècle.

Au sud de Cempoala, la ville d'**Antigua** ❺, fondée en 1525, fut le premier port colonial aménagé par les Espagnols. Une des maisons de la ville passe pour avoir été habitée

Récolte d'oranges dans l'État de Veracruz.

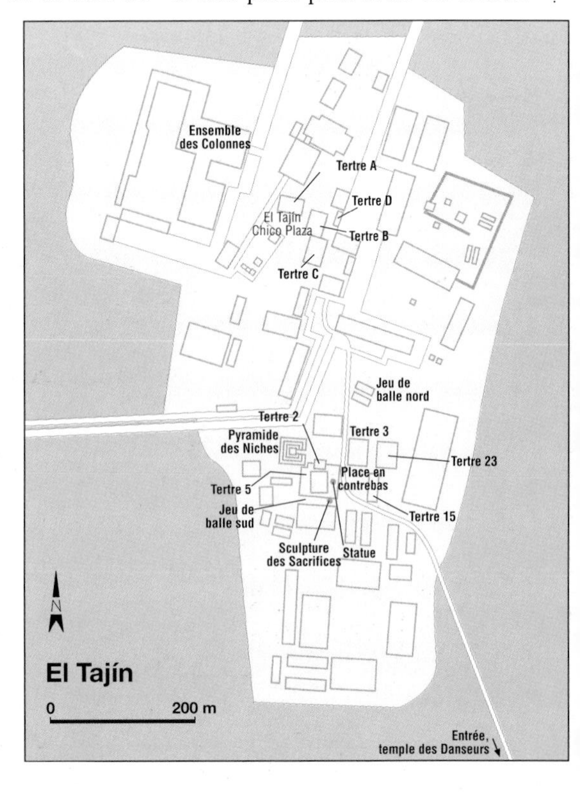

par Cortés et une de ses chapelles, **Ermita del Rosario**, serait la première construite par les Espagnols au Mexique.

VERACRUZ

Veracruz ❻, appelé aussi Puerto Veracruz, jouit d'une ambiance unique. Son port est animé mais sans grand charme, son bord de mer n'est pas très agréable ; pourtant, la ville attire les les habitants de Mexico en grand nombre. Au moment du carnaval et de la semaine sainte, il devient même difficile de trouver à se loger.

Le cœur de la ville est la **Plaza de Armas**, ou Zócalo, sans doute une des plus animées de tout le Mexique avec ses orchestres de *marimbas*, ses salsas et ses *danzones* (sorte de valse d'origine cubaine).

Sur la place, plantée de palmiers, s'élèvent la **cathédrale Nuestra Señora de la Asunción** (XVIIIe siècle) et le **Palacio Municipal** (XVIIe siècle). Tout autour, des *portales* recouvrent les terrasses des cafés.

Un des temps fort de l'année est le carnaval, que Veracruz célèbre joyeusement au cours de festivités qui sont parmi les plus réputées du Mexique. L'événement attire des visiteurs de tous les pays.

Le **port** de Veracruz est très animé. En flânant sur le Malecón, on peut assister au chargement des navires, aux embarquements et aux débarquements. Des bateaux partent régulièrement pour des excursions dans le port. Vendeurs de souvenirs et de babioles déambulent sur les quais ; leur fonds de commerce est sans surprise mais on déniche parfois des objets artisanaux du Chiapas.

Sur l'Avenida Gómes Farías, le **Gran Café de la Parroquia** est une institution nationale. Dans cet établissement traditionnel, le *cafe con leche* se sert avec cérémonie : un premier garçon apporte le café, un second le lait. A l'origine installé sur le Zócalo, le Gran Café a dû démé-

Carte p. 280

La Pirámide de los Nichos, à El Tajín.

nager à cette adresse en 1994, mais il n'a rien perdu de son décor ni de son ambiance. Il demeure un des lieux de rencontre à la mode.

Le tout nouveau **Museo Histórico Naval**, inauguré en 1997, évoque à travers une série d'expositions l'histoire du port de Veracruz depuis la Conquête.

Au sud, le **Baluarte de Santiago**, construit en 1526, est le seul fort qui subsiste de l'enceinte fortifiée de la ville. Il abrite une petite collection de bijoux précolombiens, dont quelques objets rares et magnifiques. Ces pièces, qui avaient disparu au cours d'un naufrage au large de Veracruz, ont été découvertes par un pêcheur en 1976.

Aménagé dans une maison du XIXe siècle, le **Museo de la Ciudad** est consacré à l'histoire des Jarochos (habitants de Veracruz). Plusieurs thèmes sont traités, comme l'esclavage. Une partie des collections est consacrée à certains aspects du mode de vie, par exemple le carnaval ou d'autres coutumes religieuses. Des expositions d'art indien contemporain sont organisées régulièrement.

Au sud du Malecón, l'**Acuario** attire en fin de semaine une foule de visiteurs. Il abrite près de 3 000 espèces marines, et il est sans doute l'un des aquariums les plus riches d'Amérique latine. Des films sur les monstres et les grands animaux marins complètent la visite.

Sur un îlot aujourd'hui relié à la ville se dresse la principale attraction de Veracruz, le **Castillo de San Juna de Ulúa**. Cet ancien fort édifié par les Espagnols au XVIe siècle était destiné à protéger le port des attaques des pirates. Sous la dictature de Porfirio Díaz, la forteresse devint une prison de haute sécurité réservée aux prisonniers politiques. Le sort de ces hommes était peu enviable, si l'on en juge par certaines cellules, qui se remplissent d'eau jusqu'à mi-hauteur à marée haute. Ironie du sort, Porfirio Díaz y fit lui-

Église de Veracruz.

Carte p. 280

même un séjour au début de la révolution.

Si les plages du centre de Veracruz, comme **Playa de Hornos** ou **Playa Villa del Mar**, sont peu engageantes, celles du quartier de **Mocambo** ou de **Costa de Oro**, au sud de la ville, sont plus propres. Cependant, même si l'eau est chaude et peu agitée, la côte du golfe du Mexique ne peut rivaliser avec les larges étendues de sable de la côte ouest ou les rivages de la mer des Caraïbes.

A 10 km au sud de Veracruz, **Boca del Río** est un village de pêcheurs réputé pour ses fruits de mer.

XALAPA

Xalapa (ou Jalapa) ❼ est la capitale de l'État de Veracruz. Située à 135 km de Veracruz à l'intérieur des terres, cette ville de 400 000 habitants bénéficie d'un climat tempéré.

Du **Parque Juarez**, qui s'élève en terrasses au centre de la ville, on bénéficie, lorsque le ciel est dégagé, d'une vue splendide sur le volcan Cofre de Perote au nord-ouest et sur le Pico de Orizaba au sud.

Quelques marches conduisent à **El Agora**, un des pôles de la vie culturelle de la ville, réunissant un théâtre, une galerie d'art, un cinéma et un café. A proximité, le vieux centre a conservé quelques rues pavées bordées de maisons aux couleurs chaudes, avec des balcons ouvragés.

Au sud du Parque Juarez, le **Paseo de los Lagos** s'étend autour d'un lac agréable.

Le **Museo de Antropología** est la gloire de Xalapa, et sans doute l'un des plus intéressants du pays, exception faite de celui de Mexico. Il se trouve à 4 km au nord-ouest du centre, sur l'Avenida Xalapa. Installé dans un parc aménagé, le bâtiment comporte plusieurs niveaux qui s'échelonnent en pente douce et abritent des jardins intérieurs. Près de 30 000 objets archéologiques y

La Plaza de Armas à Veracruz.

La région de Coatepec, spécialisée dans l'horticulture, produit de nombreuses variétés d'orchidées.

sont rassemblés, parmi lesquels figurent quelques chefs-d'œuvre de l'art précolombien.

Le premier ensemble est consacré à la culture olmèque, l'une des plus anciennes et des plus brillantes civilisations d'Amérique centrale. On peut y admirer sept grandes têtes olmèques, dont celle retrouvée sur le site de San Lorenzo : datée de 1200 à 400 av. J.-C., c'est une pièce colossale qui atteint 2,70 m de hauteur.

Une deuxième section présente la culture totonaque, du centre de l'État de Veracruz. On y retrouve les inquiétantes représentations de femmes mortes en couches trouvées sur le site d'El Zapotal ou les « visages souriants » typiques de la sculpture totonaque.

La dernière partie du musée s'attache à l'époque postclassique, celle de la civilisation huaxtèque. Les figurines exposées proviennent de la Huastéca, dans le nord de l'État de Veracruz.

LES ENVIRONS DE XALAPA

Demeurer plus de deux jours à Xalapa ne présente d'intérêt que si l'on souhaite sillonner la région.

A quelques kilomètres au sud de la ville, **Coatepec** est connue pour ses plantations de café (qui produisent un nectar délicat) et son jardin d'orchidées María Christina, sur la place principale.

La plupart des fleurs que l'on trouve sur les marchés du Mexique poussent à **Fortín de las Flores**, petite localité située à l'ouest de Coatepec.

Xico, autre village colonial au sud de Coatepec, mérite une visite. Pour y accéder, on traverse des plantations de café et de bananiers qui composent un paysage d'un autre temps.

Depuis Xico, une agréable promenade de 2 km conduit aux **chutes de Texolo** (40 m). Michael Douglas et Katleen Turner y tournèrent le film *Romancing the Stone* en 1984.

Un âne et son harnachement complet.

Carte p. 280

ORIZABA

Le **Pico de Orizaba** ❽, montagne la plus élevée du Mexique (5654 m), occupe le troisième rang des crêtes d'Amérique du Nord, derrière les monts McKinley, en Alaska, et Logan, dans le territoire du Yukon. Certains appellent le pic d'Orizaba par son nom préhispanique, Citlaltépetl, qui signifie « montagne étoilée ». L'ascension de cet ancien volcan, dont la dernière éruption remonte à 1546, est assez difficile. Seules deux des 16 voies qui conduisent à son sommet sont praticables par des randonneurs inexpérimentés. Encore faut-il s'entraîner avant d'entreprendre cette course, qu'il est recommandé de faire avec un bon guide.

Orizaba ❾, qui fut fondée par les Espagnols, est devenue une ville industrielle à la fin du XIXe siècle. Ses usines furent le théâtre des premières émeutes de la révolution de 1910. Malgré ces transformations, elle a su conserver un certain nombre de témoignages de son passé colonial.

La **Parroquia de San Miguel** a été construite dans le style du XVIIe siècle et décorée de céramiques de Puebla, tandis que les églises de **La Concordia** et d'**El Carmen**, du XVIIIe siècle, sont caractéristiques du style churriguerresque.

L'ancien **Palacio Municipal**, au nord-ouest du Parque del Castillo, est un très bel exemple d'architecture Art nouveau, avec sa structure en fer et en acier. Conçu pour l'une des expositions universelles de la fin du XIXe siècle, en Belgique, il fut acheté par la ville d'Orizaba, démonté puis expédié au Mexique.

Le nouveau **Palacio Municipal** abrite une fresque peinte en 1926 par José Clemente Orozco.

Le **Museo de Arte del Estado de Veracruz** conserve 29 œuvres d'un autre grand muraliste mexicain, le peintre Diego Rivera. Le musée expose également un ensemble de

Le pic enneigé d'Orizaba.

tableaux de l'époque coloniale et des tableaux d'artistes contemporains.

CÓRDOBA

A quelques kilomètres à l'est d'Orizaba, **Córdoba** ❿ est une cité prospère grâce à ses plantations de café et de canne à sucre.

C'est dans cette ville que fut signé, en 1821, le traité ratifiant l'indépendance du Mexique.

Les édifices les plus intéressants sont regroupés autour du Zócalo et dans les rues avoisinantes. Tout le côté nord de la place est bordé de *portales* du XVIIIe siècle, à l'ombre desquels on peut déguster le café de la région.

TLACOTALPAN

Au sud de Veracruz, sur les rives du Río Papaloapan, **Tlacotalpan** ⓫ était un important port intérieur à la grande époque des bateaux à vapeur. La ville a conservé ses maisons rehaussées de couleurs vives et ses porches arabisants.

Tenu à l'écart de la plupart des visites de la région, ce lieu paisible s'anime une fois par an lors de la Fiesta de la Candelaria (fin janvier). Des taureaux sont lâchés dans les rues et une statue de la Vierge descend la rivière, escortée d'une procession de bateaux.

La ceinture est un des éléments du costume traditionnel maya. Réalisées sur fond de coton ou de laine, plus rarement de soie, motifs et couleurs varient selon les villages et sont représentatifs de la mythologie locale. Le tissage de ceintures demeure une activité proprement féminine.

LOS TUXTLAS

La région de Los Tuxtlas bénéficie d'un climat moins lourd que le reste de l'État de Veracruz. Lacs et cascades ponctuent çà et là un paysage vallonné. Les basses terres du sud ont vu fleurir la civilisation olmèque, la plus ancienne d'Amérique centrale.

Fondée en 1525, **Santiago Tuxtla** ⓬ est célèbre pour sa tête olmèque qui se dresse sur le Zócalo, la plus grosse retrouvée à ce jour. Haute de 3,50 m, elle pèse près de 50 t. Ces têtes colossales aux traits menaçants sont connues sous le nom de « bébés-jaguars ».

Le **Museo Arqueológico** abrite d'autres têtes dans ce style et des pièces mises au jour sur le site voisin de **Tres Zapotes**.

Près de **San Andrés Tuxtla**, un chemin pavé conduit, à travers des plantations de tabac et de canne à sucre, au **Salto de Eyipantla** ⓭, cascade de 50 m de haut.

La **Laguna de Catemaco** ⓮ (« lagune enchantée ») occupe le cratère d'un ancien volcan. Sur le môle, de petits bateaux proposent des promenades sur le lac, au large d'un îlot peuplé de macaques.

La région de Catemaco est le pays des *brujos* (sorciers-guérisseurs), qui se rassemblent chaque année en mars sur le **Cerro Mono Blanco**, au nord de la ville. Nombreux sont les Mexicains qui viennent y faire une *limpia* (se délivrer d'un mauvais sort). Ces sorciers ont inspiré le film *Medicine Man*, avec Sean Connery, qui a été tourné dans le **Parque de Naciyaga**, réserve protégée au cœur de la forêt tropicale.

PARTIR À L'AVENTURE

Le Mexique attire depuis longtemps les touristes – surtout venus d'Amérique du Nord – qui viennent profiter du soleil qui y brille toute l'année et de ses vastes stations balnéaires. Ce qui les a peut-être conduits à négliger le riche patrimoine architectural et culturel du pays.

Cependant, ces dernières années, l'ouverture de parcs naturels à l'intérieur des terres a stimulé une demande pour une troisième forme de tourisme : la recherche de l'aventure.

Des sites extraordinaires attirent les randonneurs, comme le Barranca del Cobre ou « canyon du Cuivre », quatre fois plus grand que le célèbre Grand Canyon du Colorado, ou la forêt tropicale de Selva Lacandona, au Chiapas, qui fait partie de la grande forêt maya.

D'autres préfèrent embarquer dans de frêles embarcations pour traverser la mer de Cortés, en allant d'île en île, ou pour sillonner les mangroves du Yucatán.

Les voies d'eau, qui étaient le réseau de communication de l'ancien empire, attirent aujourd'hui surtout les sportifs. Jusqu'au début des années 1990, seuls quelques passionnés s'aventuraient sur les torrents de Veracruz. Quatre grandes agences y organisent désormais des excursions d'une journée ou de plus longue durée à partir de Xalapa, capitale de l'État. L'État de Veracruz est d'ailleurs plein de ressources. A deux heures seulement de Xalapa coule le Río Filobobos, qui mène les rafteurs jusqu'aux ruines d'El Cuajilote, site archéologique qu'il est mieux de gagner par voie d'eau.

Outre le Veracruz, le rafting se pratique dans l'État de Morelos, au sud de Mexico. Les cours d'eau y sont moins fréquentés, mais les émotions sont les mêmes. C'est à la saison des pluies, qui va de juin à octobre, que le Río Amacuzac offre les meilleures possibilités.

Sur la côte caraïbe, les plongeurs sous-marins trouveront vraiment tout ce dont ils ont besoin. Le récif corallien de l'île de Cozumel longe ainsi plus de 32 km de côte rocheuse, en partie composée d'un rare corail noir, et où plus de 200 espèces de poissons tropicaux vivent parmi des centaines de grottes.

Le Mexique est aussi un pays de montagnes. Les plus intrépides peuvent entreprendre l'ascension de volcans en sommeil, comme le Pico de Orizaba, près de Puebla, ou l'Iztaccíhuatl, surnommé la « montagne fumante ». C'est par la ville d'Amecameca, à une heure au sud-est de Mexico, qu'on a accès à l'Iztaccíhuatl. Des randonnées plus faciles sur les contreforts du volcan se font aussi au départ d'Amecameca.

La varape et la haute montagne peuvent se pratiquer partout au Mexique, mais les meilleurs sites sont les plus proches de la frontière des États-Unis.

Le Gran Trono Blanco se trouve à quelques heures au sud-est de Tijuana. Ce massif est connu des alpinistes pour ses rochers colossaux accessibles par d'innombrables voies. Les Cumbres du Parque Nacional de Monterrey entourent la ville du même nom, qui est la plus grande ville industrielle du Mexique. Dans ce parc s'élève le Cañón de Huasteca, aux parois hautes de 300 m.

Descente d'un cours d'eau du Mexique à bord d'un radeau de caoutchouc.

L'OAXACA

L'État d'Oaxaca est la province indienne par excellence. Les descendants des Zapotèques et des Mixtèques y sont demeurés ainsi que 16 ethnies diverses. Chaque groupe a conservé ses caractéristiques culturelles et linguistiques, faisant de cet État une mosaïque originale.

L'Oaxaca est également l'un des États les plus pauvres du Mexique. Ses cultivateurs, en déboisant sans discernement, en continuant à pratiquer une agriculture sur brûlis, ont laissé l'érosion dévaster les terres. Les parcelles, souvent petites, deviennent de plus en plus exiguës au fur et à mesure que les héritages les morcellent. L'agriculture ne leur permettant pas de vivre, beaucoup d'Indiens font de l'artisanat une activité d'appoint. Des villages entiers sont réputés pour leurs poteries, leurs sculptures sur bois, leurs textiles et leurs broderies. Cependant, d'autres communautés vivent encore dans un isolement immense, loin de toute aide médicale. Des guérisseurs soignent avec des plantes (on a tiré plus de 200 médicaments des plantes utilisées par les Indiens).

Avant l'arrivée des Espagnols, les Aztèques avaient conquis une partie des territoires de l'actuel État d'Oaxaca et y avaient installé une colonie. On dénombre plus de 4000 sites archéologiques, dont 800 seulement ont pu être délimités par des relevés.

L'État d'Oaxaca est aussi la terre d'origine de deux présidents du Mexique, Benito Juárez et Porfirio Díaz.

UNE VILLE COLONIALE

Située à 548 km de Mexico, la ville d'**Oaxaca** ⓯, capitale de l'État du même nom, est accessible par train ou par avion. On peut aussi, pour s'y rendre, emprunter la route à péage, qui traverse les montagnes et réserve des paysages magnifiques.

Si l'on vient de Puebla, on passe par **Atlixco**, qui a conservé son caractère colonial. Le Zócalo, avec ses faïences émaillées polychromes et son kiosque à musique, est charmant. Chaque année, un festival de danse s'y déroule en septembre.

La localité voisine d'**Izúcar de Matamaros** est un centre de fabrication de céramique qui, comme Metepec, près de Toluca, produit des « arbres de vie ».

Les Espagnols fondèrent la ville d'Antequera de Guaxaca, devenue Oaxaca, en 1529, à proximité d'un village indien appelée Huaxyaca. Juchée à 1550 m d'altitude, au cœur d'une vallée fertile, la ville bénéficie d'un climat excellent, ni trop chaud ni trop froid. Oaxaca (500000 habitants) est une ville dynamique et agréable. Nombre de ses habitants sont des descendants des Mixtèques et des Zapotèques qui peuplaient autrefois la région, et l'influence indienne y est très forte. Ce qui n'empêche pas la ville de posséder

Carte p. 280

A gauche, les vêtements des Indiens de l'Oaxaca ont des couleurs éclatantes.

Vieille femme indienne apportant une dinde sur le marché. Le marché d'Oaxaca est l'un des plus fascinants du Mexique, surtout le samedi. Les femmes de tous les villages voisins viennent vendre leurs produits, vêtues de leurs costumes multicolores.

quelques-uns des plus beaux édifices coloniaux du pays.

Les marchés de la ville sont renommés. Le samedi, le **Mercado de Abastos**, au sud, attire les habitants des villages alentours. C'est sans doute un des plus beaux marchés du Mexique, autant pour la diversité de ses produits que pour son étonnante population. On y entend parler plusieurs dialectes indiens, et les villageois qui le fréquentent portent encore pour la plupart le costume traditionnel.

Le **Mercado Benito Juárez** et, surtout, le **Mercado 20 de Noviembre** Ⓐ (tous les jours) sont les plus intéressants. Les Indiens viennent y vendre leurs fabrications artisanales. On marchande, c'est la règle, les poteries vernissées vert sombre, les poteries de type *barro negro* noir mat, les bijoux, les cuirs, les *rebozos*, les *sarapes*, les couvertures de laine, tous les objets tissés à la main. Une multitude de gargotes ou *comedores* proposent à des prix très bas des tortillas, de la viande ou encore la boisson typiquement aztèque, un chocolat mousseux.

Planté d'arbres, le **Zócalo** Ⓑ est un excellent point de départ pour découvrir la ville. Cafés et restaurants en terrasses, sous les arcades qui le bordent, offrent un spectacle agréable.

Sur le côté nord de la place, un des murs du **Palacio de Gobierno** Ⓒ (XIXe siècle) retrace l'histoire d'Oaxaca.

Au nord, face à l'**Alameda**, se dresse la façade baroque de la **cathédrale**. Commencé en 1544, l'édifice ne fut achevé qu'au XVIIIe siècle. Des concerts y sont donnés régulièrement.

C'est dans l'église baroque **San Felipe Neri** Ⓓ, à l'ouest de la cathédrale, sur l'Avenida Independancia, que fut célébré le mariage de Benito Juárez.

Dans la même rue, la **Basílica Nuestra Señora de la Soledad** Ⓔ (XVIIe siècle) abrite derrière sa façade baroque un décor somptueux et une

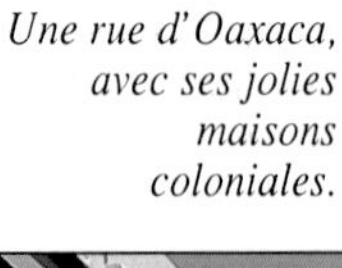

Une rue d'Oaxaca, avec ses jolies maisons coloniales.

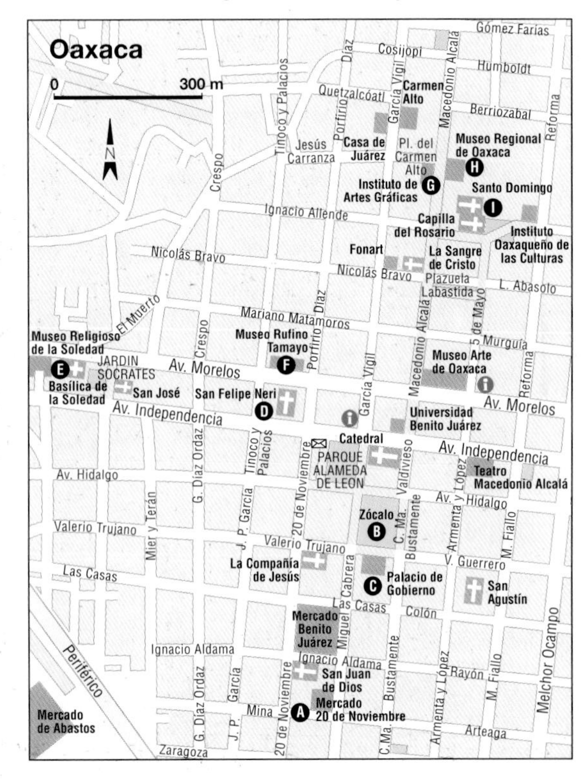

statue de la Vierge vêtue d'une robe noire rehaussée de pierres précieuses. Sainte patronne de la ville, on lui attribue des pouvoirs surnaturels. En décembre, la fête de la Vierge donne lieu à des danses, des processions et des célébrations votives qui durent une semaine.

Le peintre Rufino Tamayo (1899-1991), natif d'Oaxaca, a mis plus de vingt ans à rassembler une très belle collection de poteries et de sculptures préhispaniques dont il a fait don à la ville. Il a supervisé la présentation de cet ensemble que l'on peut admirer au **Museo Rufino Tamayo** Ⓕ, dans l'Avenida Morelos.

Une autre donation plus récente, par l'artiste Francisco Toledo, est visible à l'**Instituto de Artes Gráficas de Oaxaca** Ⓖ. Dans une très belle demeure coloniale sont présentées, outre des expositions temporaires, des œuvres de peintres du monde entier, dont certaines sont dues aux muralistes mexicains Diego Rivera et José Clemente Orozco.

Au nord de la place, le bel édifice XVIIIe siècle abrite le **Museo de Arte Contemporáneo de Oaxaca** où sont exposées principalement des œuvres de l'État d'Oaxaca.

Récemment restauré, le **Museo Regional de Oaxaca** Ⓗ occupe l'ancien monastère voisin de l'église Santo Domingo. Outre des objets provenant de fouilles archéologiques des Valles Centrales (les trois vallées qui convergent vers Oaxaca), on peut y admirer un magnifique trésor mixtèque retrouvé dans la tombe 7 de Monte Alban : objets précieux finement ouvragés en or, turquoise, obsidienne, ambre ou cristal de roche, sculptures d'aigles et de jaguars en os… Autour du musée, des boutiques vendent d'excellentes reproductions en or ou en argent des bijoux qu'il contient. Le musée présente également une collection de vêtements et d'objets tissés produits par les différentes ethnies de la région.

Tout à côté, l'**Iglesia Santo Domingo** Ⓘ est l'édifice le plus

Carte p. 292

Santo Domingo, une des églises baroques d'Oaxaca.

célèbre d'Oaxaca. Derrière sa façade ouvragée flanquée de deux tours blanches se cache une magnifique décoration intérieure en stuc doré et peint. Motifs géométriques ou végétaux et représentations de saints courent sur les murs et les plafonds dans une profusion toute baroque. Juste derrière le porche d'entrée, on peut voir un arbre généalogique détaillé de la famille de saint Dominique de Guzmán, le prédicateur castillan qui fonda l'ordre des dominicains. Sur le côté sud, la **Capilla de la Virgen del Rosario**, du XVIIIe siècle, offre une exubérance baroque qui surpasse encore les ors de l'édifice.

Oaxaca est une ville idéale pour faire des achats, l'artisanat de cette région étant un des plus riches du Mexique. Les objets vendus dans les boutiques sont en général plus beaux que ceux que l'on trouve sur les marchés, mais aussi plus chers. En outre, la marge destinée aux intermédiaires est souvent importante, et la part qui revient à l'artisan peut être très maigre. Aussi certains se sont-ils regroupés pour vendre directement leurs produits. Parmi les objets typiques de la région, citons la poterie noire du village de San Bartolo Coyotepec, les couvertures et tapis de Teotitlán del Valle, les vêtements traditionnels et les bijoux en argent incrusté de pierres précieuses.

Entre l'église Santo Domingo et le Zócalo, la Calle Macedonia Alcalá est bordée de beaux immeubles abritant d'excellents magasins d'artisanat, comme **La Mano Mágico** ou **Yalalag de Oaxaca**. Dans la Calle García Virgil, **Artesanías Chimalli** est aussi une excellente adresse.

La **Biblioteca Circulante de Oaxaca**, une bibliothèque privée, propose un fonds intéressant de livres en anglais et en espagnol sur le Mexique, et en particulier sur la région d'Oaxaca.

La Guelaguetza est la fête la plus réputée d'Oaxaca. Elle a lieu tous les ans en juillet dans le grand amphithéâtre en plein air du **Cerro**

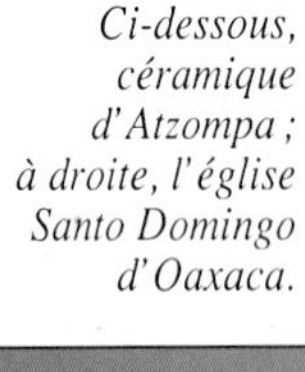

Ci-dessous, céramique d'Atzompa ; à droite, l'église Santo Domingo d'Oaxaca.

del Fortín, colline plantée d'arbres qui domine la ville. Revêtus de splendides costumes, des hommes et de femmes venus de tout l'État d'Oaxaca exécutent des danses indiennes, dont la célèbre « danse des plumes » zapotèque.

Les fêtes de Noël sont également très prisées. Le 16 décembre a lieu la première Posada (procession des enfants) ; le 18 décembre, Día de la Virgen de la Soledad, processions et danses se succèdent dans la basilique consacrée à cette Vierge ; le 23 décembre, pour la Noche de los Rabanos, des radis sculptés aux formes étranges sont exposés sur le Zócalo.

Monte Albán

Le site le plus fascinant de l'État d'Oaxaca est sans conteste celui de **Monte Albán** ⓰ (la « montagne blanche »), à 9 km de la ville. Ce grand centre de cérémonie zapotèque s'élève sur une vaste esplanade (une montagne dont le sommet a été arasé), à 2000 m d'altitude ; dans leur isolement, ces ruines grandioses dominent le paysage. La première installation sur le site remonte aux environs de 500 av. J.-C., et la ville connut son apogée entre 250 et 800 apr. J.-C. C'est de cette période que datent la majorité des édifices visibles aujourd'hui. La ville comptait alors 25000 habitants. Le lieu fut ensuite abandonné et tomba peu à peu en ruine.

L'accès à la **Gran Plaza** se fait par l'angle nord-est, entre le **jeu de balle** et la **plate-forme Nord**.

Au centre se dresse l'**édifice J**, qui accuse une forme étrange en pointe de flèche. Sa disposition exceptionnelle – il forme un angle à 45° par rapport aux autres édifices de la Gran Plaza – laisse supposer qu'il s'agissait d'un observatoire.

À l'opposé, la **plate-forme sud** est dotée d'un imposant escalier.

Le **Palacio de los Danzantes**, sur le côté ouest de la Gran Plaza, est

Carte p. 280

L'admirable site archéologique de Monte Albán.

orné de bas-reliefs énigmatiques : les personnages qui y sont représentés, aux pauses contorsionnées, ont longtemps été interprétés comme des danseurs (d'où le nom donné à l'édifice). Il pourrait s'agir en fait de prisonniers victimes de sacrifices.

Certaines tombes se visitent, comme la **tombe 104**, située au nord-ouest de la plate-forme nord. Elle abrite une très belle représentation de Cocibo, le dieu de la Pluie, dont la langue fourchue figure les éclairs.

Dans la **tombe 7** a été retrouvé un fabuleux trésor mixtèque (XVIe siècle) conservé au Museo Regional de Oaxaca.

Mitla et l'arbre de Tule

A 10 km d'Oaxaca sur la route de Mitla, le petit village de **Santa María de Tule** ⓱ mérite une halte pour l'imposant *ahuehuete* qui orne son cimetière. Vieux de deux mille ans, ce cyprès géant (58 m de circonférence pour 40 m de hauteur) serait l'un des plus grands de tout le continent américain. L'arbre domine une jolie église du XVIIIe siècle.

Artisans indiens des Valles Centrales. Le tissage est une des spécialités du village de Teotitlán del Valle. Les grandes pièces sont composées de plusieurs assemblés. La couverture est un accessoire important : elle sert non seulement à se protéger du froid mais aussi, étendue sur le sol, à présenter les marchandises au marché.

Après le déclin de Monte Albán, **Mitla** ⓲ est devenu un des plus importants centres de cérémonie zapotèque, même si la plupart de ses structures sont influencées par la culture mixtèque : façades blanches des palais, mosaïques aux motifs géométriques, délicatesse des sculptures...

Le site comporte cinq ensembles d'édifices, dont un, le **Grupo de la Iglesia**, comprend une église baroque coloniale édifiée au XVIe siècle par les Espagnols avec des matériaux récupérés sur le centre de cérémonie.

Le **Grupo de las Columnas**, le plus tardif et le mieux conservé, comporte un des éléments les plus intéressants du complexe, le **Patio de las Grecas**. Toutes les faces de ce palais sont décorées de mosaïques de pierre finement ajustées dessinant des losanges, des méandres et des grecques.

Le **Patio de las Tumbas**, au sud, abrite deux tombes souterraines, dont l'une renferme la **Columna de la Vida** : si on l'entoure de ses bras, l'espace entre les deux mains représenterait le nombre d'années restant à vivre, une année équivalant à la largeur d'une main.

A l'entrée du site, un grand marché artisanal propose en particulier des textiles décorés des motifs typiques de la région.

Près de la place principale de la petite ville de Mitla (à 10 mn à pied du centre de cérémonie), le **Museo de Arte Zapoteca**, anciennement appelé musée Frissell, conserve une intéressante collection d'objets zapotèques et mixtèques provenant de la vallée.

Dans les environs, quelques sites précolombiens méritent une visite, même s'ils sont souvent moins impressionnants que celui de Mitla. Celui de **Yagul** est une forteresse ornée de mosaïques dont les motifs rappellent ceux de Mitla.

A **Lambityeco**, deux maisons ont été mises au jour qui abritent, l'une

Carte p. 280

des frises ornées de visages d'hommes et de femmes, l'autre deux représentations du dieu de la pluie, Cocijo.

Sur le site de **Dainzu**, enfin, on peut découvrir, outre les ruines d'édifices dont certains remontent à 300 av. J.-C., une série de bas-reliefs qui rappellent les Danzantes de Monte Albán.

Les villages indiens

Sur les 3,2 millions d'habitants que compte l'État d'Oaxaca, plus d'un tiers sont des Indiens. Si aujourd'hui certaines coutumes indiennes ont tendance à disparaître, la culture indigène demeure sensible à travers l'artisanat, les fêtes et les marchés de la région.

Teotitlán del Valle ⓳, à 5 km au nord de la route reliant Oaxaca à Mitla, est un village de tisserands. On y fabrique couvertures, *sarapes* et tapis, exposés à la vente sur le seuil des maisons ou au **Mercado de Artesanias**. Les motifs sont des plus variés : représentations de dieux zapotèques, dessins géométriques dans le style des mosaïques de Mitla, et même des reproductions d'œuvres de Picasso, de Miró ou de Rivera. Un des autres attraits de Teotitlán est son restaurant **Tlamanalli**, qui sert une excellente cuisine oaxaceña, inspirée par la tradition zapotèque.

A **Tlacolula**, le marché du dimanche est un des plus pittoresques de la région. L'intérieur de l'église du XVIe siècle est décoré dans le style baroque indigène, qui rappelle Santo Domingo d'Oaxaca. La région est spécialisée dans la production de mezcal, alcool à base d'agave et parfois parfumé avec diverses plantes.

Au sud d'Oaxaca, la petite ville de **Cuilapan** abrite un beau monastère dominicain, le **Convento de Santiago Apóstol**. C'est dans cet édifice que Vicente Guerrero, l'un des héros de l'indépendance mexicaine, fut passé par les armes, en 1931. Le

Huatulco, sur la côte pacifique.

monastère, demeuré inachevé, fut construit dès 1548. Les arches s'élèvent avec élégance mais ne furent jamais voûtées. La façade de la basilique a une belle ordonnance et les murs comportent les dalles funéraires des derniers dignitaires indiens. Le village était autrefois un centre d'élevage des cochenilles, petits insectes qui, séchés et broyés, donnaient une poudre tinctoriale rouge écarlate. L'exportation de cette teinture faisait l'objet de contrôles sévères pendant l'ère coloniale parce qu'elle donnait le magenta des uniformes des soldats européens, en particulier britanniques.

UN ARTISANAT VARIÉ

L'État d'Oaxaca est l'un des plus riches du Mexique en ce qui concerne l'artisanat. Si les étoffes de laine tissée de Teotitlán sont très réputés, d'autres villages fabriquent différents objets qui sont eux aussi recherchés.

Ci-dessous, participants à la fameuse danse des plumes zapotèque.

La côte pacifique est agrémentée de belles plages et de lagons paisibles. La pêche traditionnelle (à droite) y côtoie la planche à voile (à gauche), le parachute ascensionnel ou le ski nautique. Les rencontres internationales de surf de Puerto Escondido attirent les professionnels et les amateurs du monde entier dans cette région encore paisible.

San Bartolo Coyotepec fabrique le célèbre *barro negro*, poterie d'un noir mat dont la couleur est due à l'oxyde de fer contenu dans l'argile locale.

A **Ocotlán de Morelos**, on peut découvrir les céramiques colorées créées par une artiste locale, Josefina Aguilar.

Santa Maria Atzompa produit une céramique caractérisée par son vernis vert. On y trouve également d'étonnantes statues de la Vierge de la Soledad en argile blanche.

Enfin, c'est à **San Martin Tilcajete** que sont fabriqués les *alebrijes* (animaux en bois peints de couleurs vives) que l'on trouve sur les marchés de la région.

PUERTO ESCONDIDO

La côte du Pacifique est à 480 km d'Oaxaca. Une nouvelle route menant d'Acapulco à Salina Cruz longe ces rivages agréables.

Puerto Escondido ⓴, desservi par des vols réguliers, est la seconde station balnéaire de l'État d'Oaxaca. Construite à flanc de colline, la ville reste cependant assez tranquille. La pêche est une importante source de revenus pour ses habitants.

La **vieille ville**, juchée sur une petite colline, surplombe la **Bahía Principal**, où accostent les bateaux de pêche et d'excursion. L'Avenida Pérez Gasca, en partie piétonne, sépare la ville haute de la ville basse. Elle est bordée de boutiques d'artisanat.

Le quartier touristique s'étend jusqu'à la **Playa Marinero**, à l'est de la baie.

Plus au sud, la **Playa Zicatela** est le paradis des surfeurs, mais ses courants y rendent la baignade très dangereuse.

Les restaurants de Puerto Escondido servent des poissons et des fruits de mer excellents, mais la cuisine italienne aussi y est répandue. Les bars et les club sont ouverts à partir de 22 heures On peut y écouter du jazz et y danser jusqu'à une heure avancée de la nuit.

A 60 km à l'ouest de Puerto Escondido, le **Parque Nacional Lagunas de Chachahua** ㉑ fait le bonheur des ornithologues. Des excursions en bateau permettent d'approcher les îles de la lagune, bordées de mangroves où diverses espèces d'oiseaux ont trouvé refuge : ibis, cormorans, aigrettes… La flore est également très riche, et l'on peut observer crocodiles et tortues.

PUERTO ANGEL ET HUATULCO

Ancien port exportateur de café, **Puerto Angel** ㉒ est devenu une paisible petite ville de pêcheurs. De part et d'autre s'étendent, le long d'une côte splendide, de longues plages de sable fin propices à la baignade. La **Playa del Panteón**, la plus agréable, se trouve à l'ouest de la baie tandis que le port de pêche occupe la partie est. Si la ville ne possède pas de grand hôtel, on y trouvera un hébergement simple mais de qualité et d'agréables restaurants.

Située à 115 km au sud de Puerto Escondido, **Huatulco** ㉓ s'est rapidement transformée, à l'instar d'Acapulco, d'Ixtapa et de Cancún, en une immense station balnéaire avec golf, plongée et équitation. Elle est desservie par un aéroport international. Dernier né dans le programme de développement, Punta Celeste, un parc d'attraction au thème sur l'archéologie, qui a ouvert en 2003

Huatulco se présente comme une succession de baies dont les plages de sable fin s'étendent sur 35 km, au bord d'eaux cristallines. Au large de certaines d'entre elles, on trouve des récifs de corail, et la côte offre d'excellents sites de plongée.

Le Club Méditerranée a construit ici l'un de ses plus vastes complexes, **Playa Tangolunda**.

La Crucecita est la ville la plus importante de cette région. On y trouve un petit marché, des boutiques, des hôtels et des restaurants bon marché. Des autocars relient les autres sites de Huatulco.

Carte p. 280

Pêcheurs dans la baie de Puerto Escondido.

LE TABASCO ET LE CHIAPAS

Carte p. 280

A l'est de l'isthme de Tehuantepec, les États du Tabasco et du Chiapas présentent de nombreuses différences. Le premier, pays de plaine humide et couvert de forêts équatoriales, connaît une relative richesse grâce à l'essor de l'industrie pétrolière, tandis que le second est une région montagneuse très pauvre. Mais tous deux partagent une même histoire, celle de la conquête olmèque, vers 1200 avant notre ère.

LA CAPITALE DU TABASCO

Le 23 mars 1519, Hernán Cortés accosta sur les rivages du Tabasco et fonda une première colonie à l'embouchure du Río Grijalva. Mais les ravages causés par les pirates contraignirent les Espagnols à se retirer à l'intérieur des terres, où ils fondèrent **Villahermosa** ㉔. Depuis les années 1970, la ville est devenue une étape touristique agréable, dotée, grâce aux revenus du pétrole, de nombreux parcs et jardins, de musées et d'un important centre commercial, **Tabasco 2000**, dont les galeries marchandes sont bordées de boutiques élégantes.

Le principal intérêt de Villahermosa reste cependant le **Parque Museo La Venta**, situé au nord-ouest de la ville. Dans ce véritable musée en plein air, des statues découvertes dans toute la région ont été réunies : têtes colossales en basalte aux traits négroïdes et statues zoomorphes (jaguars) sont les témoignages émouvants d'une des premières civilisations du Mexique.

La cité olmèque de **La Venta**, qui a donné son nom à ce musée-jardin, se trouve à 130 km à l'ouest de Villahermosa. Fondée vers 1500 av. J.-C., elle connut son apogée vers 600 apr. J.-C. Fouillé à partir de 1925 par l'archéologue danois Franz Blom, puis dans les années 1940 par l'Américain Matthew Sterling, le site a beaucoup souffert de l'implantation de compagnies pétrolières, mais ses pièces les plus monumentales ont été transférées à Villahermosa.

Au sud de la ville, le **Museo Regional de Antropología Carlos Pellicer** présente de très belles pièces olmèques, mayas et toltèques ainsi que des reproductions des peintures murales mayas du centre de cérémonie de Bonampak.

La **réserve de Yum-Ká** ㉕, à 18 km à l'est de Villahermosa, témoigne de l'essor du tourisme vert au Mexique. Toute une faune d'Afrique et d'Asie y vit en semi-liberté, et l'on peut y faire une promenade en bateau sur la lagune.

Tout près de la côte du golfe du Mexique, les ruines du site maya de **Comalcalco** ㉖ méritent une visite. On peut y découvrir trois grands ensembles : la Plaza Norte, la Gran Acrópolis et l'Acrópolis Este. Les pyramides de Comalcalco, qui rappellent par leur architecture celles de Palenque, datent des VIIIe-Xe siècles

Le Mexique continue de fabriquer la « Coccinelle » de Volkswagen.

A gauche, personnages costumés et masqués pour un défilé à l'occasion de la fête de saint Sébastien. Cette fête, qui a lieu le 20 janvier, est l'occasion de grandes réjouissances dans plusieurs localités, comme Zinacantán, un village tzotzile, ou encore Chiapa de Corzo.

La sauce piquante Tabasco est produite aux États-Unis et non dans l'État du sud du Mexique.

apr. J.-C. et ont été construites en brique, matériau rarement employé à l'époque précolombienne pour ce genre d'édifices.

La culture du cacao, entreprise dès l'époque maya, reste une des principales sources de revenus agricoles de la région.

Le Chiapas

L'État du Chiapas, qui représente la partie septentrionale du Mexique, fut une terre de rencontres et sans doute la frontière entre les cultures maya et olmèque.

Les Indiens représentent près d'un tiers de la population de l'État (3,9 millions d'habitants), mais la majorité d'entre eux vit très pauvrement. Souvent considérés comme des citoyens de second ordre, ils se sont vu attribuer les terres les moins productives. Cette précarité de la population indienne est à l'origine du soulèvement de 1994. Cette année-là, en effet, un groupe de paysans armés s'empara de plusieurs villes, dont San Cristóbal de las Casas. Si la révolte fut rapidement étouffée, elle devait attirer l'attention du monde entier sur cette partie du Mexique où une poignée de grands propriétaires détenaient le pouvoir économique et politique, au détriment de milliers d'Indiens et de paysans spoliés de leurs terres.

Le Chiapas est constitué d'une mosaïque de régions. Au nord s'étendent les basses terres tropicales, recouvertes à l'est par la jungle et habitées par les Lacandons, à l'ouest par les riches complexes pétroliers de La Reforma. Ces deux contrées sont séparées par de hautes terres, montagnes et plateaux orientés est-ouest et s'abaissant jusqu'à la frontière du Guatemala. La fertile vallée centrale du Chiapas s'allonge au sud de ce plateau, bordée elle-même au sud par les chaînes de la Sierra Madre et de Soconusco. Entre ces montagnes et le Pacifique se déploie l'étroit ruban des *tierras*

Tête olmèque en basalte dans le parc de La Venta, à Villahermosa.

calientes. Cette frange côtière est l'une des plus importantes régions cotonnières du Mexique, tandis que les piémonts de la Sierra sont recouverts de plantations de café et de cacao. Le climat varie selon les régions. A Tuxtla, les pluies sont réparties sur les six mois d'été. Partout, les mois les plus humides sont juillet et août, les plus agréables décembre, janvier et février.

TUXTLA GUTIÉRREZ

Situé à 290 km au sud de Villahermosa, **Tuxtla Gutiérrez** ㉗ est la capitale du Chiapas. C'est une ville sans grand intérêt sur le plan architectural. Sur la Plaza Cívica s'élèvent les bâtiments municipaux et la cathédrale San Marcos, dotée d'une horloge à la mode germanique où les douze apôtres viennent sonner les heures.

Au nord-ouest, dans le parc Madero, le **Museo Regional de Chiapas** possède une belle collection d'artisanat local, des costumes indiens ainsi qu'un ensemble d'objets des époques préhispanique et coloniale.

Le **Zoológico Miguel Alvarez del Toro** est l'autre grande attraction de Tuxtla. Ce grand parc, situé au sud de la ville, présente en semi-liberté toutes les espèces animales de la région, dont des jaguars, des tapirs et des ocelots.

Le **Cañón del Sumidero** ㉘, l'un des plus impressionnants du Mexique, n'est qu'à 23 km de Tuxtla. Ses falaises surplombent de plus de 1 000 m le **Río Grijalva**, ou Río Grande de Chiapas. Selon une légende locale, toute une tribu indienne se serait précipitée du haut de ces falaises plutôt que de se soumettre aux Espagnols. Des *combis*, partent du parc Madero et font le tour des points de vue les plus impressionnants. Un parc écotouristique a ouvert en 2003, et propose du kayak, des parcours dans la jungle, une piscine et des spectacles.

Au nord, le **barrage de Chicoasén**, achevé en 1981, est l'un des plus

Carte p. 280

El Sumidero, gorge du Río Grijalva.

grands ouvrages hydrauliques du Mexique.

Chiapa de Corzo

Sur la route de San Cristóbal, à l'est de Tuxtla, **Chiapa de Corzo** ㉙ est la première ville où les colons espagnols s'établirent au Chiapas, mais le lieu était déjà occupé depuis plus de trois mille ans par des tribus indiennes. La place principale est bordée d'arcades sur trois côtés. A l'un des angles, la fontaine octogonale de **La Pila** (XVIe siècle) imiterait la forme de la couronne espagnole.

Le **Templo Santo Domingo**, imposante construction blanche du XVIe siècle, possède l'une des plus anciennes cloches du continent sud-américain. Coulée en 1576, celle-ci fait résonner ses appels jusqu'à 11 km à la ronde. Dans le couvent voisin se trouve le **Museo de la Laca**, qui présente de beaux spécimens d'objets en laque (assiettes, calebasses, plateaux, jouets, etc.) dont l'ornementation varie selon l'origine (Guerrero, Pátzcuaro ou Chiapas).

De la place centrale partent des excursions en bateau à moteur sur le Río Grijalva à travers le Cañón del Sumidero et jusqu'au barrage de Chicoasén.

La côte

Au sud-ouest de Tuxtla, **Arriaga** et **Tonalá** sont réputées comme les villes les plus chaudes du Chiapas.

De là, on peut se diriger vers **Paredón** ㉚, sur la **Mar Muerto** (« mer morte »), lagon très poissonneux. Il n'y a pas d'hôtels, mais les restaurants sont nombreux.

A 19 km de Tonalá, **Puerto Arista** est une destination de week-end fréquentée par les riches habitants de la région, dont beaucoup y possèdent une résidence. Là encore, aucun hébergement n'est prévu, mais on peut louer des hamacs pour une somme modique (en hiver, prévoir une couverture). On y trouve en

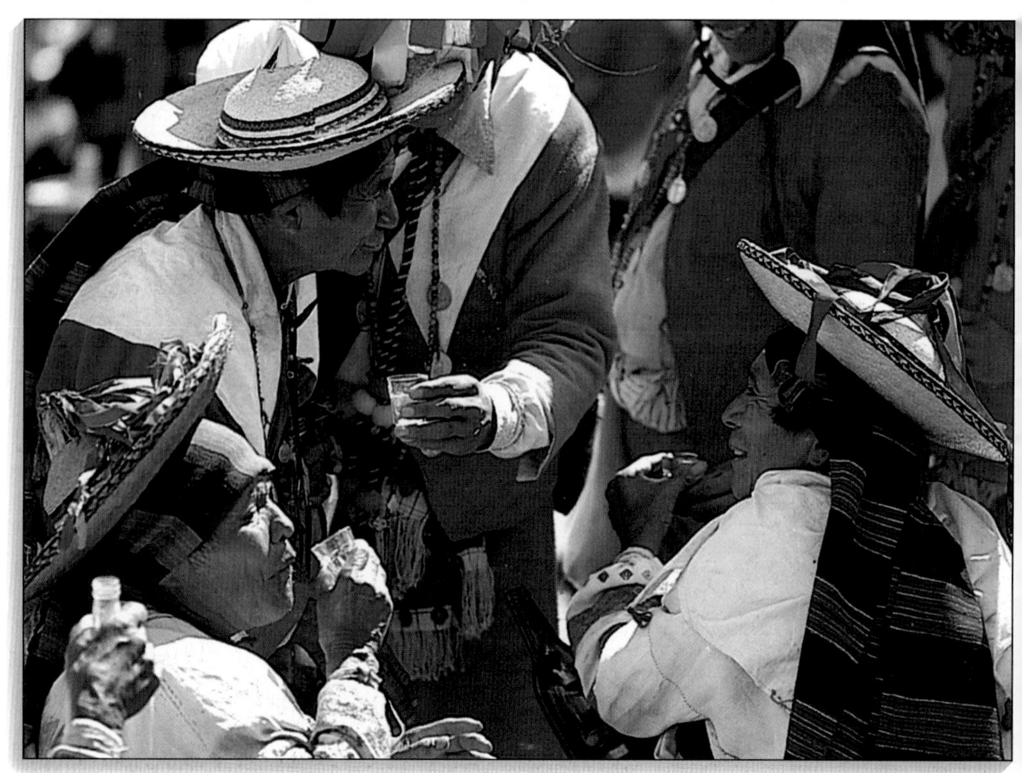

Indiens tzeltales en habit de fête.

revanche une multitude de restaurants qui servent une nourriture (poissons et fruits de mer) bon marché et délicieuse.

TAPACHULA

A quelques kilomètres de la frontière guatémaltèque, **Tapachula** ㉛ est parfois surnommée la « perle du Soconusco ». C'est une ville agréable au centre des plantations de caféiers, de cotonniers, de cacaoyers et de bananiers. Dans les années 1950, Tapachula était la ville la plus peuplée du Chiapas, mais elle a été dépassée par Tuxtla, la capitale. Elle possède de nombreux hôtels, et un intéressant petit musée archéologique, le **Museo Regional del Soconusco**.

Sous le gouvernement Díaz, des Allemands qui vivaient au Guatemala achetèrent de vastes domaines de terres vierges où ils plantèrent du café. Pendant la Seconde Guerre mondiale, la production s'effondra. Les descendants de ces premiers planteurs vivent toujours ici. Certains sont devenus Mexicains, les noms de leurs plantations se sont hispanisés, mais tous ne se sont pas intégrés au pays, et la ville de **Nueva Alemania** est toujours là, au cœur des plantations de café. Cette région du Soconusco est la plus importante pour la production de café au Mexique et place le pays au troisième rang des exportateurs, derrière le Brésil et la Colombie.

A une dizaine de kilomètres de Tapachula, la zone archéologique d'**Izapa** présente un mélange d'influences olmèque et maya. Elle est divisée en plusieurs ensembles, dont les plus intéressants se trouvent à droite de la route principale, à 300 m au bout d'une mauvaise route. Certaines stèles sont ornées de sculptures très réalistes. On remarquera deux personnages dont l'un tient la tête de son ennemi vaincu gisant à ses pieds. Un peu plus loin, une pyramide voisine avec de mysté-

Carte p. 280

La fête de saint Sébastien à Chiapa de Corzo.

rieuses colonnes trapues surmontées de grosses boules de pierre.

De **Huixtla**, à 42 km au nord de Tapachula, l'incroyable route 190 suit la frontière guatémaltèque jusqu'à **Ciudad Cuauhtémoc**. Cet itinéraire magnifique, véritable ascension, doit être accompli pendant la journée. Les agents des douanes font en effet de fréquents contrôles sur cette route, dans le but de surprendre les contrebandiers de drogue ou d'armes, ou des réfugiés guatémaltèques ayant traversé la frontière illégalement.

Le tronçon mexicain de la Panaméricaine, qui a débuté à la frontière du Texas, à Ciudad Juárez, se termine ici. En le remontant vers l'ouest, on parvient sur les hautes terres du Chiapas, d'où la vue est magnifique.

Des lacs multicolores

Un peu avant d'arriver à Comitán, une route se dirigeant vers l'est conduit au **Parque Nacional Lagunas de Montebello** ㉜. Cette étendue forestière ponctuée d'une soixantaine de petits lacs offre de magnifiques randonnées.

Les **Lagunas de Colores**, ainsi appelées en raison de la couleur de leurs eaux qui vont du bleu turquoise au vert émeraude, se trouvent dans la partie nord du parc.

Entre la Panaméricaine et le parc de Montebello se trouve le site maya de **Chinkultic**, qui connut son apogée entre le VIe le Xe siècle. Une des stèles est datée de 628 ; un temple en partie restauré, **El Mirador**, offre une belle vue sur les lacs et la forêt.

Les poteries tzeltales

Comitán est un excellent point de départ pour des excursions au parc de Montebello, où l'hébergement est rare et plutôt spartiate. Cette petite ville agréable est réputée pour la force de ses alcools et la taille de ses épis de maïs, qui peuvent

L'église Santo Domingo de San Cristóbal.

Carte p. 280

atteindre 50 cm de long. Ses rues en pente et sa place centrale ne manquent pas de charme.

Filant vers San Cristóbal, la Panaméricaine traverse **Amatenango del Valle**, où les femmes tzeltales fabriquent des poteries d'argile crue séchées au soleil sur des claies. Leurs teintes naturelles ocre ne se ternissent pas mais ces objets sont très fragiles.

San Cristóbal

Au nord d'Amatenango, **San Cristóbal de las Casas** ⓭ (90 000 habitants) s'étend à 2 300 m d'altitude et bénéficie d'une fraîcheur agréable. A l'inverse de Tuxtla Gutiérrez, San Cristóbal est une ville charmante, avec ses maisons coloniales et ses rues grimpant à l'assaut de petites collines.

Fondée en 1528, la ville devint la capitale de l'État du Chiapas de 1824 à 1892, date à laquelle elle céda la place à Tuxtla. Elle doit son nom au dominicain Bartolomé de Las Casas, nommé évêque en 1545 et qui défendit les Indiens contre les excès des colons.

San Cristóbal est parsemé d'églises. Le **Templo Santo Domingo** fut édifié de 1547 à 1560; sa façade massive en pierre rose est décorée de colonnes torses sur quatre registres. L'intérieur, orné de beaux retables de bois doré, abrite une chaire sculptée qui est sans doute la plus belle du Mexique.

La **cathédrale** (XVIe siècle) offre une façade plus sobre que celle de Santo Domingo, qui rappelle davantage le style toscan. Elle possède une chaire remarquable et des autels baroques.

L'**Iglesia El Carmen**, qui faisait autrefois partie d'un couvent de religieuses (XVIe siècle), se signale par une tour mauresque; elle cache à l'intérieur un décor composé d'arabesques.

En montant les escaliers qui, à flanc de colline, mènent à l'**Iglesia San Cristóbal**, sur le *cerro* du même nom, on jouit d'une belle vue. Ce lieu de culte ne s'ouvre qu'une fois l'an, lors de la fête du patron de la ville, saint Christophe.

Sur la petite place devant l'église, des artisans tissent ou brodent sous les yeux des passants. Les textiles du Chiapas sont les produits les plus réputés, et l'on en trouve aisément à San Cristóbal, ainsi que de très belles poteries bon marché provenant du village d'Amatenango.

Dans l'ancien couvent qui jouxte l'église est installée une coopérative d'artisanat indien, **Sna Jolobil** (la « maison des tisserandes »), où plusieurs centaines de femmes confectionnent châles, ceintures, couvertures, chapeaux...

Le marché de San Cristóbal est fréquenté par les Indiens des environs. On y côtoie des Chamulas, vêtus d'un pantalon à fond flottant et d'une longue tunique blanche, les tuniques noires étant réservées aux notables. Les hommes de Zinacantán portent des chemises d'un rose vif et des chapeaux garnis de

Dans la culture maya, la pierre servait à la sculpture monumentale : stèles, linteaux, etc. Ces œuvres représentent souvent des dignitaires, parés de coiffures élaborées, de colliers et de boucles d'oreilles. La sculpture maya, souvent surchargée, est néanmoins élégante.

rubans. Les *huipiles* (sorte de blouse) féminins sont en général ornés de motifs d'oiseaux et d'animaux qui renvoient à la symbolique indienne.

A l'est de la ville, le **Museo Na Bolom** (musée de la « maison du Jaguar ») fut fondé par l'explorateur danois Franz Blom, premier archéologue à fouiller le site de La Venta en 1925, et par sa femme Gertrude Duby-Blom, écrivain et photographe qui consacra sa vie à l'étude des traditions, des langues et de l'histoire des Indiens de la région. Installé dans un ancien séminaire sur l'Avenida Vincente Guerrero, le musée présente des objets ethnologiques et archéologiques de la région. L'édifice abrite une bibliothèque riche de plus de 5000 ouvrages consacrés à la culture du Chiapas et aux Mayas, ainsi qu'un foyer d'accueil pour les Indiens lacandons de passage à San Cristóbal. Le centre propose également aux scientifiques des programmes d'étude et des excursions.

Enfants du Chiapas.

VILLAGES INDIENS

La région de San Cristóbal est une des plus intéressantes pour qui veut découvrir le mode de vie des Indiens du Chiapas, en particulier les Tzotziles et les Tzetzales des hauts plateaux, descendants des Mayas. Leurs traditions et leurs costumes, différents selon les ethnies, sont parmi les plus riches du Mexique et présentent des survivances précolombiennes. Il faut néanmoins savoir que ces Indiens n'apprécient guère d'être photographiés.

A une dizaine de kilomètres au nord de San Cristóbal, une route asphaltée conduit au village indien de **San Juan Chamula** ❸❹, l'un des plus faciles d'accès. En arrivant, on se rendra directement au bureau du tourisme, installé dans la maison communale, pour y demander une autorisation de visiter l'église. Seules les visites guidées sont possibles, et les photographies sont interdites. L'église abrite de nom-

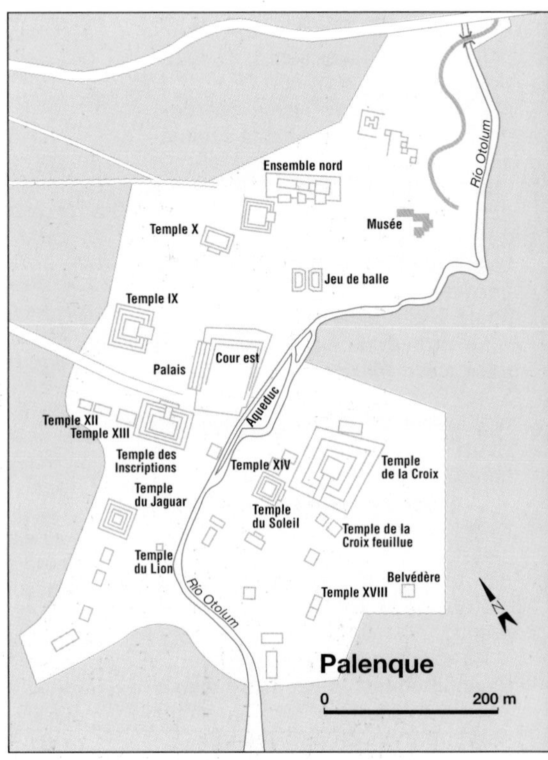

breuses de statues de saints parées de colliers faits de morceaux de miroirs.

En bifurquant à gauche sur cette même route, on atteint **Zinacantán**, autre village tzotzile. Le 20 janvier, la fête de saint Sébastien y est célébrée avec liesse.

A 29 km de la ville, **Tenejapa** présente des réalisations de l'artisanat local, broderies et *enredos* (sortes de tuniques brodées), sur son marché du dimanche.

AGUA AZUL ET MISOL-HA

La route de Palenque traverse des paysages époustouflants. Proches du village d'**Ocosingo**, les ruines mayas de **Toniná** s'étendent sur le flanc d'une colline dominée par une pyramide à crête ajourée.

A partir d'Ocosingo, la route traverse une région boisée où apparaît bientôt la rivière qui alimente la cascade **Agua Azul** ㉟. En ruisselant sur des dépôts minéraux pendant la saison sèche, ses eaux se colorent en bleu turquoise. A la saison des pluies, l'érosion entraîne de la boue.

A 25 km de Palenque, l'eau de la la cascade **Misol-Ha** ㊱ s'écoule d'une hauteur de près de 35 m dans un magnifique bassin où l'on peut se baigner sans risque.

PALENQUE

Au cœur de la forêt tropicale, les ruines mayas de **Palenque** ㊲ se trouvent à 8 km de la ville du même nom. Ce site mystérieux dressé dans un cadre enchanteur offre les plus belles réalisations en pierre ou en stuc de l'architecture pyramidale et de la statuaire maya. Si le site fut occupé dès 1500 av. J.-C., il ne connut la prospérité qu'aux VIIe-IXe siècles apr. J.-C. Les bâtiments se caractérisent par des toits surmontés de lucarnes et ornés de très beaux reliefs en stuc.

Le **temple des Inscriptions** est le plus élevé et le plus grandiose du

Carte p. 280

Le Templo de las Inscripciones, à Palenque.

site. Il s'agit d'une pyramide construite sur huit niveaux, au sommet de laquelle se dresse un petit temple. L'archéologue Alberto Ruiz Lhuillier y découvrit en 1952 une lourde pierre qui scellait un escalier de 22 m s'enfonçant au cœur de la pyramide et aboutissant à une salle voûtée, occupée en son centre par une dalle calcaire sculptée de 2 m sur 3 m. Sous cette dalle qui pesait 4 t, un sarcophage contenait les restes du prêtre-roi Pakal, portant un masque en mosaïque et entouré de nombreux bijoux de jade. Ces vestiges et la tombe reconstituée ont été transférés au musée d'Anthropologie de Mexico. Les murs du sanctuaire à portique sont recouverts de dalles calcaires gravées d'innombrables glyphes.

A gauche, Indiens tzeltales habillés pour une cérémonie religieuse à Tenejapa. Pages suivantes : le site maya de Tulum, dans le Yucatán.

El Palacio (le Palais), construit sur une esplanade de 100 m sur 80 m, est un ensemble architectural constitué d'une tour à quatre étages, qui servait peut-être d'observatoire astronomique, entourée de patios, de bâtiments et de galeries dont les murs intérieurs en stuc sont décorés de personnages mystérieux.

Au nord du Palacio, on a mis au jour un jeu de balle et un ensemble de temples, le **Grupo del Norte**, tandis qu'à l'est un sentier en pente raide conduit, à travers une végétation touffue, au Grupo de la Cruz. L'ensemble compte quatre édifices, dont le **temple du Soleil**, le **temple de la Croix** et le **temple de la Croix feuillue**. Chacun de ces temples décorés de motifs délicats tire son nom de son bas-relief central.

Palenque réserve encore bien des trésors aux archéologues, seuls 10 % des édifices ayant été mis au jour. Pour les visiteurs, c'est un des sites précolombiens les plus éprouvants du Mexique, en raison de son relief accidenté. Pour le découvrir dans toute sa splendeur, il est préférable de s'y rendre dès l'ouverture, lorsque les édifices baignent encore dans une brume légère.

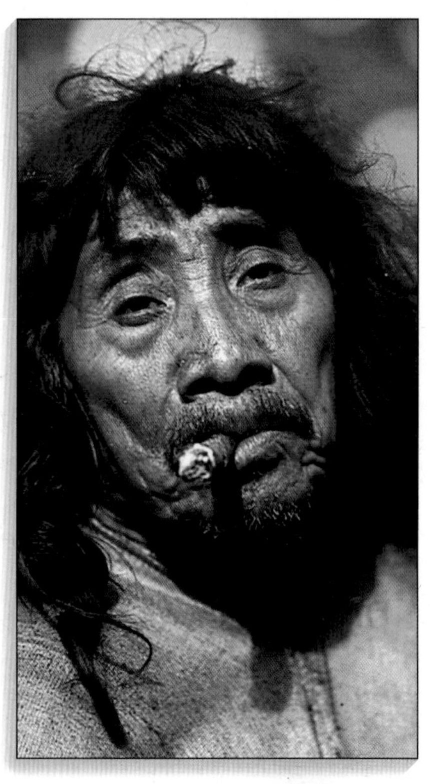

Indien lacandon en train de fumer un cigare de sa propre fabrication. Le tabac, plante originaire d'Amérique, fut introduit en Europe par Jean Nicot, ambassadeur du roi de France François Ier, d'où son nom d'« herbe à Nicot ». Le mot « nicotine » a la même origine.

DES RUINES DANS LA FORÊT

Les deux autres grands sites mayas du Chiapas, Yaxchilán et Bonampak, se trouvent au cœur de la forêt tropicale, près du Río Usumacinta qui forme la frontière avec le Guatemala. A la saison sèche, on peut atteindre ces deux sites par la route, mais c'est une randonnée difficile. Le trajet en petit avion est plus cher, mais aussi plus sûr.

La place centrale de **Yaxchilán** ❸❽ forme un rideau de pierres dont l'ornementation est remarquable. Une statue du dieu en haut relief mesurant 4 m en occupe le centre.

Bonampak ❸❾ possède les plus belles fresques mayas, découvertes en 1946 par Gilles Healy et Charles Frey. Trois salles voûtées du temple des Peintures sont couvertes de fresques colorées représentant des prêtres, des musiciens, des danseurs au cours d'une cérémonie, puis des scènes de guerre et des sacrifices de prisonniers, enfin, une fête avec concerts, danses, acrobaties et enfin l'autosacrifice de quatre femmes.

L'OASIS SOUS-MARINE DU YUCATÁN

Les Caraïbes mexicaines abritent des centaines d'espèces marines, tant pélagiques (qui poussent au large) que littorales, qui en font un paradis pour les plongeurs. Ceux-ci viennent en foule pour observer la vie sous-marine. Puerto Morelos, village de pêcheurs situé à 32 km au sud de Cancún, est une des bases à partir desquelles on peut partir à la découverte de la barrière corallienne maya. Ce récif fait partie du deuxième système corallien du globe par la longueur (350 km). Il s'étire le long des côtes orientales de la péninsule du Yucatán ainsi qu'au sud du Bélize et du Honduras. Bien que plus étroite que la Grande Barrière de corail australienne, le récif corallien maya atteint des profondeurs de 40 m à proximité de l'île de Cozumel. La remarquable transparence de l'eau – la vue porte par endroits jusqu'à 27 m – en fait l'une des destinations les plus courues du monde pour la plongée sous-marine.

UNE VIE FOISONNANTE

La mer des Caraïbes est l'une des régions du monde les plus riches en faune corallienne (bien qu'elle soit en revanche plutôt pauvre en formations coralliennes). Les récifs donnent asile à une diversité et une densité de vie sous-marine incroyables. Plus de 50 espèces de coraux, 400 espèces de poissons et 30 de gorgones ont été identifiées au Yucatán. Tous ces animaux vivent en compagnie de centaines de mollusques, de crustacés, d'éponges et d'algues. La diversité biologique y est comparable à celle d'une forêt vierge tropicale. A long terme, les cyclones qui ravagent la région favorisent cette diversité biologique en brisant le récif, contribuant ainsi à l'élimination d'espèces dominantes et donc en dégageant de l'espace pour d'autres espèces.

▲ *Le Yucatán est connu pour la diversité de sa population d'oiseaux (plus de 530 espèces). Cette grande aigrette en est le symbole.*

Près de Tulum, le parc de Sian Ka'an protège forêt tropicale, savane et littoral, des biotopes riches en animaux marins et terrestres. ▼

La tortue caouanne est l'une des cinq espèces de tortues marines qui viennent pondre sur les plages de la péninsule du Yucatán entre les mois de mai et de septembre. ▼

◀ *A Celestún, sur la côte nord-est de la péninsule du Yucatán, on peut voir quelques milliers de flamants roses, venus en voisins des États-Unis.*

◀ *Le Yucatán compte une douzaine de cénotes, grottes pleines d'eau (ici à Valladolid). Certaines étaient sacrées pour les Mayas, qui y pratiquaient des sacrifices humains.*

▲ *La Grande Barrière maya, oasis dans une mer pauvre en aliments, abrite des milliers d'espèces animales et végétales, des poissons exotiques aux rares tortues.*

▲ *Que ce soit des conques roses, des crevettes, des langoustes, des crabes, des calmars, des mérous ou « boquinete », les eaux chaudes locales offrent de délicieux plats de poisson et de fruits de mer.*

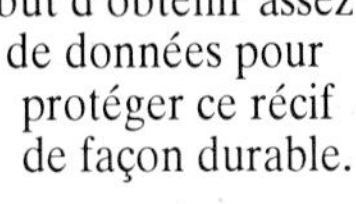

Appréciée pour sa chair délicieuse et son aspect décoratif, la conque rose est désormais protégée par les pêcheurs locaux et par les savants. ▶

QUELQUES LIEUES SOUS LES MERS

Célèbre pour ses spectaculaires paysages sous-marins et ses récifs bien protégés, l'île de Cozumel, au large de la côte est du Yucatán, attire les plongeurs du monde entier. Les meilleurs sites se trouvent dans la réserve sous-marine, sur la côte sud-ouest de l'île, et à Maracaibo, récif situé à l'extrémité sud de l'île. Des parois abruptes descendent vers les grands fonds couverts de ce qu'on appelle la flaune. L'importance de ces récifs a concentré sur eux les efforts des protecteurs de la nature. Amigos de Sian Ka'an, fondation basée à Cancún, s'occupe de cartographier la totalité de Quintana Roo, dans le but d'obtenir assez de données pour protéger ce récif de façon durable.

LA PÉNINSULE DU YUCATÁN

Au-delà du Río Usamacinta, la péninsule du Yucatán est le royaume des Mayas. La région présente une grande diversité. Riche de nombreux sites précolombiens, elle possède également de très belles villes de l'époque coloniale et la station balnéaire la plus fréquentée de tout le Mexique.

UNE HISTOIRE CHAOTIQUE

Si l'on pouvait définir l'histoire coloniale du Yucatán en un mot, ce serait celui de « lutte ». D'incessants combats furent livrés contre les Mayas insoumis ou contre les pirates. La faim et la sécheresse décimèrent périodiquement la région. La zone de Campeche (dont le nom maya signifie « mouches et serpents ») connut aussi des difficultés. Les colons, n'y ayant trouvé ni or ni argent, étaient résolus à partir chercher fortune ailleurs, mais un ordre royal leur intima l'ordre de rester sur place. Ils n'eurent d'autre solution que de fonder des concessions ou *encomiendas* où ils vécurent du travail des indigènes,

Si le Yucatán demeura en marge de la guerre d'Indépendance, l'instauration, à partir de 1847, d'un pouvoir fort et centralisateur l'incita à revendiquer son autonomie. La « guerre des Castes » commençait. Elle devait durer de manière rampante jusqu'à la fin du XIXe siècle.

Mais cette guerre n'était pas seulement dirigée contre le pouvoir central. Depuis des siècles, les Mayas avaient été honteusement traités : dépossédés de leurs terres, humiliés, ils devaient travailler pour les Blancs et acquitter un lourd tribut. Leur rage contenue éclata violemment, donnant lieu à de nombreux massacres qui durèrent plusieurs mois. Mais quand revint la saison des pluies, les Mayas – qui étaient des paysans et non des soldats – n'eurent plus d'autre souci que d'ensemencer en temps voulu. Les Blancs mirent à profit cette trêve agricole. De Cuba arrivèrent fusils, artillerie et poudre à canon. Le gouvernement central envoya des renforts. Mille mercenaires américains, appâtés par les promesses de terres et d'argent vinrent prendre part aux combats. Les Mexicains décidèrent de donner aux Indiens une leçon définitive et d'exercer une vengeance impitoyable. Toute la province fut touchée. De 1846 à 1850, la population du Yucatán tomba de 500 000 à 300 000 âmes. En 1852, le Yucatán, le Campeche et le Quintana Roo devinrent mexicains. Mais ce n'est qu'en 1876, avec l'accession de Porfirio Díaz au pouvoir, que le Mexique affermit durablement son autorité sur la péninsule.

Les Indiens une fois soumis, l'économie du Yucatán prospéra grâce au *henequén* (sisal), agave aux fibres très résistantes. Il fallut un moment pour remettre en culture ces plantes exploitées auparavant par les indi-

Carte p. 318

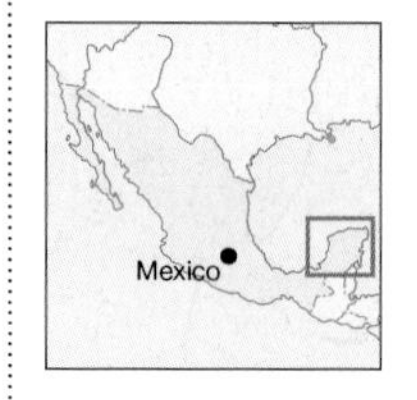

Pages précédentes : le site maya de Tulum. A gauche, deux condors au repos.

A Campeche, façade d'une demeure coloniale richement décorée de carreaux de faïence multicolores qui rappellent l'architecture hispano-mauresque. En parcourant les rues de la ville, on peut découvrir d'autres belles demeures. La promenade est plus agréable le soir, quand les patios et les cours sont illuminés.

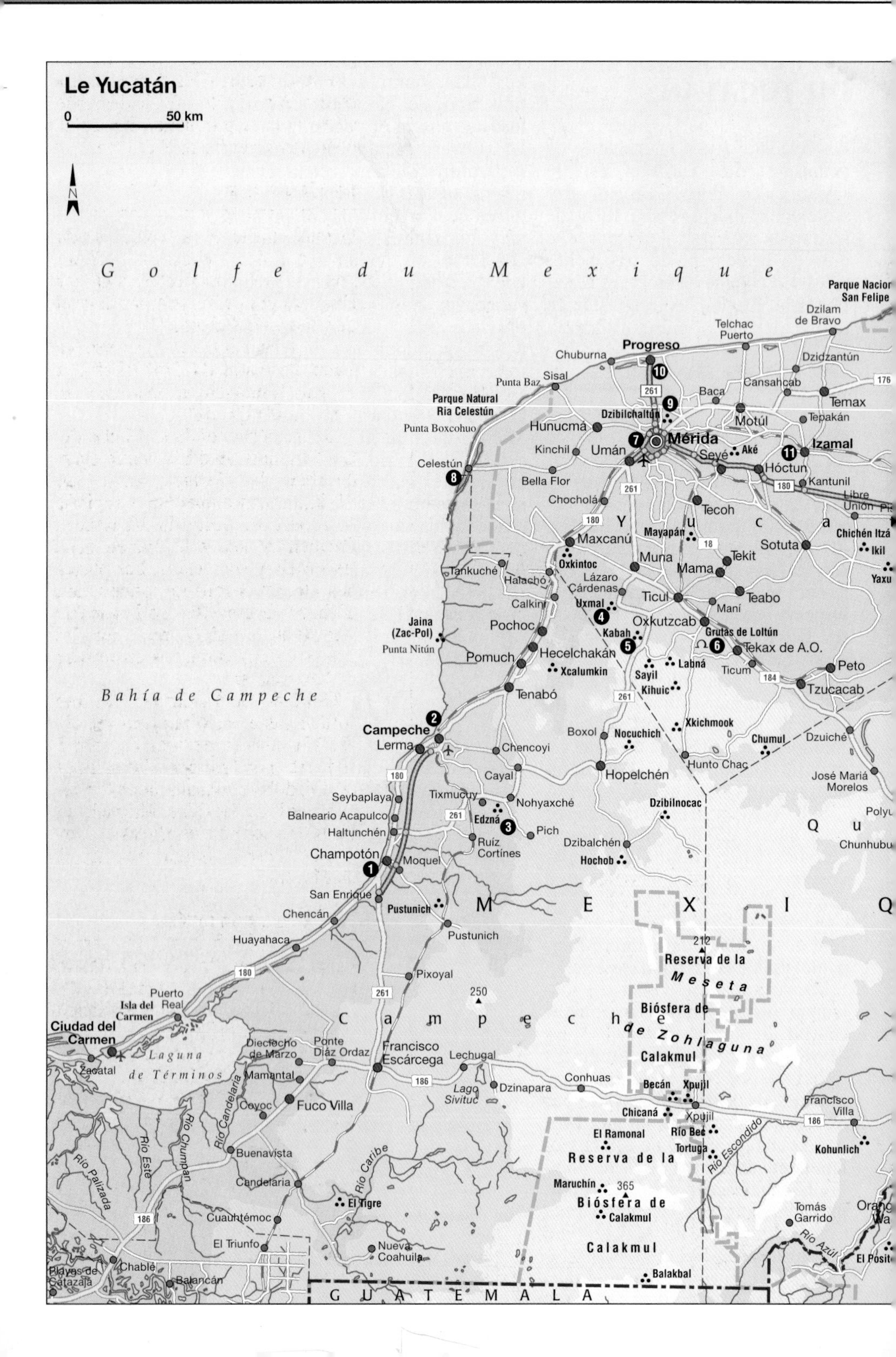
Le Yucatán
0
50 km
N
Golfe du Mexique
Bahía de Campeche
Progreso
Mérida
Izamal
Hunucmá
Umán
Celestún
Chuburna
Sisal
Punta Baz
Parque Natural
Ria Celestún
Punta Boxcohuo
Kinchil
Bella Flor
Chocholá
Dzibilchaltún
Motúl
Baca
Cansahcab
Telchac Puerto
Dzilam de Bravo
Dzidzantún
Parque Nacior
San Felipe
Temax
Tepakán
Seyé
Aké
Hóctun
Kantunil
Libre Unión
Chichén Itzá
Ikil
Yaxu
Tecoh
Mayapán
Sotuta
Maxcanú
Oxkintoc
Muna
Mama
Tekit
Teabo
Maní
Ticul
Lázaro Cárdenas
Uxmal
Kabah
Oxkutzcab
Grutas de Loltún
Tekax de A.O.
Ticum
Peto
Tzucacab
Labná
Sayil
Kihuic
Xcalumkin
Hecelchakán
Pochoc
Pomuch
Calkiní
Halachó
Tankuché
Jaina
(Zac-Pol)
Punta Nitún
Tenabó
Campeche
Lerma
Chencoyi
Boxol
Nocuchich
Xkichmook
Chumul
Dzuiché
Hunto Chac
Hopelchén
Cayal
José María Morelos
Seybaplaya
Balneario Acapulco
Haltunchén
Tixmucuy
Nohyaxché
Edzná
Pich
Dzibilnocac
Ruíz Cortínes
Dzibalchén
Hochob
Champotón
Moquel
San Enrique
Pustunich
Chencán
Huayahaca
Pixoyal
250
212
Reserva de la Biósfera de Calakmul
Meseta de Zohlaguna
Polyu
Chunhubu
Puerto Real
Isla del Carmen
Ciudad del Carmen
Zacatal
Laguna de Términos
Dieciocho de Marzo
Ponte Diáz Ordaz
Francisco Escárcega
Lechugal
Mamantal
Conhuas
Dzinapara
Lago Sivituc
Becán
Xpujil
Chicaná
Francisco Villa
Río Bec
El Ramonal
Tortuga
Kohunlich
Coyoc
Fuco Villa
Río Candelaria
Río Chumpan
Río Este
Río Palizada
Buenavista
Candelaria
Río Caribe
Río Escondido
El Tigre
Maruchín
365
Calakmul
Balakbal
Tomás Garrido
Río Azúl
El Posit
Cuauhtémoc
El Triunfo
Nueva Coahuila
Chablé
Playas de Catazajá
Balancán
Y u c a
Q u
M E X I Q
c a m p e c h e
G U A T E M A L A
180
186
261
184
176
18

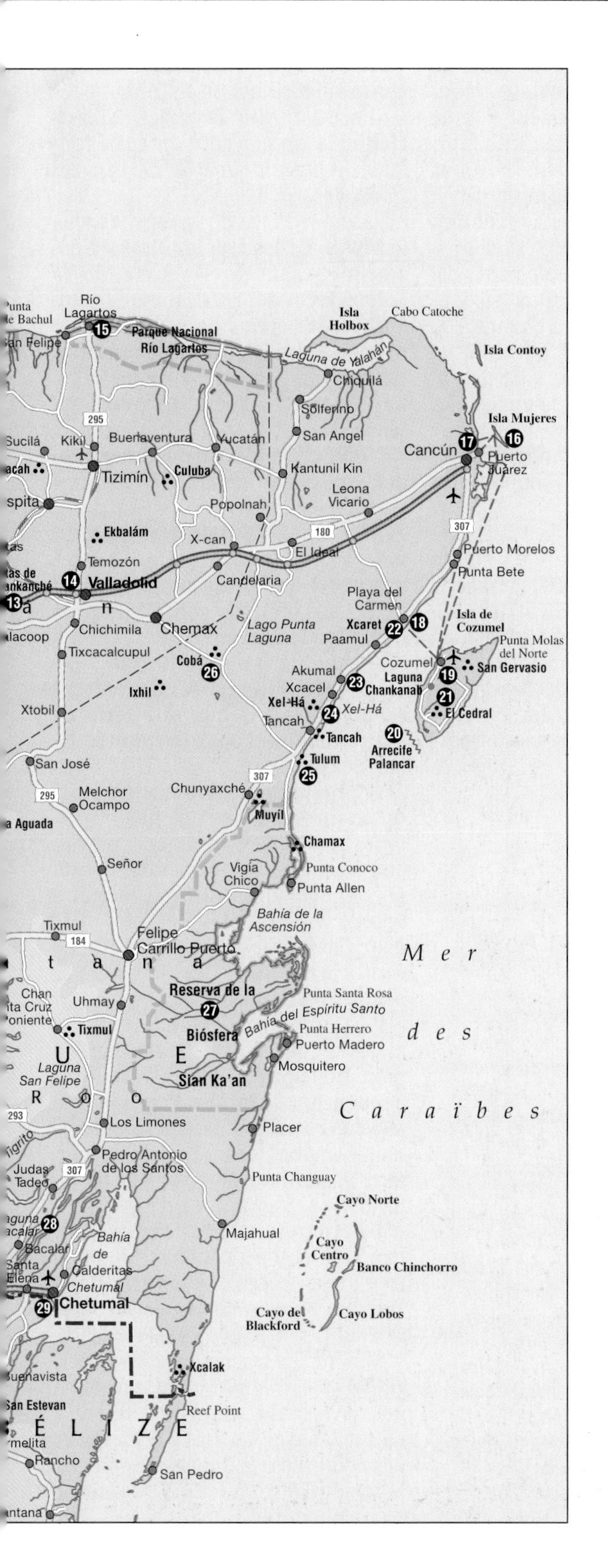

gènes. Les fibres retirées des feuilles devaient être tressées pour faire des cordes. A partir de 1875, la demande s'envola et la production fut multipliée par dix entre 1879 et 1916.

Le Campeche

Depuis Villahermosa, dans l'État du Tabasco, deux chemins s'offrent pour gagner Campeche : soit par Frontera et la côte, soit par le nord du Chiapas et Palenque.

Le premier itinéraire traverse les 2 km d'estuaire du Río Grijalva et du Río Usumacinta, puis longe la côte jusqu'à **Zacatal**.

De là, un bac conduit à **Ciudad del Carmen**, port situé à la pointe ouest de l'**Isla del Carmen**, longue de 32 km. Surnommée la « capitale pétrolière du golfe du Mexique », Carmen est une ville animée, mais les hôtels y sont chers. Les plages des alentours font le bonheur des pêcheurs de crevettes. La **Laguna de Términos**, protégée par l'île, fut pendant deux cents ans un repaire de boucaniers.

Quittant l'île del Carmen, la route côtière passe par **Champotón** ❶ où, dès 1517, une expédition espagnole conduite par Francisco Hernández de Córdoba débarqua pour la première fois au Mexique. Mais elle en fut repoussée par les Mayas et Córdoba, blessé, revint mourir à La Havane.

Une ville fortifiée

La route longe la côte sur 62 km avant d'atteindre **Campeche** ❷, capitale de l'État du même nom. C'est de ce port, longtemps le plus florissant de la péninsule, qu'étaient expédiés en Europe l'or et l'argent découverts dans les autres régions du Mexique. La ville excitait donc la convoitise des pirates et était régulièrement l'objet d'attaques. La première eut lieu six ans seulement après sa fondation. Après une offensive particulièrement violente en 1663, au cours de laquelle de nombreux habitants furent massacrés, les

C'est à Campeche que l'on trouve les plus beaux panamas du Mexique.

autorités espagnoles décidèrent la construction d'une enceinte imposante de 2,5 km de long sur 8 m de haut et 2,5 m d'épaisseur. Cette fortification pourvue de huit bastions (*baluartes*) rendit la ville imprenable.

Dans les années qui suivirent l'indépendance, le commerce avec l'Espagne cessa presque totalement et le port de Campeche, ayant cessé d'attirer les navires marchands, se consacra à la pêche. L'enceinte ne protégeait plus qu'une ville assoupie. Mais quand éclata la guerre des Castes, Campeche, de même que Mérida, fut épargnée par les révoltes mayas grâce à ses imposantes murailles.

Ce n'est qu'à la fin du XIXe siècle que la ville s'étendit au-delà de ses fortifications. Les murs des remparts furent en grande partie démolis, mais certains bastions subsistent, ainsi que quelques portions du mur d'enceinte. La **Puerta del Mar**, rasée en 1893, a été reconstruite en 1954 en raison de son intérêt historique.

La Puerta de Tierra à Campeche. Protégée des attaques des pirates par d'imposantes fortifications, Campeche avait une ouverture côté mer et une autre côté terre. Toutes deux étaient surmontées d'une échauguette en pierre qui permettait de surveiller les abords immédiats.

Au nord, le Baluarte Santiago abrite aujourd'hui un charmant petit jardin, le **Jardín Botánico Xmuch Haltún** : dans une cour ornée de fontaines poussent quelque 250 espèces tropicales.

Face à la Plaza de Independencia, le **Museo de las Estelas Mayas** a été aménagé dans le Baluarte de la Soledad. On peut y découvrir, entre autres, des stèles extraites du site maya d'Edzná, et dont les inscriptions ont largement contribué à l'interprétation de l'écriture précolombienne.

L'édifice moderne du **Congresso del Estado**, surnommé la « soucoupe volante » en raison de sa forme originale, jouxte le **Baluarte San Carlos**, où sont présentées des maquettes des fortifications au XVIIIe siècle, ainsi qu'une petite collection d'armes anciennes.

Au sud, le **Baluarte de San Juan** est encadré des vestiges des anciens remparts, tandis que la **Puerta de Tierra** marque l'ancienne entrée de la ville côté terre.

A proximité, le **Museo Regional de Arqueología** possède une importante collection d'objets mayas, entre autres des figurines en terre et un singulier dispositif qui servait à aplatir le front des enfants entre deux planchettes pour les mettre en conformité avec les canons de beauté alors en vigueur.

A Campeche, comme dans la majorité des villes mexicaines, la place principale, la **Plaza de la Independencia** ou **Parque Principal**, est le cœur battant de la ville. Les habitants viennent y flâner en fin de journée, quand la chaleur se fait moins forte.

La place est bordée de maisons de l'époque coloniale qui lui donnent tout son cachet, en particulier l'ancien **Palacio de Gobierno**, avec sa double rangée d'arcades.

Sur un de ses côtés se dresse la **cathédrale**. Commencée en 1540, peu après la fondation de la ville, elle ne fut achevée qu'en 1705 en raison des nombreuses attaques des pirates. Sous le maître-autel, un souterrain

Carte p. 318

menant aux bastions avait été aménagé pour permettre au clergé de se mettre à l'abri. Sa façade surmontée de deux tours est caractéristique des premières églises de la péninsule.

Nombre de riches demeures témoignent de l'âge d'or de Campeche, quand la ville était encore un grand port tourné vers l'Espagne. La **Mansión Carvajal**, ancienne résidence d'un des plus riches propriétaires terriens de la région, présente une architecture élégante, avec ses arcades de style mauresque et ses sols en marbre noir et blanc.

Jadis, la ville s'enrichissait grâce aux lucratives exportations du bois auquel elle a donné son nom. Elle a maintenant diversifié ses activités et tire également ses ressources de l'extraction du pétrole et de la pêche à la crevette.

Campeche est d'ailleurs réputé pour sa cuisine à base de fruits de mer et de poissons, et on ne manquera pas d'y goûter une de ses spécialités : les *camarones* et les *cangrejos al mojo de ajo* (crevettes et étrilles à l'ail) ou le *pan de cazón* (requin au maïs). Les amateurs d'objets artisanaux pourront acquérir des panamas, chapeaux d'origine équatorienne (appelés ici *jipis*), des bijoux en corne ou des vêtements d'inspiration maya.

La « maison des Grimaces »

Situé à 65 km au sud-ouest de Campeche, le site d'**Edzná** ❸ (la « maison des grimaces ») fut occupé dès 800 avant J.-C., mais la plupart de ses édifices datent de 500 à 800 de notre ère. Construit dans une vallée située au-dessous du niveau de la mer, Edzná disposait d'un ingénieux système d'irrigation mis au point par les Mayas, et dont une partie des canaux est encore intacte.

L'édifice le plus spectaculaire d'Edzná est le **Templo de los Cincos Pisos**, dont les cinq niveaux comportent plusieurs salles et sont ornés de masques sculptés, de serpents et de

La cathédrale de Campeche, sur le Zócalo.

Plaque minéralogique du Yucatán.

têtes de jaguars. L'élégance et la richesse de ces décorations sont typiques de l'art maya tardif du Yucatán, connu sous le nom de style Puuc.

UXMAL

Au nord-est de Campeche, le site maya d'**Uxmal** ❹ est un chef-d'œuvre du style Puuc. Si son nom maya signifie « reconstruite trois fois » ; les archéologues ont pu cependant déterminer cinq périodes de construction. Les premiers édifices datent du VIe siècle, mais la ville connut son apogée entre 600 et 900. L'architecture d'Uxmal se caractérise par la richesse ornementale de la partie supérieure de ses édifices. Cette décoration tend vers une simplification extrême des formes, une répétition d'un thème souvent géométrique ou réduit à ses lignes essentielles.

La **Pirámide del Adivino** (pyramide du Devin), qui comporte cinq temples superposés, s'élève sur un plan quasi elliptique. Selon la légende, il aurait été édifié par le fils d'une sorcière qui serait né dans un œuf. D'une seule volée et sans rampe, l'escalier oriental, qui monte audacieusement au temple haut, est bordé de masques de Chac, dieu de la pluie.

Jouxtant la pyramide du Devin, ces quatre bâtiments forment un rectangle qui entoure une cour centrale. Ils furent nommés **Cuadrángulo de las Monjas** (« quadrilatère des Nonnes ») par les Espagnols, aux yeux de qui ils évoquaient un couvent. La structure a inspiré à l'architecte mexicain Pedro Ramírez Vásquez la forme générale du musée d'Anthropologie de Mexico. Les quatre édifices, dont les plans intérieurs sont différents, comportent au total 74 salles qui, selon les archéologues, formaient soit un palais résidentiel, soit une école royale ou militaire. Chaque façade est originale, mais une unité architectonique

Détail des décorations du quadrilatère des Nonnes à Uxmal.

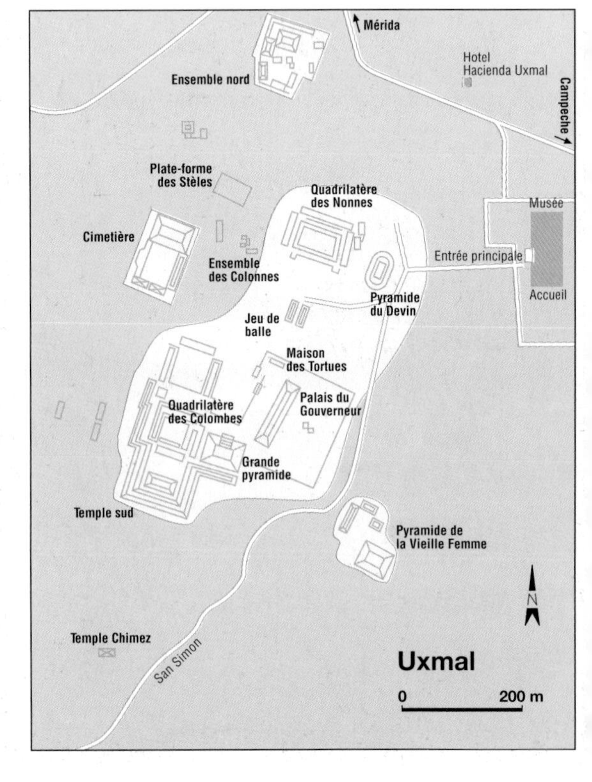

Carte p. 318

se dégage de l'ensemble, les quatre édifices présentant un appareillage lisse de pierre dans leur partie inférieure tandis que la partie supérieure est abondamment décorée de personnages, de masques ou de motifs animaliers (oiseaux, singes, serpents). Des masques de Chac se retrouvent sur les façades des quatre temples, et le long nez du dieu semble crever les nuages pour attirer la pluie, source de vie. Un grand serpent à plumes enserre le décor de mosaïque de la façade du palais occidental et un visage humain apparaît dans la gueule du monstre.

Au sud du quadrilatère des Nonnes se trouvent les vestiges d'un **jeu de balles**, puis le majestueux **Palacio del Governador** (palais du Gouverneur). Sa façade est souvent considérée comme un des joyaux de l'art maya du Yucatán. Divisé en trois parties par deux passages voûtés, il est typique du style Puuc : mur lisse surmonté d'une frise décorée, large moulure enserrant le bâtiment dont le motif est repris dans la corniche, au sommet de l'édifice. Cette répétition du thème agit comme un élément rythmique, et les formes réduites à l'extrême réalisent une composition très élaborée. La frise est constituée de 20 000 morceaux de pierre assemblés. Les angles arrondis sont décorés des traditionnels masques de Chac. Treize portes donnent accès à 20 chambres dont les voûtes intactes illustrent cette technique maya unique en Amérique centrale : voûte maçonnée reproduisant la forme de la hutte, maintenue par mortier et blocage, sans clef de voûte et adoptant la forme d'un triangle.

À proximité, la **Casa de las Tortugas** doit son nom aux tortues sculptées qui ornent sa corniche. Dans la symbolique maya, cet animal était associé au dieu de la pluie.

Au sud du palais du Gouverneur s'élèvent la **Gran Piramíde**, en partie restaurée, et **El Palomar** (« le pigeonnier »), dont le toit est percé

La pyramide du Devin, Uxmal.

Le monument à la Patrie (1956), dans le Parque del Centenario, à Mérida.

de petites niches vraisemblablement destinées à des observations astronomiques.

LA ROUTE PUUC

A une vingtaine de kilomètres au sud d'Uxmal, le site de **Kabah ❺** abrite un très beau **Palacio de las Mascáras**. La façade de cet édifice est ornée de près de 300 masques stylisés du dieu de la Pluie comportant chacun 30 éléments sculptés. Une arche monumentale, l'**arc de Kabali**, marque le début du chemin sacré qui conduisait au centre de cérémonie d'Uxmal.

A l'est de Kabah, une petite route conduit aux sites mayas de **Sayil** et de **Labná**, caractéristiques du style Puuc.

Vingt kilomètres plus loin se trouvent les **grottes de Loltún ❻**, qui comptent parmi les plus belles du Yucatán. Au milieu des stalactites et des stalagmites, on peut admirer des peintures mayas ainsi que des dessins gravés dans les parois. Ces grottes ont sans doute servi de refuge aux Mayas pendant la guerre des Castes, mais un datage au carbone 14 a permis d'établir qu'elles étaient déjà habitées il y deux mille cinq cents ans.

Avant de rejoindre Mérida, une halte au village de **Ticu** est l'occasion d'acheter des objets de l'artisanat local : poteries, bijoux, chapeaux, sandales ou *huipiles* brodés.

A proximité, le vaste monastère franciscain de **Mani** garde le souvenir du second évêque du Yucatán, Diego de Landa, qui, en 1562, fit brûler des centaines de chroniques historiques rédigées en glyphes mayas.

MÉRIDA

Mérida ❼, capitale de l'État du Yucatán, fut la première ville fondée par les Espagnols sur la péninsule. Celle que ses habitants surnomment le « Paris mexicain » a pris son essor

Ambiance décontractée sur une place de Mérida.

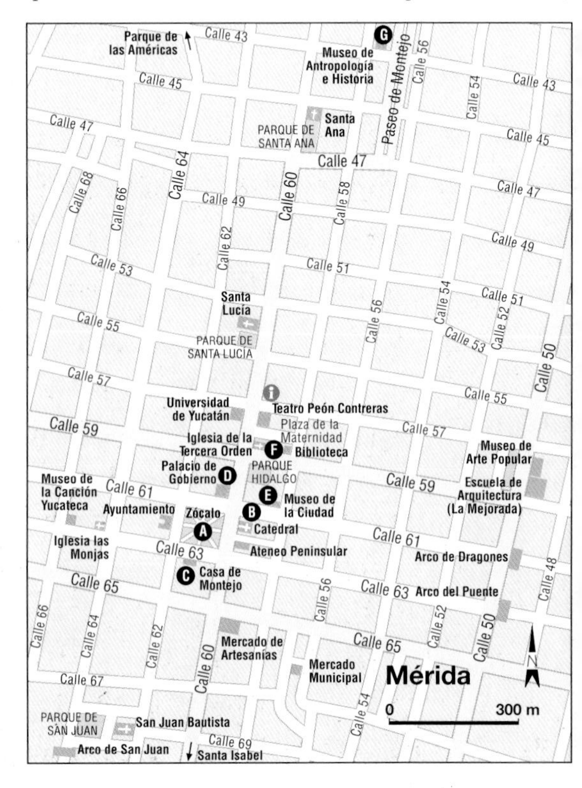

à la fin du XIXe siècle, après la guerre des Castes, grâce à l'essor des plantations de *henequén* (sisal), qui enrichirent considérablement certains habitants. Au début du XXe siècle, Mérida pouvait ainsi se flatter d'être la ville du Mexique où la proportion de millionnaires était la plus grande. Ceux-ci, qui vivaient le plus souvent à Paris ou à New York, s'étaient néanmoins fait construire de splendides demeures dans leur ville.

Mérida était le siège des autorités civiles et religieuses de la province, mais dépendait directement de la couronne d'Espagne. Les colons vivaient dans le centre de la ville, sur les ruines de la cité maya de Tihó, tandis que les étis et les Indiens étaient rejetés à la périphérie. Car Mérida, fière de ses origines espagnoles, était une ville aristocratique.

Le centre, peu étendu, est formé de ruelles étroites contenues à l'intérieur des anciennes fortifications. Des 13 portes construites au XVIIe siècle pour protéger la ville, seules demeurent les arches de style mauresque de l'**Arco de San Juan** et de **La Ermita**.

La ville est construite en échiquier autour du **Zócalo** Ⓐ ou Plaza de Independancia, place plantée de lauriers et bordée de belles demeures coloniales.

A l'est de la place, la **cathédrale San Ildefonso** Ⓑ fut élevée au XVIe siècle avec des matériaux provenant des anciens temples mayas de Tihó. A l'intérieur, un tableau représente la visite que rendit le cacique de Mani, Tutul Xiu, au camp de Francisco de Montejo.

Au sud de la place, la **Casa de Montejo** Ⓒ, qui appartenait aux descendants du conquistador du même nom, abrite aujourd'hui une banque, mais l'on peut encore flâner dans ses patios. La façade, typique du style plateresque, est entièrement décorée de sculptures, dont celles de conquistadors vainqueurs, les pieds posés sur des têtes grimaçantes de Mayas.

Cartes pp. 318 et 324

Élégante demeure sur le Paseo Montejo.

Un itinéraire vers les grands sites du Yucatán.

Une longue route rectiligne traverse le Yucatán d'est en ouest.

Sur le côté ouest de la place, le **Palacio Municipal** est un édifice du XVIe siècle à deux galeries superposées, surmonté par une tour d'horloge.

Au nord, le **Palacio de Gobierno** Ⓓ est beaucoup plus tardif (1892). Ses murs sont décorés de fresques évoquant l'histoire du Yucatán, dues au peintre Fernando Castro Pacheco.

D'autres témoignages sur l'histoire de la région sont visibles dans le **Museo de la Ciudad** Ⓔ, installé dans une ancienne église.

Face au Parque Hidalgo, l'**Iglesia de la Tercera Orden** Ⓕ, ou Iglesia de Jesús, est le dernier vestige d'un ensemble de bâtiments construits par les franciscains (le tiers ordre) au XVIe siècle. Ses deux tours sont coiffées d'une croix autour de laquelle s'enroule un motif en forme de serpent. Selon un guide local, cet ornement symbolisant le dieu maya Kukulcán (le serpent à plumes) aurait été ajouté par un tailleur de pierre indien. Quoi qu'il en soit, il trône au sommet de l'édifice, tout comme les représentations des dieux au sommet des temples précolombiens.

Une façon originale – et reposante – de parcourir la ville consiste à se faire emmener en calèche, ou *calesas*. L'une des promenades les plus appréciées longe le **Paseo Montejo**, avenue chic de la ville inspirée des Champs-Élysées à Paris. L'avenue est bordée de magnifiques demeures palatiales construites au début du XXe siècle par les grands propriétaires de la ville.

Le **Palacio Cantón**, ancienne résidence des gouverneurs du Yucatán, abrite aujourd'hui le **Museo de Antropología e Historia** Ⓖ. On peut y découvrir des expositions consacrées à l'histoire du Yucatán depuis son origine, et plus particulièrement à celle des Mayas. En outre, on y trouve une évocation exhaustive des différents sites archéologiques de la péninsule.

Les environs de Mérida

A 90 km à l'ouest de Mérida, sur la côte du golfe du Mexique, la réserve d'oiseaux de **Celestún** ❽ est un but de promenade agréable. Des milliers de flamants roses occupent la lagune, de même que des pélicans et des aigrettes.

Au nord de Mérida, le site archéologique de **Dzibilchaltún** ❾ a peut-être été l'une des cités mayas les plus importantes du Mexique. Occupé sans interruption depuis 1500 avant notre ère jusqu'à la Conquête, il n'a livré aucun édifice spectaculaire, mais nombre de constructions ont été démolies pour servir, entre autres, à l'édification de la route Progreso-Mérida.

Le **Templo de las Siete Muñecas** (temple des Sept Poupées) tire son nom des figurines trouvées lors des fouilles. Ces « poupées » de terre cuite représentaient des êtres difformes : nains, bossus ou hydropiques.

Le **Cenote Xlaca**, puits sacré d'où l'on tira des milliers d'objets rituels, a été reconstruit. On peut s'y baigner à condition d'être décemment vêtu.

Tout à fait au nord, **Progresso** ❿ est la plus importante station balnéaire du Yucatán sur la côte du golfe du Mexique. Moins séduisante que les plages de la côte Caraïbe, elle attire surtout les habitants de Mérida, qui y affluent le week-end.

Sur la route de Chichén Itzá, un petit détour conduit à la petite ville d'**Izamal** ⓫, ancien centre religieux consacré au dieu le plus important du panthéon maya, Itzámna, créateur de l'univers. C'est sur les édifices mayas qu'ont été construits la plupart des bâtiments coloniaux de la ville, en particulier le **Convento de San Antonio de Padua**, dont les marches d'accès sont celles d'une ancienne pyramide. Un seul temple a échappé à la destruction, le **Kinich Kakmó**, d'où l'on peut voir par temps clair les vestiges de Chichén Itzá.

Carte p. 318

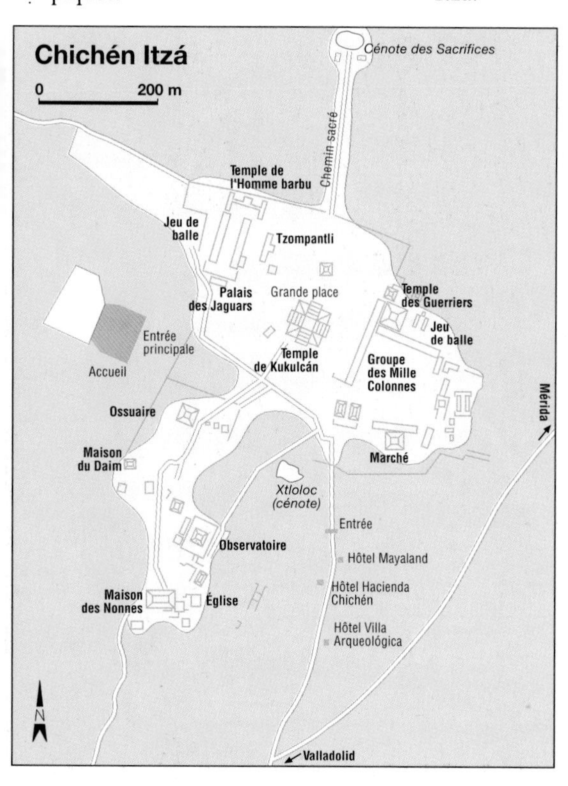

Tête de Quetzacóatl, le serpent à plumes, sur le terrain de jeu de balle principal de Chichén Itzá.

CHICHÉN ITZÁ

Chichén Itzá ⓬ se trouve à 120 km à l'est de Mérida, à deux heures de voiture. C'est un site très vaste, à voir absolument. Il est préférable, en raison de l'affluence, d'y arriver tôt le matin. Outre leur beauté, ses monuments offrent l'intérêt particulier de représenter une symbiose entre les techniques mayas et l'art des envahisseurs toltèques, venus du Nord à la fin du xᵉ siècle. Ceux-ci, les Itzaes, établirent leur capitale à Chichén, et la fusion entre la civilisation maya et celle des nouveaux venus produisit un art harmonieux. Parmi les symboles de cette fusion, on peut voir cohabiter à Chichén Itzá des représentations du dieu maya Chac et de Quetzacóatl, le serpent à plume de l'Altiplano (devenu Kukulcán en maya).

Dominant le site, **El Castillo** est une pyramide parfaite dont l'architecture est une représentation du calendrier maya. Elle comporte sur chacune de ses quatre faces un escalier de 91 marches bordé de rampes qui se terminent à la base par une énorme tête de serpent. Si l'on ajoute la plate-forme terminale au nombre total de marches, on obtient 365 (91 x 4 = 364 + 1 = 365), soit le nombre de jour d'une année. Chaque face est ornée de 52 panneaux plats qui symbolisent les 52 années du « compte long » maya. Le 21 mars et le 21 septembre, au moment des équinoxes de printemps et d'automne, l'ombre et la lumière forment, sur la rampe de l'escalier nord, une succession de triangles qui évoquent un serpent en mouvement. Les prêtres mayas interprétaient ce phénomène comme l'annonce du temps des semailles au printemps, puis des récoltes en automne.

Le **Templo de los Guerreros** (temple des Guerriers) est précédé par le **Patio de las Mil Columnas**, ensemble de 1 000 colonnes qui soutenaient les voûtes des salles hypostyles dont la charpente s'est effon-

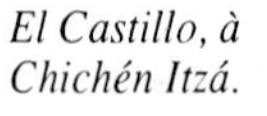

El Castillo, à Chichén Itzá.

drée. Au sommet des escaliers menant au sanctuaire, un serpent à plumes est surmonté d'un personnage portant un étendard.

Sur la plate-forme se trouve le très célèbre **Chacmol** de Chichén Itzá : ce messager des dieux est étendu, appuyé sur ses coudes, la tête de côté, tandis que ses jambes repliées maintiennent sur l'abdomen une coupe où étaient sans doute déposées les offrandes de *pulque* ou de cœurs humains.

Le **jeu de balle** principal est admirablement conservé, et chacun des deux frontons porte encore l'anneau de pierre décoré de serpents entrelacés par où il fallait faire passer la balle. La base de ces frontons est décorée de bas-reliefs représentant des joueurs qui assistent à la décapitation d'une victime. Celle-ci est entourée de serpents qui sortent de sa tête.

A proximité, le **Tzompantli**, ou « mur des crânes », orné de plusieurs registres de têtes de morts, était un monument destiné à l'exposition des crânes des ennemis sacrifiés.

On accède au **Cenote Sagrado**, au nord du site toltèque, par un *sacbé*, allée construite en surélévation pour les défilés rituels. Le Cenote, puits naturel de 60 m de diamètre et dont la profondeur dépasse 80 m par endroits, recevait les corps de jeunes garçons sacrifiés au dieu de la pluie en période de sécheresse. Les victimes, parées de bijoux, étaient précipitées vivantes dans le puits.

Au sud du site, **El Caracol** (« l'escargot ») semble avoir été un observatoire astronomique. Sur deux plates-formes quadrangulaires superposées s'élève une tour ronde de 12 m de diamètre. Son escalier intérieur en colimaçon conduit à une petite chambre percée de sept orifices destinés à l'observation du ciel.

Vers la côte

A 8 km de Chichén Itzá, les **grottes de Balankanché** ⓭ servirent de

Carte p. 318

Vol de flamants roses sur la côte caraïbe.

Enseigne d'un restaurant de fruits de mer à Cancún.

sanctuaire souterrain aux Toltèques, qui le consacrèrent à Tlaloc, dieu de la Pluie. De belles formations calcaires dessinent un *ceiba*, arbre sacré. A l'entrée des grottes, un petit jardin botanique abrite différentes espèces du Yucatán, dont de nombreuses variétés de cactus.

Au centre de l'État du Yucatán, **Valladolid** ⓮ est une étape idéale entre Chichén Itzá et Cancún. La ville fut pillée par les Mayas pendant la guerre des Castes et n'a conservé que peu d'édifices de l'époque coloniale. Les plus intéressants sont le **Templo de San Bernadino** et le **Convento de Sisal**, construits en 1552. La ville possède deux citernes d'eau potable, le Cenote Zací, situé dans un joli parc du centre, et le Cenote Dzitnup, plus beau mais plus difficile d'accès.

Sur la côte, au nord de Valladolid, des milliers de flamants roses s'ébattent à **Río Lagartos** ⓯. La ville offre des hôtels bon marché et des lieux de pêche.

A partir de Valladolid, la plupart des voyageurs rejoignent les plages du **Quintana Roo**.

La route 180 conduit à **Puerto Juárez**, sur la côte des Caraïbes.

De là, un bac dessert l'**Isla Mujeres** ⓰ (l'« île des femmes »), ainsi nommée par les Espagnols qui y trouvèrent de nombreuses statuettes féminines. Cette petite île de 8 km sur 4 km est paradisiaque. Au nord, la **Playa de los Cocos** est la plus agréable. On peut louer un bateau pour visiter le **Parque de las Tortugas**, le jardin corallien **El Garrafón** (« la cruche ») ou aller contempler **El Dormitorio** (« le dortoir »), épave d'un bateau pirate échoué par 10 m de fond.

L'**Isla Contoy**, à 30 km au nord de l'Isla Mujeres, est une réserve d'oiseaux.

CANCÚN LA DORÉE

La plus merveilleuse plage de sable fin qui soit, à des prix inaccessibles.

Le front de mer bordé d'hôtels modernes à Cancún.

Cancún ⓱ signifie en maya « pot d'or », et les touristes seront séduits par ses nombreux trésors : site magnifique, mer d'un bleu profond, hôtels luxueux, plages admirables. Des cascades de plantes tropicales de l'établissement thermal Melía Cancún à l'ambiance cosmopolite du Ritz Carlton, la barrière corallienne est longée sur 15 km par des hôtels de luxe.

Tout comme Acapulco et Ixtapa, Cacún est tout droit sortie de bureaux de promoteurs décidés à transformer un site exceptionnel en gigantesque complexe touristique. Les travaux commencèrent dans les années 1970, sous le mandat du président Etcheverría, l'État mexicain ayant lui-même pris une large part à l'élaboration de ce projet.

Cancún se divise en deux parties : **Ciudad Cancún**, sur le continent, et **Isla Cancún**, large bande de sable entre la mer et les lagons. Le centre de la ville ne présente guère d'intérêt, avec sa place principale qui n'est rien de plus qu'une vaste dalle de béton.

Le boulevard Kukulcán conduit à l'île proprement dite et dessert les grands hôtels. C'est là que se situe le centre de l'animation. Deux cents boutiques, restaurants et cafés entourent la **Plaza Caracol**, tandis que la **Plaza Kukulkán**, ornée d'une frise inspirée des hiéroglyphes mayas, abrite plus de 350 boutiques.

On trouve peu de boutiques d'artisanat, mais un grand marché se tient près du **Centro de Convenciones**. Les prix y sont cependant assez élevés.

A côté du Centro de Convenciones, le **Museo de Antropología e Historia** présente une petite collection d'objets mayas.

La mer est assurément le principal agrément de Cancún. De nombreux clubs nautiques proposent différentes activités : surf, plongée avec tuba, parchute ascensionnel, sans oublier les croisières à thème : excursion à l'Ilsa Mujeres, prome-

Carte p. 318

Cancún est une station idéale pour pratiquer des sports nautiques.

nades en bateau à fond de verre, dîners-croisières, etc.

A 64 km au sud de Cancún, la route côtière dessert **Playa del Carmen** ⓲, d'où l'on embarque pour l'île de Cozumel.

L'« île des Hirondelles »

Cozumel ⓳, l'« île des hirondelles », était un lieu maya sacré, centre de pèlerinage où Ixchel, déesse de la fertilité et de la lune, était vénérée. Quarante mille Indiens vivaient ici lorsque Cortés débarqua ; décimée par la guerre et les épidémies, leur population a diminué de moitié. L'île fut plus tard un repaire de pirates. A 19 km de la terre ferme, l'île baigne dans les eaux les plus limpides du monde, la visibilité atteignant souvent 70 m de profondeur.

Le récif de **Palancar** ⓴, au sud-ouest de l'île, que Cousteau explora dans les années 1960, est l'un des plus beaux sites de plongée du monde, avec ses splendides coraux.

Le petit village de **San Miguel**, abrite le **Museo de la Isla de Cozumel**, qui retrace l'histoire de l'île et possède de nombreux documents sur les richesses naturelles de Cozumel. Le village accueille depuis 2001 un golf 18-trous et cing grands hôtels.

A 8 km au sud, la **Laguna Chankanab** ㉑, depuis peu classée parc national, est dotée d'un jardin botanique présentant plus de 400 espèces de plantes tropicales et d'une réserve sous-marine riche en poissons multicolores.

A proximité se trouve le lieu de cérémonie maya d'**El Cedral**, mais ses ruines, peu nombreuses, sont très abîmées.

Un musée sous-marin

Sur la terre ferme, la route conduit à **Xcaret** ㉒, parc à thèmes répondant au nom pompeux de « parc éco-archéologique ». Un bras de mer aux fonds marins très riches offre de belles occasions de plongées, dans

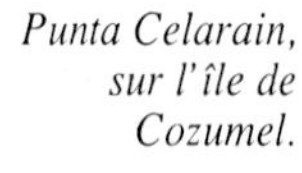

Punta Celarain, sur l'île de Cozumel.

un site où l'on peut trouver quelques ruines mayas.

Au sud, **Akumal** ㉓ est le quartier général du Club mexicain des explorateurs sous-marins. On y découvre un musée sous-marin et, au large, à **Xel-Há** ㉔, un immense aquarium.

Tulum

En poursuivant vers le sud, on parvient à **Tulum** ㉕, porte maritime de l'empire maya vers le monde caraïbe. L'explorateur espagnol Juan de Grivalja, qui navigua au large du Yucatán en 1518, évoque dans son journal une grande ville coiffée d'une tour gigantesque.

Fondé vers 900 de notre ère, alors que les grands sites mayas étaient déjà abandonnés, Tulum connut son apogée entre 1200 et 1400. C'était sans doute un grand port ou affluaient des commerçants venus de toutes les régions du Mexique, ce qui explique le caractère hétéroclite de son architecture.

Le site est d'une grande beauté : l'ancienne cité est protégée par un rempart sur les trois côtés terrestres, les falaises servant de fortifications sur la mer. La ville n'a sans doute jamais compté plus de 600 habitants, prêtres et dignitaires demeurant vraisemblablement à l'intérieur de l'enceinte tandis que le reste de la population résidait à l'extérieur.

L'édifice le plus impressionnant de Tulum, **El Castillo**, domine la mer du haut de la falaise. Sa position en hauteur suggère qu'il a pu faire office de phare pour les navigateurs, des conquistadors ayant mentionné avoir aperçu sa flamme depuis le large. L'édifice était certainement un temple dédié à Kukulkán, nom maya de Quetzacóatl, le serpent à plumes. Au sommet, la façade est percée de trois niches abritant des statues de dieux. Celle du milieu représente une silhouette en train de plonger. Il pourrait s'agir du « dieu descendant » Ab Muxen Cab, dieu des abeilles.

Carte p. 318

La Laguna Bacalar.

Bar sur la plage à Cozumel.

Carte p. 318

A droite, une figurine maya prenant le soleil. Page suivante, masque de diable.

L'effigie d'Ab Muxen Cab se retrouve à plusieurs endroits du site, en particulier au-dessus de la porte d'entrée du **Templo del Dios Descendente**.

Le **Templo de los Frescos**, construit vers 1400, est orné de hauts-reliefs en stuc, dont certains représentent le « dieu descendant », et de masques figurant le dieu de la pluie, Chac. Mais l'attrait de ce temple réside surtout dans les peintures conservées sur les murs de la salle intérieure. Organisées sur trois registres superposés, elles évoquent les trois royaumes de la mythologie maya : le monde souterrain des morts, celui des vivants au centre, celui du créateur et des autres dieux en haut.

COBÁ

Une route secondaire, au nord-ouest de Tulum, mène à **Cobá** ㉖. Agglomération importante, cette ville maya compta jusqu'à 50000 habitants. Des chaussées sacrées ou *sacbeob* (*sacbé* au singulier), aménagées sur un remblai de pierre et larges de 5 m, rayonnaient vers d'autres cités. Cobá connut son apogée vers 600 et fut abandonnée vers 900. Le site abriterait plus de 6000 édifices, dont la plupart sont cependant encore recouverts par la végétation.

Près de l'entrée, le **Grupo Cobá** est dominé par la silhouette du **Templo de las Iglesias**.

Mais l'édifice le plus élevé de Cobá se trouve dans le **Nohoc Mul**.

Haute de 42 m, la **Gran Piramíde** compte 120 marches : c'est la plus grande construction maya du Yucatán.

Le site maya de Cobá est perdu au sein de la forêt tropicale. Seuls quelques édifices, stèles ou pyramides, ont été dégagés parmi les 6000 qu'on suppose encore enfouis sous la végétation luxuriante. La plus grande pyramide de Cobá est celle de Nohoch Mul, qui compte 120 marches.

LE SUD DU YUCATÁN

Au sud de Tulum s'étend la **Reserva de la Biósfera Sian Ka'an** ㉗. Plus de 5000 km² de forêt, de mangrove et de littoral ont été classés par le gouvernement mexicain, puis inscrit au patrimoine mondial. On peut y découvrir une faune variée et des paysages magnifiques, ponctués de ruines mayas. Des excursions en bateau permettent de s'enfoncer dans la jungle épaisse en parcourant le réseau de canaux construit par les Mayas. Avec plus de 300 espèces d'oiseaux, la réserve de Sian Ka'an est le paradis des ornithologues

Plus au sud, la route principale rejoint la **Laguna Bacalar** ㉘, grand lac d'eau transparente. Le **fort San Felipe Bacalar** fut construit au XVIIIe siècle pour protéger la population des incursions des pirates.

Ville frontalière avec le Belize, **Chetumal** ㉙, capitale du Quintana Roo, offre peu de distractions en dehors de ses boutiques hors taxes.

De Chetumal, une nouvelle route traverse la péninsule du Yucatàn à sa base. A 55 km, une route secondaire qui part de **Francisco Villa** mène à **Kohunlich**, site dont les fouilles récentes ont mis au jour des masques de stuc géants et une vaste citerne dallée destinée à recueillir les eaux de pluie.

INFORMATIONS PRATIQUES

AVANT LE DÉPART 340
Passeport et visa – Santé – Quand partir – Vêtements à emporter
Ambassades du Mexique – Offices du tourisme – Centres culturels

ALLER AU MEXIQUE 341
En avion – En voiture

À SAVOIR SUR PLACE 341
Douane – Monnaie et devises – Poids et mesures – Ambassades étrangères
Heures d'ouverture – Jours fériés – Communication et information
Taxes et pourboires – Sécurité – Us et coutumes

OÙ LOGER 343

COMMENT SE DÉPLACER 344
En avion – En voiture – En autocar – En train – Transports urbains

MEXICO 345

NORD DE MEXICO 350

SUD DE MEXICO 353

OUEST DE MEXICO 355

BASSE-CALIFORNIE 356

CENTRE-NORD 359

NORD-OUEST 360

NORD-EST 361

PLATEAU CENTRAL 363

CÔTE PACIFIQUE 365

ACAPULCO 368

CÔTE DU GOLFE DU MEXIQUE 369

OAXACA, TABASCO ET CHIAPAS, YUCATÁN 371

LEXIQUE 378

BIBLIOGRAPHIE 379

AVANT LE DÉPART

PASSEPORT ET VISA

Tous les voyageurs doivent se munir de leur passeport, valide au moins six mois après la date de leur départ du Mexique. Sur présentation du passeport aux services mexicains d'immigration, sera délivrée gratuitement une carte de touriste, dite *tarjeta de turista*, valable 90 jours. Aucun visa n'est requis, Cette carte doit être remplie, puis validée par un tampon et gardée avec soi durant le séjour.

Une prolongation de la carte peut être obtenue, à condition de justifier d'un billet d'avion indiquant la date de départ du Mexique et d'un document prouvant des moyens financiers suffisants pour séjourner, une carte de crédit par exemple.

SANTÉ

Avant le départ, il est conseillé de se faire vacciner, ou de prévoir des rappels, contre l'hépatite A et B, la poliomyélite, le tétanos. Le vaccin contre la fièvre jaune est obligatoire si l'on vient d'un pays infecté. Se renseigner auprès de son médecin, d'un centre de vaccination, de la compagnie aérienne ou de l'Institut Pasteur. Les vaccins seront mentionnés sur un carnet international. Cette précaution s'accompagnera, pour un séjour prolongé, d'une assurance maladie-accident.

Institut Pasteur
209, rue de Vaugirard, 75015 Paris,
tél. 01 45 68 81 98

QUAND PARTIR

La saison la plus agréable et la moins chargée va de novembre à avril : le soleil est présent, sans apporter de moiteur, et les pluies presque absentes. Cependant, Mexico se situant à plus de 2 200 m d'altitude, les soirées peuvent y être fraîches, et même froides sur les plateaux situés plus au nord. Les soirées sur les côtes bénéficient d'une température douce, sauf en plein été, de mai à septembre. L'atmosphère est alors chaude, humide, et de nombreuses averses se produisent en général à la fin de la journée. La chaleur s'élève encore quand on se dirige vers les côtes du Sud et le Yucatán, très fréquentés par les touristes. Les Mexicains et certains voyageurs préfèrent choisir la période allant de mi-décembre au début de janvier, ainsi que la semaine précédant et suivant Pâques. Pour trouver un hébergement, il faut alors réserver longtemps à l'avance et affronter l'affluence dans les banques, les restaurants et les transports publics.

VÊTEMENTS À EMPORTER

Les tenues très estivales et décolletées sont acceptées dans les stations balnéaires, un peu moins dans les villes et surtout les lieux de culte. Éviter de porter des vêtements indiens dans les villages reculés ménagera la susceptibilité de leurs habitants.

Choisir des tissus légers et naturels et prévoir des crèmes solaires et antimoustiques, un chapeau et de bonnes lunettes de soleil. En revanche, sur les plateaux et dans les régions montagneuses, des lainages sont recommandés. Un vêtement léger, servant à la fois de coupe-vent et d'imperméable, sera partout utile.

AMBASSADES DU MEXIQUE

France
9, rue de Longchamp, 75116 Paris,
tél. 01 53 70 27 70, fax 01 47 55 65 29
Consulat :
4, rue Notre-Dame-des-Victoires, 75002 Paris,
tél. 01 42 86 56 20, service des visas 01 42 86 56 21
Belgique
94, avenue Franklin-Roosevelt, 1050 Bruxelles,
tél. (02) 629 07 11, fax (02) 646 87 68
Suisse
Bernestrasse 57, 3005 Bern
tél. (031) 351 4060/1814
Canada
Bureau consulaire de l'ambassade :
45 O'Connor Street, Suite 1500, Ottawa,
Ontario K1P 1A4, tél. (613) 233 8988 ou 233 6665
Consulat :
2055, rue Peel, bureau 1000, Montréal,
H3A AV4 Quebec, tél. (514) 288 2502,
fax (514) 288 8287, www.consulmex.qc.ca

OFFICES DU TOURISME

France et Belgique
4, rue Notre-Dame des Victoires, 75002 Paris,
tél. 01 42 86 56 30
Canada
1, place Ville-Marie, Suite 2409, H3B 3M9, Montréal,
tél. (514) 871 1052
2, Bloor Street West, Suite 1801, M4W 3E2,
Toronto, tél. (416) 925 0704

CENTRES CULTURELS

Centre culturel du Mexique
119, rue Vieille-du-Temple, 75003 Paris,
tél. 01 44 61 84 44
Maison de l'Amérique latine
217, boulevard Saint-Germain, 75007 Paris,
tél. 01 49 54 75 00

ALLER AU MEXIQUE

En avion

Plusieurs compagnies aériennes desservent directement le Mexique au départ de Paris, Amsterdam, Londres, Frankfort, en Europe, et des principales villes du Canada et des États-Unis. Certaines relient Cancún, sans faire escale à Mexico.

Renseignements et réservations

Aeroméxico
1, place de la Madeleine, tél. 0800 42 30 91
Air France
Tél. 0 802 802 802, de 6 h 30 à 22 h, ou 3615/16 AF
Aeroflot
33, rue des Champs-Élysées, 75008 Paris, tél. 01 42 25 31 92
Alitalia
69, bd Haussmann, 75008 Paris, tél. 0820 315 315
Iberia
Tél. 0820 075 075

Tour-opérateurs

Americatours-El Condor
40, av. Bosquet, 75007 Paris, tél. 01 44 11 11 50
Assinter Voyages
38, rue Madame, 75006 Paris, tél. 01 45 44 45 87
Comptoir des Amériques
23, rue du Pont-Neuf, 75001 Paris, tél. 01 40 26 20 71
Kuoni
95, rue d'Amsterdam, 75009 Paris, www.kuoni.fr
Images du Monde
14, rue Lahire, 75013 Paris, tél. 01 44 24 87 88, fax 01 45 86 27 73, images.du.monde.com
Le Monde des Amériques
3, rue Cassette, 75006 Paris, tél. 01 53 63 13 40
Vacances fabuleuses
22 bis, rue Georges-Bizet, 75016 Paris, tél. 01 53 67 60 00
Voyageurs au Mexique
55, rue Saint-Anne, 75002 Paris, tél. 01 42 86 17 45

Continents insolites
1, rue de la Révolution, 1000 Bruxelles, tél. (02) 218 24 84
Artou
18, rue Madeleine, 1003 Lausanne, tél. (21) 323 65 54

En voiture

Près de 20 postes-frontières officiels relient les États-Unis au Mexique qui, de son côté, en compte trois avec le Guatemala et un avec le Bélize.

Tous les conducteurs doivent avoir un permis de conduire en cours de validité. En ce qui concerne les Européens, il est préférable de prévoir la location d'une voiture à partir du pays d'origine, en même temps que le billet d'avion. La location revient cher au Mexique et la carte de crédit est exigée.

Une assurance mexicaine, *Seguro,* est indispensable pour éviter les tracasseries en cas d'accident et régler rapidement les problèmes d'indemnisations. C'est d'ailleurs la seule assurance reconnue dans ce pays où la conduite demande beaucoup d'attention.

Prévoir de photocopier les documents du véhicule, mais aussi tous les documents concernant le voyage, dont les billets d'avion et la carte de touriste à l'arrivée. Cette précaution en facilitera grandement le remplacement dans le cas de perte.

A SAVOIR SUR PLACE

Douane

Il faut remplir un formulaire mentionnant les marchandises à déclarer. Parmi les objets autorisés : une caméra, un appareil photo avec 12 pellicules, 400 cigarettes (ou 50 cigares) ainsi que 3 l d'alcool. Les médicaments personnels doivent être accompagnés d'une ordonnance si leur prise est susceptible de modifier le comportement ou l'un des sens.

Monnaie et devises

Le peso ($) s'intitule actuellement *nuevo peso* (indifféremment nommé : NP, N$ ou MN pour *moneda nacional*). Il se divise en cent *centavos* sous forme de pièces de 5, 10, 20 et 50. Sont aussi disponibles des pièces de 1, 2, 5 10, 20 et 50 pesos. Les billets existent en coupures de 10, 20, 50 100, 200 et 500 pesos.

Un euro vaut environ 14 pesos, et 1 peso vaut environ 0,075 euro. Le change, dont le taux a tendance à se stabiliser, se fait dans les banques et les maisons de change, *casas de cambio,* ouvertes l'après-midi, le soir et le week-end. Le taux n'est pas le même s'il s'agit de chèques de voyage ou d'argent liquide, les banques favorisant les premiers.

Les dollars américains sont faciles à changer dans les villes, ce qui permet de ne prendre avec soi qu'une petite quantité en liquide pour régler, au fur et à mesure, les taxes d'aéroport, les taxis à l'arrivée et au départ, ainsi que les frais courants.

Les cartes de crédit American Express, MasterCard ou Visa, acceptées par la plupart des organismes, permettent d'obtenir un bon taux de change par distributeur (*cajero automático*) pour régler notamment les frais de déplacement, la location d'un véhicule et les notes d'hôtels.

POIDS ET MESURES

Le système métrique est partout utilisé au Mexique. Le courant électrique est de 110 V, 60 Hz. Les prises anciennes reçoivent deux fiches plates de même taille, les plus récentes, de taille différente. Prévoir un adaptateur.

AMBASSADES ÉTRANGÈRES

France
Campos Elíseos 339, Col. Polanco, 11560 México, tél. (55) 9171 9700, fax (55) 9171 9703, www.francia.org.mx, fsltmexico@hotmail.com
Belgique
Avenida Alfredo Musset 41, Col. Polanco, 11550 México, tél. (55) 5280 0758, fax (55) 5280 0208, mexico@diplobel.org
Suisse
Torre Optima, piso 11, Paseo de las Palmas 405, Lomas de Chapultepec, 11000 México, tél. (55) 5520 3003, fax (55) 5520 8685, vertretung@mex.rep.admin.ch
Canada
Calle Schiller 529, Col. Polanco, 11580 México, tél. (55) 5724 7900, fax (55) 5724 7980, mexico@canada.org.mx

DÉCALAGE HORAIRE

L'heure GMT-6 concerne presque toutes les régions du Mexique. En hiver, quand il est midi à Paris, il est 5 h à Mexico.

HEURES D'OUVERTURE

Les heures d'ouverture sont variables selon les régions. En règle générale, les **banques** ouvrent du lundi au vendredi de 9h à 16h30 ; dans les grandes villes certaines sont ouvertes le samedi matin de 9h à midi. Les **bureaux** fonctionnent de 9h à 14h et de 16h à 18h. Les **magasins** lèvent leur rideau à 9h ou 10h et restent ouverts jusqu'à 19h ou 20h ; en province, nombre d'entre eux ferment entre 14h et 16h. Les **sites archéologiques** se visitent tous les jours entre 8h ou 10h et 17h. Quant aux **musées**, ils ferment d'habitude le lundi, mais le dimanche, l'entrée y est gratuite. Les **églises** ouvrent uniquement pour les offices, afin de protéger les œuvres d'art.

JOURS FÉRIÉS

1er janvier : nouvel an, *Año Nuevo*
5 février : fête de la Constitution, *Día de la Constitucíon*
21 mars : anniversaire de Benito Juárez, *Día de Nacimiento de Benito Juárez*
Mars ou avril : Semaine sainte, *Semana Santa*, du dimanche des Rameaux au lundi de Pâques
1er mai : fête du Travail, *Día del Trabajo*
5 mai : anniversaire de la bataille de Puebla et victoire sur l'armée française en 1862, *Cinco de Mayo*
16 septembre : jour de l'Indépendance, *Día de la Independencia*, fête nationale
12 octobre : jour de la Race, *Día de la Raza*, commémoration de la découverte du Nouveau Monde
20 novembre : anniversaire de la révolution de 1910, *Día de la Revolución*
25 décembre : Noël, *Día de Navidad*

COMMUNICATION ET INFORMATION

Poste

La poste, *oficina de correos*, ouvre du lundi au vendredi de 9h à 18h, parfois le samedi matin. En raison d'un acheminement parfois hasardeux, il est conseillé d'envoyer lettre ou colis par avion avec la mention *correo aéreo* et en recommandé (*certificado*), pour 1 euro environ. Le délai d'arrivée à destination en Europe est d'une à trois semaines.

Le plus sûr est d'expédier les colis par porteur spécial, tel DHL, Federal Express ou United Parcel Service. Les aérogrammes (*correogramas*) s'achètent à la poste centrale de Mexico.

Téléphone

Code pays : *52*
Indicatifs des principales villes : pour un appel local, composer le *01*, suivi de l'indicatif : Mexico, *55* ; Guadalajara, *33* ; Monterrey, *81* ; Acapulco, *744* ; Ixtapa-Zihuatanejo, *755* ; Puerto Vallarta, *322* ; Cancún, *998* ; Los Cabos, *624* ; Mazatlán, *669*.
Renseignements : nationaux, *04* ; internationaux ou opérateur, *090*.

Telmex a installé des cabines Ladatel dans pratiquement tout le pays. Ces téléphones fonctionnent avec des cartes de 30, 50 ou 100 pesos, disponibles dans les kiosques et magasins d'appoint. Les *caseta telefónico*, téléphones à pièces, permettent de donner des coups de fil locaux uniquement.

Pour appeler vers l'Europe et le Canada, composer le *00*, suivi de l'indicatif du pays (France *33*, Belgique *32*, Suisse *41*, Canada *1*), puis du numéro de l'abonné sans le *0* initial.

Les tarifs baissent entre 18 h et 6 h (pour le Canada entre 19 h et 5 h) et en fin de semaine. Les numéros gratuits commencent tous par *01 800*.

Les *Casetas de Larga Distancia* offrent les communications longue distance les moins chères. Pour un appel en PCV, spécifier à l'opérateur « persona a persona ». Il est possible d'effectuer un appel en PCV depuis n'importe quel téléphone public en composant le *01 800 123 4567*.

Télévision
Televista regroupe quatre des six chaînes nationales et commence à se libérer de son attitude systématique de soutien au pouvoir. TV Azteca, plus indépendante, émet sur deux chaînes. Des feuilletons sentimentaux (*telenovelas*) et des représentations de comédies occupent l'écran, concurrencés par le football, les émissions de jeux et de variétés. La publicité est omniprésente. La plupart des films sont diffusés en VO sous-titrés en espagnol. Les hôtels haut de gamme sont équipés de télévisions par câble et par satellite (programmes américains).

Radiodiffusion
Un grand nombre des stations – AM et FM – dépendent de Televista. Radio France international (RFI) émet sur ondes courtes.

Presse
Les principaux quotidiens nationaux sont *Reforma*, *Excelsior*, *El Universal*, *UNO más UNO*, *La Jornada* et *El Financiero*. *Tiempo Libre*, disponible le jeudi, liste les activités culturelles de Mexico. L'édition gratuite, *Mexico Daily Bulletin* (avec plan du centre-ville), est une institution et se trouve dans la majorité des hôtels. Parmi les mensuels en couleurs se distingue *México Desconocido*, qui fait découvrir, par de bons articles, un Mexique inconnu. Les kiosques vendent quelques titres européens et américains, notamment *Newsweek*, *Der Spielgel* et *L'Express*.

Taxes

Équivalent de la TVA, l'IVA s'élève à 15 % (seulement à 10 % dans les états de Quintana Roo, Baja California Norte et Baja California Sur). La majorité des états ajoutent une taxe de 2 % sur les prix d'hébergement.

Si elle n'est pas incluse dans le prix du billet, la taxe d'aéroport s'élève à 17 $US ou l'équivalent en pesos, qu'il faut s'acquitter en espèces à l'aéroport pour tout vol national ou international.

Sécurité

Les grandes villes, et surtout Mexico, connaissent un fléau : le vol à la tire. Les étrangers sont supposés être riches, et sont donc des proies, surtout dans les transports, sur les marchés et dans les lieux isolés. Mieux vaut porter sur soi le minimum de valeurs, et les papiers, autour du cou, dissimulés aux regards.

Au cours d'une excursion, il arrive que les autocars, train ou voiture soient arrêtés et les voyageurs, dévalisés. Il est prudent de voyager le jour et de ne pas s'éloigner des grands axes sans s'être renseigné de la sûreté des routes.

Us et coutumes

Nationalisme et machisme s'expliquent peut-être par un passé historique mouvementé, notamment avec les États-Unis, et par des traditions séculaires. Néanmoins, un premier contact, établi grâce à quelques mots en espagnol, permettra au voyageur d'éviter la qualification de *gringo* (amabilité réservée aux Nord-Américains) et d'entrevoir le sens de l'accueil des Mexicains, qui savent être particulièrement chaleureux.

OÙ LOGER

Hôtels
Les grands hôtels sont surtout dans les grandes villes et les stations balnéaires. Ceux appartenant à des chaînes mexicaines sont un peu moins chers.

Dans la catégorie moyenne, d'anciennes demeures coloniales ou couvents reconvertis méritent une attention particulière. Les prix varient en fonction du confort, qui est en général bon, entre 20 euros et 35 euros pour une chambre double avec douche.

Dans la première catégorie, les hôtels sont surtout dans le centre des villes. Ils proposent parfois des chambres à partager à trois ou quatre pour une petite différence de prix avec la double, qui vaut entre 12 euros et 15 euros, avec douche ; prix sensiblement augmentés dans les lieux de villégiature.

Casas de huéspedes et posadas
Les chambres d'hôte offrent une ambiance chaleureuse, dans un cadre convivial. Selon le confort – avec ou sans salle de bains privée – la chambre double coûte entre 10 et 14 euros. Les *posadas* sont similaires mais s'apparentent plus à de petits hôtels.

Auberges de jeunesse
D'un confort sommaire, elles bénéficient néanmoins de petits dortoirs, généralement bien entretenus, dont le prix du lit revient à environ 2 euros. Une légère réduction est accordée aux membres munis d'une carte, mais celle-ci n'est pas obligatoire.
Fédération des auberges de jeunesse
27, rue Pajol, 75018 Paris, tél. 01 44 89 87 27

Cabanas et hamacs
Ces deux hébergements typiques des Caraïbes s'adaptent parfaitement aux plages du Sud. Les *cabanas* sont d'un confort varié : au sol en terre battue avec un lit peuvent s'ajouter moustiquaire, électricité, réfrigérateur, ventilateur pour un prix allant de 6 à 22 euros ; les *cabanas* dites de luxe atteignent 120 euros. On peut louer un hamac déjà installé, à partir de 3 euros la nuit, ou bien en acheter un.

COMMENT SE DÉPLACER

EN AVION

Outre Aeroméxico et Mexicana, les compagnies intérieures sont nombreuses, telles Aeromar, Aero California et Aerolíneas Internacionales.

Aeroméxico
Reforma 445, Col. Cuauhtémoc, tél. (55) 5133 4000

Mexicana
Paseo de la Reforma 312, 03100 Mexico, tél. (55) 5448 0990

Aeromar
Aeropuerto Internacional de la Cd. de Mexico, tél. (55) 5133 1111

Aero California
Paseo de la Reforma 332, 03100 Mexico, tél. (55) 5207 1392

Aerolineas Internacionales
Concepción Béstegui 815, 03100 Mexico, tél. (55) 5543 1223

Les tarifs varient peut d'une compagnie à l'autre. Pour connaître l'agence la plus proche, se renseigner auprès de son hôtel ou de la compagnie aérienne.

EN VOITURE

Mieux vaut prévoir la location à partir du pays d'origine, car elle est fort chère au Mexique, et le choix de véhicules restreint. Seule l'assurance doit obligatoirement être prise sur place. Cependant, toutes les grandes entreprises de location (Avis, Hertz, Budget) sont représentées. Se renseigner auprès de son hôtel ou regarder dans les pages jaunes sous *Automóviles*.

Le conducteur doit être âgé de 25 ans (à 21 ans, tarifs plus élevés), posséder un permis de conduire, un passeport et une carte de crédit.

Deux qualités de *gasolina* (essence) sont disponibles aux stations Pemex : la Nova (pompes bleues) et la Magna Sin sans plomb (pompes vertes). Cette dernière coûte environ 0,50 euro le litre. Vérifier, avant l'opération, que la pompe est bien à zéro et demander une quantité précise, plutôt que le plein. Il est d'usage de donner un pourboire au pompiste.

Délégués par le ministère du Tourisme, les *Ángeles Verdes* circulent dans des camions verts. Ils assistent les automobilistes pour des interventions courantes et organisent par radio le remorquage, dans le cas de problèmes mécaniques graves.

Urgence jour et nuit *(Ángeles Verdes)*
Tél. (55) 5250 8221

Pour les longues distances, faute d'une bonne signalisation, il est conseillé de se procurer sur place un atlas routier, tel que le *Guía Verdi México, Atlas de Carreteras*.

EN AUTOCAR

Ce moyen de transport est conseillé pour les moyennes distances, grâce à un réseau qui quadrille le pays. Mieux vaut choisir un autocar de luxe ou de 1re classe, toujours ou souvent équipé de climatisation, en réservant la veille afin de s'assurer d'une place assise. Le choix du confort se pose pour se rendre dans des villages isolés, parfois desservis par des autocars bien entretenus, mais aussi par des véhicules aussi essoufflés que leurs suspensions. Les offices de tourisme sont à même de fournir des renseignements à ce sujet.

Dans les grandes agglomérations, la tendance est au regroupement des autocars dans une seule gare routière. En général à la périphérie, elle est facile d'accès par autobus. Parfois il y en a une pour les autocars de luxe et 1re classe, une pour la 2e classe.

Lors des vacances, il est conseillé de réserver.

Compagnies de cars

Quelques-unes des compagnies 1re classe :

ADO
Tél. (55) 5271 0106

Enlaces Terrestres Nacionales (ETN)
Tél. (55) 5277 6529

Estrella Blanca
Tél. (55) 5729 0707

Estrella de Oro
Tél. (55) 5549 8520

Estrella Roja
Tél. (55) 5220 0269

Flecha Amarilla / Primera Plus
Tél. (55) 5567 7887

Omnibus Cristóbal Colón
Tél. (55) 5542 4168

EN TRAIN

Outre les quelques lignes opérées par des compagnies privées, il n'existe plus qu'un seul train de passagers qui part de Chihuahua pour atteindre la ville de Los Mochis, sur la côte pacifique. L'El pacifico, comme il se nomme, traverse, chemin faisant, les spectaculaires canyons de la Sierra Madre.

Renseignements et réservations
Tél. (614) 439 7212, fax (614) 439 7208

TRANSPORTS URBAINS

Bus

Commodes et économiques, les *camiones* sillonnent la ville. Il faut supporter le bruit, la foule et l'état du véhicule. Plus confortables et plus aisément identifiables, les *Ejes Viales* circulent sur les grands axes, s'arrêtant à des points précis du centre.

Taxis
A Mexico, vérifier s'ils sont équipés d'un compteur en état de marche ; sinon, s'informer sur le prix de la course avant le départ. Il est souvent raisonnable.

A l'aéroport, les tarifs sont affichés dans l'aérogare. La plupart des hôtels sont à même de communiquer le prix de certains parcours.

Colectivos
Minibus ou grandes voitures, les *colectivos* prennent n'importe où en ville un nombre défini de passagers, pour des destinations fixes. Il suffit d'attendre à un carrefour et de faire signe au chauffeur, qui indique par un geste des doigts le nombre de places disponibles. Plus rapides que les autobus, moins chers que les taxis, ils offrent un réel confort.

MEXICO

COMMENT SE DÉPLACER

En avion
L'aéroport international Benito Juárez (*tél. 55-5571 3600* et *55-5571 3295*) est le plus important de Mexico, desservi par la station de métro *Terminal Aérea*. Il abrite de nombreuses banques, bureaux de change, dont certains constamment ouverts, des boutiques ainsi que des points d'appel téléphonique. Un office du tourisme ouvre de 9 h à 20 h, salle A.

En autocar
Les quatre points cardinaux servent d'orientation aux principales gares routières de Mexico :

Terminal Norte (métro Autobuses del Norte)
Avenida de los Cien Metros 4907,
tél. (55) 5587 5973
Terminal Sur (métro Tasqueña)
Avenida Tasqueña 1320, tél. (55) 5689 9795
Terminal Oriente (métro San Lázaro)
Calzada Ignacio Zaragoza 200,
tél. (55) 5762 5977
Terminal Poniente (métro Observatorio)
Avenida Sur 122, tél. (55) 5271 4519

Les billets pour les trajets courts, jusqu'à cinq heures, s'achètent le jour même ; pour les longs parcours, souvent le soir ou la nuit, il est préférable de les acheter à l'avance, d'autant que le nombre de place est parfois à peine suffisant.

En train
La gare centrale s'appelle FNM (Ferrocarriles Nacionales de México) ou, plus souvent, Estación Buenavista. Les renseignements sur les horaires et prix s'obtiennent auprès du bureau des voyageurs, au premier étage.

Office de tourisme
Tél. 5212 0260

En voiture
Le choix d'une société de location, internationale ou locale, est possible dès l'arrivée à l'aéroport. Il est recommandé de comparer les conditions et les tarifs, très variables. Certaines rues, même à plusieurs voies, sont à sens unique, et, sur certaines autres, les autobus roulent à contresens. Les policiers sont plutôt sévères avec les étrangers.

Par ailleurs, la ville de Mexico a instauré, dans un effort de lutter contre la pollution, un *Hoy No Circular* (journée sans circulation). Ce programme, applicable aux voitures étrangères et de location, interdit à la circulation les véhicules dont les plaques d'immatriculation se terminent par 5 et 6 le lundi, 7 et 8 le mardi, 3 et 4 le mercredi, 1 et 2 le jeudi, 9 et 0 le vendredi. Cette règle, strictement appliquée entre 5 h et 22 h, est levée certains jours fériés.

En taxi
Pour emprunter les taxis qui stationnent à l'aéroport, signalés par *Transportación terrestre*, il suffit de se munir d'un ticket aux guichets des salles E ou A, respectivement à l'arrivée des vols internationaux et nationaux. Ces taxis sont fiables et leurs prix fixés pour embarquer quatre personnes au maximum et une quantité normale de bagages. Ces prix, affichés, diffèrent selon les zones d'arrivée en centre-ville. Demander le prix de la course avant de monter dans le taxi.

En ville, mieux vaut préférer les taxis qui attendent aux stations (*sitios*), reconnaissables à la lettre S près de leur numéro de licence et à la bande orange qui souligne leur plaque, ou appeler un radio-taxi.

Servirtaxis
Tél. (55) 5516 6020

En métro
Le réseau métropolitain est excellent, d'usage facile et bon marché. En principe, les grands bagages ne sont pas autorisés, sauf aux heures creuses. L'aéroport est accessible par la ligne 5, sous la désignation de Terminal Aérea. Il dessert la plupart des lieux intéressants du centre et des alentours. Plan du réseau disponible dans toutes les stations.

Renseignements
STC *(Sistema de Transporte Colectivo),*
tél. (55) 5709 1133

Circuits organisés
Ils permettent de découvrir la ville en quelques heures et constituent une première approche, avant une visite en profondeur des sites touristiques. De nombreuses agences de voyages et hôtels sont à

même de proposer ces circuits, guidés, en autocar. Contacter l'office de tourisme de Mexico pour de plus amples renseignements :
Tél. (55) 5250 0123, de Mexico, ou, en dehors de la ville, 91 800 90 392 (numéro vert)

A savoir sur place

Offices du tourisme

Secretaría de Turismo de México (SECTUR)
Avenida Presidente Masaryk 172,
tél. (55) 5520 0123, 5520 0151 ou 5520 8555
Ce bureau, pas très facile d'accès, fournit de précieux renseignements sur Mexico et tout le pays, en plusieurs langues. Il ouvre du lundi au vendredi de 9 h à 21 h et le samedi, de 10 h à 15 h.
Cámara nacional de la ciudad de México
Nuevo Léon 56, tél. (55) 5212 0260
Du lundi au vendredi de 9 h à 14 h et de 15 h à 18 h. Cet organisme donne des renseignements principalement sur Mexico.

Librairies

Gandhi
Avenida Juárez 4
Bonne sélection de livres sur le Mexique.
Librairie française
Calle Génova 2, Zona Rosa
Excellent choix d'ouvrages et de magazines.
Librería Británica
Avenida Madero 30 y *Serapio Rendón 125*
Romans en anglais et ouvrages sur le Mexique.

Santé

Ligne d'urgence (24 h/24) du SECTUR
Tél. (55) 5250 0123 ou 09 800 903 92
Hospital ABC
Calle Sur 136, n° 116, Colonia Las Américas,
tél. (55) 5230 8000, urgences tél. (55) 5515 8359
Parmi les meilleurs de la ville ; il vaut mieux être couvert par une assurance pour assumer tous les frais. Il est accessible par le métro Observatorio.
Croix-Rouge
Cruz Roja, tél. (55) 5557 5758, urgence tél. 080
Pour avoir une ambulance.

Culture et loisirs

La ville se répartit en 350 zones ou *colonias*, parfaitement délimitées pour en faciliter l'accès ; ce qui est le cas notamment des quartiers touristiques.

Centro Histórico

Palacio Nacional
Fresques de Diego Rivera, peintes de 1929 à 1935. On peut les voir du mardi au dimanche de 9 h à 17 h.
Templo Mayor
Calle Seminario, tél. (55) 5542 0606
Il comprend un musée de la civilisation aztèque. L'entrée au temple inclut l'accès au musée. Ouvert du mardi au dimanche de 9 h à 17 h.
Museo Nacional de Arte
Calle Tacuba 8,
tél. (55) 5512 32
Présente divers styles de l'art mexicain. Ouvert du mardi au dimanche de 10 h à 17 h 30.
Casa de Azulejos
Avenida 5 de Mayo y Avenida Madero
Remarquable construction de 1596, décorée de carreaux de faïence fabriqués en Chine au XVIIIe siècle. L'édifice abrite entre autres un magasin, un bar et un restaurant dans une vaste cour ornée d'une fontaine.

Alameda Central

Cet agréable parc, à l'ouest du Zócalo, fut un marché aztèque. Intéressants musées et constructions.
Palacio de Bellas Artes
Tél. (55) 5709 3111
Belles fresques, notamment de Rufino Tamayo des années 1950, un triptyque de Siqueiros et des panneaux évoquant le « carnaval de la vie mexicaine » par Rivera. Ouvert du mardi au dimanche (jour gratuit) de 10h à 18h.
Museo Franz Mayer
Avenida Hidalgo 45,
tél. (55) 5518 2271
Collection d'art et d'artisanat mexicains, réunie par un connaisseur d'origine allemande. Ouvert du mardi au dimanche.
Museo Mural Diego Rivera
Tél. (55) 5510 2329
Une œuvre colossale, *Songe d'un dimanche après-midi dans l'Alameda*, représente les personnages emblématiques du Mexique, depuis l'époque coloniale. Face au jardin de la Solidaridad. Ouvert du mardi au dimanche de 10 h à 18 h.
Museo Nacional de la Revolución
Sous l'Alameda Central. Ouvert du mardi au dimanche de 9 h à 17 h.
Plaza de la República
Reconnaissable à son immense monument à la Révolution, cette place est à 500 m de l'Alameda Central.

Zona Rosa

Jardín del Arte
Le dimanche, marché de l'art en plein air.

Condesa

Ce quartier compte de ravissantes demeures bourgeoises du début du XXe siècle et abrite d'agréables bars, cafés et restaurants, et deux parcs proches. Au sud de la Zona Rosa.

Bosque de Chapultepec

Agrémenté de lacs et de remarquables musées, c'est le plus grand parc de la capitale qui s'étend sur plus de 4 000 m^2.

Museo de Arte Moderno

Tél. (55) 5211 8381

Au pied de la colline, parmi des sculptures ornant un jardin, collections permanentes d'importants artistes mexicains, dont Kahlo, Rivera, O'Gorman, Orozco, Siqueiros et Tamayo. Ouvert du mardi au dimanche (jour gratuit) de 10 h à 17 h 30.

Museo Nacional de Antropología

Tél. (55) 5553 6381

L'un des plus beaux musées d'anthropologie au monde, dû à Pedro Ramírez Vázquez. Les civilisations mexicaines précolombiennes et celles des Indiens actuels, dans de nombreuses salles. Dans le Bosque de Chapultepec, du côté nord du Paseo de la Reforma. Ouvert du mardi au samedi de 9 h à 19 h, jusqu'à 18 h le dimanche (jour gratuit) et les jours fériés.

Polanco

Au nord du Bosque de Chapultepec, musées intéressants, restaurants, boutiques de luxe.

Basílica de Guadalupe

Près de la Plaza de las Tres Culturas, c'est le 12 décembre que la basilique attire le plus de pèlerins.

Museo de la Basílica de Guadalupe

Tél. (55) 5577 6022

Art religieux et intéressante collection de retables. Ouvert du mardi au dimanche de 10 h à 18 h.

San Angel

Marché d'art et d'artisanat le samedi Plaza San Jacinto. A 9 km au sud du Bosque de Chapultepec, ce quartier est traversé, à l'est, par l'Avenida Insurgentes Sur.

Museo Casa Estudio Diego Rivera y Frida Kahlo

Calle Diego Rivera 2, tél. (55) 5280 8771

Au nord-ouest de la Plaza San Jacinto, il servit de résidence et d'atelier au couple d'artistes. Œuvres de Rivera et expositions temporaires. Ouvert du mardi au dimanche de 10 h à 18 h ; droit d'entrée, sauf dimanche.

Ciudad Universitaria

Belle construction moderne, à 2 km au sud de San Angel, l'une des plus importantes universités d'Amérique latine. Elle comporte notamment une bibliothèque centrale répartie sur dix étages, un rectorat décoré d'une mosaïque à trois dimensions de Siqueiros, un musée d'art contemporain et un stade olympique de 80 000 places.

Centre d'enseignement pour étrangers

Tél. (55) 5622 2470, fax (55) 5616 2672

Cours intensifs en espagnol.

Coyoacán

A 10 km au sud de Mexico. Marché de bijoux et d'objets artisanaux le samedi et le dimanche dans le Jardín del Centenario.

Museo Frida Kahlo

Calle Londres 24, tél. (55) 5554 5999

Également nommé la Maison bleue, près de la Plaza Hidalgo. Œuvres de l'artiste et de ses contemporains ; objets précolombiens et artisanaux ayant appartenu aux propriétaires. Ouvert du mardi au dimanche de 10 h à 18 h.

Museo León Trotski

Avenida Rio Churubusco 410, tél. (55) 5554 0687

Trotski y fut assassiné. Sa maison et son bureau ont été conservés en l'état. Ouvert du mardi au dimanche de 10 h à 17 h.

Museo Anahuacalli

Calle del Museo 150, tél. (55) 5617 3797

La pierre volcanique donne à cet impressionnant musée, dessiné par Diego Rivera, une allure de forteresse. Il est à 4 km au sud de Coyoacán. L'artiste y collectionna des objets précolombiens, qui côtoient ses propres œuvres, dont certaines créées sur place dans l'un de ses ateliers. Ouvert du mardi au dimanche de 10 h à 18 h.

Xochimilco

Célèbre pour ses jardins flottants, cette bourgade située à quelque 20 km au sud de Mexico, est sillonnée de canaux que bordent des cultures maraîchères et des jardins de maisons. La visite en bateau, parfois sportive en raison de la circulation, permet d'imaginer ce qui fut l'une des méthodes de culture des Aztèques.

NATURE ET SPORTS

Pêche

En raison de ses innombrables côtes maritimes, lacs et cours d'eau, le Mexique se prête à ce sport, qui fait l'objet de tournois en mai et juin un peu partout. Pour les amateurs, un permis est nécessaire, valable trois jours, un mois, trois mois ou un an.

Dirección General de Ordenamiento Pesquero

Avenida Camarón Sábalo esq. Tiburón,
82100 Mazatlán, Sinaloa, tél. (669) 913 0907

Randonnées

Deux des plus importants sommets du Mexique, le Popocatépetl et l'Iztaccíhuatl se dressent respectivement à 60 km et 80 km au sud-est de Mexico. Le premier enferme un volcan en activité intermittente depuis son éruption de 1994. Le second n'est pas en activité ; il est donc accessible aux randonneurs. La présence d'un guide diplômé est néanmoins conseillée en raison des changements brusques de températures, du mal des montagnes et des crevasses.

Coordinadores de Guías des Montañas
Calle Tlaxcala 47, Colonia Roma, México DF, tél.-fax (55) 5584 4695

Manifestations sportives

Corridas
Tous les dimanches, d'octobre à avril, se déroulent des corridas de professionnels ; puis de juin à octobre celles des *novilleros*. Réserver notamment auprès des agences de voyages et des grands hôtels. Deux types de place sont disponibles : *sol* (soleil), peu onéreuses mais peu confortable, et *sombra* (hombre).
Monumental Plaza México
Calle Augusto Rodin 241, tél. (55) 5563 3961

Football
Presque toutes les fins de semaine, d'août à mai, ont lieu des rencontres de première division devant une foule nombreuse et enthousiaste. *Mexico City Times* et *The News* annoncent les dates et les équipes des rencontres futures. Parmi celles-ci, les plus courues sont Las Pumas, de l'université de Mexico, l'UNAM, et surtout Las Aguilas, les Aigles.
Estadio Guillermo Cañedo
Calzada de Tlalpan 3465, tél. (55) 5617 8080
Des billets sont en vente aux guichets situés devant les grilles du stade, immédiatement avant les rencontres.

Jai Alai

Ce jeu d'adresse a pour origine la pelote basque et fut introduit par les Espagnols. Les paris sont automatiquement associés au jeu et les amateurs se retrouvent tous les soirs, du mardi au dimanche, toute l'année, à partir de 19 h (17 h le dimanche). Les appareils photo et les téléphones portables sont strictement interdits.
Frontón México
Plaza de la República, tél. 5546 3240
Des rencontres réputées s'y déroulent.

OÙ LOGER

Le coût des chambres est donné à titre indicatif sous forme d'étoiles et pour une chambre double avec salle de bains en haute saison :
* standard : moins de 500 pesos
** bonne catégorie : de 500 à 850 pesos
*** première catégorie : de 850 à 1 700 pesos
**** catégorie supérieure : plus de 1 700 pesos

Centro Histórico

Hotel Gillow *
Isabel la Católica, tél. (55) 5518 1440
Édifice du XIXe siècle avec chambres coquettes.
Howard Johnson Gran Hotel ***
16 Septiembre 82, tél. (55) 5510 4040
A proximité du Zócalo, flamboyante construction, avec des dorures ornant ascenseurs et plafonds.

Alameda Central

Casa de los Amigos *
Ignacio Mariscal 132, tél. (55) 5705 0646
A 1 km à l'ouest de l'Alameda, près de la Plaza de la República, lieu de prédilection des étudiants et des écrivains. Quartier calme et résidentiel. Séjour minimum de 2 nuits et maximum de 15 jours.
De Cortés Best Western ***
Avenida Hidalgo, tél. (55) 5518 2181
Sa façade sombre dissimule un ancien hospice de 1780, et son agréable cour coloniale abrite un restaurant. Chambres avec tout le confort moderne.
Sevilla Palace ** - ***
Paseo de la Reforma 105, tél. (55) 5705 2800
Larges chambres modernes. Restaurants, piscine.

Roma - Insurgentes Sur

La Casona ***
Calle Durango 280, tél. (55) 5286 3001
Demeure du début du XXe siècle. Confort d'un *bed & breakfast* avec des chambres au style recherché.
Roosevelt *
Avenida Insurgentes Sur 287, tél. (55) 5208 6813
Bon rapport qualité-prix.

Zona Rosa – Chapultepec

Camino Real ****
Calzada General Escobedo 700, tél. (55) 5263 8888, www.caminoreal.com
Impressionnante architecture de qualité.
Hotel Century ***
Calle Liverpool 152, tél. (55) 5726 9911, www.century.com.mx, ventas@century.com.mx
Au sud de la Zona Rosa, cette construction à la tour élevée satisfera notamment les hommes d'affaires.
Four Seasons ****
Paseo de la Reforma 500, tél. (55) 5286 6020
Luxueuse construction entourant un patio-jardin, avec bar, restaurant de qualité, et piscine.
María Cristina **
Calle Río Lerma 31, tél. (55) 5566 9688
Ravissante demeure de style colonial, avec son patio orné d'une fontaine, ses pelouses impeccables, ses vastes salons et son délicieux restaurant.
Hotel Marquis Reforma ****
Paseo de la Reforma 465, tél. (55) 5211 3600
Grand luxe futuriste pour des chambres très confortables. Salle de remise en forme.

OÙ SE RESTAURER

Des éventaires émaillent les rues de la ville, proposant des plats chauds ou froids ainsi que des boissons, dont les délicieux jus de fruits tropicaux, à prix très abordables. Toutefois, il faut rester vigilant quant à la propreté du lieu. Les éventaires les plus fréquentés présentent le plus de garanties. Dans les marchés, les *comedores* sont pratiques, qui permettent de s'installer sur des bancs, le long de tables, avec des spécialités préparées sur place. Certains occupent un emplacement au Mercado San Juan, au sud de l'Alameda, où des produits de qualité sont également proposés de 9 h à 17 h.

Au petit déjeuner, les Mexicains n'hésitent pas à prendre de la viande et des légumes. On peut aussi demander un jus de fruit (*jugo de fruta*), un café (*café*) et, éventuellement, une tartine de pain grillé (*pan tostado*), du beurre (*mantequilla*), de la confiture (*mermelada*), ou bien des œufs (*huevos*).

Les étoiles sont attribuées à titre indicatif et les prix correspondent à un repas sans boisson.

*	moins de 130 pesos
**	de 130 à 250 pesos
***	plus de 250 pesos

Centro Histórico

La Casa de las Sirenas **
Guatemala 32, tél. (55) 5704 3345
Demeure du XVIe siècle convertie en un agréable restaurant mexicain et *cantina* à téquila. Belle vue sur la cathédrale de la terrasse.

Alameda Central

Café Tacuba * - **
Calle Tacuba 28, tél. (55) 5518 4950
Magnifique décor (peintures murales et azulejos sous un plafond voûté), savoureuses spécialités mexicaines. Ouvert tous les jours de 8 h à minuit.
Los Girasoles **
Calle Tacuba 8, Plaza Tolsá, tél. (55) 5510 0630
Restaurant réputé pour sa cuisine mexicaine imaginative et son décor stylé, terrasse.
Sanborn's Casa de Azulejos * - **
Avenida Madero, tél. (55) 5518 0152
Édifice historique avec des azulejos et un patio orné d'une fontaine mauresque. Bonne cuisine, sans rien d'exceptionnel.

Insurgentes Sur

Arroyo * - **
Avenida Insurgentes Sur 4003, Tlalpan, tél. (55) 5573 4344
Vaste et fréquenté, savoureux plats traditionnels, tels les *tacos*, *mole* et *cabrito* (chevreau).
La Taberna del León ***
Altamirano 46, Plaza Loreto, tél. (55) 5616 3951
Belle demeure du début du XXe siècle, réaménagée, où la cuisine internationale est élaborée.
Le Petit Cluny **
Ave de La Paz 58, San Angel, tél. (55) 5616 2288
Style bistrot européen, proposant des crêpes, des viennoiseries et des spécialités italiennes.

Polanco – Lomas de Chapultepec

Crêperie de la Paix * - **
Calle A. France 79, Polanco, tél. (55) 5280 5859
Délicieuses crêpes, dont certaines fourrées de toutes sortes de spécialités mexicaines.
La Valentina **
Avenida Presidente Masarik 393, Polanco, tél. (55) 5282 2297
Décor intérieur d'hacienda et cuisine traditionnelle inspirée de toutes les régions du pays.
Sir Winston Churchill's ***
Calle Avila Camacho 67, Polanco, tél. (55) 5280 6070
Exceptionnelles recettes de viandes et de fruits de mer, dans une demeure de style Tudor.

Zona Rosa – Condesa

Bellinghausen ** - ***
Calle Londres 95, tél. (55) 5207 4049
Ambiance et service stylés, viandes et fruits de mer.
Tezka ***
Calle Amberes y Calle Liverpool, tél. (55) 5228 9918
Excellentes spécialités basques et de fruits de mer.

SPECTACLES ET VIE NOCTURNE

Ballets folkloriques

Palacio de Bellas Artes
Eje Central Lázaro Cárdenas, tél. (55) 5512 2593
Mondialement connu, le Ballet Folklórico de México s'inspire de toutes les traditions du pays. Les billets peuvent s'acheter dès la veille aux guichets du Palacio, qui donne aussi des concerts et des opéras.
Teatro de la Ciudad
Calle Donceles 36, tél. (55) 5521 2355
Accueille une nouvelle troupe de qualité, le Ballet Folklórico Nacional de México Aztlán.

Mariachis

Au nord du Palacio, la Plaza Garibaldi, dès 20 h et jusque tard dans la nuit, est le lieu de rencontre de nombreux orchestres de mariachis, vêtus de leurs costumes de fête. Ils donnent aux passants généreux qui le demandent un aperçu de leur talent de chanteurs accompagnés de leurs guitares. Certains bars du quartier sont animés par leur propre orchestre.

Boîtes de nuit

La Zona Rosa regroupe de nombreux lieux de distraction qui s'anime à la nuit tombée.

Bar León
República de Brasil 5, tél. (55) 5510 3093
Musique tropicale.

La Boom
Rodolfo Gaona 3, tél. (55) 5580 6473
Vaste discothèque à l'atmosphère survoltée.

Area
Presidente Masaryk 201, Hotel Habita
L'un des lieux branchés, fréquenté par la jeunesse dorée de Mexico. Spectaculaire feu de cheminée.

Mesón Triana
Avenida Oaxaca 90, tél. (55) 5525 3880
Flamenco et musique sud-américaine.

Pervert Lounge
Uruguay 70, tél. (55) 5510 4454
Musique et décor s'inspirant des années 1960.

El Pop
Cinco de Mayo 7, tél. (55) 5518 0660
Boîte de nuit avec des salles à thème, notamment celle du bac à sable.

Dans les faubourgs sud de Mexico, comédiens et musiciens des rues animent les places centrales de Coyoacán et font la fête tous les soirs. Les bars à proximité ne sont pas en reste pour y participer.

NORD DE MEXICO

Des excursions d'une journée en autocar permettent d'atteindre la plupart des destinations depuis la capitale. Certaines, plus lointaines, sont accessibles par avion et demandent un séjour de 24 h. Elles se répartissent en zones géographiques par rapport à Mexico : nord, est, sud, ouest. La plupart des sites archéologiques sont les vestiges des plus importantes civilisations indiennes.

COMMENT SE DÉPLACER

En avion

Guanajuato est desservi par l'aéroport de León, distant de 10 km du centre ; de même que San Miguel de Allende. Querétaro est relié quotidiennement à Mexico par la compagnie Aeromar.

Aeromar (Mexico)
Tél. (55) 5133 1111

En autocar

Les départs se font de la gare routière Terminal Norte, à Mexico, et chaque compagnie dessert des régions bien particulières.
- AVM (Valle de Mezquital) : Tepotzotlán et Tula.
- ETN, autocars de luxe : Guanajuato, San Miguel de Allende, Querétaro.
- Autobuses San Juan, 2e classe : Teotihuacán.
- ADO, autocars 1re classe : Pachuca.

En voiture

Trois routes importantes mènent au nord de Mexico. La 57 D d'abord traverse la ville coloniale de Tepotzotlán et relie Querétaro, après la bifurcation atteignant Tula. La 130 D se dirige vers le nord-est et rejoint Pachuca. Enfin la 132 D conduit, par l'est, au monastère d'Acolman et au site archéologique de Teotihuacán.

Après Pachuca, plusieurs voies desservent le nord, en direction du canyon de Huasteca, et l'est, avant la côte du golfe du Mexique.

A SAVOIR SUR PLACE

Offices du tourisme

Guanajuato
Plaza de la Paz 14, tél. (415) 152 1574

San Miguel de Allende
Cerca Iglesia de San Rafael, tél. (515) 152 1747

Querétaro
Pasteur Norte 4, tél. (761) 712 1412 et 712 0907

Pachuca
Plaza de la Independencia, tél. (771) 715 1411

CULTURE ET LOISIRS

Tepotzotlán

Iglesia San Francisco Javier
L'une des plus belles du Mexique. Avec le monastère qui la jouxte, près du Zócalo, elle fut transformée dans les années 1960 en **Museo Nacional del Virreinato**, qui abrite quelques beaux exemples de l'art religieux, dont du mobilier, des porcelaines, des calices d'argent et quelques remarquables statues et tableaux d'origine. Ouvert du lundi au vendredi de 10 h à 18 h, en fin de semaine jusqu'à 17 h.

Tula

Zone archéologique
A 60 km de la capitale, elle surplombe, du haut d'une colline, un paysage de vallons. On suppose qu'elle fut la capitale de la civilisation toltèque. Le site est connu pour ses statues de guerriers de 5 m de haut.

Guanajuato

Ses mines d'argent découvertes, dès le XVIIe siècle, firent oublier son accès difficile. La ville a des constructions coloniales intactes et attire les étudiants en art. Ces particularités lui confèrent une atmosphère de jeunesse et de raffinement.

Universidad de Guanajuato
Lascuraín de Retana
Comporte trois galeries d'art, et réputée pour son excellent enseignement du théâtre et de la musique.
Museo del Pueblo de Guanajuato
Calle Pocitos 7
Face à l'université, cette demeure du XVIIe siècle, convertie, expose des œuvres de l'époque coloniale et contemporaines.
Museo y Casa de Diego Rivera
Lieu de naissance du peintre, en 1886, qui y vécut jusqu'à l'âge de six ans. Plusieurs de ses œuvres y sont exposées. Ouvert du mardi au samedi de 10 h à 18 h 30, jusqu'à 14 h 30 le dimanche.
Festivals
15 au 24 juin : Fiestas de San Juan, dans le parc Presa de la Olla avec danses, feux d'artifice et pique-nique. **Octobre** : Festival culturel international Cervantino. Il fut, à l'origine, consacré à l'écrivain espagnol Cervantes. Aujourd'hui de jeunes artistes venus du monde entier présentent leurs propres œuvres dans plusieurs lieux de la ville, y compris le Teatro Juárez, et ce, durant deux à trois semaines.

San Miguel de Allende

Museo Histórico
Cuna de Allende
Demeure du héros indépendantiste, transformée en musée, qui présente son itinéraire, ainsi que la ville et sa région, et aussi des expositions temporaires. Ouvert du mardi au dimanche de 10 h à 16 h.
Jardin botanique et jardin d'orchidées
Au sommet de la colline, El Charco del Ingenio est consacré aux cactus. Ses sentiers surplombent un grand canyon. Le jardin Los Pocitos abrite 230 espèces d'orchidées. Ouvert tous les jours de 7 h à 18 h.
Taboada
Station balnéaire réputée, Taboada est à 10 km au nord de San Miguel. Trois piscines, dont une olympique, agrémentent une vaste pelouse. Ouvert de 8 h à 17 h tous les jours sauf le mardi. Un bar est à disposition.
Festivals
Mai : durant le dernier week-end, dans la Valle del Maíz, se déroulent d'étranges célébrations en costumes, inspirées du XVIe siècle. Elles se terminent par un simulacre de bataille opposant *Indios y Federales*. Un magicien soigne les pseudo-blessés.

Querétaro

Convento de la Santa Cruz
Plaza de los Fundadores
L'apparition miraculeuse de saint Jacques soumit les Indiens otomis aux conquistadors. Ouvert du lundi au vendredi de 9 h à 14 h et de 16 h à 18 h ; le samedi et le dimanche de 9 h à 16 h.
Museo Regional
Il côtoie la superbe église San Francisco et retrace la vie de la région depuis l'époque précolombienne.
Museo de Arte
Allende Sur 14
Cette construction baroque du XVIIIe siècle, est un parfait exemple de l'architecture de cette époque, avec sa cour intérieure, ses statues et ses gargouilles. Ouvert du mardi au dimanche de 11 h à 19 h.
Feria Internacional
L'une des foires les plus importantes du Mexique, à la fois agricole, artisanale et commerciale, en décembre.

Teotihuacán

Le siège du plus grand empire précolombien se niche à 50 km au nord-est de Mexico, dans les montagnes surplombant la vallée. Il demeura un lieu de pèlerinage, car les Aztèques pensaient que les dieux s'étaient sacrifiés à cet endroit pour que le soleil puisse se mettre en mouvement. La citadelle servit de croisement aux deux principales artères, qui divisaient ainsi la ville en quartiers ; la direction nord-sud étant la voie des Morts.

Les ruines sont faciles d'accès, compte tenu de l'altitude, de la chaleur ainsi que des ondées, nombreuses l'après-midi de juin à septembre. Ouvert tous les jours de 8 h à 17 h avec une plus grande affluence de 10 h à 14 h, ainsi que le dimanche et les jours fériés.

Pachuca

A 90 km au nord-est de Mexico, bon point de départ pour organiser des excursions jusqu'aux confins de la Sierra Madre.
Centro Cultural Hidalgo
Deux musées, une galerie, une bibliothèque, une librairie et un théâtre dans le couvent de San Francisco. Ouvert du mardi au dimanche de 10 h à 18 h.

OÙ LOGER

Celaya

Hotel Celaya Plaza ** – ***
Blvd López Mateos Ponente, tél. (461) 614 6260
Restaurant, piscine, tennis.

Guanajuato

La Casa de espíritus Alegres ** – ***
Ex_Hacienda de la Trinidad 1, Marfil,
tél. (473) 733 1013
Demeure du XVIIIe siècle convertie par un couple d'artiste en un charmant B&B.
Las Embajadoras *
Parque Embajadoras, tél. (473) 731 0105
Vingt-sept chambres arrangées autour d'un patio.

León

Comanjilla Termas Spa **

Carratera Panamericana, Km 385, tél. (477) 714 6522

Confortable station thermale.

San Miguel de Allende

Aristos * – **

Calle del Cardo 2, tél. (415) 152 0149

Jouxte l'Instituto Allende. Quelque 60 bungalows, beau jardin, restaurant, piscine et tennis.

Casa de Sierra Nevada ****

Hospicio 35, tél. (485) 2 04 15

Bâtiments parfaitement décorés, entourés de constructions coloniales. Délicieux restaurant, piscine.

La Puertecita *** – ****

San Domingo 75, tél. (415) 152 5011

Sur une colline, charmant hôtel bien meublé, 25 suites Savoureuse cuisine. Piscine dans la verdure.

Rancho El Atascadero ** – ***

Prolongacíon Santo Domingo, tél. (415) 152 0206

Ancienne hacienda convertie. Les 51 chambres disposent de cheminée. Tennis, piscine, restaurant.

Querétaro

Hacienda Yextho ***

Carratera Las Adelitas-La Rosa, Tecozautla, Km 20,5, tél. (761) 733 5343, www.yextho.com

Hacienda aménagée en 25 suites luxueuses. Restaurant, piscine thermale, jacuzzi et équitation.

Casa de la Marquesa *** – ****

Madero 41, tél. (442) 212 0092

Demeure du XVIIIe siècle devenue hôtel de luxe.

Fiesta Americana Hacienda galindo ***

Carratera Amealco, km 5, tél. (427) 271 8200

Restaurants, piscines,166 chambres et suites.

Sol y Fiesta *

H. Col. Militar 4, Tequisquiapan, tél. (414) 273 1504

Piscine, jacuzzi, restaurant, 19 chambres.

OÙ SE RESTAURER

Guanajuato

Casa del Conde de la Valenciana ** – ***

Carratera Grito-Dolores Hidalgo, km 5, tél. (473) 732 2550

Bel édifice du XVIIIe siècle. Restaurant délicieux.

Hacienda del Marfil ** – ***

Arcos de Guadalupe 3, tél. (473) 733 1148

Installé dans une ancienne hacienda. Cuisine française et nouvelle cuisine mexicaine servies dans un cadre élégant.

San Miguel de Allende

Casa de Sierra Nevada ***

Hospicio 35, tél. (415) 152 0415

Raffiné, dans un des plus beaux hôtels mexicains.

El Mesón de San José * – **

Mesones 38, tél. (415) 152 3848

Superbe patio, cuisine internationale et mexicaine.

Mama Mia *

Umarán 8, tél. (415) 152 2063

Réputé pour ses plats internationaux et italiens.

Querétaro

Josecho's **

Dalia 1, cerca Plaza de Toros, Santa Maria, tél. (442) 216 0229

Plantureuses portions de viande et fruits de mer dans une ambiance des plus masculine.

La Mariposa * – **

A Peralta 7, tél. (442) 212 1166

Réputé depuis plus de 50 ans. Décor coquet. Cuisine mexicaine savoureuse.

EST DE MEXICO

COMMENT SE DÉPLACER

En avion

La seule possibilité pour atteindre Puebla sont les vols quotidiens de Mexico à Guadalajara.

Renseignements

Aero California

Tél. (220) 230 4855, à Puebla

En autocar

Les départs se font de la gare routière Terminal Oriente (deux heures pour Tlaxcala ou Puebla).

- ATAH : Tlaxcala, Apizaco, Huamantla.
- ADO : autocars directs 1re classe.
- AU : autocars directs 2e classe.

Ces deux dernières compagnies relient Puebla, de même que Estrella Roja, qui dessert aussi l'aéroport de Mexico.

En voiture

Une autoroute à péage, la 190 D, conduit à Puebla en traversant un haut plateau où apparaissent les sommets du Popocatépetl, de l'Iztaccíhuatl et de la Malinche. Au nord de l'autoroute s'étend le Tlaxcala. Vers l'est, la 150 D longe le Pico de Orizaba avant de descendre vers l'État de Veracruz, sur la côte du golfe du Mexique. Cette côte est également accessible en bifurquant au nord par la 140 et en descendant *via* Jalapa ; la route mène aussi aux confins de la Sierra del Norte. De nombreuses routes, au sud et à l'est de Puebla, conduisent à Oaxaca.

A SAVOIR SUR PLACE

Offices du tourisme

Tlaxcala
Calle Juárez y Calle Lardizabal, tél. 2 00 27
Puebla
Calle M. A. Camacho y Calle 2 Norte, tél. 46 12 85

CULTURE ET LOISIRS

Tlaxcala

Santuario de la Virgen de Ocotlán
L'apparition de la Vierge au XVIe siècle en a fait un lieu de pèlerinage célèbre dans tout le pays. Sa façade, achevée deux siècles plus tard, est un bel exemple de style churrigueresque.
Zócalo
Remarquable pour son vaste espace ombragé et pour l'intérieur du Palacio de Gobierno, orné d'une fresque de 400 m² due à Desiderio Hernández.

Puebla

Catedral
Au sud du Zócalo, elle passe pour être, de toutes les cathédrales mexicaines, celle qui a les proportions les plus équilibrées.
Casa del Alfeñique
Calle 6 Norte y Avenida 4 Oriente
Parfait exemple de style alfeñique du XVIIIe siècle.
Museo Amparo
Calle 2 Sur
Deux édifices coloniaux modernisés présentent une remarquable exposition d'art précolombien, sous l'angle anthropologique, historique et régional, ainsi que de beaux objets et meubles coloniaux. Ouvert tous les jours, sauf le mardi, de 10 h à 18 h.
Museo de Artesanías
Dans l'ancien Convento de Santa Rosa, panorama de l'artisanat de Puebla : objets en métal et onyx, poteries, vêtements indiens. Dans la cuisine fut inventé le *mole poblano*, sauce épicée à base de chocolat.
Cerro de Guadalupe
Au sommet de la colline, à 2 km au nord-est du Zócalo, ce parc comprend deux sites historiques et un ensemble de musées, dont un d'histoire naturelle, ainsi qu'un planétarium.
Parc safari Africam
Sur la route de Presa Valsequillo, à 16 km au sud-est de Puebla, animaux en liberté, dont des ours, des tigres et des rhinocéros. On a le choix entre rester dans sa voiture ou emprunter un autocar Africam (*tél. 35 09 75*). Des autocars Estrella Roja assurent des liaisons directes depuis le CAPU, gare routière de Puebla, à proximité de l'intersection de l'Avenida Norte et de l'Avenida Carmen Serdán, à 4 km au nord du Zócalo. Ouvert tous les jours de l'année.
Pyramide de Cholula
A 10 km à l'ouest de Puebla.
Festivités
Février-mars : carnaval de Puebla. **Septembre** : feux d'artifice et danses à Cholula.

OÙ LOGER

Tlaxcala

Posada San Francisco **
Plaza de la Constitucíon 17, tél. (246) 462 6022
Au sud du Zócalo, cette luxueuse demeure du XIXe siècle propose séjour confortable et excellente cuisine.

Puebla

Camino Real ***
Avenida 7 Ponente 105, tél. (222) 229 0909
Couvent du XVIe siècle aménagé où les chambres s'ornent de beaux objets anciens. Restaurant et bar.
Mesón Sacristía de la Compañia ** – ***
Calle 6 Sur N° 304, tél. (222) 242 3554
Magnifique demeure coloniale avec restaurant.
Royalty *
Puerto Hidalgo 8, tél. (222) 246 4740
Bon rapport qualité-prix. Sur la place centrale.

OÙ SE RESTAURER

Puebla

Fonda de Santa Clara * – **
Avenida 3 Poniente 307, tél. (222) 242 2659
Pour les amateurs de savoureux plats traditionnels.
Las Bodegas del Molino ***
Molino de San José del Puente, tél. (222) 249 0399
Le beau décor d'hacienda du XVIe siècle restaurée se prête à la cuisine particulièrement raffinée.

SUD DE MEXICO

COMMENT SE DÉPLACER

En autocar

Les départs se font de la gare routière Terminal Sur à Mexico. APM dessert Tepoztlán et Cuernavaca. Flecha Roja (FR) dessert Cuernavaca, Taxco et Ixtapan de la Sal.

En voiture

L'autoroute 95 D passe près de Tepoztlán, nichée entre de hauts sommets. Elle conduit également à Cuernavaca, située à 85 km de Mexico. Il en est de même de la route 95, qui passe par Taxco ; elle est moins rapide mais sans péage, souvent cher. Ces deux routes vont en direction du sud et jusqu'à Acapulco.

A savoir sur place

Offices du tourisme

Cuernavaca
Morelos Sur 187, tél. (777) 314 3872
Taxco
Avenida Kennedy, tél. (762) 622 0798

Culture et loisirs

Tepoztlán

Convento Dominico de la Natividad
Cet ancien couvent du XVIe siècle, transformé en musée, a une façade plateresque aux motifs symboliques, témoignant à la fois de la présence dominicaine et indienne.
Pyramide de Tepozteco
Sur une colline surplombant la ville; elle fut dédiée au dieu aztèque de la fertilité, Tepoztécatl.
Fêtes
Fin février-début mars : carnaval durant lequel Huehuenches et Chinilos, revêtus de leurs somptueux costumes, exécutent leurs danses. **Début novembre** : artisans et gens du spectacle font part au public de leurs talents.

Cuernavaca

Museo de Cuauhnáhuac
Au sud-est du Zócalo, musée installé dans l'ancien palais de Cortés. Les cultures mexicaines depuis l'époque précolombienne. Ouvert du mardi au dimanche de 10 h à 17 h.
Jardín Juarez
Touche l'angle nord-ouest du Zócalo et s'agrémente d'un belvédère dessiné par Gustave Eiffel.
Salto de San Antón
A 1 km du centre, de pittoresques ruelles mènent à une chute d'eau haute de 40 m, le *salto*. Cet endroit verdoyant jouxte le village de San Antón, où des potiers exercent leur talent.
Parc national Lagunas de Zempoala
Au nord-ouest et à 25 km de Cuernavaca, un parcours en lacet mène à sept lacs répartis sur les hauteurs. Ce lieu séduira les amateurs de camping, de randonnée et de pêche.
Laguna de Tequiquitengo
En direction du sud, à quelque 40 km de la ville, ce lac se prête à la pratique de sports nautiques, notamment le ski. Plusieurs stations thermales se répartissent dans les alentours, alimentées par des sources naturelles. S'adresser à l'office du tourisme.
Fêtes
Fin février-début mars : carnaval avec défilés et danses effectuées par les Chinelos de Tepoztlán. **21 mars-10 avril** : Feria de la Primavera. Concerts, événements artistiques, superbe exposition florale.

Taxco

Les 300 boutiques se surpassent pour proposer un choix incroyable de bijoux et d'objets en argent. Les objets doivent porter un poinçon orné d'un aigle déployé et la mention gouvernementale « .925 » garantissant la teneur en argent fin (92,5%). Si le bijou est trop petit pour ces mentions, un certificat devra être fourni garantissant la pureté du métal.
Templo de Santa Prisca
D'une belle architecture baroque du XVIIIe siècle, cette église de pierre rose s'élève sur la Plaza Borda. De fines sculptures ornent la façade churrigueresque.
Museo de la Plateria
Plaza Borda 1
Excellente présentation d'objets d'orfèvrerie. L'argent se mêle aux pierres semi-précieuses pour créer de véritables sculptures. Ouvert du mardi au dimanche de 9 h à 14 h et de 16 h à 18 h.
Fêtes
Fin novembre : Feria de la Plata, fête de l'argent. **16-24 décembre :** Las Posadas. Processions nocturnes aux flambeaux précédant Noël.

Où loger

Tepoztlán

Posada del Tepozteco ** – ***
Paraiso 3, tél. (739) 395 0010
Charmante auberge rustique sur une colline surplombant la ville, avec restaurant et bar.

Cuernavaca

Camino Real Sumiya ****
Tél. (777) 320 9199
Dans le sud de la ville, cette superbe demeure fut celle de Barbara Hutton. L'intérieur et les jardins alentour, d'inspiration japonaise, donnent aux 163 chambres et au cadre un cachet unique. Centre équipé pour accueillir les hommes d'affaires.
Las Mañanitas *** – ****
Ricardo Linares 107, tél. (777) 314 1466, www.lasmananitas.com.mx
Dans un parc où se promènent des paons, l'un des fleurons de l'hôtellerie mexicaine, restaurant réputé.
Papagayo *
Motolinía 3, tél. (777) 314 1711
Trois bâtiments impersonnels en contrebas de la cathédrale, mais prix modérés et piscine.
Posada Maria Cristina **
Juárez 300, tél. (777) 318 5767
Beau domaine orné de superbes jardins et piscine.

Taxco

Agua Escondido **
Guillermo Spratling 4, tél. (762) 622 1166
Très central, avec terrasse sur le toit.

Monte Taxco ***
Lomas de Taxco, tél. (762) 622 1300
Sur les hauteurs de la ville, accessible par télécabine. Restaurants, bar et piscine.
Posada de la Misión **
Cerro de la Misión 32, tél. (762) 622 0063
Orné des peintures murales d'O'Gorman. Excellent restaurant et piscine.
Posada San Javier *
Ex-rastro 4, tél. (762) 622 3177
Lieu retiré, agrémenté d'un joli jardin et d'une piscine.

OÙ SE RESTAURER

Tepoztlán
Casa Piñón **
Revolucíon 42, tél. (739) 395 2052
Restaurant en plein air, cuisine française avec une touche de saveur mexicaine.
Luna Mextlí * – **
Revolución 42, tél. (739) 395 1114
Ambiance bohème et bonne cuisine.

Cuernavaca
Las Mañanitas ***
Ricardo Linares 107, tél. (777) 314 1466
Restaurant exceptionnel dans un magnifique jardin.
La India Bonita **
Morrow 106-B, tél. (777) 312 5021
Très réputé pour sa savoureuse cuisine mexicaine.
La Strada **
Salazar 38, tél. (777) 318 6085
Beau patio et délicieuse cuisine italienne

Taxco
Hostería el Adobe * – **
Plazuela de San Juan 13, tél. (762) 622 1416
Décoration originale et excellente cuisine.
Pozolería Tia Calla *
Plaza Borda 1, tél. (762) 622 5602
Spécialité : le délicieux *pozole.*
Sr Costillas **
Plaza Borda 1, tél. (762) 622 3215
Célèbre pour ses plats mexicains et ses *spare-ribs.*

OUEST DE MEXICO

COMMENT SE DÉPLACER

En autocar
Les départs se font de la gare routière Terminal Poniente à Mexico.
– TMT : Toluca, Guadalajara, Chalma, Malinalco.
– Tres Estrellas de Oro : Cuernavaca, Taxco, Toluca, Ixtapan de la Sal.

En voiture
De Mexico, le Paseo Tollocan à quatre voies longe la ville de Toluca au sud. A Ixtapan de la Sal, la route 55 contourne la ville, côté ouest, sous le nom de Boulevard San Román.

A SAVOIR SUR PLACE

Office du tourisme
Toluca
Edificio de Servicios Administrativos,
Calle Urawa y Paseo Tolloca,
tél. (722) 212 6048

CULTURE ET LOISIRS

Toluca
Centro Cultural Mexiquense
Dans une ancienne hacienda, à 8 km du centre, ce vaste établissement regroupe trois musées.
Museo de Culturas Populares
Présente l'essentiel de l'art populaire mexicain, dont quelques remarquables arbres de vie.
Museo de Antropología e Historia
Retrace les époques préhistoriques jusqu'à nos jours et expose de belles créations précolombiennes.
Museo de Arte Moderno
De l'Academia de San Carlos à la Nueva Plástica, les artistes contemporains sont représentés, tels Orozco ou Tamayo. Ces trois musées sont ouverts du mardi au dimanche de 10 h à 18 h.
Casart
La Casa de Artesanía vend de beaux objets artisanaux sur le Paseo Tollocan.

Valle de Bravo
A 80 km de Toluca, un lac de barrage, transformé en station touristique propose des activités nautiques, telles le ski et la voile, mais aussi le deltaplane ou l'équitation.

Malinalco
A flanc de colline, l'un des rares temples aztèques assez bien préservés, au bout d'une piste à 1 km à l'ouest du centre. Ouvert du mardi au dimanche de 10 h à 16 h 30.

Chalma
A 10 km à l'est de Malinalco, ce village est l'un des plus grands lieux de pèlerinage du pays.

Ixtapan de la Sal
Cascades, eaux thermales, lacs, cours d'eau, piscines à vagues, tout un univers aquatique qui ravira, et rafraîchira, toute la famille, petits et grands. Ouvert de 10 h à 18 h.

Où loger

Toluca

Quinta del Rey ***

Paseo Tollocán, km 5, tél. (722) 211 8777

Style colonial avec 66 chambres, restaurant, bar, salle de gym, piscine.

Ixtapan de la Sal

Bungalows Lolita *

Blvd Arturo San Román 33, tél. (714) 143 0016

Bon rapport qualité-prix, restaurant, bar et piscine.

Où se restaurer

Toluca

La Canaña Suiza **

Paseo Tollocán, km 63, tél. (722) 216 7800

Bonne cuisine, nombreuses distractions pour enfants.

Cambalanche **

Carratera México-Toluca, Km 75,5, tél. (722) 211 4010

Roboratives portions de bœuf argentin.

BASSE-CALIFORNIE

Comment se déplacer

En avion

De Tijuana, Aeroméxico (*tél. 66-685 1530*) et Mexicana (*tél. 66-682 4183*) desservent notamment Mexico, Cancún et Los Angeles. Taesa (*tél. 66-683 5593*) relie principalement les villes mexicaines. Aero California dessert Mexico, avec des escales intermédiaires.

De l'aéroport El Ciprés, au sud d'Ensenada, des vols quotidiens Air LA partent pour Los Angeles ; de même que de l'aéroport de Mexicali, également desservi par Mexicana et Aero California.

A l'aéroport de La Paz, Aeroméxico (*tél. 612-122 0091*) relie Guadalajara, Los Angeles, Mazatlán, Mexico et Tijuana. Aero California dessert tous les jours Guadalajara, Loreto, Los Angeles, Los Mochis (pour le train du Barranca del Cobre), Mazatlán, Mexico et Tijuana.

Mexicana dessert quotidiennement, au départ de San José del Cabo, Mexico et les États-Unis.

En autocar

● Tijuana

Central de Autobuses

Avenida Madero y Calle 1a

Seuls les autocars ABC *(tél. 66-686 9010)* et la compagnie américaine Greyhound partent de cette gare.

Central Camionera

Tél. (66) 626 1701

A 5 km au sud-est du centre, cette gare routière accueille également ABC et Greyhound, parmi d'autres compagnies locales.

● Ensenada

Central de Autobuses

Avenida Riveroll 1075, tél. (66) 68 6550

- Estrellas de Oro et Norte de Sonora : desservent le Mexique continental, dont Mexico et Guadalajara.
- ABC : relie La Paz, Mexicali, San Felipe, Tecate, avant d'atteindre Tijuana.
- Autotransportes Aragón : assure un départ toutes les heures pour Tijuana.

● Mexicali

Central de Autobuses

Avenida Independencia

- Autotransportes des Pacífico et Norte de Sonora : desservent le Mexique continental, dont Mazatlán, Guadalajara et Mexico.
- Tres Estrellas : relie la plupart des villes de la Basse-Californie, dont Tijuana, Ensenada, Guerrero Negro, Loreto et La Paz.

Santa Rosalia

Plus de six autocars quotidiens desservent le Nord : San Ignacio, Guerrero, Ensenada et Tijuana ; et le Sud : Loreto, Ciudad Constitución et La Paz.

● La Paz

Central Camionera

Calle Jalisco y Calle Héroes de la Independencia

Les compagnies ABC, Autotransportes Aguila et Autotransportes de la Paz relient la plupart des villes du nord et du sud de la Basse-Californie.

En bac

Sematur

Au départ de Santa Rosalia (*tél. 615-852 0013*), en direction de Guaymas. Au départ de La Paz (*tél. 612-822 2393*), vers Los Mochis et de Mazatlán.

En voiture

La Transpéninsulaire traverse la Basse-Californie du nord au sud et longe des régions montagneuses, avant de poursuivre dans la partie subtropicale, délimitée par la première ville située au sud du 28e parallèle, Guerrero Negro.

A savoir sur place

Offices du tourisme

● Tijuana

Cámara Nacional de Comercio (CANACO)

Avenida Revolucíon y Calle 1a, tél. (66) 685 8472

SECTUR

Tél. (66) 688 0555

Dans la diagonale de la précédente.

- **Ensenada**

Comité de Turismo y Convenciones (COTUCO)
Ave Costero y Ave Gastelum, tél. (646) 178 2411
SECTUR
Boulevard Costero 1477, tél. (646) 172 3022

- **Mexicali**

Comité de Turismo y Convenciones (COTUCO)
Calzada López Mateos, tél. (646) 175 2376
SECTUR
Avenida Calafia, tél. (646) 176 1072
Dans une galerie marchande, face à la Plaza de Toros.

- **La Paz**

Oficina de Información Turistica
Paseo Alvaro Obregón, tél. (646) 172 5939

NATURE ET LOISIRS

Museo de Ciencias
A Ensenada, organise des sorties en mer de décembre à mars pour observer les baleines.
Parc national Sierra San Pedro Mártir
A l'ouest de San Felipe, le plus important de l'État, avec 650 km² de forêts de conifères et de pics granitiques. A l'est, de profonds canyons apparaissent sur un versant abrupt, où règnent les mouflons.
Observatorio Astronómico Nacional
A l'extrémité de la route de San Telmo. Ouvert le samedi de 11 h à 13 h.
Oasis de San Ignacio
A partir de Guerrero Negro, préfigure une région orientale subtropicale. Au sud de Loreto, la Transpéninsulaire se dirige vers la plaine de Magdalena, à l'ouest. Cette région agricole est aussi idéale pour la pêche, la planche à voile, l'observation des baleines.
La Paz
Plongée avec bouteilles ou avec tuba, possibilité de louer le matériel. Les grands hôtels organisent des sorties en mer. Le carnaval est parmi les plus intéressant du Mexique. Se renseigner à l'office du tourisme.

OÙ LOGER

Cabo San Lucas

Meliá San Lucas ***
Playa El Medano, tél. (624) 143 4444
Avec une plage privée.
Mar de Cortés *
Calle Guerero y Calle Cárdenas, tél. (624) 143 0232
Près du port de plaisance, bar et piscine.

Ensenada

La Pinta **
Autoroute d'Ensanada, tél. (646) 176 2601
Petit hôtel avec restaurant et bar. Excursions pour observer les baleines grises.

La Paz

La Concha Beach Resort ** – ***
Carratera Pichlingue, Km 5,
tél. (612) 121 6344
Agréable hôtel balnéaire et nombreuses activités.
La Posada de Engelbert ** – ***
Avenida Reforma y Playa Sur,
tél. (612) 122 4011, www.laposadaengelbert.com
Confortable résidence et restauration de qualité.
Perla * – **
Paseo Obregón 1570,
tél. (612) 122 0777
Au bord de la mer. Restaurant réputé et piscine.

Loreto

Eden loreto resort ****
Boulevard Misión de Loreto, tél. (613) 133 0700
De style hacienda, pour un séjour très confortable.
Posada de las Flores ****
Salvatierra esq. Fco 1, Madero,
tél. (613) 135 1162
Style colonial, au bord de la mer, piscine.
Plaza **
Hidalgo 2, tél. (613) 135 0280
Agréables chambres. Bar, restaurant, patio, piscine.

Mexicali

Crowne Plaza **
Blvd Lopez Mateos y Avenida de los Héroes 201,
tél. (686) 557 3600

Mulegé

Hacienda *
Calle Madero 3, tél. (615) 153 0021
Petite construction et bon rapport qualité-prix.
Serenidad **
Apdo Postal 9, tél. (615) 153 0530
A l'embouchure d'un fleuve. Agréable et confortable, bar, restaurant, piscine, excursions aux grottes.

Rosarito

New Port Beach *** – ****
Carratera Tijuana-Ensenada, km 45,
tél. (661) 614 1166
Agréable hacienda au bord de la mer. Studios 4 personnes avec cuisinette, restaurant dans patio tropical.
Rosarito Beach Hotel **
Boulevard Benito Juárez 31, tél. (661) 612 1106
Complexe balnéaire réputé, restaurant, piscines, tennis.

San Felipe

Las Misiones **
Avenida Misión de Loreto 148, tél. (686) 577 1280
Sur la plage, avec restaurant, bar, piscine et tennis.
Las Palmas **
Mar Báltico, tél. (686) 577 1333
Hôtel de 45 chambres. Restaurant, piscine, tennis.

San Ignacio
La Pinta **
Tél. (615) 154 0300, lapintahotels.com
Style colonial, avec restaurant et piscine.

San José del Cabo
Howard Johnson Plaza Suites ***
Paseo Finistera 1, tél. (624) 142 0999
Belle architecture. Piscine dans un jardin. Restaurant.
Presidente Inter-Continental ****
Boulevard Mijares, tél. (624) 142 0211
Luxueux complexe balnéaire retiré, près d'un lagon.
Tropicana Inn ***
Boulevard Mijares 30, tél. (624) 142 0970
Agréable hôtel. Restaurant dans un patio.
Westin Regína Resort ****
Transpéninsulaire, km 22,5, tél. (624) 142 9000
Tout le luxe dans un complexe balnéaire réputé.

San Quintín
La Pinta **
Playa Santa Maria, tél. (616) 165 9008, www.lapintahotels.com
Charmant hôtel sur la plage.

Santa Rosalia
Hotel del Real *
Avenida Manuel F. Montoya, tél. (615) 152 0068
Belle construction en bois. Restaurant, terrasse.
Hotel Francés **
Jean M. Cousteau 15, tél. (615) 152 2055
Une villa coloniale surplombe une colline, au nord de la ville.

Tecate
Hacienda Santa Verónica **
Autoroute 2, tél. (619) 298 4105, (1) 800 522 1516
A 4 km à l'est de Tecate. Hôtel calme, malgré les nombreuses activités, dont une piste pour motos.
Rancho La Puerta ****
Autoroute 2, tél. (619) 744 4222, (1) 800 443 7565, www.rancholapuerta.com
A 5 km à l'ouest de Tecate, luxueuse station thermale, restaurant, piscine, tennis.

Tijuana
Camino Real *** – ****
Paseo de los Héroes 10305, tél. (666) 633 4000, www.caminoreal.com
Tout le luxe pour 250 chambres. Restaurants, bars.
Grand Hotel Tijuana ***
Boulevard Agua Caliente 4558, tél. (666) 681 7000
Tour de 422 chambres. Restaurant, boîte de nuit.
Lucerna ***
Avenida Rodríguez y Paseo de los Héroes, tél. (666) 633 3900
Près d'une rivière. Restaurant, piscine, tennis.

Où se restaurer

Cabo San Lucas
Da Giorgío * – **
Misiones del Cabo, tél. (624) 145 8160
Sur une colline, à 5 km à l'est de la ville. Excellente cuisine italienne.
The Giggling Marlin **
Matamoros, Marina, tél. (624) 143 0606
Bar animé, danses, jeux et distractions.
The Shrimp Factory **
Marina Boulevard, tél. (624) 143 5066
Crevettes, uniquement, servies au poids.
The Office
Plaza El Medano, tél. (624) 143 3464
Sur la plage, ambiance mexicaine dans l'assiette et, les jeudi et dimanche à partir de 18 h 30, sur la piste.

Ensenada
La hacienda del Charro *
Avenida López Mateos 454, tél. (646) 178 3881
Poulet rôti au feu de bois.
El Rey Sol ** – ***
Avenida López Mateos 1000, tél. (646) 178 1733
Décor charmant et cuisine franco-mexicaine réputée.
La Embotelladora Vieja ***
Avenida Miramar 666, tél. (646) 174 0807
Cuisine franco-californienne dans une propriété vinicole de Santo Tomás.

La Paz
Bismarck **
Santos Degollado y Avenida Altamirano, tél. (612) 122 4854
Excellente cuisine mexicaine et fruits de mer.
La Terraza **
Obregón 1570, tél. (612) 122 0777
Face à la mer, couchers de soleil époustouflants.

Loreto
Cafe Olé *
Madero, tél. (613) 135 0496
Petit déjeuner décontracté, proche de la plaza.
El Nido **
Salvatierra 154, tél. (613) 135 0284
Excellents fruits de mer et viande. Bonne ambiance.

Mexicali
Mandlino * – **
reforma 1070, tél. (686) 552 9544
Spécialités toscanes variées.

Mulegé
Los Equipales *
Moctezuma, tél. (615) 153 0330
Près de Zaragoza, restaurant coquet, aéré. Terrasse.

Las Casitas * – **
Callejón de los Estudiantes, tél. (615) 153 0019
Spécialités de fruits de mer. Mariachis le vendredi soir.

Tijuana

Carnitas Uruapan *
Paseo de los Héroes y Avenida Rodriguez, tél. (666) 681 6181
Réputé pour ses *carnitas*, *tortillas* et *guacamole.*
Señor Frog's * – **
Via Oriente 60, Pueblo Amigo, tél. (666) 682 4962
Lieu agréable pour déguster une bonne cuisine.
Tía Juana Tilly's * – **
Avenida Revolución y Calle 7, tél. (666) 685 6024
Ambiance animée. Généreux plats mexicains.

CENTRE-NORD

COMMENT SE DÉPLACER

En avion

Des vols directs relient Mexico, Aguascalientes et Mazatlán, depuis l'aéroport, situé à 15 km de Ciudad Juárez. Mêmes vols au départ de Chihuahua.

En autocar

- **Ciudad Juárez**

Central de Autobuses
Éloigné du centre, il est accessible par les autobus locaux Ruta 1A, à destination de Lomas ou de Granjera, qu'il faut prendre au sud-est du carrefour que forment Guerrero et Corona.

Principales destinations : Chihuahua, Nuevo Casas Grandes, Mexico.

- **Chihuahua**

Central des Autobuses
Cette nouvelle gare est parfaitement équipée en restaurants, consignes, téléphone et autres services. Elle dessert un bon nombre de destinations, dont : Ciudad Juárez, Cuauhtémoc, Durango, Hidalgo del Parral, Nuevo Casas Grandes et Mexico.

- **Durango**

Central Camionera
A l'est du centre, accessible soit par le minibus blanc Ruta 2, soit en taxi.

En voiture

De Ciudad Juárez, les panneaux en direction de l'aéroport conduisent à la route 45, à quatre voies, qui mène à Chihuahua. Pour se rendre à Nuevo Casas Grandes, prendre la direction de l'ouest, depuis le rond-point au sud de Ciudad Juárez. A l'ouest de Durango, la route qui va à Mazatlán longe de beaux paysages. A proximité d'El Salto, les chutes d'eau et les canyons sont accessibles à pied.

A SAVOIR SUR PLACE

Offices du tourisme

Ciudad Juárez
Juárez y Lerdo, Malecón, tél. (656) 614 0837
Chihuahua
Libertad 1300, piso 1, tél. (614) 429 3421
Durango
Florida 1106, piso 2, Col. Barrio El Calvario, tél. (618) 811 1107

CULTURE ET LOISIRS

De nombreux itinéraires secondaires traversent des paysages de montagne époustouflants de beauté, avant d'atteindre la côte pacifique. La voie ferrée Chihuahua-Pacífico longe le canyon du Cuivre avant d'arriver à Los Mochis. Près de Nuevo Casas Grande, noter le village mennonite de Colonia Juárez, l'hacienda de San Diego et le village Mata Ortíz, qui produit des céramiques dont les techniques et les styles décoratifs s'inspirent des connaissances transmises par les Indiens paquinés.

Le 8 juillet, la fête de la fondation de Durango, au XVIe siècle, donne lieu à l'une des plus intéressantes manifestations du Mexique. Elle attire de célèbres orchestres, musiciens et danseurs, qui animent les foires agricoles, industrielles et artistiques.

OÙ LOGER

Chihuahua

Westin Soberano ***
Barranca del Cobre 3211, tél. (614) 429 2929, www.westinsoberano.com
Bel hôtel à 15 mn du centre.
Holiday Inn Hotel & Suites ** – ***
Escudero 702, tél. (614) 414 3350
Suites avec cuisine équipée. Piscine, jacuzzi, tennis.

Ciudad Juárez

Plaza Juárez **
Ave Lincoln y Avenida Coyoacán, tél. (656) 613 1310
Hôtel de style colonial avec piscine, bar et restaurant.

Ciudad Valles

Hotel Valles **
Boulevard Mexico y Laredo 36 Norte, tél. (481) 382 0050
Cadre agréable. Piscine et jeux pour enfants.

Barranca del Cobre

Mansión Tarahumara ***
Posada Barrancas, tél. (614) 415 4721 à Chihuaha
Une quinzaine de bungalows au cœur du canyon. Restaurant, bar, parc de stationnement. Bon accueil.

Margaritas *
Creel, tél. (614) 456 0045
Location de bungalows, en demi-pension.
Rancho Posada Barrancas ***
Tél. (668) 818 0046, www.mexicoscoppercanyon.com
Auberge rustique de 35 chambres avec cheminée. Restaurant et bar.
Riverside Lodge * – ******
Batopilas, tél. (1) 800 776 39 42
Hacienda du XIXe siècle, parfaitement restaurée, au cœur du canyon du Cuivre, 14 chambres, salle à manger au décor raffiné.

Où se restaurer

Chihuahua

La Casa de los Milagros * – **
Victoria 812, tél. (614) 437 0693
Restaurant de style colonial. Ambiance bohème.
Tony's ***
Juárez et Calle 39, tél. (614) 410 2988
Élégant restaurant pour une cuisine bien préparée.

NORD-OUEST

Comment se déplacer

En avion

L'aéroport d'Hermosillo (*tél. 662-661 0545*), dans le Sonora, est à 10 km du centre, sur la route de Bahía Kino. Aeroméxico relie notamment Chihuahua, Guadalajara, Los Mochis, Mexico et Tijuana. La compagnie Taesa propose des vols directs, surtout en direction de Mexico.

Le petit aéroport de Guaymas (*tél. 622-221 1122*), à quelque 10 km au nord-ouest de la ville et celui, plus important de Los Mochis (*tél. 668-815 2950*), à même distance du centre, sur la route de Topolobambo, sont desservis par Aeroméxico et Aero California, qui assurent des liaisons dans toute la région. Aero Litoral assure de vols directs vers La Paz (Bolivie).

En autocar

● **Hermosillo**
Central de Autobuses
Boulevard Encinas
A 2 km au sud-est de la ville, les autocars 1re classe se rendent, entre autres destinations, à Guadalajera, Guaymas, Mexico, Nogales et Tijuana.
● **Guaymas**
Calle 14 y Avenida 12
Trois petites gares routières se situent à cette même adresse, deux blocs au sud de Serdán. Elles abritent notamment les compagnies suivantes de 1re classe, qui sillonnent toute la région :
– Tres Estrellas de Oro
– Transportes Norte de Sonora
– Transportes del Pacífico
– Transportes Baldomero Corral
● **Los Mochis**
Tres Estrellas de Oro
Juárez y Degollado
Elite
Cette gare routière est située près de la précédente.

En train

Hermosillo
Gare ferroviaire, tél. (662) 617 1711
Située après le Boulevard Eusebio Dino, à 5 km au nord-est du centre, où s'arrête le train 1re classe, Estrella del Pacífico. Ce train passe aussi à 50 km au nord-est de Los Mochis, à Sufragio-San Blas, et longe la côte de Guadalajara à la frontière américaine.

En voiture

A partir de Nogales, la nationale 15 se dirige, à travers le désert de Sonora, en direction de Hermosillo, puis bifurque vers la mer et Guaymas. Elle longe la superbe côte pacifique sur 1 000 km, puis oblique à nouveau pour rejoindre l'intérieur des terres à Tepic, pour atteindre Guadalajara et Mexico.

A savoir sur place

Offices du tourisme

Nogales
Tél. 2 06 66
A l'extrémité ouest des grandes arcades.
Hermosillo
Calle Comonfort, tél. (662) 617 2964
A l'est du bâtiment Centro de Gobierno.
Guaymas
Avenida Serdán, tél. (622) 221 1436
Alamos
Calle Juárez 6, tél. (647) 428 0450
Los Mochis
Allende y Cuauhtémoc, tél. (668) 812 6640

Culture et loisirs

Centro Ecológico de Sonora
A Hermosillo, abrite de nombreuses espèces animales et végétales du désert de Sonora. Ouvert du mercredi au dimanche de 8 h à 17 h.
Barranca del Cobre
Le « canyon du Cuivre », succession de 20 canyons, se découvre notamment à bord de la ligne ferroviaire Chihuahua al Pacífico, reliant Los Mochis (gare, *tél. 2 93 85*), à Chihuahua (gare, *tél. 15 77 56*), en *primera especial*. L'un des trajets les plus pittoresques du pays.

OÙ LOGER

Alamos

Casa de los Tesoros **
Alvaro Obregón 10, tél. (647) 428 0010
Couvent du XVIe siècle restauré, restaurant, bar et piscine.

Guaymas

Flamingos *
Route Nord 15, tél. (622) 221 0961
Un certain confort, dont l'air conditionné, pour ce motel de 55 chambres. Restaurant, bar, piscine.
Playa de Cortés **
Baie de Bacochibampo, tél. (622) 221 0147
Hôtel réputé dans toute la région. Restaurant, bar, piscine, tennis et amarrage pour bateaux.

Hermosillo

Kino *
Pino Suárez Sur 151, tél. (622) 213 3131, www.hotelsuiteskino.com
Confortables chambres avec frigidaire et télévision. Restaurant et piscine.

Bahía Kino

Kino Bay *
Tél. (662) 242 0216
Studios avec cuisinette. Restaurant en face.
Posada Santa Gemma ***
Mar de Cortés y Río de la Plata, tél. (662) 242 0026
Motel confortable avec studios équipés de cuisine, salle de bains et cheminée.
Saro **
Tél. (662) 242 0007
Simples mais coquettes chambres sur la plage.

Puerto Peñasco

Costa Brava **
Malecón Kino y Calle 1ero de Junio, tél. (638) 383 4100
Petit hôtel en ville, impeccablement tenu.
Plaza Las Glorias ***
Playa Las Glorias, tél. (638) 383 6010
Au bord de la mer, style américain, bénéficiant d'un restaurant et d'une piscine.

San Carlos

Club Méditerranée ***
Playa Los Algodones, tél. (622) 226 1413, www.clubmed.com
Fiesta San Carlos *
Carratera San Carlos, Km 8, tél. (622) 226 1318
Motel de style temple maya, sur la mer. Piscine.
Las Playitas *
Carratera Varadero Nacional, km 6, tél. (622) 221 5696
Près de la base navale, 30 cottages avec air conditionné répartis sur la péninsule, amarrage de bateaux.
San Carlos Plaza ***
Mar Barmejo 4, tél. (622) 227 0077, www.guaymassancarlos.net
Parmi les plus luxueuses résidences de San Carlos.

OÙ SE RESTAURER

Guaymas

Baja Mar * – **
Avenida Serdán y Calle 17, tél. (622) 224 0225
Restaurant en ville servant d'excellents fruits de mer et soupes de poissons. Divers cocktails.

Bahía Kino

El Pargo Rojo * – **
Avenida del Mar 1426, tél. (622) 222 0205
Bon restaurant de viande et de fruits de mer.
Kino Bay *
tél. (622) 222 0049
Sur la plage, idéal pour un petit déjeuner ou un repas mexicain. Ambiance sympathique.

San Carlos

Jax Snax *
Carratera San Carlos, tél. (622) 226 0270
Restauration rapide, bons plats américano-mexicains.
Rosa's Cantina *
Carratera San Carlos
Lieu fréquenté surtout par des jeunes. Plats typiquement mexicains. Bon rapport qualité-prix.

NORD-EST

COMMENT SE DÉPLACER

En avion

L'aéroport de Nuevo Laredo est à 15 km au sud de Monterrey. Aeroméxico assure des vols directs pour Mexico et Guadalajara. Les aéroports de Matamoros et de Saltillo, à 15 km du centre, sont aussi desservis par Aeroméxico. Leurs adresses à Monterrey.
Aeroméxico
Padre Mier y Cuauhtémoc 812, tél. (81) 8343 5560
Mexicana
Hidalgo Poniente 922, tél. (81) 8340 5511
Aeromonterrey
Calzada San Pedro 500, Districto Garza Garcia, tél. (81) 8356 5661
Cette compagnie dessert toute la région.

En autocar

Nuevo Laredo

A 3 km au sud de la ville, autocars 1re classe, notamment : Transportes Frontera, Tres Estrellas de Oro, Transportes del Norte, ainsi que des autocars de luxe : Futura et Turistar. Les principales destinations sont Monterrey, Saltillo, San Luis Potosí, Zacatecas, Tampico et Mexico.

Monterrey

Colón, Pino Suárez y Reyes

La gare affrète les mêmes compagnies que celles gérées par Nuevo Laredo, à destination des principales villes de la région, jusqu'à Mexico.

En voiture

Au départ de Matamoros, la route 180 rejoint Tampico et la côte du golfe du Mexique, tandis que la 101 mène à Ciudad Victoria. Pour Monterrey, il faut emprunter la bonne route à péage 85 D qui conduit à Nuevo Laredo, et la 40 D jusqu'à Reynosa. Les routes périphériques évitent Monterrey et la 40 conduit à Saltillo, dans le Coahuila, bon point de départ pour le Nord-Ouest et pour Mexico, distante de 960 km, par l'autoroute 57 D.

A savoir sur place

Offices du tourisme

Nuevo Laredo

Tél. (622) 212 0104

Près du bâtiment des services d'immigration.

Ciudad Victoria

Rosales y Calle 5 de Mayo

Monterrey

Matamoros y Zaragoza, tél. (81) 8345 08 70

Saltillo

Coss y Allende

A 1,5 km au nord de la ville.

Culture et loisirs

Monterrey

Colonia del Valle

A 5 km au sud-ouest du centre, quartier le plus chic de Monterrey. Au-dessus, à Mesa de Chipinque, randonnées dans les bois à pied ou à cheval.

Centro Cultural Alfa

Avenida Gómez Morin 1100, tél. (378) 58 19

A Colonia del Valle, financé par le groupe industriel Alfa, il se consacre aux recherches en astronomie, informatique et physique.

Jardín Cientifico

A l'extérieur du centre culturel, installations pédagogiques et une belle peinture murale en verre de Rufino Tamayo. Ouvert du mardi au samedi de 15 h à 21 h (le dimanche de 11 h à 21 h).

Cascadas Cola de Caballo (Queue de Cheval)

A El Cercado, à 40 km au sud de Monterrey (autoroute 85), au milieu d'un paysage escarpé. Ouvert du mardi au dimanche de 9 h à 17 h (domaine privé).

Sierra Madre

De Linares, la nationale 58 monte à l'ouest vers la Sierra Madre jusqu'à Iturbide, puis redescend vers l'ouest et l'Altiplano Central et rejoint l'autoroute 57, entre Saltillo et Matehuala, à 100 km de Linares.

Où loger

Monterrey

Colonial **

Hidalgo 475 Ote, tél. (81) 8343 6791

Dans le centre, 100 chambres, certaines un peu bruyantes.

El Paso Autel *

Zarogoza y R. Martinez, tél. (81) 8340 0690

Motel, bien situé, au nord du quartier des affaires.

Gran Hotel Ancira Radisson Plaza ***

Ocampo 440 Oriente, tél. (81) 8345 1060

Hôtel réputé de 240 chambres. Restaurant, piscine.

Quinta Real ****

Diego Rivera 500, tél. (81) 8368 1000

Luxueuses prestations, restaurant, bar.

Santa Rosa Suites ***

Escobedo 930 Sur, tél. (81) 8342 4200

Suites élégantes, équipées avec tout le confort.

Saltillo

Camino Real ** – ***

Boulevard Los Fundadores 2000,
tél. (844) 438 0000, www.caminoreal.com

Excellent hôtel au sud-est de la ville. Restaurant, bar, tennis et golf.

Rancho El Morillo *

Prolongación y Echeverría, tél. (844) 417 4078

Ranch à 3 km au sud-est de la ville, entouré d'une belle végétation. Piscine, tennis, équitation.

Où se restaurer

Monterrey

El Tío **

Hidalgo 1746 Ponente y México, Col. Obispado
tél. (81) 8346 0291

Très fréquenté pour ses spécialités mexicaines.

Luisiana ** – ***

Avenida Hidalgo 530 Oriente, tél. (81) 8343 1561

Décor élégant, service stylé. Cuisine internationale savoureuse, dont les spécialités de fruits de mer.

Regio **

Avenida Gonzalitos y Insurgentes,
tél. (81) 8346 8650

Bonne chaîne de restauration. Savoureux chevreau et

biftecks cuits au feu de bois.
Señor Natural *
Mitras, tél. (81) 8378 4815
Bel assortiment de spécialités pleines de vitamines, accompagnées de yaourt et jus de fruits frais.

Saltillo
El Tapanco **
Allende Sur 225, tél. (844) 414 0043
En ville, superbe demeure du XVIIe siècle où sont servis d'excellents plats internationaux et mexicains.
Mesón del Principal **
Blvd V. carranza & Egipto, tél. (844) 416 2382
Excellent choix de *cabrito* (chevreau), rôti et préparé selon la façon du nord du Mexique.

PLATEAU CENTRAL

Le Nord comprend les États de Zacatecas, Aguascalientes et San Luis Potosí. L'Ouest, le Jalisco, Michoacán et Colima.

COMMENT SE DÉPLACER

En avion
Zacatecas
L'aéroport est à 20 km au nord de la ville. Mexicana et Taesa desservent notamment Mexico, Morelia et San Luis Potosí.
Aguascalientes
L'aéroport est à 22 km, sur la route de Mexico. Aeroméxico, Aerolitoral et Aero California assurent des vols directs quotidiens, dont ceux pour Mexico.
San Luis Potosí
L'aéroport est à 23 km du centre, sur la nationale 57. Les mêmes compagnies assurent de nombreux vols.
Guadalajara
A 18 km du centre, l'aéroport international Miguel Hidalgo reçoit beaucoup de compagnies aériennes, qui relient quantité de villes américaines et pas moins de 20 destinations mexicaines.
Morelia
L'aéroport est à 28 km du centre, sur la nationale Morelia-Zinapécuaro. Bonnes liaisons avec les villes.
Colima
Aeromar (*tél. 313 40*) et Aero California se rendent quotidiennement à Mexico, et assurent de nombreuses correspondances avec d'autres destinations.

EN AUTOCAR

Zacatecas
La gare routière, à 3 km du centre, dessert tous les jours, entre autres, Aguascalientes, San Luis Potosí, Guadalajara et Mexico.
Aguascalientes
Avenida Convención y Quinta
Les mêmes dessertes assurées, parmi d'autres.
San Luis Potosí
Avenida Diagonal Sur y José Guadalupe Torres
A la périphérie est de la ville, au sud du grand carrefour Glorieta Juárez. Mêmes destinations principales.
Guadalajara
Nueva Central, dans un complexe moderne de sept bâtiments (*modulos*) à Tlaquepaque, à 2 km au sud-est du centre, assure les liaisons longue distance. Chaque *modulo* abrite plusieurs compagnies et un bureau de renseignement. Il dispose de restaurants, d'une consigne, de téléphones et d'un télécopieur.
Morelia
Calle Eduardo Ruíz
Près du Zócalo, au nord-ouest, il est ouvert jour et nuit et dispose de consignes ainsi que de cafétérias.
Colima
Avenida Niños Héroes
A l'angle avec la voie de contournement de la ville par l'est, à 2 km du centre.

A SAVOIR SUR PLACE

Offices du tourisme
Zacatecas
Avenida Hidalgo 601, tél. 24 03 93
L'office est situé en face de la cathédrale.
Aguascalientes
Palacio de Gobierno, Plaza de la Patria, tél. (449) 915 1155
San Luis Potosí
Avenida Carranza 325, tél. (444) 812 9939
Guadalajara
Plaza Tapatía, Morelos 102, tél. 658 22 22
Morelia
Avenida Madero Poniente y Nogromante, tél. 13 26 54
Colima
Portal Hidalgo 20, tél. (312) 312 4360

CULTURE ET LOISIRS

Zacatecas
Cerro de la Bufa
Autobus Ruta 7 puis téléphérique du Cerro del Grillo.

Aguascalientes
Centro Deportivo Ojo Caliente
Sources thermales près de l'Avenida López Mateos.

Guadalajara
Museo Regional de la Cerámica
Independencia 237
Les meilleurs produits d'artisanat de Tlaquepaque.

Lago de Chapala
A 40 km au sud, facile d'accès en autocar.

Morelia

Casa de las Artesanías
Plaza Valladolid
Artisanat de tout le Michoacán, cher, mais irréprochable. Ouvert tous les jours de 9 h à 20 h.
Dirección de Operación y Desarrollo Turistico
Palacio Clavijero, tél. (443) 313 2654
Visites de la vieille ville.

El Rosario

Santuario de Mariposas
Réserve de papillons monarques. Ouvert tous les jours de novembre à avril. Autocars de Morelia à Angangueo. Ouvert tous les jours de novembre à mai ; droit d'entrée.

Pátzcuaro

Au cœur du pays des Indiens purépechas, à plus de 2 000 m. A 4 km au sud-est du Lago Pátzcuaro, à mi-chemin entre Morelia et Urapan, sur la route 14.

Colima

Museo de las Culturas de Occidente
Vaste édifice moderne, objets en provenance de tous les sites archéologiques de l'État. Ouvert du mardi au dimanche de 9 h à 19 h.

OÙ LOGER

Aguascalientes

Fiesta Americana ***
Paseo de Los Laureles, tél. (449) 918 7010
Près du parc San Marcos, 192 chambres climatisées, restaurant, piscine.
La Vid *
Boulevard José Chávez 1305,
tél. (449) 913 9150
Prix abordables, restaurant et piscine.
Quinta Real ***
Ave Aguascalientes Sur 601,
tél. (449) 978 5818
Décor luxueux pour les 85 suites, restaurant, piscine.

Guadalajara

Aranzazú Catedral * – **
Avenida Revolución 110 et Degollado,
tél. (33) 3613 3232
Grand et confortable, restaurant, boîte de nuit.
Hotel Francés *
Maestranza 35,
tél. (33) 3613 1190, fax (33) 3658 2831
Élégante demeure coloniale dans le centre. Ambiance agréable. Restaurant et bar.
Presidente Inter-Continental ***
Lopez Mateos Sur y Moctezuma, tél. (33) 3678 1234
Pyramide en verre de 15 étages. Immense hall et tous les services d'un hôtel de luxe.

Manzanillo

La Posada **
Lázaro Cárdenas 201, Las Brisas,
tél. (314) 333 1899
Sur une péninsule, lieu sympathique réputé, piscine. Petit déjeuner inclus.
Camino real las Hadas Golf Resort ****
Avenida de los Riscos y Vista Hermosa,
tél. (314) 334 0000, www.brisas.com.mx
Splendide résidence donnant sur la mer. Restaurants, piscines, tennis, golf.
Maria Cristina *
Calle 28 de Agosto 36, tél. (314) 333 0767
Hôtel impeccable de 21 chambres, près d'une plage. Piscine, TV et air conditionné.

Morelia

Hotel de la Soledad **
Zaragoza 90, tél. (443) 312 1888,
www.hsoledad.com
A une rue de la place principale, monastère converti en hôtel. Ses chambres spacieuses donnent sur une agréable cour fleurie. Bon restaurant.
Villa Montaña ****
Patzimba, tél. (443) 314 0231,
www.villamontana.com.mx
A la périphérie, 40 studios différemment décorés. Patios privés, piscine et vues splendides. Attention, pas d'enfants en dessous de 8 ans.
Virrey de Mendoza ***
Portal de Matamoros 16, tél. (443) 312 0633,
www.hotelvirrey.com
Idéalement situé sur la place principale. Restaurant.

Pátzcuaro

Hostería San Felipe * – **
Lázaro Cárdenas 321, tél. (434) 342 1298
Auberge de style colonial. Cheminées. Restaurant.
Los Escudos * – **
Portal Hidalgo 73, tél. (434) 342 0138
Belle demeure du XVIe siècle transformée en hôtel.
Mesón del Gallo *
Dr José María Coss 20, tél. (434) 342 1474
Restaurant, piscine, 25 chambres coquettes.

Zitácuaro

Rancho Motel San Cayetano **
Carr. Zitácuaro - Huetamo Km3,5,
tél. (715) 153 1926
Petit hôtel de 9 chambres. Idéal pour l'excursion à la réserve de Mariposas. Piscine.

San Luis Potosí
Fiesta Inn ** – ***
Carratera 57, tél. (444) 822 1995
Chambres confortables autour d'une grande piscine.
Westin San Luis Potosí ***
Lomas 1000, tél. (444) 825 0125
Domaine de style colonial parfaitement décoré. Restaurant, bar, piscine et jacuzzi.

Zacatecas
Continental Plaza **
Hidalgo 703, tél. (492) 922 6183
Bien situé sur la place principale. Restaurant, bar.
Mesón de Jobito ***
Jardín Juárez 143, tél. (492) 924 1722
Bel édifice du XIXe siècle, restaurant, piscine.
Posada de la Moneda *
Avenida Hidalgo 413, tél. (492) 492 0881
Modeste hôtel impeccable et central.

OÙ SE RESTAURER

Manzanillo
L'Recif ** – ***
Cerro del Cenicero, tél. (314) 334 2684
Posé en surplomb de la mer. Ne pas manquer le poisson au beurre noir.
Legazpi ***
Las Hadas Hotel, tél. (314) 334 0000
Dîner seulement. Service stylé, cuisine raffinée internationale avec une touche mexicaine.
Rosalba's *
Boulevard Miguel de la Madrid, km 13,
tél. (314) 333 0488
Petit déjeuner américano-mexicain. Délicieux fruits de mer, biftecks et *tacos.*
Willy's **
Crucero Las Brisas, tél. (314) 333 1794
Cuisine d'inspiration française, belle vue sur la mer.

Morelia
Fonda Las Mercedes **
León Guzmán 47, tél. (443) 312 6113
Demeure coloniale restaurée. Menus variés.
San Miguelito ** – ***
Chopin 45, tél. (443) 324 4441
Restaurant-bar-bazar. Décor original (presque tout est à vendre) et cuisine goûteuse.

Zacatecas
La Cuíja * – **
Mercado González Ortega,
tél. (492) 922 8275
Très bonnes spécialités de la région.
Quinta Real ** – ***
González Ortega, tél. (492) 922 9104
Superbe restaurant, cuisine internationale raffinée.

CÔTE PACIFIQUE

COMMENT SE DÉPLACER

En avion
L'aéroport international de Mazatlán est à 20 km au sud de la ville, desservi entre autres par Aeroméxico (*tél. 14 11 11*), Aero California (*tél. 13 20 42*), Taesa (*tél. 14 38 55*).

Tepic est aussi une escale pour visiter la région, au départ de Mexico et de Guadalajara.

L'aéroport international de Puerto Vallarta est à 10 km au nord de la ville. Aeroméxico (*tél. 4 27 77*), Mexicana (*tél. 4 61 65*), Taesa (*tél.1 15 21*).

L'aéroport international Ixtapa-Zihuatanejo est à 20 km de Zihuatanejo. Aeroméxico (*tél. 4 20 18*), Mexicana (*tél. 4 22 08*).

En autocar
Mazatlán
Avenida de los Deportes
Puerto Vallarta, Tepic et Mexico, entre autres villes.
San Blás
Sinaloa y Canalizo
Tepic
La gare routière est à la périphérie sud-est.
Puerto Vallarta
– Tres Estrellas de Oro et Elite
Basilio Badillo y Insurgentes, tél. 0 11 17
– ETN et Primera Plus
Lázaro Cárdenas, tél. 3 29 99
Mazatlán, Tepic, San Blás, Zihuatanejo et Mexico.
Zihuatanejo et Ixtapa
Tél. 4 34 77
A 2 km de la ville en direction d'Acapulco. Compagnies : Cuauhtémoc et Estrella Blanca.

En voiture
La circulation sur la route nationale côtière 200 est aisée et l'autoroute 15 est à proximité. Les routes intérieures, elles aussi très praticables, mènent aux régions montagneuses.

A SAVOIR SUR PLACE

Offices du tourisme
Mazatlán
Paseo Olas Altas 1300 y Mariano Escobedo,
tél. 85 12 20
San Blás
Juárez 65, tél. 5 02 67
Tepic
Avenida México 34 Sur, tél. 2 95 45
Puerto Vallarta
Plaza Principal, tél. 2 02 42

Zihuatanejo
Juan Alvarez, tél. (755) 554 20 01
Ixtapa
Sefotur, tél. (755) 553 19 67
A proximité du poste de police touristique.

NATURE ET LOISIRS

Une importante activité de Mazatlán concerne la pêche sportive : espadon, dorade, thon, etc. Se renseigner au Faro.
Centre de loisirs El Cid
Avenida Camarón,
tél. (669) 913 3333, poste 341
Ce centre organise les sports aquatiques, tels que ski nautique, planches de glisse, voile, parachute ascensionnel et scooter des mers. Excursions en bateau sur l'Isla de la Piedra, en face du Faro, ou vers les plages plus tranquilles qui bordent les trois îles au large de la ville, Venados, Lobos et Pájaros : départs du centre sportif Aqua.
Club de Golf Campestre
Tél. (669) 980 02 02
Route 15, au sud de la ville.

Mexcaltitán

La Venise du Mexique, ainsi nommée en raison des inondations de septembre à novembre, a le charme d'une île préservée, accessible en barques à fond plat (*lancha*) parmi les palétuviers de la lagune où vivent de nombreux poissons et oiseaux aquatiques.

San Blás

Les plages et la forêt y sont vierges. Une route carrossable, quittant l'autoroute 15, conduit à Las Islitas et à l'École océanographique.
Playas Los Cocos
Sous les *palapas* (parasols en toit de chaume), on peut siroter du lait de coco frais. A travers la jungle, une excursion en bateau mène à la source d'eau minérale, La Tovara, où une baignade est prévue, puis remonte l'Estuario San Cristóbal jusqu'au Crocodrilario (ferme de crocodiles).

Puerto Vallarta

Véritable décor de cinéma, entre monts verdoyants et baie d'un bleu étincelant. En dehors des plages renommées, il y en a beaucoup d'autres, belles, calmes et presque déserte, au sud, par la route côtière 200. De Mismaloya, à 10 km de la ville, on atteint, 5 km plus loin, Boca de Tomatlán, lieu sauvage à l'eau cristalline, que prolonge la très belle Playa de las Animas, près d'un village de pêcheurs. La plongée se pratique dans le parc sous-marin de Los Arcos, îlot situé au nord de Mismaloya, et aux Islas Marietas, à l'entrée de la baie.

OÙ LOGER

Mazatlán

El Cid ***
Avenida Camarón Sábalo, tél. (669) 913 3333, www.elcid.com
Vaste et luxueux hôtel-club de 1310 chambres sur la plage, 8 piscines, golf.
Las Moras ****
Tél. (669) 916 5045, à Mazatlán ;
réservation : Avenida Camarón Sábalo 204-6
Au pied de la Sierra Madre, hacienda du XIXe siècle décorée de meubles d'origine, dans un domaine à 48 km de Mazatlán. Ni télévision, ni téléphone. Pension complète. Piscine et tennis.
Las Palmas **
Avenida Camarón Sábalo 305,
tél. (669) 916 5664
Petit hôtel avec restaurant, bar et piscine.
Playa Masatlán ** – ***
Rodolfo T. Loaiza 202, tél. (669) 913 1120
Hôtel réputé, au bord de la mer. Restaurant, piscine.
Pueblo Bonito *** – ****
Camarón Sábalo 2121, tél. (669) 914 3700
Ravissante et confortable construction au bord de la mer. Autre hôtel à 15 min au nord de la ville, le Pueblo Bonito Emerald Bay, tél. (669) 988 0357.

San Blás

Bucanero *
Juárez 15, tél. (323) 285 0101
Dans le centre, coquet et bon marché. Restaurant.
Garza Canela **
Paredes Sur 106,
tél. (323) 285 0307, www.garzacanela.com
La meilleure adresse de la ville. Air conditionné et piscine. Service en plusieurs langues. Petit déjeuner inclus. français, anglais et allemand parlé.

Puerto Vallarta

Camino Real ****
Playa Las Estacas, tél. (322) 221 5000
Complexe balnéaire, en retrait sur l'une des plus belles plages. Restaurant, bar, piscine et tennis.
Costa Azul Adventure Resort ** – ***
Tél. (322) 2 04 50
Au nord de la ville, propice à la vie en plein air : sports aquatiques, bicyclette, randonnée, équitation.
Los Cuatro Vientos *
Matamoros 520, tél. (322) 222 0161
Charmante résidence sur une colline. Restaurant et bar. Petit déjeuner continental inclus.
Marriott Casa Magna ****
Paseo Marina 5, Marina Vallarta,
tél. (322) 221 0004
Luxueux hôtel. Restaurants, jeux pour enfants.

Quinta María Cortés ** – ***
Calle Sagitaro 132, tél. (322) 225 2322, www.quinta-maria.com
Étonnant décor d'antiquités et de tableaux, piscine. Superbes baignoires ; pas de TV ; piscine.

Zihuatanejo-Ixtapa

Casa Elvira *
Paseo del Pescador 8, tél. (755) 554 2061
Réputé à Zihuatanejo depuis bon nombre d'années.
Barcelo Beach Resort ****
Paseo de Ixtapa, Zona Hotelera, tél. (755) 553 1858
Étonnant décor en verre. Près du golf.
La Casa Que Canta ****
Camino Escénico Playa la Ropa, Zihuatanejo, tél. (755) 555 7030
Luxueuse, discrète oasis tropicale. Sublime décoration et service raffiné. Bon restaurant.
Las Brisas Ixtapa ****
Playa Vista Hermosa, Ixtapa, tél. (755) 553 2121, www.brisas.com.mx
Niché au pied d'une colline sur la plage.
Villa del Sol ****
Playa La Ropa, tél. (755) 554 2239, www.hotelvilladelsol.com
Petit hôtel charmant de style colonial. Réservation conseillée.

OÙ SE RESTAURER

Mazatlán

Angelo's ** – ***
Pueblo Bonito Hotel, tél. (623) 914 3700
Excellents décor, cuisine et réputation.
Doña Dona *
Avenida Camarón Sábalo, tél. (623) 914 2200
Style américain. Bons petits déjeuners.
El Tunel *
En face du théâtre Angela Paralta.
Authentine cantine mexicaine, ouverte en 1945.
Papagayo ** – ***
The Inn, Mazatlán Hotel, tél. (623) 913 5500.
En bord de mer, bonne cuisine mexicaine.
El Shrimp Bucket **
Olas Altas 11 en La Siesta, tél. (623) 982 8019
Bon restaurant de la chaîne Anderson.
Pastelería Panamá *
Avenida Camarón Sábalo y Las Garzas, tél. (623) 913 6977
Bons plats et pâtisseries.
Sr Peppers ***
Avenida Camarón Sábalo, tél. (623) 914 0101
Près du Camino Real. Délicieux biftecks et crevettes.
Vittore **
Rodolfo T. Loaiza 100, tél. (623) 986 2424
Excellentes pastas et cuisine italienne en terrasse.

Puerto Vallarta

Chef Roger ** – ***
Basilio badillo 180, tél. (322) 222 5900
Cuisine franco-suisse, avec une touche mexicaine : résultat excellent.
Don Pedro's **
Playa Sayulita, tél. (322) 275 0229
Délicieuse cuisine mexicaine, au nord de la ville.
La Jolla de Mismaloya *** – ****
Zona Hotelera Sur, Km 11,5, tél. (322) 226 0660, www.lajollademismaloya.com
Belle propriété dans la baie de Mismaloya. Nombreux restaurants, bars, piscines, et activités sportives aquatiques. Possibilité de pension complète.
Pancake House * – **
Basilio Badillo 289, tél. (322) 222 6272
Ouvert pour de copieux petits déjeuners et les soirs pour prendre un verre ou venir dîner.
Archie's Wok **
francisca Rodríguez 130, tél. (322) 222 0411
Bonne cuisine asiatique, dont plats végétariens.

San Blás

McDonald's *
Calle Juárez 36
Imprévu : bonnes spécialités mexicaines.
Garza Canela **
Paredes Sur 106, tél. (323) 285 0307
Cuisine internationale honnête.

Zihuatanejo-Ixtapa

Beccofino ** – ***
Marina de Ixtapa, tél. (755) 553 1770
Délicieux plats italiens, dont les fruits de mer.
Casa Elvira * – **
Paseo des Pescador 8, Zihuatanejo, tél. (755) 554 2061
Connu de longue date. Bonne cuisine mexicaine.
Coconuts ** – ***
Paseo Agustín Ramírez 1, tél. (755) 554 2518
L'un des plus anciens établissements, réputé pour ses fruits de mer et son choix de viandes. Bar animé.
La Casa Que Canta ***
Tél. (755) 555 7030
Excellentes préparations inspirées de la cuisine française, servies dans un décor romantique.
La Sirena Gorda * – **
Paseo del Pescador 20-A, Zihuatanejo, tél. (755) 554 2687
Bons petits déjeuners et tacos aux fruits de mer.
La Valentina ** – ***
Boulevard Ixtapa, tél. (755) 553 1190
L'aspect d'une hacienda et de bons plats mexicains.
Villa de la Selva ***
Paseo de la Roca, Ixtapa, tél. (755) 553 0362
Vue spectaculaire. Délicieuse cuisine internationale.

ACAPULCO

COMMENT SE DÉPLACER

Avion

L'aéroport international d'Acapulco est desservi par bon nombre de compagnies, dont Aeroméxico (*tél. 85 16 00/25*), Mexicana (*tél. 84 68 90/37*) et Taesa (*tél. 86 56 00/1*).

En autocar

Estrella de Oro
Avenida Cuauhtémoc y Avenida Wilfrido Massieu, tél. 85 93 60
Estrella Blanca
Avenida Ejido 47, tél. 69 20 28/30
Ces deux gares relient notamment Cuernavaca, Puerto Escondido, Taxco, Zihuatanejo et Mexico.

En voiture

Acapulco est accessible de l'est ou de l'ouest par la route côtière 200 ; du nord par la 95 et la 95 D. La Playa Caleta est aussi le début de l'Avenida Costera Miguel Alemán, principale avenue d'Acapulco.

A SAVOIR SUR PLACE

Office du tourisme

Secretaría de Fomento Turistico de Guerrero
Avenida Costera 187, tél. 86 91 67/68
Procuraduría del Turista
Avenida Costera 4455, tél 84 44 16
Près du centre des congrès. Ouvert tous les jours de 8 h à 22 h.

NATURE ET LOISIRS

Dans la baie d'Acapulco se pratiquent les sports nautiques : ski, scooter, parachute ascensionnel. Des organisateurs, installés sur les plages, louent des voiliers ou des bateaux à moteur, du matériel de plongée, et proposent des sorties sportives en mer. La plupart des croisières se font au départ du Malecón.
La Quebrada
Les plongeurs qui s'élancent de 40 m de haut dans un étroit passage agité par la houle font frémir les voyageurs depuis les années 1930. On peut voir ce spectacle du bar de l'hôtel El Mirador.
Isla de la Roqueta
Un bateau à fond vitré partant des Playas Caleta et Caletilla fait la traversée en 10 mn.
Pie de la Cuesta
A 10 km au nord-ouest, petite péninsule offrant une halte agréable (mais sans baignade à cause du ressac) où admirer le coucher du soleil en sirotant un cocktail dans l'un des restaurants de plage.
Puerto Marqués
Pour les amateurs de ski nautique et de voile. Belle vue sur la baie d'Acapulco du haut de la Carretera Escénica.
Playa Revolcadero
En direction de l'aéroport et longeant la zone touristique Acapulco Diamante, les surfeurs l'apprécieront l'été. En raison des vagues hautes, la baignade est interdite.

OÙ LOGER

Boca Chica ***
Playa Caletilla, tél. (744) 483 6388
Petit hôtel sur une anse. Restaurant, piscine. Les prix s'entendent petit déjeuner et dîner compris.
Elcano ***
Costera Miguel Alemán 75, tél. (744) 484 1950, www.hotel-elcano.com
Réputé et rénové. Superbes piscine et plage.
The Fairmont Acapulco Princess ****
Playa Revolcadero, Acapulco Diamante, tél. (744) 469 1000
L'un des plus vastes complexes luxueux d'Acapulco.
Los Flamingos * – **
Calle López Mateos, tél. (744) 482 0690
Superbes vues. Restaurant et piscine.
Misión **
Calle Felipe Valle 12, tél. (744) 482 3643
Charmant hôtel bon marché. Ventilateurs.
Mayan Palace ***
Avenida costera de las palmas 1121, tél. (744) 469 0201
Étonnante architecture de style maya. Tout le luxe.
Las Brisas
Carratera Escénica 5255, tél. (744) 484 1580, www.brisas.com.mx
Casitas au calme réparties sur une colline. Service très stylé. Restaurants, piscines, tennis.

OÙ SE RESTAURER

Betos Tradicional * – **
Costera Miguel Alemán, Playa Condesa, tél. (744) 484 0473
Idéal pour savourer le homard en contemplant la vue.
Carlos and Charlie's ** – ***
Costera Miguel Alemán 112, tél. (744) 484 0039
Très fréquenté, mais agrément d'une terrasse.
Casa Nova ** – ***
Carratera Escénica 5256, tél. (744) 484 6819
Les saveurs de la cuisine de l'Italie du Sud.
El Amigo Miguel * – **
Benito Juárez 31, tél. (744) 483 6981
Apprécié des Mexicains. Excellents fruits de mer.

El Cabrito * – **
Avenida Costera Miguel Alemán, tél. (744) 484 7711
Ambiance et spécialités mexicaines.
Kookaburra ** – ***
Route de Las Brisas, tél. (744) 484 1448
Cuisine internationale, surtout des fruits de mer.
Madeiras ** – ***
Route de Las Brisas, tél. (744) 484 6921
Bon rapport qualité-prix. Réserver. Vue magnifique.
Zorrito's * – **
Avenida Costera Miguel Alemán y Antón de Alaminos, tél. (744) 485 3735
Spécialité de *pozole*, ragoût de porc épicé.

CÔTE DU GOLFE

COMMENT SE DÉPLACER

En avion

A l'aéroport de Tampico, à 15 km au nord du centre, Mexicana (*tél. 13 96 00)* dessert quotidiennement Veracruz et Mexico, et Aero Litoral (*tél. 28 08 57*) relie notamment Veracruz.

De Veracruz partent les vols des compagnies Aeroméxico (*tél. 35 01 42*), Mexicana (*tél. 32 22 42*) et Aerocaribe (*tél. 22 52 05*) reliant Mexico, les villes de la côte du golfe du Mexique et du Yucatán.

En autocar

Tampico
Rosario Bustamente
A 8 km du centre, la gare routière abrite les compagnies 1re classe ADO et LA. Elles desservent les principales destinations en direction de Mexico, ainsi que celles de la côte du Golfe et de l'intérieur.
Tuxpan
Les compagnies ADO et Estrella Blanca se rendent à Tampico, Jalapa, Papantla, Veracruz, Villahermosa et Mexico. Réserver longtemps à l'avance.
El Tajín
Nombreux autocars locaux vers le site au départ de Papantla.
Jalapa (Xalapa)
La gare routière, moderne, se situe à 2 km du centre. Les compagnies 1re classe ADO et celle de luxe UNO desservent la région ainsi que Mexico et Puebla.
Veracruz
Calle Díaz de Mirón y Xalapa
Gare routière ADO et UNO, desserte de toute la région jusqu'à Mexico et Puebla. La ville est un nœud routier.
Catemaco
Aldama y Bravo
Gare routière ADO. Les autocars longue distance sont peu nombreux. Il est préférable de les emprunter au départ d'Andrés Tuxtla, à 12 km à l'ouest par la route 180.

En voiture

La route côtière 180 va du nord au sud, de Tampico à Catemaco et à sa Laguna. Ce parcours de 800 km est relayé par des routes qui se dirigent vers l'intérieur, vers les régions montagneuses, jusqu'aux contreforts de la Sierra Madre, ainsi que vers les sites archéologiques. Les trajets sont émaillés de cours d'eau et de lacs. A Acayucan se rencontrent les nationales 180 et 185 ; cette dernière se dirige vers le sud et le Pacifique en traversant l'isthme de Tehuantepec.

A SAVOIR SUR PLACE

Offices du tourisme

Tampico
20 de Noviembre, tél. (833) 212 0007
Tuxpan
Palacio Municipal, tél. 4 01 77
Jalapa
Torre Animas, tél. 12 85 00
Veracruz
Palacio Municipal, Zócalo, tél. 32 19 99
Córdoba
Nord-ouest du Palacio Municipal, tél. 2 25 81
Orizaba
Palacio Municipal, Avenida Colón Oriente, tél. 6 22 22

CULTURE ET LOISIRS

Huasteca
L'arrière-pays de Tampico, le long des contreforts de la Sierra Madre orientale, se visite notamment au départ de Ciudad Valles, sur la nationale 85 (Panaméricaine).
El Tajín
A quelques kilomètres de Papantla. Ouvert tous les jours de 9 h à 17 h. Le centre d'accueil abrite un restaurant et des boutiques. A proximité, spectacles de *voladores* totonaques de midi à 16 h.
Jalapa (Xalapa)
Le passionnant musée d'Anthropologie abrite sept têtes olmèques géantes et de superbes objets.
Pico de Orizaba
Point culminant du Mexique (5 610 m). Circuits en 4x4 (se renseigner à l'office du tourisme).

OÙ LOGER

Tampico

Camino real ***
Hidalgo 2000, tél. (833) 213 8811, www.caminorealaltampico.com

Niché dans un jardin luxuriant. Restaurants, piscine, salle de gym. Droit d'accès au golf et au tennis.
Posada del Rey *
Madero 218 Oriente, tél. (833) 214 1024
Hôtel central rénové mais sans ascenseur.

Catemaco
La Finca **
Carretera 180 Costera del Golfo, Km 147
tél. (294) 943 0322, www.allmexicohotels.com
Sur le lac. Restaurant, disco, piscine.

Coatepec
Posada Coatepec ***
Hidalgo 9, tél. (228) 816 0544
Ravissant aménagement d'une hacienda authentique.

Jalapa (Xalapa)
Casa Inn *
Avenida 20 de Noviembre Ote, 522,
tél. (228) 818 9411, www.hotelesenxalapa.com
Hôtel confortable, central, proche de la gare routière.
Fiesta Inn **
Carratera Xalapa-Veracruz, km 2,5,
tél. (228) 812 7920
Nouveau et confortable, à la périphérie de la ville.

Papantla
Tajín * – **
Nuñez y Domínguez, tél. (784) 842 0644
Une rue après le Zócalo. Chambres spacieuses.

Poza Rica
Poza Rica Best Western * – **
2 Norte et 10 Orient, tél. (782) 822 0112
Confortable hôtel du centre. Restaurant, bar.

Tuxpan
Plaza * – **
Juárez 39, tél. (783) 834 0738
Hôtel de 57 chambres. Air conditionné.
Tajín Misíon ***
Carratera a Cabos, km 2,5, tél. (783) 834 2260
Superbe complexe. Pension complète. Belles vues.

Veracruz
Emporio ** – ***
Insurgentes Veracruzanos 210, tél. (229) 932 0200
Sur le port. Balcons avec de belles vues.
Mocambo ***
Blvd A. Ruiz Cortines 4000, tél. (229) 922 0203
Grand et vieil hôtel touristique sur la plage Mocambo.
Crowne Plaza Torremar Resort ***
Blvd A. Ruiz Corines 4300, tél. (229) 929 2100
Hôtel très couru par les Mexicains en villégiature.

OÙ SE RESTAURER

Tampico
Diligencias * – **
H. del Cannonero y López de Lara,
tél. (833) 213 7642
Une rue après la Plaza de la Libertad. Les meilleurs fruits de mer en ville. Prix raisonnables.

Catemaco
La Finca *
Costera del Golfo, km 147, tél. (294) 943 0322
L'une des meilleures adresses de la ville.
Los Sauces *
Paseo del Malecón, tél. (294) 943 0548
Près du lac. Délicieux poissons, dont la perche.

Coatepec
Casa Bonilla * – **
Juárez y Cuauhtémoc, tél. (228) 816 0374
Réputé pour ses langoustines et ses crevettes.
El Tío Yeyo * – **
Santos Degollado 4, tél. (228) 816 3645
Spécialités, dont truite et langouste. Bar animé.

Jalapa (Xalapa)
La Casa de Mamá **
Avila Camacho 113, tél. (228) 817 6232
Renommé pour ses fruits de mer, viandes et desserts.
Churrería del Recuerdo *
Guadalupe Victoria 158, tél. (228) 818 1678
Très fréquenté. Dîner seulement : excellente cuisine traditionnelle mexicaine. Pas d'alcool.

Tuxpan
Posada Don Antonio's **
Avenida Juárez y Garizurieta,
tél. (783) 834 1602
Fruits de mer savoureux. Près de l'hôtel Reforma.

Veracruz
El Gaucho ** – ***
Colón 642, tél. (229) 935 0411
Fréquenté pour ses viandes de qualité et ses pâtes.
La Parroquia *
Gómez Farías 34, Malecón, tél. (229) 935 0411
« La Parroquia, c'est Veracruz » : une institution.
Gran Café del Portal *
Independencia y Zamora, tél. (229) 931 2759
Café populaire et restaurant au décor authentique.
La Fuente de Mariscos **
Hernán Cortés 1524, tél. (229) 938 2412
Pour grands amateurs de fruits de mer.
Villa Rica * – **
Mocambo Beach, tél. (229) 922 2113
Les meilleurs fruits de mer en ville.

OAXACA

COMMENT SE DÉPLACER

En avion

Mexicana et Aeroméxico assurent des liaisons quotidiennes avec Mexico (une heure de vol).

Aerocaribe dessert tout les jours Acapulco et survole également les impressionnants paysages de la Sierre Madre.

Certaines compagnies plus petites, comme Aeromorelos, desservent les stations balnéaires du Pacifique : Puerto Escondido et Bahías de Huatulco.

En autocar

Gares routières

Calzada Niños Héroes de Chapultepec 1036

Les trois gares routières 1re classe et de luxe, ADO, UNO et Cristóbal Colón, sont à 2 km au nord-est du Zócalo. Elles desservent la côte pacifique ; Puebla et Mexico au nord ; ainsi que Veracruz, Tuxtla Gutiérrez, San Cristóbal de las Casas et Villahermosa, au sud.

En voiture

Séparé du centre du Mexique par des montagnes, l'État d'Oaxaca est à 250 km au sud de Mexico, à laquelle il est relié par la nouvelle autoroute 135 D.

Il est traversé par les routes 175 et 190, qui se rejoignent à Oaxaca, sa capitale, avant de se séparer à nouveau vers le nord.

La route 200 longe la côte pacifique.

En train

Exceptionnellement, et à condition d'en accepter la lenteur et le manque de confort, il est possible d'emprunter le train spécial El Oaxaquenó, entre Mexico et Puebla, et traverser ainsi des paysages montagneux de toute beauté. Se renseigner sur les retards de manière à faire le trajet de jour.

Gare d'Oaxaca

Calzada Madero 511

A 2 km à l'ouest du Zócalo.

A SAVOIR SUR PLACE

Offices du tourisme

Oaxaca

- *Calle 5 de Mayo 200, tél. (951) 516 4828*
- *Avenida Independencia 607, tél. (951) 516 0123*

CULTURE ET LOISIRS

Artisanat

De par la remarquable qualité des objets artisanaux réalisés par les Indiens, Oaxaca joue le double rôle d'important centre artisanal, tant sur le plan national que régional. Les plus belles réalisations sont en vente dans les boutiques, mais les marchés proposent des prix plus abordables. Il est possible de faire des achats directement dans les villages. Les prix sont les mêmes mais les Indiens en tirent un plus grand profit.

Oaxaca

Museo Regional

A proximité de l'Iglesia de Santo Domingo, ce musée rénové est une bonne initiation aux trésors archéologiques des sites des Valles Centrales ou de Monte Albán. Ouvert du lundi au vendredi de 10 h à 18 h (17 h le samedi et le dimanche).

Valles Centrales

A une journée de route d'Oaxaca. Ruines précolombiennes, villages d'artisans et marchés.

Monte Albán

Site zapotèque à quelques kilomètres à l'ouest d'Oaxaca.

Teotitlán del Valle

A 25 km d'Oaxaca, réputé pour la qualité de ses tissages, et son Mercado de Artesanías déborde de couvertures, *sarapes* et tapis.

Mitla

A 45 km au sud-est, les plus belles mosaïques de pierre précolombiennes.

Puerto Escondido

Cette station balnéaire est un paradis pour les surfeurs. Pour se baigner, mieux vaut se rendre à la plage Puerto Angelito, à l'ouest de celle dite Bahía Principal. Elle est desservie par de petits bateaux à moteur de la Bahía, les *lanchas*, qui font l'aller et le retour à heure convenue à l'avance. Les autres plages peuvent être dangereuses à cause du ressac.

Lagunas de Chacahua

A l'ouest de Puerto Escondido, ces lacs font partie du parc national du même nom et permettent de découvrir les mangroves où vivent toutes sortes d'oiseaux et aussi crocodiles et tortues, parmi les orchidées et la végétation tropicale.

OÙ LOGER

Huatulco

Casa del Mar ***

Balcones de Tangolunda 13, tél. (958) 581 0104

Belles suites sur une falaise où des marches ont été creusées.

Villablanca **

Boulevard Benito Juárez y Sapoteco,
tél. (958) 587 0606, www.villablancahotels.com.mx

Hôtel de style colonial. Restaurant, bar, piscine.

Camino Real Zaachilá Resort ****
Playa Rincón Sabroso, Baya Tangolunda, tél. (958) 581 0460, www.camino-real-zaachila.com
Luxueux complexe parfaitement équipé.

Oaxaca

Camino Real Oaxaca ****
Calle 5 de Mayo 300, tél. (951) 516 0611, www.camino-real-oaxaca.com
Couvent du XVIe siècle et son cloître, au nord du Zocaló.
Fiesta Inn ** – ***
Avenidad Universidad 140, tél. (951) 516 1122
Confortable hôtel. Bon restaurant, belle piscine.
Hacienda de la Noria ** – ***
La Costa 100, tél. (951) 514 7555, www.lanoria.com
A un quart d'heure du centre, avec un restaurant et un bar. Même gérance que la résidence Hostal de la Noria Hidalgo 918 (tél. 514 7844) dans le centre.
Parador Plaza * – **
Murguía 104, tél. (951) 514 2027
Ravissant hôtel de style colonial autour d'un patio.

Puerto Escondido

Aldea del Bazar ** – ***
Avenida Benita Juárez, tél. (954) 582 0508
Sur une falaise surplombant la plage Bacocho, hôtel colonial, confortable. Restaurant, piscine, sauna.
Santa Fe ** – ***
Calle del Morro, tél. (954) 582 0170
Bel hôtel sur la plage de Zicateal. Chambres personnalisées. Excellent restaurant (fruits de mer).
Arco Iris *
Calle del Moro, tél. (954) 582 0432
Coquet et simple. Grande piscine et restaurant.

OÙ SE RESTAURER

Huatulco

Avalos * – **
Bahía Santa Cruz, tél. (958) 587 0128
Sur la plage, délicieuses spécialités de poissons.
Casa del Mar ** – ***
Balcones de Tangolunda 13, tél. (958) 581 0203
Superbes vues. Bons plats internationaux et mexicains.
Maria Sabinas * – **
La Crucecita, tél. (958) 587 1039
Sur la plage, savoureux poissons et viandes.

Oaxaca

El Asador Vasco ** – ***
Portal de Flores 11, tél. (951) 514 4755
Bonne cuisine basque mais service peu efficace
El Refectorio ** – ***
Hotel Camino Real, Calle 5 de Mayo 300, tél. (951) 516 0611
Excellentes spécialités internationales et régionales.
Flamanalli **
Avenida Juárez 39, Totitlán del Valle, tél. (951) 562 0255
Charmant restaurant zapotèque. Vente de tissages.
La Asunción * – **
Hotel de la Noria, tél. (951) 514 7844
Nouvelle cuisine d'Oaxaca, très bien présentée.
La Casita *
Avenida Hidalgo 612, tél. (951) 516 2917
Réputé pour ses excellentes spécialités d'Oaxaca.
Los Jorge * – **
Pino Suárez 806, tél. (951) 513 4308
Délicieux poissons et fruits de mer.

Puerto Escondido

Banana's **
Avenida Pérez Gasga, tél. (954) 582 0005
Ambiance italo-mexicaine décontractée dans ce restaurant de plage.
Santa Fe * – **
Calle del Morro, tél. (954) 582 0170
Vues magnifiques. Délicieux plats mexicains.

TABASCO ET CHIAPAS

Ces deux États offrent un contraste entre les difficultés économiques du Chiapas et l'essor de Tabasco, grâce notamment au pétrole. De plus, le Chiapas est un pays de montagnes volcaniques, entouré de forêts de pins et de quelques plaines ; alors que le Tabasco, sillonné de cours d'eau, qui se jettent dans le golfe du Mexique, s'agrémente d'une végétation équatoriale luxuriante.

COMMENT SE DÉPLACER

En avion

Villahermosa
Aeroméxico (*tél. 993-312 1558*), Aerocaribe (*tél. 993-316 5046*) et Aviasca (*tél 993-14 5770)* relient Villahermosa, dans le Tabasco, aux principales destinations du sud du pays, ainsi qu'à Mexico.
Tuxtla Gutiérrez
Cette ville du Chiapas possède deux aéroports, dont le plus important est l'Aeropuerto Llano San Juan, à 28 km à l'ouest de la ville, et le second l'Aeropuerto Terán, à 5 km à l'ouest de la place centrale. Aviasca (*tél. 961-612 4999*) relie notamment Mexico ; Aerocaribe (*tél. 961-612 2053*), Villahermosa, Palenque, Oaxaca et Mexico.

Palenque
Le petit aéroport abrite Aerocaribe (*tél. 916-345 0618 ou 916-345 0619*) assurant la desserte quotidienne de Villahermosa, Tuxtla et Cancún.

En autocar

● **Villahermosa**
ADO et Cristobál de Colón, compagnies de 1re classe, assurent plusieurs dessertes quotidiennes du centre du Mexique. Réserver bien à l'avance.
ADO
Javier Mina, tél. (993) 312 8900
● **Tuxtla Gutiérrez**
ADO et Cristóbal Colón
2 Norte y 2 Ponente Norde
Au nord-ouest de la place principale. Ces compagnies desservent la région, Oaxaca, le Yucatán et Mexico.
● **San Cristóbal de las Casas**
Cristóbal Colón - Autobuses del Sur
Insurgentes y Panamericana
Dessertes régionales, le Yucatán et Mexico.

En voiture

La route 180 traverse Villahermosa, relayée par la 186 pour atteindre l'État de Campeche.

En ce qui concerne le Tabasco, la route 200 longe la côte Pacifique ; la 190 rejoint Tuxtla Gutiérrez et se dirige vers Oaxaca, alors que la 195 rejoint la Bahía de Campeche, sur la côte du golfe du Mexique.

Il est fortement conseillé d'éviter de conduire la nuit, ou seul le jour, car certaines régions sont isolées et la sécurité pas du tout garantie. La tentation de vol peut être grande dans les régions pauvres et l'agression, parfois musclée.

A SAVOIR SUR PLACE

Offices du tourisme

Villahermosa
Paseo Tabasco 1504, Tabasco 2000, tél. (993) 316 2889
Tuxtla Gutiérrez
- *Calle Central Norte y Avenida 2 Norte Ponente, tél. (961) 612 5509*
Office municipal.
- *Boulevard Belizario Domínguez 950, tél. (961) 612 5509*
Office du tourisme de l'État du Chiapas, à 2 km à l'ouest de la place principale.
San Cristóbal de las Casas
Plaza Principal Ponente, tél. (967) 578 0414
Au nord du Palacio Municipal.
Palenque
Mercado de Artesanías, Juárez, tél. (916) 345 08 28

CULTURE ET LOISIRS

Villahermosa

Parque-Museo de La Venta
A 130 km à l'ouest, sur une île à l'embouchure du Río Tonalá, abrite une cité olmèque, symbolisée par trois énormes têtes atteignant 2 m de haut. Au milieu du parc, jardin de sculptures et zoo. Ouvert tous les jours de 8 h à 17 h (vente de billets jusqu'à 16 h).
Zoomat
A 30 mn en autocar de Tuxtla Gutiérrez, regroupe d'importantes espèces : grands félins, singes, oiseaux et papillons. Ouvert du mardi au dimanche de 8 h à 17 h 30.
Cañón del Sumidero
A quelques kilomètres à l'est de Tuxtla. Des bateaux sillonnent le canyon ; l'embarquement se fait à l'embouchure, à l'Embarcadero de Cahuare, à 500 m de la 190. Prévoir vêtements chauds et produits solaires.

San Cristóbal de las Casas

Mercado Municipal
Entre Utrilla et Belisario, très animé, attire de nombreux Indiens, qu'on peut aussi rencontrer dans les villages des environs, mais il est risqué de s'y rendre à pied.

Ocosingo

De cette petite ville sur l'autoroute 199 de San Cristóbal à Palenque, où vivent des Indiens mestizos et tzeltzals, partent les visites des ruines mayas de Toniná.

Palenque

Zone archéologique
Accessible par minibus ou taxi. Ouvert tous les jours de 8 h à 17 h.
Cascades Agua Azul
A 60 km au sud. La baignade n'est pas recommandée car l'eau dissimule de nombreux rochers.

Comitán

Excursions vers les Lagunas de Montebello, succession de 60 lacs. Randonnées sur des sentiers calmes et faciles.

OÙ LOGER

Ocosingo

Central *
Plaza, tél. (919) 673 0024
Douze chambres simples avec salle de bains.

Palenque

Chan-kah Centro *
Juárez 2, Plaza Principal, tél. (916) 345 0318

Coquet hôtel. Chambres prolongées par un balcon, restaurant.
Plaza Palenque Best Western * – **
Boulevard Pakal, tél. (916) 345 0555
Confort moderne. Restaurant, piscine.

San Cristóbal de las Casas

Casa Mexicana * – **
Calle 28 de Agosto 1, tél. (967) 678 0698
Style colonial, central. Restaurant, tennis.
Ciudad Real Teatro *
Diagonal Centenario 32, tél. (967) 678 6200
Ravissant édifice colonial agrémenté d'un patio. Chambres confortables et restaurant.
Flamboyant Español **
Calle 1 de Marzo 15, tél. (967) 678 0726, www.flamboyant.com.mx
Demeure coloniale, patio, restaurant.

Tuxtla Gutiérrez

Camino Real ***
Boulevard Belisario Domínguez 1195, tél. (961) 617 7777, www.caminoreal.com/tuxtla/
Sur une colline. Confort moderne et superbe cadre avec restaurant, bar, piscine et tennis.
Flamboyant **
Boulevard Belisario Domínguez, km 1081, tél. (961) 615 0888
A 4 km à l'ouest du centre, dans un décor exotique raffiné, restaurant, bar, boîte de nuit, tennis.

Villahermosa

Camino Real ***
Paseo Tabasco 1407, tél. (993) 316 4400, www.camino-real-villahermosa.com
Hôtel moderne jouxtant un golf dans le complexe Tabasco 2000. Restaurants, bars, piscine.
Cencali ** – ***
Avenida Juárez y Paseo Tabasco, tél. (993) 315 1999, www.cencali.com.mx
Hacienda aménagée en hôtel. Belles vues sur le parc.

OÙ SE RESTAURER

San Cristóbal de las Casas

La Selva Café *
Cresencio Rosas 9, tél. (667) 578 7268
Excellentes spécialités régionales. N'accepte pas les cartes de crédit.

Villahermosa

Los Tulipanes ***
Carlos Pellicer, Centro Cultural Cámara, tél. (993) 312 9209
Excellent restaurant, encore peu connu.

PÉNINSULE DU YUCATÁN

La péninsule du Yucatán se divise en trois États : le Campeche, à l'est, le Yucatán au nord et le Quintana Roo à l'ouest. Au-delà du Río Usumacinta, en direction de la péninsule, apparaît le royaume des Mayas.

COMMENT SE DÉPLACER

En avion

Campeche
L'aéroport est au bout de l'Avenida López Portillo, dite Avenida Central.
Mérida
L'aéroport se trouve à 10 km au sud-ouest de la Plaza Mayor. La plupart des vols internationaux passent d'abord par Cancún ou Mexico à bord de Mexicana (*tél. 999-924 6633*). Les lignes intérieures sont assurées, entre autre, par Aerocaribe ou Aviasca.
Cancún
L'aéroport international est le plus important du sud-est du Mexique. Il est desservi par de nombreux vols internationaux, parmi lesquels ceux d'Aeroméxico (*tél. 998-884 3571*). Les vols intérieurs sont assurés notamment par Aerocancún (*tél. 998-983 2475*) et Aviasca (*tél. 998-887 4214*).
Cozumel
L'aéroport international accueille de nombreux vols directs en provenance de tout le Mexique. Aerocozumel (*tél. 987-872 0928*) assure des liaisons quotidiennes avec Cancún.

En autocar

Les gares routières sont communes aux compagnies ADO et UNO.
Campeche
Avenida Gobernadores
Mérida
Calle 70 n° 555 (Calle 69 y Calle 71)
Valladolid
Calle 37 (Calle 54 y Calle 56)
Cancún
Avenida Uxmal
Chetumal
Avenida de los Insurgentes y Belice

En bac

Isla Mujeres
Pour rejoindre l'embarcadère des bacs de passagers de Puerto Juárez, qui dessert l'île Mujeres, il faut prendre un autobus de Cancún, Ruta 13, vers le nord de l'Avenida Tulum.
Île de Cozumel
Emprunter le bac de passagers à Playa del Carmen, en face de l'île, ou le bac pour voitures de Puerto Morelos, à 35 km au sud de Cancún.

En voiture

La route 180 relie Campeche à Mérida Puis à Cancún en passant par Valladolid. La route 307 longe la côte de la mer des Caraïbes.

A savoir sur place

Offices du tourisme

Campeche
Plaza Moch Couoh, Ave Ruiz Cortinez s/n, Col. Centro, tél. (981) 816 6767
Mérida
- *Calle 60 y Calle 57*
- *Calle 59 y Calle 62*

Cancún
26, Avenida Tulum, tél. (998) 884 0437
Isla Mujeres
Plaza Principal, tél. (998) 877 0316
Cozumel
Plaza Principal, tél. (987) 872 0972
Chetumal
Avenida de los Héroes, tél. (983) 832 3663

Culture et loisirs

Chetumal

Au sud de Campeche, la nationale 186 part d'Escárcega, à travers la jungle pour rejoindre Chetumal. Sur le trajet se succèdent plusieurs sites archéologiques importants.

Xpujil, Becan et Chicanna
Regroupés en association, les guides de Xpujil peuvent prolonger l'excursion en 4x4 jusqu'aux sites retirés de Cakamul, Hormiguero et Río Bec. On peut réserver au restaurant El Mirador Maya 24 h à l'avance.

Mérida

La capitale du Yucatán est parfaitement équipée pour accueillir les touristes : hôtels, restaurants et transports. La Plaza Mayor est le cœur de la ville depuis l'époque maya . Les rues adjacentes abritent les organismes et services utiles aux voyageurs.

Museo de Arte Contemporáneo Ateneo
Œuvres d'artistes réputés de l'État. Ouvert tous les jours, sauf mardi, de 10 h à 18 h.

Museo Regional de Antropologia
Paseo de Montejo y Calle 43
Histoire des Mayas depuis les origines. Bon préalable à la visite des sites archéologiques près de Mérida. Ouvert du lundi au samedi de 8 h à 20 h (14 h le dimanche).

Celestún
Intéressante excursion au départ de Mérida, qui permet de découvrir une réserve ornithologique pour observer notamment les flamants roses. Un bateau à moteur (*lancha*) peut être loué au pont sur la route, à 1 km à l'est de la ville. Le trajet et l'observation durent chacun une demi-heure. La *lancha* peut embarquer 8 personnes.

Les **monts Puuc**, en direction d'Uxmal, ont donné leur nom à l'architecture particulière de cette région. **Uxmal** est parmi les plus belles villes mayas. A environ 30 km à l'est d'Uxmal, Ticul est une grande ville au sud de Mérida, une halte agréable avec les bons restaurants qui longent la Calle Principal. Au nord-ouest de Ticul, Muna s'orne d'**églises coloniales.**

Chichén Itzá
A l'ouest du site, près du village de Piste, sont regroupés les hôtels et les restaurants, à 2 km de l'entrée occidentale des ruines. Le site est ouvert tous les jours de 8 h à 17 h ; entrée principale à l'ouest.

Cancún

Isla Mujeres
A 10 km au large. La baignade et la plongée se pratiquent au sud, le long de la côte occidentale. Éviter la côte orientale. Pour plonger vers les épaves des magnifiques récifs de la mer des Caraïbes, il faut un permis. Des bateaux on peut louer des bateaux et prendre un guide spécialisé.

Reserva Especial de la Biósfera
Une excursion en bateau permet d'atteindre l'Isla Contoy et la réserve, où abondent cormorans, pélicans et flamants roses.

Cozumel

Playa del Carmen attire de plus en plus d'amateurs de belles plages, d'activités sportives et de vie nocturne. La côte occidentale abrupte et le ressac rendent la côte orientale dangereuse. Pour la plongée, on peut louer bateau et matériel, et demander les services d'un moniteur, dans l'Avenida Melgar, sur le front de mer.

Où loger

Campeche

Hotel América *
Calle 10 n° 252, tél. (981) 816 4588
Construction coloniale, bon rapport qualité-prix.

Del Mar Ramada **
Avenida Ruíz Cortines 51,
tél. (987) 816 2233
Luxueux hôtel en front de mer. Restaurant, piscine.

Akumal

Club Oasis Akumal ******
Carratera Chetumal Puerto Juárez,
tél. (984) 873 0843, www.oasishotels/oasis/akumal/
Complexe de luxe, avec toutes commodités.

Cancún

Antillano **
Avenida Tulum y Avenida Claveles,
tél. (998) 884 1532, www.hotelantillano.com
Hôtel abordable, l'un des plus anciens du centre.
Camino Real Cancún ****
Boulevard Kukulcán, Punta Cancún,
tél. (998) 848 7000, www.camino-real-cancun.com
Au bord de la mer. Superbe architecture, chambres avec balcon.
Casa Turquesa ****
Boulevard Kukulcán, km 13,5, tél. (998) 885 9294, www.casaturquesa.com
Petite et élégante résidence réputée.
Fiesta Americana Coral Beach ****
Boulevard Kukulcán, tél. (998) 881 3200, www.hotels-cancun.com/fiestacoralbeach
Magnifiques suites avec tous les aménagements.
The Ritz-Carlton Cancún ****
Retorno del Rey 36, tél. (998) 885 0808, www.ritzcarlton.com
Raffinements du Ritz dans un beau cadre.
Tankah *
Avenida Tankah 69, tél. (98) 84 4446
Simple et abordable, dans le centre.
María de Lourdes **
Avenida Yaxchilán 80, tél. (998) 884 4744
En plein centre-ville, hôtel familial de style colonial avec piscine.
Villa Deportiva Juvenil *
Boulevard Kukulcán, km 3,2, tél. (998) 883 1337
Auberge de jeunesse avec dortoirs.

Chetumal

Holiday Inn **
Avenida Héroes 171-A, tél. (983) 832 4000, www.holidayinnmaya.com.mx
Hôtel moderne en ville. Restaurant, bar, piscine.

Cobá

Villa Arqueológica **
Zona Arqueológica, tél. (987) 874 2087
Demeure de 40 chambres et équipements Club Med.

Cozumel

Casa del Mar ****
Carratera a Chankanaab, km 4,
tél. (987) 872 4243
Bar près de la jetée, location de matériel de plongée.
Scuba Club ****
Carratera a Chankanaab, km 1,5,
tél. (987) 872 1133
Favori des plongeurs. Personnel également sportif.
Paradisus Comozul ****
Costera Norte 5,8 km, tél. (987) 872 0411
Retiré sur une longue plage. Tout le luxe.
Safari Inn *
Avenida Rafael Melgar, entre Calle 5 et 7, San Miguel, tél. (987) 872 0101
Agréables chambres économiques.
Tamarino B & B *
Calle 4 Norte 421, tél. (987) 872 3614
Agréable et confortable en centre-ville.

Isla Mujeres

Na-Balam ***
Zazil-Ha 118, tél. (998) 877 0279, www.nabalam.com
Au calme, 31 petites suites. Restaurant, bar, piscine.
Cabañas María del Mar **
Avenida Arq. Carlos Lazo 1, tél. (998) 877 1079
Sur la playa Norte, à 10 min à pied du centre-ville. Chambres simples, accueil amical.
Cristalmar Resort & beach Club ** – ***
Fracc. laguna Mar Makax, tél. (998) 877 0398, www.cristalmarhotel.com
Confortable hôtel posé sur la côte sud de l'île. Restaurant, bar, piscine.

Mérida

Caribe *
Calle 59 n° 500 y Calle 60, tél. (999) 924 9022
Belle construction historique, sur la Plaza.
Casa Mexilio * – **
Calle 68 n° 495, tél. (999) 928 2505
Belle construction historique, sur la Plaza.
Casa San Juan B & B *
Calle 62 n° 545A, tél. (999) 923 6823
Demeure du XVIIIe siècle superbement restaurée.
Fiesta Americana Mérida ****
Avenida Colón 451, tél. (999) 942 1111
De style colonial. Excellent restaurant, bar, piscine.
Hacienda Katanchel ****
Carratera a Cancún, km 25,5, tél. (999) 923 4020, www.haienda-katanchel.com
Hacienda du XVIIe siècle restaurée, proche du centre. Petit déjeuner et navettes aéroport inclus.

Playa del Carmen

La Posada del Capitán Lafitte ***
Carratera Puerto Juárez-Tulum, km 62,
tél. (984) 873 0212
Groupe de *cabanas* ventilées, formule de pension complète. Splendides plages.
Maroma ****
Tél. (984) 874 4730
A une demi-heure au sud de l'aéroport de Cancún. Complexe luxueux retiré, dans une cocoteraie.
Mosquito Blue ** – ***
Qinta Avenida, Calle 12 et 14, tél. (984) 873 1245
Hôtel cosy, situé à l'extrémité nord de Playa, à deux rues de la plage. Restaurant, piscine.

Royal Hideaway ****
Playacar, tél. (984) 873 4500
Hôtel-club haut de gamme. Service personnalisé.

Tulum

Cabañas Ana y José **
Tél. (984) 887 5470
Sur une piste quittant la 307, à mi-distance de la ville et de l'entrée des ruines. Bon restaurant.

Uxmal

Hacienda Uxmal ***
Carr. Mérida-Campeche, km 78, tél. (997) 976 2013
Hôtellerie traditionnelle de qualité.
Villa Arqueológica **
Ruinas Uxmal, tél. (997) 976 2020
Club Méditerranée. Près de ruines.

OÙ SE RESTAURER

Campeche

La Pigua * – **
Miguel Alemán 197-A, tél. (981) 811 3365
Excellentes spécialités régionales. Spécialité, le poisson local *pejelagarto*.
Marganzo * – **
Calle 8, n° 267, tél. (981) 811 3898
Délicieux plats mexicains servis en costume du pays.

Cancún

Casa Rolandi **
Boulevard Kukulcán Km 8, Plaza Caracol, Centre commercial, Hotel Zone, tél. (998) 883 2557
Cuisine italienne et suisse dans une ambiance bon enfant.
La Havichuela **
Margaritas 25, tél. (998) 884 3158
Décor romantique, en ville. Spécialités régionales.
La Joya ***
Fiesta American Coral Beach, tél. (998) 881 3200
Parmi les meilleures adresses de la région.
Lorenzillos ** – ***
Tél. (998) 883 1254
Sur le lagon face au Continental Plaza Hotel.
Los Almendros **
Avenida Bonampak Sur 60 (à l'angle de Sayil, en face de l'arène), tél. (998) 884 0942
Ce restaurant en centre-ville sert des plats du Yucatecan tels que la soupe au citron vert et la *cochinita pibil*.
100% Natural *
Plaza Terramar, Hotel Zone, tél. (998) 883 1180
Savoureuse cuisine bio dans un cadre chaleureux. Ouvert 24 h sur 24.

Cozumel

La Choza **
C. R. Salas 198 et Ave 10 Norte, tél. (987) 872 0958
Parmi les meilleures spécialités mexicaines.
Prima * – **
Calle Rosado Salas 109, tél. (987) 872 4242
Trattoria servant pizzas et plats de toute l'Italie.

Isla Mujeres

María's Kan Kin ** – ***
Carretera al Garrafón, km 4, tél. (987) 877 0015
Sous les *palapas*, bonne cuisine française.
Mirtita *
Avenida Rueda Medina
Spécialités de fruits de mer du Yucatán.
Pizza Rolandi * – **
Hidalgo (Absalo y Madero), tél. (987) 77 0430
Ambiance animée et délicieux plats italiens.
Zazil-Ha ** – ***
Na-Balam Hotel, tél. (987) 877 0279
Au bord de la plage, cuisine locale, service aimable.

Chichén Itzá

Hotel Hacienda Chichén-Itzá **
Tél. (999) 851 0045
Près de l'entrée sud. Cuisine et site agréables.
Hotel Mayaland **
Tél. (999) 851 0077
Jouxte le précédent, avec trois restaurants, au choix.

Mérida

Alberto's Continental Patio **
Calle 64 y Calle 57, tél. (999) 928 5367
Décor élégant. Cuisine européenne et libanaise.
Café Peón Contrera * – **
Calle 60 n° 490, en face du Parque de la Madre,
Décoration aimable et petits plats à prix abordables. Table à l'intérieur ou à l'extérieur, sur le trottoir.
Hacienda Xcanatrun ** – ***
Carr. Mérida-Progreso Km 12, tél. (999) 941 0273
Dîner dans une hacienda impeccablement restaurée ; Excellente cuisine régionale et internationale.
Los Almendros **
Calle 50 n° 493, (Calle 57 y Calle 59), tél. (999) 928 5459
Spécialités traditionnelles du Yucatán.
Santa Lucia *
Calle 60 n° 481, porche du Parque Santa Lucía, tél. (999) 928 5457
De copieux menus proposant les spécialités traditionnelles du Yucatán.

Uxmal

Hotel Hacienda Uxmal **
Carretera 261, km 80, tél. (997) 976 2013
Plusieurs restaurants dans un superbe hôtel de luxe.

LEXIQUE

Généralités

S'il vous plaît	*Por favor*
Merci	*Gracias*
De rien	*De nada*
Je suis désolé	*Lo siento*
Excusez-moi	*Perdóneme ; discúlpeme*
Parlez-vous français ?	*¿Habla usted francés ?*
Me comprenez-vous ?	*¿Me entiende ?*
C'est bon (mauvais)	*Está bueno, está malo*
Bonjour	*Buenos días*
Bon après-midi (après 12 h)	*Buenas tardes*
Bonne nuit (après 19 h)	*Buenas noches*
Au revoir	*Adiós ; hasta luego*
Où est... ?	*¿Dónde está... ?*
L'entrée, la sortie	*La entrada, la salida*
Le poste de police	*La delegación de policía*
L'ambassade	*La embajada*
Le consulat	*El consulado*
La poste	*La oficina de correos ; el correo*
Lettre	*Carta*
Carte postale	*Tarjeta postal*
Enveloppe	*Sobre*
Timbre	*Estampilla*
Téléphone public	*Teléfono público*
Banque	*Banco*
Changer	*Cambiar*
Chèque de voyage	*Cheque de viajero*
Argent	*Dinero*
Carte de crédit	*Tarjeta de crédito*
Taxe	*Impuesto*

Dans les transports

L'aéroport	*El aeropuerto*
Le taxi	*El taxi*
La gare ferroviaire	*La estación del ferrocarril*
La gare routière	*La central de autobuses*
Allez tout droit	*Vaya derecho*
Comment ce lieu s'appelle-t-il ?	*¿Cómo se llama este lugar ?*
Je vais à...	*Me voy a...*
Arrêt d'autobus	*Parada*
Autocar	*Camión*
Siège réservé	*Asiento reservado*
Réservation	*Reservación*
Avion	*Avión*
Train	*Tren*
Autobus	*Autobús ; camión*
Première (seconde) classe	*Primera (segunda) clase*
Bac	*Transbordador*
Où y a-t-il une station d'essence ?	*¿Dónde hay una gasolinera ; una bomba ?*
Où y a-t-il un garage ?	*¿Dónde hay un taller mecánico ?*
Appelez-moi un taxi	*Pídame un taxi*
Combien y a-t-il de kilomètres d'ici à... ?	*¿Cuántos kilómetros hay de aquí a... ?*
Combien de temps faut-il pour aller à... ?	*¿Cuánto se tarda en llegar a... ?*
Où va cet autobus ?	*¿A dónde va este camión ?*
Combien coûte un billet pour... ?	*¿Cuánto cuesta un boleto para... ?*
Je désire un billet pour...	*Quisiera un boleto para...*

Signalisation routière

Stop	*Alto*
Ralentir	*Maneje despacio*
Danger	*Peligro*
Attention	*Maneje con contela*
Céder la priorité	*Ceda el paso*
Pont étroit	*Puente angosto*
Stationnement	*Estacionamiento*
Restez à droite	*Conserve su derecha*
Hauteur maximale	*Altura máxima*
Ralentir, brouillard	*Maneje despacio, neblina*
Interdiction de tourner	*No girar, no cruzar*
Descente	*Bajada*
Gravillons	*Grava suelta*
Voie sans issue	*No hay paso ; calle ciega*

A l'hôtel et au restaurant

Auberge	*Posada*
Restaurant	*Café ; fonda ; merendero*
Les toilettes	*Los sanitarios*
Où y a-t-il un hôtel pas cher ?	*¿Dónde hay un hotel económico ?*
Avez-vous une chambre ?	*¿Tiene un cuarto ?*
Climatisée ?	*¿Con aire acondicionado ?*
Avec salle de bains ?	*¿Con baño ?*
Où est la salle à manger ?	*¿Dónde está el comedor ?*
La clef	*La llave*
Le directeur	*El gerente*
Le (la) propriétaire	*El dueño, la dueña*
Apportez-moi, s'il vous plaît	*Tráigame, por favor*
Un peu de café	*Un poco de café*
Une bière	*Una cerveza*
De l'eau froide (chaude)	*Agua helada (caliente)*
Le menu	*El menú*
Le plat du jour	*La comida corrida*
Puis-je avoir un autre... ?	*¿Me puede dar otro... ?*
Puis-je avoir l'addition ?	*¿Me puede dar la cuenta ?*

Achats

Le marché	*El mercado*
La boutique hors taxe	*El duty free*
Combien cela coûte-t-il ?	*¿Cuánto cuesta ?*
C'est trop cher	*Está demasiado caro*
Pouvez-vous me faire une remise ?	*¿Me puede dar un descuento ?*
Je désire acheter ceci	*Quisiera comprar esto*

BIBLIOGRAPHIE

Histoire et société

Alcina (J.), *L'Art précolombien*, L'Art et les Grandes Civilisations, Citadelles, 1978

Aubert (M.), *Mexique, des origines aux Mayas*, Connaissance du monde, Presses de la Cité, 1982

Aubry (A.), *Les Tzotziles par eux-mêmes*, L'Harmattan, 1988

Baudez (C.-F.) et **Becquelin (P.)**, *Les Mayas*, L'Univers des formes, Gallimard, 1984 ; *Les Cités perdues des Mayas*, Découvertes, Gallimard, 1987

Baudot (G.), *Récits aztèques de la conquête*, Le Seuil, 1983

Bernal (I.) et **Simoni-Abbat (M.)**, *Le Mexique, des origines aux Aztèques*, L'Univers des formes, Gallimard, 1986

Boccara (M.), *La Religion populaire des Mayas*, Connaissance des hommes, L'Harmattan, 1990

Breton (A.) et **Arnauld (J.-L.)**, *Mayas*, revue *Autrement*, hors série n° 56, 1991

Cortés (J.), *La Conquête du Mexique*, La Découverte, 1991

Crosher (J.), *Les Aztèques*, Peuples du passé, Nathan, 1984

Díaz des Castillo (B.), *L'Histoire véridique de la conquête de la Nouvelle-Espagne*, La Découverte, 1987

Duverger (C.), *L'Origine des Aztèques*, Le Seuil, 1983

Furst (J.-L. et P.), *L'Art précolombien du Mexique*, La Bibliothèque des arts, 1982

Gendrop (P.), *Les Mayas*, Que sais-je ? PUF, 1999

González (L.), *Les Barrières de la solitude*, Terre humaine, Plon, 1977

Gruzinski (S.), *Le Destin brisé de l'empire aztèque*, Découvertes, Gallimard, 1988

Herrera (H.), *Le Journal de Frida Kahlo*, Le Chêne, 1995

Humbert (M.), *Le Mexique*, Que sais-je ? PUF, 1994

Huxley (A.), *Des Caraïbes au Mexique, journal d'un voyageur*, La Table ronde, 1992

Jannel (C.) et **Guerlain (F.)**, *Sur les chemins du Mexique*, Barthélemy, 1992

Le Bot (Y.), *Le Rêve zapatiste*, Le Seuil, 1998

Lehmann (H.), *Les Civilisations précolombiennes*, Que sais-je ? PUF, 1989

Longhena (M.), *Le Mexique ancien*, Gründ, 1998

López-Portillo (J.), *Quetzalcóatl*, Gallimard, 1988

Matos Moctezuma (E.), *Les Aztèques*, La Manufacture, 1989

Musset (A.), *Le Mexique*, Armand Colin, 1996

Musset (A.) et **Martin (A.-C.)**, *Avant l'Amérique, les Mayas et les Aztèques*, Peuples du passé, Nathan, 1992

Oudin (B.), *Villa, Zapata et le Mexique en face*, Découvertes, Gallimard, 1989

Peissel (M.), *Les Portes de l'or, à la recherche des navigateurs mayas*, Laffont, 1978

Pommeret (X.), *Mexique*, Le Seuil, 1982

Prescott (W.), *La Fabuleuse Découverte de l'empire aztèque* ; *La Chute de l'empire aztèque*, Les Grandes Aventures de l'archéologie, Pygmalion, 1992

Soustelle (J.), *Les Quatre Soleils*, Terre humaine, Plon, 1967 ; *L'Art du Mexique ancien*, Arthaud, 1971 ; *Les Olmèques*, Hachette, 1972 ; *La Vie quotidienne des Aztèques*, Hachette, 1983 ; *Les Aztèques*, Que sais-je ? PUF, 1991 ; *L'Univers des Aztèques*, Hermann, 1979

Stephens (J.-L.), *Aventures de voyage en pays maya*, Pygmalion, 1991

Stierlin (H.), *L'Art aztèque et ses origines*, Le Seuil, 1982 ; *L'Art maya*, Le Seuil, 1981

Thompson (E.), *Grandeur et Décadence de la civilisation maya*, Bibliothèque historique, Payot, 1993

Viqueira (J.-P), *Une rébellion indienne au Chiapas 1712*, L'Harmattan, 1999

Wolfe (B.), *La Vie fabuleuse de Diego Rivera*, Nouvelles Éditions Séguier, 1994

Littérature

Castaneda (C.), *L'Herbe du diable et la petite fumée*, Bourgois, 1993.

Cacucci (P.), *Poussières mexicaines* (recueil d'essais), Payot, 1996

Del Paso (F.), *Palinuro de Mexico*, Fayard, 1985

Fuentes (C.), *La Plus Limpide Région*, Gallimard, 1982 ; *Christophe et son œuf*, Folio, Gallimard, 1993 ; *Un temps nouveau pour le Mexique*, Gallimard, 1998

Gerber (A.), *Le Jade et l'Obsidienne*, Laffont, 1981

Greene (G.), *La Puissance et la Gloire*, Laffont, 1994

Guzmán (M.), *L'Aigle et le Serpent*, Gallimard, 1967

Lambert (J.-C.), *Anthologie de la littérature traduite du nahuatl*, L'Harmattan, Unesco, 1996

Lawrence (D. H.), *Le Serpent à plumes*, Stock, 1976

Le Clézio (J.-M.-G.), *Le Rêve mexicain ou la pensée interrompue*, Folio, Gallimard, 1992

Lowry (M.), *Au-dessous du volcan*, Gallimard, 1973

Paz (O.), *Le Labyrinthe de la solitude*, Gallimard, 1972

Pérez Martínez (H.), *Cortés et Cuauhtémoc*, Laffont, 1983

Rulfo (J.), *Pedro Paramo*, L'Imaginaire, Gallimard, 1979

Steinbeck (J.), *Dans la mer de Cortés*, Actes Sud, 1989

CRÉDITS PHOTOGRAPHIQUES

Couverture : *Statue à Cancún, Quitana Roo,* © Bruno Morandi / Hoa Qui

Intérieur : Kal Müller, sauf :
Guillermo Aldana E 84
Pete Bennett 223, 323
Wesley Bocxe / The Image 72
John Brunton 70, 92, 105, 128-129, 184h, 252, 259, 261, 270h, 285, 290, 291
Demetrio Carrasco / Jon Arnold Images 148
The Casasola Archive 60-61
Collection Jean et Zomah Charlot 94
Désiré Charney 41, 88
Chris Coe / Berlitz 268
Bruce Coleman Ltd 297
Corbis 153
Christa Cowrie 14, 16-17, 36, 69, 71, 157, 164, 169, 170, 171
Mary Evans 42
Macduff Everton / Corbis 185
Collection Antonio García 52, 58, 64, 65, 67
Glynn Genin 330
Jacques Gourguechon 310
Andreas Gross 154
José Guadalupe Posada (collection Jean et Zomah Charlot) 299
Tony Halliday 335
Blaine Harrington 31
Huw Hennessy 333
Dave G. Houser 165, 209, 266, 284, 289
Piere Hussenot 120-121, 122-123, 124
Archivo Iconográfico 111
Graciela Iturbide 83
Kerrick James 206
Bob Krist 74-75, 78, 298
Lyle Lawson 126
Bud Lee 155
Danny Lehman / Corbis 141
Buddy Mays Travel Stock 33, 242, 286h
Pablo Ortíz Monasterio 132
Museo Nacional de Antropología, Mexico 30, 32
Rod Morris 89
Museo Nacional de Historia 59
Palacío Nacional, Mexico 37
Jorge Nunez-Sipa-Rex 91
Jose Fuste Raga / Corbis 256b
Jutta Schütz-Archiv Jutta 63, 163
Schülz 46-47
Spectrum 24-25
Marcus Wilson-Smith 6-7, 12-13, 22, 26-27, 40, 87, 93, 104, 106-107, 125, 127, 131, 136-137, 151, 153h, 159, 161, 161h, 164h, 167, 169h, 170h, 172, 191h, 203, 204, 205, 206T , 207, 208, 208h, 210, 211, 222, 223T, 224h, 244, 227, 238, 256h, 258h, 268h, 272, 273, 279, 282h, 286, 288, 298, 301, 308, 317, 320, 320h, 321, 322h, 324h, 325, 326, 331, 332, 333, 334
David Stahl 39, 249, 302
Mireille Vautier 56, 57, 112-113, 115, 235
Jorge Vertíz, Artes de México 43, 48, 49, 53
Tom Servais 212
Topham 66, 73, 257
Washington D.C. 62
Bill Wassman 54, 55, 166, 247
Jorge Wilmot Collection 102
Peter M. Wilson / Alamy Images 150
Woodfin Camp & Associates 68, 198, 276, 304, 306
Norbert Wu 142
Crispin Zeeman 160, 234, 251, 295

Encadrés
Pages 134-135
En haut, de gauche à droite : Buddy Mays Travel Stock ; idem ; Mireille Vautier ; Andreas Gross.
Au milieu, de gauche à droite : John Brunton, Buddy Mays Travel Stock.
En bas, de gauche à droite : Buddy Mays Travel Stock ; Stephen Trimble ; Andreas Gross ; idem.

Pages 220-221
Buddy Mays Travel Stock, sauf : Andreas Gross : en *haut gauche et centre droit* ; John Brunton : *haut centre gauche et bas centre droit.*

Pages 262-263
En haut, de gauche à droite : Andreas Gross ; Blaine Harrington ; Duggal ; Mireille Vautier.
Au milieu, de gauche à droite : Mireille Vautier ; Crispin Zeeman ; idem.
En bas, de gauche à droite : Andreas Gross ; Blaine Harrington : ; Crispin Zeeman ; Mireille Vautier.

Pages 314-315
En haut, de gauche à droite : Marcus Wilson Smith ; Buddy Mays Travel Stock ; Terra Aqua ; idem.
Au milieu, de gauche à droite : Marcus Wilson Smith.
En bas, de gauche à droite : Buddy Mays Travel Stock ; idem ; Andreas Gross ; Buddy Mays Travel Stock ; idem.

Cartes
Berndtson & Berndtson

Visual Consultant
V. Barl

INDEX

A

Abastos (marché), 292
Acapulco, **268**
Acolman (voir San Agustín Acolman)
Adivino (pyramide), 322
Africam (parc), 188
Agua Azul, **309**
Agua Azul (parc), 252
Aguascalientes, 102, 115, **238**
Ajijic, 256
Akumal, 333
Alameda, **158**
Alameda (parc de l'), 237
Alamos, **225**
Alhóndiga de Granaditas, 242
Amatenango del Valle, 307
Angangueo, 259
Angel (El), 162
Angel de la Guardia (île), 208
Angela Peralta (théâtre), 227
Animas (plage d'), 226
Antigua, 282
Aranzazú (chapelle), 239
Arco (El), 211
Arriaga, 304
Artista (Barrio del), 187
Atlatlahuacan, 193
Atlixco, 291
Atotonilco (réserve), 244
Azteca (stade), 173
Azulejos (maison des), 55, 153

B

Bahía de San Quintín, 207
Bahía Kino, 224
Bajío, 19, **244**
Balankanché (grottes de), 329
Barranca del Cobre, **220**, 289
Baluarte de Santiago, 284
Banderas (Bahía de), 265
Barra de Navidad, 266
Benito Juárez (Mercado), 292
Biblioteca Circulante, 294
Blanca (Playa), 266
Boca (barrage de la), 218
Boca Tomatlán, 265
Bocochibampo, 224
Bodegas Santo Tomás (Las), 207
Bonampak, 34, 87, 108, 310
Boquilla (barrage de), 215
Borda (jardins), 190
Bravo (vallée), 194
Bufa (Cerro de la), 237
Bufadora (La), 207

C

Caballito (El), 160
Cabañas (hospice), 110, 251
Cacahuamilpa (grottes de), 192
Cacaxtla, 108, 190
Calderón (Teatro), 237
Campanas (Cerro de las), 246
Campeche, 19, 104, **319**
Cancún, 314, **330**
Cantón (palais), 326
Carlos (Baluarte San), 320
Carme (El), 169
Carmen (couvent del), 258
Carmen (île), 319
Carmen (église del), 239
Carvajal (maison), 321
Casas Grandes, 36, **213**
Castillo (El), 163
Catemaco (Laguna de), 288
Cathédrale d'Oaxaca, 292
Celaya, 244
Celestún (réserve de), 314, 327
Cempoala, 282
Cenote Sagrado, 329
Cenote Xlaca, 327
Centenario (jardin), 171
Centro Cultural d'Hidalgo, 184
Centro de Convenciones de Cancún, 331
Centro Internacional Acapulco, 272
Centro Convivencia Infantil, 272
Chacmol, 329
Chalchihuites, 235
Chalma, 195
Chamela (Bahía), 266
Champotón, 319
Chankanab (Laguna), 332
Chapala, **256**
Chapala (lac de), 256
Chapudaderos (studios), 219
Chapultepec (parc), **163**
Chapultepec (château), 109, 164
Chetumal, 334
Chiapa de Corzo, **304**
Chiapas, 87, **90**, **104**, **302**
Chichén Itzá, 29, 35, **328**
Chicoasén (barrage de), 303
Chicomostoc, **237**
Chihuahua, 91, **214**
Chihuahua al Pacifico (train), 226
Chinkultic, 306
Cholula, **188**
Cincos Pisos (temple), 321
Cité sportive, 167
Ciudad Cancún, 331
Ciudad Constitución, 210
Ciudad Cuauhtémoc, 306
Ciudad del Carmen, 319
Ciudad Juárez, 213
Ciudad Obregón, 225
Ciudad Sahagún, 181
Ciudad Satélite, 177
Ciudadela, 183
Clavijero (palais), 258
Coatepantli, 179
Coatepec, 286
Cobá, **334**
Cocos (plage de los), 330
Cocoyoc, 193
Cola de Caballo (chutes), 218
Colima, **266**
Colla de Caballo, 255
Colomb (statue de Christophe), 162
Colorada (maison), 172
Colores (Lagunas de), 306
Columnas (Grupo de las), 296
Comalcalco, 301
Comitán, **306**
Compañía (temple), 187, 241
Concepción (baie de la), 210
Concepción (chapelle de la), 172
Conchas Plumadas (temple), 184
Concordia, 227
Condes de Canal (maison), 244
Congresso de Campeche, 320
Contoy (île), 22, 330
Copala, 228
Córdoba, **288**
Corona (marché), 252
Coronado (île), 210
Corregidora (maison de la), 246
Correo Central, 160
Cortés (maison de), 171
Cortés (palais), 190
Cosmovitral Botánico, 194
Costa Alegre, 266
Costa Esmeralda, **282**
Coyoacán, **170**
Coyuca (lagune de), 272
Cozumel (île de), 22, 289, 314, 332
Creel, 216
Crestón (Cerro del), 227
Croix (temple de la), 310
Croix feuillue (temple de la), 310
Cuadrángulo de las Monjas, 322
Cuale (fleuve), 265
Cuauhtémoc, 215
Cuauhtémoc (parc), 221, 259
Cuauhtémoc (brasserie), 218
Cuauhtémoc (statue de), 162
Cuauticalli (temple de), 195
Cubilete (mont), 245
Cuernavaca, 103, **190**
Cuicuilco (pyramide de), 173
Cuilapan, 297
Culiacán, 226
Cultura (maison de la), 186

D

Dainzu, 297
Danzantes (palais), 32, 295
Degollado (théâtre), 250
Dios Descendente (temple), 334
Dolores Hidalgo, **243**
Durango, 219
Dzibilchaltún, 327

E

Edouardo Ruiz (parc), 260
Edzná, **321**
Eiffel (église d'), 209
El Agora, 285
El Caimanero (lagune), 227
El Caracol, 329
El Carmen (église) d'Orizaba, 287
– de San Cristóbal, 307
El Castillo (pyramide), 35, 328
El Castillo (temple), 333
El Cedral, 332
El Charco del Ingenio (parc), 244
El Chico (parc), 184
El Cuajilote, 289
El Divisadero, 216
El Dormitorio, 330
El Eden (mine), 237
El Espinazo del Diablo (col), 219
El Fuerte, 226
El Garrafón (jardin corallien), 330
El Mirador (temple), 306
El Palomar, 323
El Parián, 255
El Tajín, **31**, 84, **281**
El Tajín Chico, 282
El Tamuín, 279
Ensenada, **207**
Escuela Nacional Preparatoria, 111
Espacio Escultórico, 173
Espíritu Santo (île), 211
Estrecho del Infiernillo, 224
Étoile du Matin (temple de l'), 35
Expiatorio (église), 254

F

Farallón (île de), 226
Fortín (Cerro del), 294
Fortín de las Flores, 286
Francisco Villa, 334
Fresques (temple des), 334
Frontón México, 161
Fuego (volcan de), 266

G

Gameros (quinta), 214
Garcia (grottes de), 218
Giganta (Sierra de la), 210
Gigante (maison), 260
Gobierno (palais) de Guadalajara, 110, 219, 250
– de Mérida, 326
– de Morelia, 257
– d'Oaxaca, 292
– de Tlaxcala, 189
– de Chihuahua, 214
González Ortega (marché), 237
Governador (palais du), 323
Grande Pyramide, 323
Grecas (patio de las), 296
Grijalva (fleuve), 303
Grupo Cobá, 334
Guadalajara, 102, 110, **249**
Gadalupe (île de), 22, 282
Guanajuato, 55, **240**
Guaymas, 210, 224
Guerreros (temple de los), 328

H

Hemiciclo, 159
Hermosillo, 86, 224
Hidalgo (barrage), 226
Hidalgo (maison), 243
Hidalgo (jardin), 239
Hidalgo (posada), 226
Hidalgo del Parral, **215**
Hombres Illustres (mémorial), 249
Hornos (plage), 285
Huamantla, 190
Huasteca (canyon), 218
Huatulco, **299**
Huejotzingo, 54, **189**
Huetitán (parc), 255
Huixtla, 306
Humbolt (maison), 193

I

Iglesia (Grupo de la), 296
Iglesias (temple de las), 334
Inquisition (palais de l'), 158
Inscriptions (temple des), 34, 309
Institut d'Arts graphiques, 293
Insurgentes (théâtre), 167
Irapuato, 245
Isla Cancún, 331
Iturbide (palais), 153
Ixmiquilpan, 185
Ixtapa, **267**
Ixtapan de la Sal, 104, **195**
Ixtlán del Río, 228
Izamal, 327
Izapa, 305
Iztaccíhuatl (mont), 20, 193
Iztaccíhuatl-Popocatépetl (parc), 185, 289

J

Jaguars (palais des), 35, 183
Jalapa (Xalapa), **285**
Jalisco, 132, **249**
Jalisco (stade), 254
Janitzio (île de), 259
Jesús (hôpital de), 157
Juárez (archives), 219
Juarez (parc), **285**
Juárez (théâtre), 240
Juego de Pelota Sur, 282

K

Kabah, 324
Kabali (arc de), 324
Kahlo (maison de Frida), 171
Kinich Kakmó (temple), 327
Kohunlich, 334

L

La Concordia (église), 287
La Crucecita, 299
La Huasteca, **279**
La Paz, 211
La Pesca, 219
La Pila (fontaine de), 304
La Playita, 211
La Quebrada, 270
La Quemada, **237**
La Valenciana (mine de), 243
La Venta, 29, 301
Labná, 324
Laguna Bacalar, 334
Lagunas de Chacahua (parc), 299
Lagunas de Montebello (parc), 306
Lagunilla (marché), 158
Lambityeco, 296
Las Animas (plage), 265
Las Gaviotas (plage), 227
Las Hadas (hôtel), 266
Las Tres Gracias (cascade), 218
Las Tres Virgenes (volcan), 209
Latinoamericana (tour), 153
León, 245
Leones (désert des), 194
Libertad (marché), 251
Loltún (grottes de), 324
Loreto, 210
Los Angeles (baie de), 208
Los Mochis, **226**
Los Tuxtlas, **288**
Lotéria Nacional, 161
Lune (pyramide de la), 183
Luz (Quinta), 214
Lzapa, 305

M

Madre de las Misiónes (église), 210
Magdalena, 224
Mala Noche (palais), 235
Malinalco, 195
Mani (monastère de), 324
Manzanillo, **266**
Mar (porte del), 320
Mar Muerto, 304
Mariano Bárcena (volcan), 20
Marina Vallarta, 265
Marinero (plage), 298
Mariposas El Rosario, 259
Mascáras (palais), 324
Matamaros (Izúcar de), 291
Matamoros, 219
Mazatlán, 117, **227**
Mazatlán (aquarium), 227
Mercado Municipal, 271
Merced (marché de la), 157
Mérida, 104, 125, **324**
Mesa Chipinique (plateau), 218
Metepec, 104, 195
Mexcaltitán, 228
Mexicali, 223
Mexico, 55, **151**
Mexico (hôtel de), 167
Mexique, **152**
Mexique (golfe du), **219**
Mexitlán, 206
Miguel Alvarez del Toro (zoo), 303
Mil Columnas (patio de las), 328
Mil Cumbres (route), 257
Mineral El Chico, 185
Minería (palais), 160
Mismolaya, 265
Misol-Ha, **309**
Mitla, 36, **296**
Monjas (temple), 258
Mono Blanco (Cerro), 288
Monte Albán, 32, 293, **295**
Monte de Piedad, 156
Montejo (Casa de), 325
Montejo (Paseo), 326
Monterrey, 125, **216**
Monumento a la Revolución, 161
Morelia, 103, 257
Morelos (maison natale de José María), 257
Morts (chaussée des), 30, 182
Muertos (Playa de los), 265
Mulegé, 210
Muñecos (Casa de los), 186
Musées
– Amparo, 186
– Anuhuacalli, 173
– de Antropología de La Paz, 211
– de Antropología de Xalapa, 285
– de Antropología e Historia, 331
– de Antropología e Historia de Mérida, 326
– Arqueológico de la Costa Grande, 268
– Arqueológico de Santiago Tuxtla, 288
– de Arte Contemporáneo de Guadalajara, 254
– de Arte Contemporáneo de Morelia, 259
– de Arte del Estado de Veracruz, 287
– de Arte Moderno, 165
– de Arte Virreinal, 237
– de Arte Zapoteca, 296
– de Artes y Tradiciones Populares, 189
– de las Aves, 219
– Bello, 186
– del Carmen, 169
– Carrillo Gil, 170
– Casa Diego Rivera, 241
– Casa de Frida Kahlo, 171
– Casa de Hidalgo, 243
– Casa de León Trotsky, 171
– Casa de Morelos, 257
– de Cera de Tijuana, 206
– de la Ciudad de Mérida, 326
– de la Ciudad de México, 156
– de la Ciudad de Veracruz, 284
– de las Culturas de Occidente, 266
– de las Culturas Populares, 172
– de Cuauhnáhuac, 190
– de las Estelas Mayas, 320
– del Estado du Michoacán, 258
– Estudio Diego Rivera, 170
– Etnologico, 165
– Franz Mayer, 160
– Guillermo Spratling, 192
– Histórico de Acapulco, 271
– Histórico de San Miguel de Allende, 244
– Histórico Naval, 284
– Huichol, 254
– Iconográfico del Quijote, 240
– de las Intervenciones, 172
– de la Isla de Cozumel, 332
– José Clemente Orozco, 252
– José Guadalupe Posada, 238
– José Luis Cuevas, 157
– de la Laca, 304
– de la Máscara, 258
– de las Momias, 243
– de Monterrey, 218
– Mural Diego Rivera, 109, 160
– Na Bolom, 308
– Nacional de Antropología, 164
– Nacional de las Culturas, 156
– Nacional de Historía, 164
– Nacional de la Máscara, 239
– Nacional del Virreinato, 178
– Rafael Coronel, 237
– Regional de Arqueología de Campeche, 320
– Regional de Antropología Carlos Pellicer, 301
– Regional de Arte Popular d'Uruapan, 260
– Regional de Artes Populares, 260
– Regional de Cerámica y las Artes Populares de Guadalajara, 255
– Regional de Chiapas, 303
– Regional de Chihuahua, 214
– Regional de Colima, 267
– Regional de Guadalajara, 249
– Regional de Morelia, 258
– Regional de Oaxaca, 293
– Regional Potosino, 239
– Regional de Querétaro, 247
– Regional del Soconusco, 305
– Regional de Tepic, 228
– Regional de Tlaxcala, 189
– Rufino Tamayo, 166, 293
– de la Revolucíon Mexicana, 187
– de San Carlos, 162
– de Templo Mayor, 155
– Universitario de Culturas Populares, 267
– Zaragoza, 267

N

Naciyaga (Parque de), 288
Nautla, 282
Navojoa, 225
Neptune (fontaine de), 247
Netzahualcóyotl, 185
Nevado de Colima, 266
Nevado de Toluca, 20
Nevado y Fuego (mont), 20
Niches (pyramide des), 85, 281
Niños Heroes (monuments de los), 164
Nogales, 223
Norte (Playa), 227
Noviciat (chapelle du), 178
Nuestra Señora de Aranzazú (église), 251
– de la Asunción (cathédrale), 283
– del Carmen (église), 245

– de la Concepción (église), 225
– de Fátima (église), 215
– de Guadalupe (basilique), **166**
– de Guadalupe (chapelle), 177
– de Guadalupe (couvent), 237
– de Guadalupe (église), 265
– de Guanajuato (basilique), 241
– de los Remedios, 189
– de la Salud (basilique), 260
– de la Soledad (basilique), 292
– de la Soledad (cathédrale), 271
Nueva Alemania, 305
Nuevo Laredo, 216

O

Oaxaca, 32, 36, 55, **104**, 125, 132, **291**
Oaxtepec, 193
Obispado, 217
Oblatos (gorge de), 254
Obregón (jardin), 246
Ocosingo, 309
Ocotlán, 190
Ocotlán de Morelos, 298
Ojo de Liebre (Laguna), 22, 208
Olas Altas (plage), 265
Once Patios (maison), 103, 260
Orizaba, **287**
Orizaba (pic de), 20, 287, 289
Otumba, 181

P

Pachuca, 49, 184
Palacio (El), 310
Palacio Nacional, 116, **155**
Palafoxiana (bibliothèque), 186
Palancar (récif de), 332
Palenque, 88, **309**
Palmar (plage), 267
Panteón (plage), 299
Papagayo (parc), 271
Papantla, 85, **281**
Pardón (chapelle du), 154
Paredón, 304
Parían (marché du), 187
Paricutín (volcan), 20, 260
Parras, 219
Parroquia (café de la), 283
Paso de Cortés (col), 193
Patrocino (sanctuaire de la Vierge de), 237
Pátzcuaro, 89, 103, **259**
Paz (Teatro de La), 239
Pedregal (El), 172
Pedregal (jardins), 173
Pie de la Cuesta, 272
Pierre Marqués (hôtel), 273
Pinacoteca Virreinal de San Diego, **160**
Pípila (monument à), 242
Playa Caleta, 270
Playa del Carmen, 332
Plaza de Toros Monumental, 205
Plaza México (arène), 167
Pocito (chapelle du), 166
Popocatépetl (mont), 20, 193
Princess (hôtel), 273
Profesa (église de la), 153
Progresso, 327
Puebla, 54, 55, 125, **185**
Pueblo Amigo, 206
Pueblo Nuevo, 266
Puerto Angel, **299**
Puerto Arista, 304
Puerto Escondido, **298**
Puerto Juárez, 330
Puerto Morelos, 314
Puerto Peñasco, 223
Puerto Vallarta, 256, **265**
Punta Ixtapa, 267
Purisima Concepción (église), 217

Q

Quemado (palais), 180
Querétaro, 54, 103, **245**
Quetzalcóatl (temple de), 30, 183
Quetzalpapalotl (palais de), 183
Quiahuitzlán, 282
Quimixto (plage), 265
Quintana Roo, 330
Quiroga, 103

R

Raza (île de la), 208
Real (chapelle), **239**
Récif corallien maya, 314
República (théâtre de la), 246
Reyes (chapelle de los), 154
Reynosa, 219
Río Cuale (Isla), 265
Rivera (Casa Diego), 241
Roquetta (île de la), 272
Rosario (chapelle), 187
Rosarito, 206
Rul y Valenciana (maison), 241

S

Sábado (bazar), 169
Sábalo (plage), 227
Sagrario, 154, 250
Salamanca, 245
Saltillo, 102, **218**
San Agustín (église), 245
San Agustín (monastère), 247
San Agustín Acolman (couvent), 54, **180**
San Angel, **169**
San Antonio de Padua (couvent), 327
San Bartolo Coyotepec, 104, 298
San Bernadino (église), 330
San Blas, 228
San Camilito (marché), 158
San Carlos, 210, 224
San Cayetano (église), 243
San Cristóbal (église), 307
San Cristóbal de las Casas, 88, 90, 92, 104, **307**
San Diego (fort), 271
San Diego (église), 240
San Felipe Bacalar (fort), 334
San Felipe Neri (église) à Guadalajara, 252
San Felipe Neri (église) à Oaxaca, 292
San Felipe Neri (oratoire), 244
San Fernando, 219
San Francisco (couvent) de Pachuca, 184
– de Querétaro, 247
– de Tlaxcala, 189
San Francisco (église) de Chihuahua, 214
– de Gadalajara, 251
– de Mexico, 153
– de San Luis Potosí, 239
San Francisco Javier (église), 54, 177
San Gabriel (couvent), 188
San Gabriel Barrera (hacienda), 55, 243
San Hipólito (église), 161
San Ignacio, 209
San Ildefonso (cathédrale), 325
San Ildefonso (collège), 157
San Jacinto (église), 169
San José del Cabo, 211
San Juan (arc), 325
San Juan (Baluarte de), 320
San Juan Bautista (église), 171
San Juan Chamula, 104, 308
San Juan Cosalá, 256
San Juan de Dios (église), 160
San Juan del Río, 103, 247
San Juna de Ulúa (château), 284
San Lorenzo, 29, 286
San Luis Potosí, 102, **239**, 279
San Lucas (cap), 211
San Marcos (jardin), 238
San Martin Tilcajete, 298
San Miguel (église), 287
San Miguel de Allende, 103, **244**
San Nicolás (collège), 258

San Nicolás (monastère), 185
San Patricio Melaque, 266
San Pedro Atocpán, 125
San Pedro Mártir (Sierra de), 207
San Pedro Tlaquepaque, **255**
San Quintín, 207
Sanborns (restaurant), 153
Santa Anna de Chinarras, 214
Santa Casa de Loreto (église), 244
Santa Clara, 89, 260
Santa Clara (église), 247
Santa Cruz (couvent), 247
Santa Maria Atzompa, 298
Santa María de Tule, 296
Santa María Tonantzintla (église), 54, 189
Santa Mónica (couvent), 187
Santa Mónica (église), 252
Santa Prisca (église), 193
Santa Rosa (couvent), 258
Santa Rosa (église), 187
Santa Rosa de Viterbo (église), 247
Santa Rosalía, 209
Santa Veracruz (église), 160
Santiago (église), 167
Santiago Apóstol (couvent), 297
Santiago Ixcuintla, 228
Santiago Tuxtla, 288
Santo Domingo (église) de Mexico, 157
– d'Oaxaca, 293
– de Puebla, 187
– de Zacatecas, 237
– de San Cristóbal de las Casas, 307
Sayil, 324
Scammon (lagune de), 208
Secretaria de Educación, 157
Serpents (mur des), 179
Serpents (pyramide des), 191
Sian Ka'an (réserve de), 315, 334
Siete Muñecas (temple), 327
Silla (Cerro de la), 217
Siqueiros (centre culturel), 167
Sisal (couvent), 330
Sna Jolobil, 104, 307
Soleil (pyramide du), 30, 183
Soleil (temple du), 310
Sonora (marché), 157
Stade olympique, 68, 172
Submarina (chapelle), 272
Sumidero (canyon du), 303

T

Tabasco, **301**
Tabasco 2000 (centre commercial), 301
Tamazunchale, 281
Tamiahua (Laguna de), 279
Tangolunda (Playa), 299
Tapachula, **305**
Tapatía, 250
Tarahumara (Sierra), **216**
Tarasca (haut plateau du), 88
Taxco, 54, **192**
Templo Mayor, **155**
Tenancingo, 195
Tenango de Arista, 195
Tenejapa, 309
Tenochtitlán, 36-38, 55, 132
Teopanzolco (pyramide), 101, 191
Teotenango, 195
Teotihuacán, **30**, **181**
Teotitlán del Valle, 104, 297
Tepanapa (pyramide), 189
Tepantitla, 184
Tepic, 228
Tepotzotlán, 54, **177**
Tepoztlán, 191
Tequisquiapan, 247
Tercera Orden (église), 326
Términos (Laguna de), 319
Tetela del Volcán, 104
Tetitla, 184
Texolo (chutes de), 286
Tiburón (île de), 86, 224
Ticu, 324
Tierra (Puerta de), 320
Tijuana, **205**
Tijuana (centre culturel), 206
Tlacolula, 297
Tlacotalpan, **288**
Tlahuicán, 191
Tlahuizcalpantecuhtli, 179
Tlamacas (col de), 193
Tlamanalli (restaurant), 297
Tlatelolco (ruines de), 101, **167**
Tlaxcala, **189**
Tlayacapan, 193
Todos Santos, 211
Tolatongo (Barranca de), 185
Toluca, 104, **194**
Tonalá, 102, 255, 304
Toniná, 309
Topolobampo, 226
Tortugas (parc des), 330
Tortugas (maison des), 323
Tres Marias (îles), 228
Tres Zapotes, 29, 288
Troncones (plage), 268
Trotski (maison de), 171
Tula, 35, **178**
Tulum, **333**
Tumbas (Patio de las), 296
Tuxtla Gutiérrez, **303**
Tzararácua (chutes de), 260
Tzintzuntzan, 38, 103, 260
Tzompantli, 329

U-V

Unión (jardin), 240
Université de Guadalajara, 110, 252
Université de Guanajuato, 241
Université autonome, **172**
Uruapan, 103, 260
Uxmal, **322**
Valladolid, 104, **330**
Vallarta, 265
Valsequillo, 188
Veracruz, 103, 117, 126
Vida (colonne de la), 296
Vidafel Mayan Palace, 273
Villa del Mar (Playa), 285
Villa del Oeste (studios), 219
Villahermosa, **301**
Virgen (Camarín de la), 178
Virgen de Loreto (chapelle), 178
Virgen del Rayo (église), 215
Virgen del Rosario (chapelle), 294

X

Xala, 181
Xalapa (Jalapa), 55, **285**, 289
Xcaret, 332
Xel-Há, 333
Xico, 286
Xilitla, 281
Xmuch Haltún (jardin), 320
Xochicalco, 191
Xochimilco (jardins de), 173
Xochistlahuaca, 104

Y

Yagul, 296
Yaxchilán, 87, 310
Yecapixtla, 54, 193
Yelapa (plage), 265
Yucatán, 33, 104, 125, 314, **317**
Yum-Ká (réserve de), 301
Yuriria, 245

Z

Zacatal, 319
Zacatecas, 19, 49, 102, **235**
Zapopán, 254
Zapotal (El), 286
Zicatela (plage), 298
Zihuatanejo, 268
Zinacantán, 93, 309
Zona Rosa, **163**
Zoológico Guadalajara, 255